VALSE PRAKTIJKEN

PETER SPIEGELMAN

VALSE PRAKTIJKEN

DE FONTEIN

ISBN 90 261 1895 3

NUR 332

Oorspronkelijke titel: *Death's Little Helpers*

Uitgegeven door Alfred A. Knopf, a division of Random House Inc., New York

© 2005 Peter Spiegelman

Voor de Nederlandse vertaling:

© 2005 Uitgeverij De Fontein bv, Postbus 1, 3740 AA Baarn

Vertaling: Pieter Janssens

Omslagontwerp: Studio Eric Wondergem

Grafische verzorging: v3-Services

www.uitgeverijdefontein.nl

NOOT VAN DE AUTEUR

Terwijl het verhaal plaatsvindt in en om de stad New York — een min of meer realistische plaats — zijn de personages en omstandigheden die beschreven zijn puur fictief. Enige gelijkenis met werkelijke mensen of gebeurtenissen berust op toeval.

— I —

'Als echtgenoot was hij een leugenachtige, egoïstische lul,' zei Nina Sachs terwijl ze haar zoveelste sigaret opstak. Haar zilveren aansteker weerkaatste het late aprillicht dat door de grote ramen viel. Ze schudde een lok donkerbruin haar uit haar gezicht en blies een rookpluim naar het hoge plafond. 'En als vader is hij geen haar beter. Maar hij is onze boterham, van Billy en van mij, en als hem iets overkomen is – als er geen geld meer binnenkomt – wil ik het liever vroeg weten dan laat.'

Nina Sachs was op enkele centimeters na een meter zestig en pezig. Haar korte, steile haren waren opgebonden in een stompe paardenstaart, weggekamd uit een smal, elfachtig gezicht dat vol beweging was. Grimassen, fronsen en spottende trekjes flitsten voorbij en ik zag vaak haar tanden, die onregelmatig maar niet onaantrekkelijk waren. Haar handen waren snel, evenals haar hazelnootbruine ogen, en haar huid was zo licht dat het web van kraaienpootjes nauwelijks te zien was. Nina Sachs liep tegen de veertig, maar ondanks het kettingroken leek ze tien jaar jonger.

'Waarom denk je dat hem iets overkomen is?' vroeg ik.

Ze sloeg haar benen over elkaar en weer terug en keek naar haar kleine, blote voeten en haar appelgroen gelakte teennagels. Ze sloeg ze opnieuw over elkaar en trok ze ten slotte onder haar lichaam. Ze speelde met een van haar zilveren oorbellen en krabde met de nagel van haar duim over een verfvlek in haar zwarte yogabroek. Ze nam opnieuw een trek van haar Benson & Hedges en wreef met de rug van haar hand over haar spitse kin.

'Ik heb ergens een foto van hem,' zei ze. Ze stond op van de groene leren sofa en liep met snelle stappen door haar atelier. Ze opende de middelste la van een zware ebbenhouten kast en zocht erin.

Ik had geen foto nodig om haar ex te herkennen. Hij was de laatste tijd niet vaak op tv geweest, maar iedereen die de afgelopen jaren naar de commerciële zenders had gekeken, had Gregory Danes maar al te vaak gezien. Maar ik liet haar zoeken. Ik was blij met de afstand – ze begon me, tussen het roken en frunniken door, op de zenuwen te werken.

'Waarom denk je dat er iets gebeurd is?' vroeg ik nogmaals. Ze trok de la uit de kast en kiepte hem om boven het bureau. Ze zocht in de stapel en zei, met haar rug naar me toe: 'Vijf weken geleden – vlak voordat hij Billy zou komen ophalen voor het weekend – belde hij om te zeggen dat hij niet kon. Hij was pisnijdig over het een of ander en zei dat hij verlof nam – ergens naartoe ging – en het moest uitstellen.' Een doosje paperclips gleed van de stapel en verspreidde zijn inhoud over de vloer. Nina vloekte en ging door met zoeken.

'Hij heeft vaak genoeg op het laatste moment afgezegd, dus ik keek er niet van op. Ik zei *oké, je doet maar* en we maakten een nieuwe afspraak voor over drie weken. Er gaan drie weken voorbij en we zitten te wachten tot hij Billy komt halen, maar hij laat zich niet zien. Geen telefoontje, geen bericht – geen woord. Ik heb zijn flat geprobeerd, maar daar werd niet opgenomen. Ik heb zijn antwoordapparaat ingesproken, maar geen reactie gekregen.' Ze draaide zich om en keek me aan terwijl ze opnieuw een diepe haal van haar sigaret nam. 'Dat was bijna twee weken geleden. Ik heb sindsdien zijn gsm geprobeerd, zijn kantoor, nog meer boodschappen achtergelaten... en niets gehoord.' Ze liet haar vingers over de onderkant van haar hals glijden. 'Misschien wil hij gewoon niet terugkomen, of misschien... ik weet niet wat. Daarom praat ik met jou.'

'Wat zeiden ze op zijn kantoor?' vroeg ik.

Nina snoof. 'Bij Pace-Loyette? Ze zeiden geen moer – het enige wat ik van ze kreeg waren smoesjes en een lulverhaal.' Enkele enveloppen en luciferboekjes voegden zich bij de paperclips op de grond. Ze staarde ernaar.

'Hoezo een lulverhaal?'

Nina draaide zich om naar het bureau en begon weer in de hoop te zoeken. 'Mijn advocaat vertelde me dat u bij de politie was voordat u privédetective werd.'

'Ik was hulpsheriff – rechercheur – in het noorden. Wat voor lulverhaal kreeg u van Pace-Loyette?'

Nina Sachs lachte. 'Hulpsheriff John March hè? Verdwijn voor zonsondergang uit Dodge en zo?'

'En zo. Wat voor lulverhaal, Nina?'

'Het was... ik weet het niet – raar. Ik belde zijn doorkiesnummer – in de veronderstelling dat ik zijn voicemail of zijn secretaresse zou krijgen – maar ik werd doorverbonden met een vrouw die Mayhew heette, van Bedrijfscommunicatie, zei ze, die me vertelde dat meneer Danes afwezig was en dat ik een bericht bij haar kon achterlaten. Toen ze merkte wie ik was, werd ze hysterisch en verbond me door met een of andere jurist. Hij begon vragen te stellen en ten slotte begon het me te dagen – zij weten evenmin waar Greg is.' Haar sigaret was tot het filter opgebrand. Ze tuurde ernaar en drukte hem uit in een klein metalen schaaltje op het bureau.

'Hij heeft je niet verteld waar hij naartoe ging?'

Nina schudde haar hoofd en viste haar sigaretten en aansteker uit haar broekzak. 'Hij vertelt me geen zak.'

'Heeft-ie eerder zoiets gedaan – zomaar weggaan?'

Nina haalde haar schouders op. 'Ik geloof het wel.'

Ik wachtte op meer, maar er kwam niets. 'Kun je er iets meer over vertellen?'

'Het is een paar keer eerder gebeurd. Eén keer, vlak nadat we uit elkaar gingen, is hij hem een dag of tien gesmeerd. En toen de scheiding erdoor was nog een keer, twee weken. En ik geloof dat er een derde keer was, een paar jaar geleden – niet lang nadat de SEC hem voor de eerste keer schorste – dat hij een week of zo weg bleef.'

'En al die keren ging hij er opeens vandoor – onaangekondigd, zonder iemand iets te zeggen?'

'Tegen mij zei hij in elk geval geen zak, en hij had ook niet gebeld. Hij ging gewoon een tijd weg en kwam terug.'

'Wat is er nu dan anders?'

Ze haalde opnieuw haar schouders op. 'Misschien niets, maar... hij is nooit eerder zo lang weggebleven. En de vorige keren belde hij om de afspraak met Billy af te zeggen – hij is nooit zomaar niet komen opdagen.' Nina draaide zich weer om naar het bureau en begon de rotzooi in het rond te schuiven.

'Hoe ben je vanuit het noorden hier terechtgekomen?' vroeg ze. Ik zuchtte. Ik had het twee dagen geleden allemaal al verteld, toen haar advocaat, Maggie Lind, me had gebeld om over referenties en honoraria te praten en deze afspraak te maken. Maar ja.

'Ik kom hier vandaan. Ik ben teruggekomen toen ik genoeg had van de politie.'

'Hoe komt het dat je niet meer bij de politie bent?' vroeg ze. 'Problemen gehad?'

'Ik heb ontslag genomen.'

'Ik wist wel dat hij hier ergens moest zijn,' zei ze. Met een spoor van rook achter zich aan trippelde ze over de vloer en overhandigde me een foto. Ze ging op de rand van de bank zitten.

Het was een polaroid, gekreukeld en vaag, van Nina en Danes naast elkaar aan een tafel met een glazen blad onder een grote, gestreepte parasol. Op de achtergrond zag ik palmbomen, bladerrijke planten en een deel van een zwembad. Danes was gekleed in een linnen broek en een guayaberashirt en Nina droeg een doorschijnende witte kaftan over een nat badpak. Haar haren waren langer en haar gezicht was voller en minder interessant – gewoner en onopvallend knap.

Danes zag er ongeveer uit zoals op tv: hetzelfde weerbarstige strokleurige haar, dezelfde regelmatige, op de een of andere manier onaffe gelaatstrekken, dezelfde diepliggende ogen, dunne lippen en vaag spottende glimlach – dezelfde algehele indruk van vroegrijpheid en arrogantie. Zijn hand lag op Nina's schouder en ze leek het niet erg te vinden en ik schatte dat de foto minstens tien jaar oud was – genomen vóór de scheiding, voordat Danes hoofd was geworden van Aandelenresearch bij Pace-Loyette en niet weg te branden van de commerciële zenders, vóór zijn langzame val. Ik keek Nina aan.

'Hoe zit het met zijn vrienden en familie?' vroeg ik. 'Heb je contact met ze gehad?'

'Ik zou niet weten met wie,' zei ze. 'Hij had niet veel vrienden toen we nog getrouwd waren en ik wed dat hij er nu nog minder heeft. En ik ken er in elk geval niemand van.

En wat familie betreft, Billy en ik zijn zo'n beetje de enigen. Gregs vader stierf toen hij vijf was. Zijn moeder is hertrouwd, maar zij en zijn stiefvader stierven kort nadat Greg afstudeerde. Hij heeft een gluiperige halfbroer ergens in Jersey, maar ik weet niet wanneer Greg die voor het laatst heeft gesproken.' Ze glimlachte en blies wat rook uit. 'Zielig hè?'

'Je zei dat hij nijdig klonk de laatste keer dat je hem sprak. Enig idee waarom?'

Ze schudde opnieuw haar hoofd. 'We nemen elkaar niet bepaald in vertrouwen. Zo'n verstandhouding hebben we niet.'

'Wat voor verstandhouding hebben jullie dan wel?' vroeg ik. Nina kwam niet verder dan een meesmuilende grijns toen er een gsm overging. Ze vloekte en volgde het geluid naar de bron, in de keuken, onder enkele pagina's van de *Times* die op het aanrecht was uitgespreid. Ze boog haar hoofd en praatte zacht. Ik stond op en rekte me uit.

Een van de wanden van het atelier bestond uit ramen van de vloer tot het plafond. Het glas in de metalen sponningen was dik en melkachtig en enkele ramen draaiden om een as. Ik duwde er een open en er drong een zachte bries naar binnen. Nina's appartement was in Brooklyn, op de derde verdieping van een oud fabrieksgebouw vlak bij Water Street, ingeklemd tussen Brooklyn Bridge en Manhattan Bridge en zo dicht bij de Brooklyn-Queens Expressway dat ik het suizen en dreunen van het verkeer kon horen. De buitenlucht was warm en doortrokken van uitlaatgassen, roet en de zure, zilte geur van de haven en de East River. Maar zelfs dat was beter dan de bedompte lucht van sigaretten, verf en verschaald voedsel binnen. Ik haalde diep adem en keek naar de kasseistraten onder me. Het was er rustig op maandagochtend. De losplaatsen aan de overkant waren leeg.

Ooit had ik regelmatig door deze buurt gezworven. Het was twintig jaar geleden en ik zat in groep acht en trok op met een joch dat Jimmy Farrelly heette. Jimmy woonde in Brooklyn Heights, in een herenhuis vlak bij de Promenade. Na schooltijd namen we de metro vanaf Manhattan en liepen vanaf station Clark Street naar de rivier. Als de buurt toen al een naam had, kenden we die in elk geval niet en als er al kunstenaars woonden, maakte het ons niet uit. We werden aangetrokken door de vervallen fabrieksgebouwen en leegstaande pakhuizen, door de rottende steigers en het latwerk van steen en ijzer erboven, en door een allesverterende belangstelling voor het roken van dope, het drinken van bier en het onderricht, door Jimmy's buurmeisje en haar vriendin Angela, in de finesses van het tongzoenen.

Er waren sinds die tijd veel kunstenaars in de buurt komen wonen, op zoek naar onderdak nadat plekken zoals SoHo, TriBeCa en East Village onbetaalbaar waren geworden. Ze waren gevolgd door de projectontwikkelaars en daarna de makelaars, die ons oude speelterrein een naam hadden gegeven, DUMBO, de afkorting van Down Under the Manhattan Bridge Overpass. Tegelijk met de naam waren de vlekkeloze kunstgaleries gekomen, zoals die op de begane grond, en de chique koffiebars, zoals die aan de overkant, en de designer-kruidenierszaken, zoals die om de hoek. De opmars van de vooruitgang.

Als ze niet een van de eerste bewoners was geweest, moest Nina een fortuin hebben betaald voor haar woning. Ze had een hele verdieping – minstens driehonderdvijftig vierkante meter – met goed licht en een weids uitzicht op de skyline van Manhattan, als je je nek rekte. De muren waren van schoon metselwerk dat een warme roze kleur had gekregen, en de vloeren waren van cement, afgestreken en gelakt, zodat ze glad waren en er nat uitzagen. Aan de hoge plafonds hingen nieuwe leidingen.

De verdieping was verdeeld in vier afzonderlijke ruimten. Aan de ene kant, achter witte scheidingswanden, waren slaapkamers en een bad. Daarnaast lag een open keuken met blankhouten kasten, stalen bladen en een gepantserde oven. De woonkamer werd gekenmerkt door tatami's en gedomineerd door de gestroomlijnde, L-vormige leren sofa, enkele bijpassend fauteuils, een groene glazen salontafel en hoge, vrijstaande kasten. De andere kant van de verdieping, afgescheiden door ongeverfde gipsplaten en een wit linnen gordijn, was Nina's atelier.

De ruimte was indrukwekkend; het was er bovendien een puinhoop. Behalve de kleine ravage die Nina op het bureau had aangericht lag er een omgevallen stapel beduimelde kunsttijdschriften naast de bank en een tweede stapel op een van de stoelen. Op de salontafel stond een lege Merlot-fles met twee plakkerig uitziende glazen ernaast. Op het aanrecht stonden nog twee flessen, plus de restanten van enkele maaltijden. De gootsteen stond vol vuile borden en alle asbakken waren tot de rand toe gevuld. Een puinhoop – maar een volwassen puinhoop.

Ik liep langzaam door de woonkamer en zag nergens een spoor van Billy. Geen studieboeken of strips, geen videospellen of rugzakken, geen trimschoenen of skateboards. Her en der lagen wel kleren, over stoelleuningen, op kasten, opgefrommeld onder een overvolle kapstok, maar niets ervan leek van een jongen van twaalf te zijn.

Nina stond nog steeds in de telefoon te mompelen en ik schoof het witte gordijn opzij en stapte haar atelier binnen. Het was groter dan de woonkamer en schaarser gemeubileerd. In het midden stonden een grote tekentafel en twee schildersezels. Ernaast stonden twee metalen serveerwagens vol kwasten, tubes verf, oplosmiddelen, paletten en ander schildergerei. Tegen de tegenoverliggende wand was een stalen aanrechtblad met ernaast een paar metalen schappen en meer gerei. Tegen de andere muur stond een minstens twee meter hoge spiegel in een vergulde lijst. In een hoek stonden een ventilator en twee reflecterende lampen naast een kale fauteuil en een stereo-installatie ter grootte van een melkpak.

Vergeleken met de rest was Nina's atelier om door een ringetje te halen. De schildersgereedschappen op de schappen en serveerwagens lagen keurig op een rij en waren schoon. De vloer was kaal en geschrobd. Het aanrechtblad was leeg, op een half dozijn penselen na die netjes op een rij lagen te drogen op de rand.

Aan de gipswand rechts van me hingen enkele potloodschetsen – twee van een vrouwelijk naakt in een leunstoel, een derde van hetzelfde model, maar dan knielend, met gebogen hoofd, en nog twee van iets wat op het Flatiron Building leek, op een rots boven een kolkende zee. Ze waren goed gemaakt, met vaste, gevoelige hand. Op een van de ezels stond een doek en ik liep ernaartoe om het te bekijken.

Ik had wat online-huiswerk gedaan voordat ik Nina ontmoette en wist dat ze enig succes had als kunstenaar. Ze had exposities gehad in New York, Boston en Londen die – voorzover ik de kritieken kon ontcijferen – goed waren ontvangen. Haar werk was ook aangekocht door enkele befaamde particuliere en bedrijfscollecties en onlangs had ze de aandacht getrokken van enkele musea in Chicago, Dallas en L.A. Maar

ik had nog nooit iets van haar gezien en ik wist niet wat ik kon verwachten.

Het was frappant. Het doek was ongeveer een meter hoog en zestig
centimeter breed en het was een olieverfschildering waarin blauw en grijs
domineerden. Ik herkende de onderwerpen van de schetsen aan de muur
– de driehoekige gebouwen, de woeste zee, de knielende gestalte. Het gebouw stond aan de rechterkant, enigszins op de achtergrond, en de zee
kolkte op de voorgrond en aan de linkerkant. De gebogen, knielende gestalte zat achter een raam halverwege het gebouw.

Maar het eindresultaat was heel anders dan de schetsen. Op het doek
was het gebouw hoger, maar delicater en op de een of andere manier leek
het op een veerboot. De zee was krachtiger en agressiever en ging zonder horizon over in een lege, kille lucht. Ook de zee zag er anders uit –
een kolkend geheel van stadsstraten waarin het gebouw tegelijkertijd kon
wegzinken en instorten. De knielende figuur was eveneens anders – leni-
ger en sensueler – en iets in de stand van haar schouders of in de hoek van
haar hoofd of de val van haar haren gaf je de zekerheid dat ze huilde.

En de schetsen gaven geen flauw idee van wat Nina deed met kleur en
licht. Haar oceaan was even dreigend als rook uit een fabrieksschoorsteen
en haar lucht was zo naargeestig als winters schemerlicht. De gele stralen-
krans rondom de knielende gestalte was even somber en troosteloos als
een kale lamp.

'Heb je gevonden wat je zocht? Of wil je ook in mijn ondergoedla snuffelen?' Ik had Nina niet horen binnenkomen. Ze stond naast de tekentafel, met haar gsm in de ene hand en een brandende sigaret in de andere.
Ze was stug en boos.

'Dit is mooi,' zei ik met een gebaar naar het schilderij.

'Geweldig. Schitterend. Wacht volgende keer op een uitnodiging. Ik ben
bijna klaar met bellen – dus maak dat je wegkomt.' Ze wachtte niet op een
antwoord, maar keerde snel terug naar de keuken en haar telefoongesprek.

'Ik zeg het nóg eens, Tony – ik doe verdomme geen installaties. Als je
vragen hebt, praat dan met Nes, niet met mij, oké?' Nina keek me aan
toen ik de woonkamer binnenkwam. Ik ging bij de ramen staan. 'Ik weet
het niet – ik ben ook geen antwoordapparaat. Bel de galerie en spreek een
boodschap in.' Ze klapte de telefoon dicht en gooide hem op het aanrecht.
Ze nam een trek en keek me door de rook heen aan.

'Je bent een nieuwsgierige klootzak, is het niet?'

'Daar betaal je voor,' zei ik. 'Maar misschien moeten we dat opnieuw
in overweging nemen.' Nina keek me even aan en toen ontspanden haar
kaken zich.

'Oké, ik was een beetje kortaf. Sorry – oké?' Ik keek haar enkele tellen aan en knikte. Nina glimlachte. Ze kwam de woonkamer weer binnen en ging op de sofa zitten.

'Wapenstilstand,' zei ze. Ze zag mijn verbazing en grinnikte. 'Je vroeg me wat voor relatie ik heb met Greg en dat is mijn antwoord – wapenstilstand.'

'En dat wil zeggen?'

'Dat wil zeggen dat we contact hebben als het moet – maar we vinden het geen van beiden leuk. Je weet hoe ík over hém denk; nou, hij denkt ongeveer hetzelfde over mij. Mijn manier van leven bevalt hem niet, evenmin als de mensen met wie ik omga. Hij mag me niet. Maar we hebben toch contact met elkaar – ter wille van Billy.'

'Hebben jullie de gezamenlijke voogdij?'

Nina nam nog een trek en zocht naar een asbak. 'Daar komt het op neer,' zei ze.

'Wat houdt dat in?'

Nina keek me meesmuilend aan, alsof ze wilde bijten, maar ze zette het van zich af. 'We hebben een soort informele overeenkomst. Officieel heb ik de voogdij en hij heeft recht op een maandelijks bezoek. Maar we hebben samen een regeling getroffen, die erop neerkomt dat hij Billy vaker ziet – als hij niet afzegt.'

'Betaalt hij kinderalimentatie?' Nina knikte. 'En gewone alimentatie?' Ze knikte opnieuw. 'Is hij bij?'

'Tot vorige week, toen de cheque niet kwam.'

'Als hij de voorwaarden niet nakomt, kun je naar de rechter stappen. Misschien helpen ze je zelfs met zoeken.'

Nina kneep haar lippen opeen en schudde haar hoofd. 'Je lijkt verdomme mijn advocaat wel. Maar geloof me, rechtszaken zijn beslist níét de manier om Greg te dwingen.'

Ik knikte en dacht even na. 'Je zei dat hij weinig vrienden heeft. Hoe zit het met vijanden – heeft hij die?'

Ze lachte luid. 'Niet meer dan een triljoen of zo. Als ik zo eerlijk mogelijk ben, John, moet ik zeggen dat Greg gewoon geen aardige vent is. Slim, ja – grappig zelfs, op een onaangename manier – maar niet aardig. En behalve de mensen die hem kennen en niet mogen, zijn er de velen die zijn beleggingsadviezen hebben opgevolgd. Ik denk dat die ook niet bepaald blij zijn met Greg.'

Daar zat iets in en ik lachte even.

'Maggie vertelde dat je goede referenties hebt,' zei ze. Ik knikte. 'Ze zei dat ze je niet persoonlijk kende, maar iedereen bij wie ze informeerde gaf je hoge cijfers voor intelligentie en doorzettingsvermogen.' Ik ontkende het niet. Nina vervolgde: 'Ik heb eens eerder een privé-detective in de arm genomen, weet je, tijdens de scheiding. Hij was ongeveer twee keer zo oud als jij en twee keer zo dik en ik moest heel langzaam praten en geen moeilijke woorden gebruiken.'

'Wat heeft hij voor je gedaan?'

'Foto's, creditcardafrekeningen – de gebruikelijke dingen bij een scheiding. Hij deed zijn werk.'

'Waarom heb je hem hiervoor niet gebeld?'

'Omdat ik hem niet verder vertrouwde dan ik hem zag. Plus dat hij inmiddels wel het leven het zal hebben gelaten.' Ze drukte haar sigaret uit en keek me aan. 'Dus hoe zit het – neem je de opdracht aan?' Ik staarde terug.

'Waarom heb je dit niet met de politie besproken?'

'De politie?' Nina Sachs keek onthutst. 'Waarom zou ik dat verdomme doen?'

'Omdat ze een heleboel mensen hebben die niets anders te doen hebben dan vermiste personen opsporen en ze beschikken over middelen en bronnen die ik niet heb. Als je echt denkt dat er iets ergs is gebeurd met Greg, is de politie de aangewezen instantie.' Nina schudde heftig haar hoofd en zocht in haar zak naar een sigaret.

'Ik peins er niet over. Aan mijn lijf geen politie. Weet je wat Greg zou zeggen als ik ze in zijn zaakjes betrok, ze liet snuffelen? Hij is zo bezeten van zijn reputatie – jezus – hij zou door het lint gaan.' Ik hief mijn hand op.

'Je hebt misschien niet veel keus. Zijn werkgever zou aangifte kunnen doen – als dat al niet gebeurd is – of een vriend of buurman. Of de pers zou er lucht van kunnen krijgen – op een dag met weinig nieuws zouden ze smullen van zoiets.

Als hem iets is overkomen... is hij je misschien dankbaar dat je de blauwe brigade hebt geroepen. Tenzij het al te laat is. En wat maakt het uit of hij kwaad op je is omdat je de politie erbij hebt gehaald – wat kan het jou schelen? Je lijkt hem sowieso niet te mogen.'

Nina stak opnieuw een sigaret op en schudde nogmaals haar hoofd. 'Ik mag hem dan misschien niet, maar, christus, ik heb nou eenmaal met hem te maken. Hij zou me het leven zuur maken vanwege zoiets – mij én Billy – geloof me.' Ze nam een trek. 'Als de politie erbij gehaald wordt, laat het dan door iemand anders zijn, niet door mij.' Nina keek me aan, wachtend op een tegenargument. Maar ik was niet van plan er een te geven.

Ik meende weliswaar wat ik over de politie had gezegd, maar ik wist wat ze waarschijnlijk zouden zeggen tegen Nina of wie het ook was die aangifte deed: dat er niets illegaals was aan een volwassen man die verdwenen was en evenmin iets bijzonders – het gebeurde elke dag, overal in het land, en er was maar zelden misdaad in het spel. Ze zouden de feiten noteren en aangezien Greg al vaker weken achtereen was verdwenen en er geen reden leek om een misdrijf te vermoeden, zou de zaak zich voegen bij een heleboel andere op een torenhoge stapel. De politie kon een heleboel wat ik niet kon – in elk geval minder makkelijk, of legaal – maar er was iets wat ik wél kon en zij niet: de hoogste prioriteit geven aan het vinden van Gregory Danes.

'Nou, hoe zit het?' vroeg Nina nogmaals. 'Doe je het of doe je het niet?' Ik keek haar aan en knikte en ze wierp me een korte, scheve glimlach toe.

Ik had een paar achtergrondvragen voor Nina en ze beantwoordde ze. Ik wilde net een eind aan het gesprek maken toen we een sleutel in het slot hoorden. De voordeur ging open en er kwamen een donkerharige vrouw en een jongen binnen.

De vrouw was ruim een meter zeventig lang, met gitzwarte, tot precies op schouderlengte geknipt haar. Het had een scheiding van opzij en viel met een glanzende lok over haar voorhoofd. Ze had een lang gezicht, een olijfkleurige huid en grote, amandelvormige ogen die donker en oplettend waren. Haar neus was recht en krachtig en paste mooi bij haar brede mond. Er lagen dunne lijntjes rondom haar mond en in de holte tussen haar lange, smalle wenkbrauwen en ik schatte haar jonger dan veertig, maar niet veel jonger. Ik had het idee dat ze van Latijns-Amerikaanse of Aziatische afkomst was, of allebei.

Haar groene zijden pakje was eenvoudig gesneden en de rok reikte tot net boven haar knieën. Haar kuiten waren slank, maar zagen er sterk uit. Ze droeg kleine gouden ringetjes in haar oren en een gouden ketting om haar slanke hals. Ze glimlachte tegen Nina en de sombere trekken verdwenen van haar gezicht. Haar gebit was regelmatig en spierwit. De glimlach verdween toen ze mij aankeek.

De jongen moest Billy zijn. Hij was klein – een meter vijftig – en tenger. Zijn haren waren heel kort en kastanjebruin zoals die van zijn moeder en hij had ook haar smalle gezicht – maar niet haar bleke huid. Zijn ogen waren waterig blauw en smeulend zoals die van zijn vader en hij had dunne lippen. Maar er was niets van Gregory Danes' spottende arrogantie in het gezicht van zijn zoon, nog niet tenminste. In plaats daarvan zag ik nukkigheid en boosheid.

Hij had sportschoenen aan die op bowlingschoenen leken, een wijde broek en een marineblauwe parka, te dik voor een warme voorjaarsdag. Hij schudde hem van zich af en liet hem liggen waar hij viel. Eronder droeg hij een te groot zwart T-shirt waarop in witte letters een stuk songtekst was gedrukt.

LIKE SITTIN' ON PINS AND NEEDLES
THINGS FALL APART, IT'S SCIENTIFIC

Er stond geen naam onder, maar ik herkende het: 'Wild, Wild Life' van de Talking Heads. Er is niets nieuws onder de zon. Billy's blik gleed over zijn moeder en mij heen en bleef niet hangen. Hij liep naar de keuken. Zijn magere, sproetige armen waren stijf.

Nina keek naar de donkere vrouw, die de deur op slot deed en een zware sleutelbos in een groene leren handtas terug stopte.

'Heeft de dokter hem onderzocht?' vroeg Nina.

De donkere vrouw keek naar mij en knikte uitdrukkingsloos. 'Ze heeft hem onderzocht en gezegd dat hij kerngezond is. Ze zei dat hij geen koorts had en dat het misschien een virus is dat rondwaart.' De stem van de vrouw had een mooi timbre en haar Engels was snel en precies, maar met een zwaar accent. Spaans. 'Hij kan gewoon naar school – vanmiddag al als hij wil.' Haar donkere blik flitste naar de keuken.

'Hij wil niet,' zei Billy met schrille stem. Zijn hoofd was verdwenen in de koelkast. De donkere vrouw trok veelzeggend een wenkbrauw op. Nina plette haar sigaret in een asbak. Billy leunde op de openstaande deur van de koelkast en keek erin. Nina woelde onbeholpen door zijn korte haren.

'Kom, lieverd, Nes maakt wel iets voor je klaar – of we laten iets brengen – en daarna kun je naar school. Ik wil niet dat je nóg een dag mist,' zei ze. Billy draaide zich met opgetrokken schouders onder haar hand uit.

'Ik wil niets en ik ga niet naar school,' jengelde hij. 'Ik voel me nog steeds beroerd.' Hij wierp een laatste blik van afkeer in de koelkast en verdween naar de slaapkamers. Nina deed de koelkast dicht en keek hem na. De donkere vrouw zuchtte diep.

'Hij is gewoon...' begon ze, maar Nina viel haar in de rede.

'Zeg maar niets, Nes. Ik weet wat hij gewóón is – hij is gewoon een wispelturig ettertje.' Ze schudde haar hoofd en liep Billy achterna. Ik hoorde deuren open- en dichtgaan en boze, gesmoorde stemmen.

Ik draaide me om naar de donkere vrouw, die de kamer rondkeek. Ze staarde naar de rotzooi op het ebbenhouten bureau en kneep haar lippen op elkaar. Ze zette haar groene tas neer, trok haar jasje uit en vond er op de een of andere manier een plekje voor aan de kapstok. Haar ivoorkleurige blouse had geen mouwen en haar armen waren pezig. Ze snoof en trok haar neus op. Ze zette een schakelaar om en ergens begon een grote ventilator te snorren; de lucht kwam in beweging en het werd frisser in het appartement.

Ze pakte de lade, schoof hem in het bureau en veegde de stapel op het bureaublad erin. Ze zakte door haar knieën, raapte de paperclips, enveloppen en lucifermapjes op, gooide ze in de la en deed hem dicht. Toen draaide ze zich om naar de kapstok.

Haar bewegingen waren snel, efficiënt en sierlijk. Kleren werden van de grond en de meubels geplukt en opgehangen of opgevouwen. Kranten werden op een schap gelegd. Tafels werden opgeruimd, werkbladen schoongeveegd, borden afgeschraapt, afgespoeld en in de vaatwasser gezet. Haar hakken klakten luid terwijl ze door het appartement liep. Ze zei geen woord en schonk me nog minder aandacht dan het meubilair.

Sinds de komst van haar en Billy had ik opeens het gevoel dat ik publiek bij een toneelstukje was – iets moderns en zeer experimenteels – niet zozeer opgevoerd voor mij als wel voor de acteurs zelf. Ik was voorlopig klaar met Nina en ik had gewoon weg kunnen gaan, maar dat deed ik niet. Ik was nieuwsgierig; ik wilde de afloop zien. Ik stond op, verzamelde een paar asbakken en bracht ze naar de keuken. De donkere vrouw stond bij het aanrecht en keek me aan.

'Pedaalemmer?' vroeg ik. Ze bleef me even aankijken en wees ten slotte.

'Daaronder,' zei ze. Ik gooide de asbakken leeg in de pedaalemmer en ging er nog een paar halen. Toen ik terugkeerde stond de vrouw haar handen af te drogen aan een theedoek.

'Sorry, ik was grof. Ik heb een hectische ochtend achter de rug.' Ze stak haar hand uit. 'Ik ben Ines Icasa. Jij bent de detective, ja?' Ines – Nes.

'John March,' zei ik. Haar handdruk was stevig.

'Kom, ga zitten,' zei ze en ik volgde haar naar de woonkamer. Ze pakte haar tas en we gingen op de bank zitten. Ze haalde een gouden aansteker en een blauw pakje Gitanes uit haar tas en zocht in het pakje naar een sigaret. Het was leeg.

'*Mierde*,' zei ze zacht en ze frommelde het pakje op. Er lag een onaangebroken doosje B&H op de salontafel en Ines ritste het open met een scherpe, goed gemanicuurde duimnagel. Ze trok er een sigaret uit, stampte hem aan, kneep het filter eraf en stak het rafelige uiteinde aan. Ik zou zuurstof nodig hebben als ik hier wegging.

'Dus je hebt het geregeld met Nina? Je gaat Gregory zoeken?' Ik keek Ines aan, maar zei niets. Ze leek het niet erg te vinden. Ze streek met haar lange vingers door haar haren en over haar hals en ik zag een litteken op haar gladde rechterarm, aan de binnenkant, net onder de elleboog. Het was breed, glimmend en vlak.

'Het is een afschuwelijke ellende,' zei ze en ze blies een grote wolk uit en keek toe hoe de luchtstroming hem meenam. 'Zo druk als ze het heeft – ze kan haar energie beter niet verspillen.' Ines richtte haar waakzame blik op mij. 'Maar dat is niet jouw zorg, ik weet het.'

Een deur ging open en dicht en Nina Sachs stond in de keuken. Ze leunde tegen het aanrecht, wreef met de muis van haar hand over haar voorhoofd en zuchtte. Ines liep naar de keuken, ging vlak bij haar staan en sprak zacht. Na een poos boog Nina haar hoofd en legde het tegen Ines' borst. Ines streelde haar haren en nek en Nina liet haar vingers over Ines' blote arm glijden, van elleboog tot schouder en terug. Toen boog ze zich licht achterover, hief haar gezicht op en ze kusten elkaar.

Ze kusten langzaam en langdurig en toen ze klaar waren keken ze me, met elkaar verstrengeld, aan. Ines' gezicht vertoonde geen enkele uitdrukking, op dat van Nina lag een glimlach die merkwaardig veel leek op die van haar man.

'Ben je er nog?' zei ze. 'Ik dacht dat we klaar waren.'

Ik knikte. 'Ik bel over een paar dagen,' zei ik. 'Eerder, als ik meer weet.' Ze wendden zich van me af en hervatten hun gefluisterde gesprek. Ik liet mezelf uit.

– 2 –

Flesh & Blood was een nieuwe gelegenheid, vlak bij Union Square, die zich gespecialiseerd had in rood vlees, wild, gevogelte en nostalgie naar de haussemarkt. Het was gevestigd in een voormalige brandweer-kazerne en het honderd jaar oude, drukke stucwerk, de tegelvloer en het koperwerk waren liefdevol gerestaureerd en aangevuld met donkere lam-briseringen, kristallen kroonluchters en een bar achterin die veel weg had van het jacht van J.P. Morgan. Het was een klein etablissement, maar de designers hadden met succes gestreefd naar de spelonkachtige sfeer en de oorverdovende herrie van veel grotere tenten. De wijnkaart besloeg enke-le boekbanden, evenals de lijst van single malts en aperitieven. De serveer-sters – er waren alleen serveersters – waren zonder uitzondering jong en aantrekkelijk en gekleed in korte zwarte rokjes en witte overhemden met een diepe hals. Als de stedelijke verordeningen het niet hadden verboden zouden er vast en zeker sigarettenverkoopsters op hoge hakken en in vis-netkousen langs de tafels zijn gegaan om de sigaren van de klanten aan te steken. Dankzij de mond-tot-mondreclame was het er stampvol, zelfs tij-dens de late lunch. Het was niet mijn soort gelegenheid, maar Tom Neary was een slaaf van de voedselmode en ik was hem een en ander verschul-digd – onder andere deze opdracht van Nina Sachs.

De trein vanuit Brooklyn had vertraging en Neary was er al toen ik aan-kwam. Hij stond bij de gastvrouw en ze leek een beetje zenuwachtig. Niet dat Neary bijzonder bedreigend was – met zijn korte, donkere haar, glad-geschoren knappe gezicht en hoornen bril kon hij doorgaan voor een vol-wassen padvinder. En hij zei niets en deed niet veel, behalve de gerechten bestuderen die de knappe serveersters aansleepten. Maar met zijn een me-ter negentig en honderdvijftien kilo was hij nogal nadrukkelijk aanwezig.

Neary droeg een donker kostuum, een wit overhemd en een gestreep-te das – hetzelfde G-Man-uiterlijk als toen ik hem had leren kennen, in de tijd dat hij op het FBI-kantoor in Utica werkte en ik rechercheur was in Burr County. Tegenwoordig echter waren zijn kleren van duurdere snit. Neary was al meer dan drie jaar weg bij de FBI en was nu hoofd van de afdeling Financiële Diensten voor het hele noordoosten van Brill Associates – een belangrijke baan bij een belangrijk beveiligings- en onderzoeksbureau.

Hij voelde zich in de particuliere sector beter op zijn gemak dan bij de FBI – zijn bazen bij Brill gaven hem veel meer vrijheid, zolang zijn prestaties maar op peil bleven. En sinds hij zich stevig in het management had genesteld waren de scherpe kantjes van zijn instinctieve wantrouwen jegens de autoriteiten er enigszins afgeslepen. En het betaalde natuurlijk stukken beter. Neary had zich altijd zorgen gemaakt over de morele grijze gebieden van het zakenleven – zijn jezuïetenopleiding, zei hij – maar hij leek het er aardig te redden en ik betwijfelde of hij er nog vaak aan dacht.

Er was een heleboel wat ik niet wist over Neary – ik was niet de soort man die hij uitnodigde voor zondagse barbecues in New Jersey of die met de kerst gezinsfoto's kreeg. Maar we matsten elkaar al jaren en ik wist de belangrijkste dingen – dat hij intelligent en onbuigzaam was en zijn kansen waarnam. Dat hij het verschil kende tussen wat juist en wat opportuun was. Dat ik hem kon vertrouwen.

Neary stak me een enorme hand toe en we begroetten elkaar. De gastvrouw keek opgelucht en bracht ons naar een tafel achterin. Neary hing zijn colbert over zijn stoel, maakte zijn stropdas los en vouwde een wit linnen servet open op zijn schoot. Een blonde serveerster dreunde het menu op en hij luisterde aandachtig, traag knikkend terwijl ze sprak. Ze vroeg wat we wilden drinken en ging en ik bekeek Neary wat aandachtiger.

Het succes eiste zijn tol. Zijn bruine ogen achter zijn bril keken vermoeid en de huid eronder was kwabbig en donker. Ik zag enkele nieuwe rimpels rondom zijn mond en enkele nieuwe grijze strepen in zijn haren. Zijn brede schouders waren afgezakt. Hij geeuwde, rekte zich uit en draaide zijn nek heen en weer. Ik sprak boven het rumoer uit.

'Te veel werk?' vroeg ik.

'Te veel werk, te weinig uren. Te veel vergaderingen, te veel gepraat...' Er klonk een zacht gerinkel onder de tafel en Neary haalde iets wat nauwelijks groter was dan een stok kaarten van zijn broeksriem. Het was zwart en had een klein schermpje en een toetsenbord aan de voorkant.

'E-mail,' zei hij. 'Net een verdomde elektronische hondenriem.' Maar hij las het bericht. Hij schudde zijn hoofd en bevestigde het apparaatje weer aan zijn broekriem.

De serveerster keerde terug met een mandje brood en onze drank, gemberbier voor Neary en cranberrysap voor mij. Ze vertrok met onze bestelling voor de lunch. Neary nam een paar slokken gemberbier en wreef door zijn vermoeide ogen. 'Heb je de opdracht aangenomen?' vroeg hij.

'Een uur geleden ongeveer. Bedankt... denk ik.'

'Je weet het niet zeker?'

'Nina Sachs ooit ontmoet?' vroeg ik.

Hij schudde zijn hoofd. 'Ik ken Maggie Lind al een tijdje en ik heb wat werk gedaan voor haar en haar cliënten – maar niet voor Nina Sachs. Hoezo?'

Ik haalde mijn schouders op. 'Een moeilijk mens.'

'Ik dacht dat dat de definitie van *cliënt* was,' zei Neary. Hij reikte over de tafel heen naar een broodje.

'Waarom heeft Brill dit afgewezen? Was het te klein voor jullie?'

'Onder andere daarom,' zei hij. 'Maar er was ook sprake van een belangenconflict. Brill is een serieuze gegadigde voor alle beveiligingsdiensten voor Pace-Loyette.'

Ik dacht er even over na. 'Nina Sachs vertelde dat Pace meer vragen dan antwoorden had over waar Danes zou kunnen zijn.'

Neary knikte en keek een glimmende, dampende elandbiefstuk na die ons tafeltje passeerde. 'Ik verwacht dat, als we deze schoonheidswedstrijd winnen, het vinden van Danes een van de eerste dingen zal zijn die de Pace-directie ons zal vragen. Als jij hem tegen die tijd al gevonden hebt, des te beter.'

Ingewikkeld hoor. Ik glimlachte. 'Waarom zijn ze zo geïnteresseerd?'

'Danes is niet de eerste de beste kantoorpik,' zei Neary.

'Dat weet ik – hij is hun geniale effectenanalist – of was dat tot voor een paar jaar, toen hij tegelijk met alle andere crashte en verbrandde. Hij zal nu wel net zo zijn als alle andere ex-supersterren – de hondendrol op de keukentafel die iedereen probeert te negeren.'

Neary glimlachte. 'Zijn bazen zijn bang dat hij weleens een explosieve hondendrol zou kunnen zijn.' Ik trok een wenkbrauw op en Neary vervolgde: 'Lees je de artikelen in de *Journal*, over ophanden zijnde juridische stappen?' Ik schudde mijn hoofd. 'Ik dacht dat je die dingen bijhield,' zei hij glimlachend. 'Ik dacht dat het je in het bloed zat.'

'Ik word ervoor behandeld. Wat zegt de *Journal*?'

'Ze zijn bezig met een serie artikelen over wat de volgende golf FBI-acties zou kunnen zijn. Ze vermoeden dat de SEC en Justitie de kleinere, gespecialiseerde bedrijven onderzoeken – de nichespelers – en dat ze vast van plan zijn iedereen aan te pakken die niet naar Jezus zijn gekomen toen ze de kans hadden, een paar jaar geleden.'

'En Pace is daar een van?'

'Ja. Ze hebben een leuk franchisebedrijfje dat hightechbedrijven investeringsdiensten aanbiedt. Een soort supermarkt: accountancy, verzekeringen, leningen, syndicaatvorming en research. En een heleboel mensen vinden dat ze nooit echt met de billen bloot zijn gegaan toen de analis-tenpleuris uitbrak. Dat zou ze deze ronde een serieuze kandidaat voor FBI-aandacht kunnen maken. Het Pace-bestuur heeft – verrassing! – elk wangedrag altijd consequent ontkend, maar het is geen geheim dat het ze-nuwachtig is.'

'Onder andere vanwege Danes?'

'Hij is heel lang hun belangrijkste analist geweest. Hij zou onvermij-delijk het middelpunt zijn van een eventueel onderzoek naar de vraag of Pace met zijn beleggingsadviezen heeft gesjoemeld om zich in te likken bij de cliënten – of potentiële cliënten – van hun investeringsbank. Een bedrijf in die positie moet een beetje naar de pijpen van iemand zoals Da-nes dansen. Zo iemand staat zwaar onder druk. Hij zou... onvoorspelbaar kunnen zijn. Hij zou schade kunnen berokkenen. Dus moeten ze een paar stevige gesprekken hebben.'

'Zoals? Of ze hem aan de FBI kunnen voeren voordat hij zelf een deal sluit?'

Neary lachte. 'Zo ongezouten hebben ze het niet gezegd,' zei hij. Hij dronk zijn glas leeg en wenkte de serveerster om een tweede te bestellen. 'Maar ze maken zich zorgen over wat Danes van plan kan zijn.'

'Is dat de gewone bedrijfsparanoia of heeft Danes ze een reden gegeven?'

'De laatste keer dat ze hem zagen stormde hij zijn kantoor uit na een twintig minuten durende hooglopende ruzie met het hoofd van de juridi-sche afdeling en mompelde hij iets over zijn mail doorsturen naar de SEC. En voordat ze het weten is hij met verlof. Dat maakte ze een tikkeltje ner-veus.'

'Heel dramatisch,' zei ik.

'Maar niet ongewoon,' zei Neary. 'Niet voor hem. Weet je veel over hem?'

'Niet heel veel. Ik heb hem op de buis gezien – zij het niet onlangs. Ver-der heb ik gehoord dat hij een klootzak is, onbetrouwbaar, een slechte va-der, een leugenaar en dat hij geen vrienden heeft – de gebruikelijke praatjes van een ex. Maar ik realiseer me dat dat misschien niet het hele verhaal is.'

Neary maakte een schokschouderend *misschien wel, misschien niet*-gebaar en wilde iets zeggen, maar hij werd onderbroken door onze serveerster met de lunch. Neary's bizonsteak was bloederig en sappig en dreigde zijn bord te overweldigen. Mijn boerenbrood met eend was een beetje kleiner – een beetje slechts. Ze zette de schalen met worteltjes, gestoomde spina-zie en gekruide uienringen midden op de tafel. Ik nam een hap van mijn sandwich. Neary sneed een stuk van zijn steak en kauwde erop met ge-sloten ogen. Hij zuchtte en knikte in zichzelf. Ten slotte keerde hij terug naar de aarde.

'Ik heb hem nooit ontmoet, maar ik heb wat vertrouwelijke informatie gekregen van een paar lui bij Pace. Volgens hen is Danes een enorme lastpost – een egotripper, een bullebak en een halvegare op de koop toe, misschien meer dan een halve.' Hij zweeg om nog een hap bizon te proeven. Zijn gezicht kreeg weer wat kleur en zijn ogen keken wat minder troebel.

'Toen de markt op een hoogtepunt was en hij om de andere dag op tv was, was hij een echte prima donna. Hij denderde door het kantoor als een olifant in een porseleinwinkel, terroriseerde iedereen die zijn pad kruiste – inclusief de hoogste bazen.'

'Leuke hobby, maar misschien niet verstandig.'

'Hij maakte zich kennelijk niet veel zorgen. Hij vond zichzelf de geweldigste uitvinding sinds het gesneden brood – of in elk geval de slimste – en de pers stond achter hem. De minder begaafden – die volgens hem zowat de rest van de wereld vormden – tolereerde hij amper. En ik heb me laten vertellen dat hij een speciale minachting reserveerde voor het bestuurscomité van Pace-Loyette – zijn bazen. Vond ze bureaucraten, tweederangs figuren enzovoort en hij stak zijn mening blijkbaar niet onder stoelen of banken.'

'En niemand heeft hem ooit naar het kolenhok gesleurd voor een stevig pak billenkoek?'

Neary schudde zijn hoofd. 'Ik geloof dat het bestuur een paar keer heeft geprobeerd hem de mond te snoeren, maar in die tijd – toen de markt op zijn hoogtepunt was en Danes hun steranalist was – had hij zijn directie bij de kladden en dat wist hij.'

'Zo te horen meer een handelaar dan een analist.'

Neary knikte. 'Behalve dat hij indertijd meer verdiende dan welke handelaar ook bij Pace.' Hij prikte een uienring van zijn bord.

'Ik neem aan dat hij zijn toon matigde toen de markt inzakte.'

'Dat zou je denken – maar nee. Volgens de mensen bij Pace werd het alleen maar erger. Van de ene dag op de andere van held in zondebok veranderen was een fikse dreun – begrijpelijk misschien. Ik bedoel, de ene dag is hij ieders favoriete marktdeskundige en de volgende wil niemand hem aan de lijn hebben. Dat moet pijn doen.' Neary schudde zijn hoofd en pakte nog een paar uienringen.

'Toen hij de eerste schok eenmaal te boven was, stapte hij naar de directie en eiste dat ze zijn goede naam zouden verdedigen – zet de huifkarren in een kring, roep de cavalerie, zoiets. Het ging natuurlijk uit als een nachtkaars. Pace-Loyette wilde alleen maar dat het overdreef en hun tactiek was dat ze zo weinig mogelijk zeiden. Ze stelden Danes voor hetzelfde te doen. Dat maakte hem blijkbaar gek – of nog gekker. Van arrogant en minachtend veranderde hij in openlijk vijandig – en paranoïde. Hij beweerde dat de directie hem als zondebok gebruikte.'

Ik kauwde even op mijn sandwich en dacht na terwijl Neary een eind maakte aan zijn bizon. 'Als hij zo vijandig is – en zo kierewiet – waarom heeft Pace hem dan niet de laan uit gestuurd?'

Neary legde zijn bestek in ruststand en pakte zijn servet. 'Zonder die sec-dreiging en de grieven van de investeerders die nog steeds ronddobberen zouden ze dat gedaan hebben. Zoals het er nu voor staat, aarzelen ze om hem de zak te geven – en er zo voor te zorgen dat hij getuige à charge wordt bij eventuele maatregelen. Ze moeten althans de schijn van een gesloten front ophouden.'

'Waarom doen ze dan niet wat andere bedrijven ook hebben gedaan: een deal sluiten – een bedrag overeenkomen in ruil voor een geruisloos ontslag?'

'Afgaande op wat ik hoor is het bij Danes een kwestie van ego, niet van geld. Hij wil eerherstel – hij wil wraak. Hij heeft geen interesse in stilletjes opkrassen.'

'Dus hij heeft ze nog steeds bij de kladden.'

'Hij schijnt er talent voor te hebben.'

Ik verorberde mijn sandwich en de serveerster kwam om de tafel af te ruimen. We zagen af van een dessert, maar zeiden ja tegen koffie.

'Hoe betrouwbaar is de informatie van de *Journal*?' vroeg ik. 'Hoe groot is de kans dat de FBI Pace op de korrel neemt?'

Neary snoof en schudde zijn hoofd. 'Hoe moet ik dat verdomme weten? Ik ben tegenwoordig nauwelijks méér welkom dan jij in One St. Andrew's – helemaal niet dus. En ook in het Woolworth Building kijken ze me met de nek aan.'

One St. Andrew's Place is in het centrum, vlak bij de gerechtsgebouwen en de City Hall en je vindt er het kantoor van de openbare aanklager van district Zuid van New York. Neary en ik hadden eind vorig jaar met dat kantoor te maken gehad, in het kader van een zaak waarmee hij me had geholpen, en de kwade wil die we in ons kielzog hadden achtergelaten strekte zich een blok of wat uit naar het westen, tot Broadway 233 – het Woolworth Building – en de regionale kantoren van de Securities and Exchange Commission.

'Zeg nou niet dat die lui niks beters te doen hebben dan wrok koesteren,' zei ik.

Neary lachte zuur. 'Maak jezelf niks wijs – daar werden we speciaal in getraind, in Quantico.'

'Toch vind ik het moeilijk te geloven dat al je bronnen opgedroogd zijn.'

Neary haalde zijn schouders op. 'Ik heb een paar vrienden die me vertellen dat Pace gewoon een van de vele firma's is waar de SEC naar kijkt. Er is blijkbaar nog niets besloten over wie of wanneer.'

'Hebben ze met Danes gepraat?'

'Voorzover ik weet niet.' De serveerster schonk ons nog eens in en Neary's riem ging weer over. Hij pakte zijn gsm, tuurde naar het kleine scherm en las. Hij schudde zijn hoofd en zuchtte.

'Stik, John – als we dit gezeik nou eens vergaten en samen iets in de horeca gingen doen? Misschien een bistro in Murray Hill of een tapasbar in de East Village. Het kan niet erger zijn dan dit.' Hij nam een slok koffie en ik glimlachte.

'Heeft Pace aangifte van vermissing gedaan?' vroeg ik hem. Neary haalde zijn grote hand door zijn haren.

'Nog niet. Ze hebben zichzelf tot dusver wijs kunnen maken dat het niet hun pakkie-an is. En ze hebben bepaald geen haast om hem terug te krijgen. Bovendien zijn ze niet kapot van politieaandacht of de publiciteit die daarmee gepaard gaat.' Neary zocht in een binnenzak van zijn colbert.

'Een cadeautje voor je,' zei hij. Het was een boekje met een geel omslag. Op de voorkant stond een grijs vierkant met daarin in zwarte hoofdletters 'PLS'. 'Het telefoonboek van Pace-Loyette. Ik heb de namen aangekruist die je misschien interesseren.' Ik keek Neary aan. Hij keek terug.

'Je bent verschrikkelijk behulpzaam vandaag,' zei ik. 'En je kent een hoop Pace-Loyette-roddels, in aanmerking genomen dat ze nog geen client zijn.' Neary glimlachte mysterieus en nam nog een slok koffie.

'Ik bezin graag voordat ik begin,' zei hij. Ingewikkeld hoor.

Het liep al tegen de avond toen Neary en ik Union Square overstaken naar het metrostation. Het was niet druk op de markt op het plein en de kooplui bevoorraadden hun kramen opnieuw voor de avonddrukte. Het pittige aroma van gebak, de geur van snijbloemen en de naar aarde geurende landbouwproducten en potplanten maskeerden de minder aangename stadsgeurtjes. De hemel was vol hoge, dunne wolken en bleekroze licht. De lucht was warm en vol van het voorjaar. We liepen langzaam en bekeken in het voorbijgaan de kramen. Neary's gsm ging onderweg enkele keren over, maar hij negeerde het. We staken 14th Street over, bleven voor het station staan en gaven elkaar een hand.

'Zie je je buurvrouw nog weleens – hoe heette ze ook alweer?' vroeg Neary. De vraag overviel me.

'Jane... ze heet Jane,' zei ik.

Hij knikte. 'Je ziet er... beter uit.' Zijn riem ging weer over en bijna op hetzelfde moment trilde zijn gsm. 'Kut,' zei hij en hij verdween in de metro.

Ik was vlak bij huis en liep terug over de markt. Ik stopte bij een bloemenstal om tulpen te kopen, voor Jane.

De winter was vroeg ingevallen – ruim voor de kerst – en had stevig standgehouden tot 1 april. Bijna elke week had een storm gebracht en tussen de sneeuwstormen en de ijzel door waren er lange perioden geweest van bijtende kou en adembenemende wind. Het was alsof ik een eeuwigheid door ijs en natte sneeuw en zwart geworden stadssneeuw had gerend. De afgelopen weken waren dan ook een godsgeschenk geweest.

De sneeuwhopen en de vieze ijsrichels waren van de ene dag op de andere van de trottoirs en de kruispunten verdwenen en een plensbui drie weken geleden – de dag waarop de klok was verzet – had het achtergebleven zand en zout en afval weggespoeld. Tere bloesems waren aan de bomen verschenen, vaag eerst, als aarzelende groene schetsen, daarna kleurrijker en overtuigender. Gras schoot uit op de vuile plekken in de parken. Zelfs nu zagen de trottoirs en gebouwen er schoongeschrobd en verbaasd uit – als een dronkaard die voor het eerst sinds lange tijd nuchter en in zijn eigen bed wakker wordt.

In 20th Street sloeg ik af in westelijke richting en rende tussen Peter Cooper Village en Stuyvesant Town. Op First Avenue zette ik koers naar het zuiden en in 17th Street opnieuw naar het westen, langs enkele gebouwen van het Beth Israel Hospital en naar Stuyvesant Square. Ik had er ruim zeven kilometer op zitten. Ik keek op mijn horloge. Het was zeven uur geweest en er was nog steeds wat licht aan de hemel. Ik voelde me los en soepel en mijn ademhaling ging gemakkelijk. Ik was goed voor nog eens drie rondjes. Ik ontweek een stel hondenuitlaters op Rutherford Place en rende via 15th Street naar het westen. Gedachten sprongen en schoten door mijn hoofd terwijl ik rende, als een balletje in een roulettewiel.

Nina Sachs was een nerveuze, prikkelbare vrouw en ze straalde een spanning uit die zich door haar huishouden leek te verspreiden. Je zag het terug in haar zoon – in de pijnlijke draai van zijn schouders wanneer hij ineenkromp onder zijn moeders aanraking, en in zijn schrille, boze stem. En ook in Ines Icasa – in haar snelle bewegingen door het appartement en in haar gezicht, dat als een glad, donkerogig masker was.

Er klopte iets niet in Nina's verhaal. Misschien haar onwil om de politie erbij te halen – met het risico dat ze de man boos maakte die ze zo duidelijk minachtte – dat sloeg nergens op. Maar ik kende genoeg gescheiden stellen om te weten dat hun gedrag zelden ergens op sloeg – zeker niet als er kinderen bij betrokken waren. En ik had een paar cliënten gehad van wie de verhalen niet minstens evenveel vragen hadden opgeroepen.

Ik sloeg af in noordelijke richting naar Irving Place. Het was stil op straat en er viel geel licht door de ramen van de huizen en de oude bakstenen flatgebouwen. Rondom het huizenblok stonden spichtige bomen vol witte bloesems. Een windstoot deed er een paar als dikke sneeuwvlokken door de lucht dwarrelen toen ik eronderdoor liep. Ik dacht aan Jane Lu.

We hadden elkaar afgelopen november leren kennen, toen Jane het appartement boven het mijne had betrokken en het lot – in de gedaante van mijn jongere zus Lauren – onze ontmoeting onvermijdelijk had gemaakt. Het appartement waarin ik woon is eigendom van Lauren en ze werkt bij het dotcombedrijf dat Jane het afgelopen jaar weer gezond heeft gemaakt. Lauren koestert ook een aandoenlijke, zij het soms opdringerige belangstelling voor mijn sociale leven. In dit geval echter had ik geen klachten. Ik voelde me onmiddellijk aangetrokken tot Jane, sterker dan ik in lange tijd had gevoeld.

Tegen nieuwjaar waren Jane en ik minnaars en in de weinige uren dat we niet werkten – in de rafelranden van late avonden, vroege ochtenden en zeldzame vrije weekends – ontstond er een soort intimiteit. We sliepen en aten samen, we wandelden door de stad en praatten honderduit over werk, politiek en de belabberde toestand in de wereld. Het was, naar de klok gerekend, niet veel tijd, maar het was in de jaren sinds de dood van mijn vrouw meer tijd dan ik met iemand behalve mezelf had doorgebracht. Het was ook heel wisselvallig.

Stilzwijgend hielden we onze relatie in de tegenwoordige tijd – met weinig verwijzingen naar ons verleden en helemaal geen naar een andere dan de meest nabije toekomst. En als iets dat evenwicht dreigde te verstoren, trokken we ons terug in de vertrouwde zekerheid van ons werk. Ik had daar enige ervaring mee en Jane eveneens.

Jane trok zich niet vaak terug, hoewel ze genoeg redenen had om voorzichtig te zijn. Sterker nog, ze had genoeg redenen om me met geen tang aan te raken. Niet lang nadat we elkaar hadden ontmoet was Jane meegevoerd – en bijna weggevoerd – door de heftige golfstroom van een van mijn zaken – dezelfde waardoor ik in conflict was gekomen met de plaatselijke FBI. Ze was slechts lichtgewond geraakt, maar ze was door het oog van de naald gekropen, en ze was ooggetuige geweest van de weerzinwekkende dingen die in mijn leven tot uitbarsting konden komen – het hoorde erbij. Jane zelf had nooit over het geweld gesproken en ik had er nooit naar gevraagd, maar ze wist hoe dichtbij het was geweest – minder dan centimeters – en ze wist hoe mijn vrouw was gestorven.

Ik bereikte Irving Place en rende twee keer om Gramercy Park heen. De hemel werd roder en de diepe schaduwen van de gebouwen vielen rond het plein. Ze lagen als een purperen deken over het omheinde park en over de wandelaars achter het zwarte smeedijzeren hek.

Het zou in augustus vier jaar zijn – vier jaar sinds Anne was vermoord, het laatste slachtoffer van een man die ik had verdacht van een lange reeks moorden. Vier jaar sinds mijn arrogantie en domheid haar in gevaar hadden gebracht. Ik was meteen na de begrafenis opgehouden politieagent te zijn – of wat dan ook – hoewel het nogmaals enkele maanden had geduurd voordat ik voldoende nuchter was om ontslag te nemen. Daarna was ik alleen met een vraatzuchtig, zelfzuchtig en woedend verdriet waarvan ik zeker was geweest dat het me met huid en haar zou verslinden.

Zo was het niet gegaan – tenminste, niet helemaal. Het had enkele scherven achtergelaten – stukjes en beetjes, enkele draden en een paar splinters – waarvan ik een leven aaneen had gelijmd – een *half leven*, zei mijn zus Lauren altijd – van werken en rennen en eenzaamheid. Het was schamel, maar beheersbaar. Het was wat ik had en wat ik kende en ik was er niet zeker van of ik veel meer zou aankunnen.

Bij Lexington Avenue sloeg ik af in noordelijke richting en verhoogde mijn tempo.

Het was bijna halfacht toen ik weer in 16th Street aankwam. De halfronde ramen in de voorgevel van het gebouw waarin ik woonde waren donker. Ik nam de lift naar de derde verdieping en deed enkele lampen aan. Mijn flat is niet half zo groot als die van Nina Sachs, maar groot genoeg, met hoge plafonds, geloogde houten vloeren en één muur die uit hoge ramen bestaat. Aan de ene kant is een open keuken van kersenhout en graniet en aan de andere een slaapkamer en een badkamer, met daartussenin enkele comfortabele meubels, de meeste van leer en donkere houtsoorten.

Ik dronk wat water uit een fles in de koelkast. Daarna deed ik tien minuten lang rekoefeningen, kleedde me uit en stapte onder de douche. Toen ik er weer uit kwam, rook ik curry, koriander en kokosmelk en ik hoorde zachte gitaren. Ik sloeg een handdoek om mijn middel en liep de badkamer uit.

Jane wuifde naar me vanaf de andere kant van het appartement. Ze zat aan het hoofdeind van mijn lange eikenhouten tafel, een gsm aan haar oor, een pen in haar hand en een dikke stapel papieren voor zich. Verderop op de tafel stond de maaltijd – kipsaté, pad thai, in curry en kokosmelk gekookte groenten en krabloempia's – allemaal van het Thaise restaurant om de hoek. Caetano Veloso zong zacht Portugese liederen op de stereo-installatie. Ik pakte een krabloempia uit het witte kartonnen doosje en nam een hap.

'Stik,' zei Jane in de telefoon. 'We hebben ze het overzicht drie weken geleden gestuurd, Roger. Zijn ze er nu pas aan begonnen? De luie kloot-

zakken.' Ze droeg een wit T-shirt van het MIT boven een strakke spijkerbroek. Haar kleine voeten waren bloot en er stonden twee zwarte loafers
onder haar stoel. Ze had haar linkerbeen onder haar lichaam getrokken en
schoof met de bal van haar rechtervoet zacht over de vloer.

Jane was ongeveer een meter zestig lang, slank, met een welgevormde
laag spieren op haar armen en benen en op haar vlakke buik. Haar korte, gitzwarte haren waren vochtig en ik vermoedde dat ze zich thuis even
had gedoucht en omgekleed. Ze luisterde naar Roger, humde en maakte aantekeningen in de marge en er lag een aandachtige uitdrukking op
haar hartvormige gezicht. Haar kleine mond was samengeknepen en de
uitstulping in haar onderlip was meer geprononceerd. Ze fronste haar fijne wenkbrauwen terwijl ze haar blik over de pagina's liet glijden. Ze leek
veel jonger dan de vierendertig die ze was.

Jane maakte enkele laatste aantekeningen en schoof het document opzij. Roger praatte en ze trommelde met haar korte, glanzende nagels op
het tafelblad. Ze pakte een ander document en bladerde het door.

'Ik ben op pagina zeven van de voorlopige overeenkomst, derde alinea
– ben je er?' Ze wachtte. 'Ze hebben de winstdoelstelling voor het tweede
jaar opgeschroefd – ja, alle vier de kwartalen.' Roger zei iets en Jane keek
me aan en liet haar ogen rollen. Ze maakte een *nog even*-gebaar. 'Idem dito
met de verwachte personeelsbezetting op de volgende bladzijde. Zie je
het? Oké, ik moet nu gaan eten. Ik bel je als ik weer op kantoor ben.' Ze
lachte. 'Ja, ik eet echt, Roger.' Ze klapte haar telefoon dicht, gooide hem
op tafel en zuchtte diep. Ze bekeek me van top tot teen.

'Leuke outfit,' zei ze glimlachend.

Ik glimlachte terug. 'Blij dat het je bevalt. Hoe gaat het met je transactie?'

'Moeizaam is het beste woord. Wat je kunt verwachten met advoca-
tenkantoren en banken, denk ik – hopen hoog opgeleide mensen die veel
uren in rekening brengen zonder echt veel werk te verzetten. Mag ik de
mie?' Ik gaf Jane een schaal en een stel eetstokjes. Ze at uit het doosje. Ik
ging naast haar zitten met het doosje krabloempia's.

Jane is algemeen directeur op huurbasis – een soort opperconsulent die
te hulp wordt geroepen door de besturen van bedrijven in moeilijkheden,
om het zinkende schip te redden – of in elk geval een goede prijs te krijgen voor het wrak. Haar opdrachten zijn altijd van korte duur, twee jaar of
korter, en ze vraagt – en krijgt – een percentage voor haar inspanningen.
Jane was ongeveer een jaar geleden bij het dotcombedrijf betrokken, door
de participatiemaatschappij die een meerderheidsbelang had in de onderneming. Haar opdracht behelsde dat ze het bedrijf weer op de been moest
helpen, winstgevend maken en een koper zoeken en door een combinatie

van angstaanjagende intelligentie, onuitputtelijke energie en ijskoude politieke gewiekstheid, gewikkeld in onweerstaanbare charme, was ze er geknipt voor. Ze had de afgelopen zes weken het grootste deel van haar tijd aan de transactie besteed.

'Ga je echt terug?'

'Ik moet wel. Ze bekijken onze contracten morgen en ik heb mensen die zich voorbereiden. Ze zullen hulp nodig hebben.'

'Dus het gaat door?'

Jane pikte een krabloempia uit mijn doosje. 'Het gaat door. Ik word er misschien tien jaar ouder door, maar het gaat door. Het is een buitenkans voor de kopers, een uitstekende prijs voor ons en het beste voor het bedrijf. Iedereen wint erbij. Schuif de groenten eens hierheen.' Ik deed het en nam een hap kipsaté. 'Vragen ze nog steeds of je wilt blijven?'

Jane kreunde en schudde haar hoofd. 'Het is maar een bevlieging,' zei ze. 'Ze komen er wel overheen.' Ze stond op, verzamelde haar paperassen en legde ze op het aanrecht. Ze zag de tulpen. 'Mooi,' zei ze.

'Ze zijn voor jou,' zei ik en Jane glimlachte. Ze opende een kastdeur onder het aanrecht en pakte een schaar en een blauwe glazen vaas. Ze sneed het cellofaan open en knipte een centimeter of twee van de onderkant van de stelen af. Haar bewegingen waren snel en zeker. Ze liet water in de vaas lopen en zette de tulpen erin.

'Kunnen ze niets doen om het de moeite waard te maken?' vroeg ik.

'Nee. De kopers zijn oké, maar het is een groot bedrijf en veel te veel een jongensclub naar mijn smaak. Geen denken aan dat ik dat nog eens doe.'

Jane had na haar studie economie enige tijd gewerkt bij een prestigieuze investeringsbank en bij een groot bedrijfsadviesbureau en beide ervaringen hadden haar het vaste voornemen ingegeven altijd eigen baas te blijven.

'Bovendien,' zei ze, 'heb ik een zwaar jaar achter de rug. Ik ben nog een paar weken met deze deal bezig en daarna wil ik alleen maar de zonsondergang tegemoet rijden.' Jane keek naar me omhoog. 'Heb je er nog over nagedacht om mee te rijden?' vroeg ze en de lucht tussen ons leek te betrekken.

In de weinige vrije tijd die ze zichzelf gunde van kantoor en het afsluiten van de overeenkomst had Jane plannen gemaakt voor een lange vakantie en ze had mij gevraagd mee te gaan. Er verschenen nu al wekenlang reisgidsen en reistijdschriften in mijn appartement en we hadden bijna even lang om de hete brij heen gedraaid. Het was telkens weer een voorzichtig touwtrekken geweest, een behoedzaam testen van weerstand en evenwicht op plotseling glibberig terrein. En telkens werden we wat gespannener.

'Natuurlijk,' zei ik.

Ze trok een wenkbrauw op. 'Natuurlijk, je hebt erover nagedacht of natuurlijk, je gaat mee?'

'Ik heb erover nagedacht – ik denk er nog steeds over na.'

'Je vindt het een goed idee, maar...'

'Ik vind het een goed idee, maar...'

Jane keek naar de bloemen. 'Maar wat?'

'Maar ik heb vandaag een opdracht aangenomen en ik weet niet hoe lang die gaat duren. Ik moet afwachten hoe het loopt.'

Jane perste haar lippen op elkaar en knikte kort. Ze staarde naar de tulpen en schikte ze opnieuw in de vaas. 'Ik neem aan dat je trip naar Brooklyn goed is verlopen,' zei ze ten slotte.

'Redelijk goed,' zei ik en ik vertelde haar over mijn ontmoeting met Nina Sachs en mijn lunch met Tom Neary. Ze luisterde aandachtig en toen ik uitgepraat was schudde ze haar hoofd.

'Als het iemand anders was geweest zou ik zeggen dat hij ervandoor was gegaan om zijn gezicht vol schaamte te verstoppen. Maar aangezien het Danes is, wed ik dat enkele beleggers een kamer voor hem hebben gereserveerd in het Jimmy Hoffa Hilton.' Er lag een wrange glimlach om haar mond en ik was opgelucht dat ik hem zag. Ik lachte.

'Ken je hem?' vroeg ik.

'Alleen van de krantenartikelen – over Piedmont – en van toen hij voortdurend bij *Market Minds* was. Ik herinner me zijn verwende, alwetende airtje. Ik bedoelde eigenlijk alle analisten.' Ze opende de koelkast en pakte een fles mineraalwater, die ze samen met twee glazen naar de tafel bracht.

'Mag je ze niet uit principe of koester je een meer gerichte wrok?'

Jane schonk de glazen vol. Ze nam een slok uit het hare en strekte haar benen. 'Allebei, denk ik.' Ik trok mijn wenkbrauwen op en Jane ging verder: 'Ik heb me nooit illusies gemaakt over de onafhankelijkheid van analisten. Ik wist wie hun bonussen betaalden, aan wie ze verplichtingen hadden – en dat waren beslist niet de gewone beleggers. Ik bedoel, het idee dat je een objectief oordeel over een bedrijf krijgt of een onbevooroordeeld advies over de aandelen, van iemand die in feite een betaalde standwerker voor dat bedrijf is – te zot om los te lopen. En zelfs als ze niet door en door gecompromitteerd zouden zijn, wat zijn hun opinies waard? Het zijn net weermannen – gelijk hebben is nooit een belangrijk onderdeel van de taakomschrijving geweest.' Jane nam nog een slok. Ze zette haar rechterhiel op de rand van de zitting en legde haar arm op haar knie. Ze bewoog haar tenen en de pezen in haar wreef spanden zich.

'Ik dacht dat de hervormingen een en ander hadden veranderd,' zei ik.

Jane schudde haar hoofd en wierp me een meelevende domoorblik toe. 'Dat zal het officiële standpunt wel zijn – dat de hervormingen een eind hebben gemaakt aan de belangenverstrengeling, door de analisten onafhankelijk te maken van de investeringsbanken en hun honoraria van de bankierswinsten. Maar wat dan nog? Die bedrijven worden nog steeds geleid door dezelfde mensen die beslissen wie er betaald wordt, en hoeveel. Als investeringsbanken belangrijk voor ze zijn en als ze denken dat een bepaalde analist heeft geholpen om winst te maken, zorgen ze er echt wel voor dat hij daarvoor betaald wordt. De hoogste leiding weet het, de investeringsbanken weten het en de analisten ook – ze proberen er tegenwoordig alleen wat minder mee te koop te lopen.' Ze nam een slok mineraalwater en schudde nogmaals haar hoofd.

'En natuurlijk kijken bedrijven tegenwoordig goed uit met wat ze zeggen over zakendoen met een bedrijf dat door hun analisten wordt getipt. Maar mensen vertéllen over belangenverstrengeling betekent niet dat die verstrengeling er niet meer is. Een cynisch mens zou zelfs kunnen zeggen dat bedrijven zich door al die openheid een volgende keer beter kunnen indekken.'

Jane was ontspannen en haar compacte lichaam voelde zich behaaglijk op de stoel, maar toch straalde ze een latente, soepele energie uit – als een gespannen veer of een alerte kat. Het was merkbaar in al haar vloeiende bewegingen, zelfs in haar stem – in de klank van zekerheid en zelfverzekerdheid in haar aangename altstem. Soms was het alsof die energie als een blos door de poriën in haar huid drong. Ze boog haar vingers en ik zag de spieren in haar polsen en onderarmen soepel bewegen.

'En wat is je persoonlijke kritiek?' vroeg ik.

Ze kneep haar lippen samen, alsof ze iets zuurs proefde. 'Ik denk dat ik niet graag gekoeioneerd word,' zei ze.

Ik dacht hier even over na. 'Ik kan me niet voorstellen dat iemand dat zou proberen.'

Jane lachte kort en vreugdeloos. 'Je zou er van staan te kijken,' zei ze. Ze dronk haar mineraalwater op en ik schonk haar glas weer vol. 'Het is een paar jaar geleden, toen ik dat biotechbedrijfje in Cambridge leidde. Ze hadden wat problemen gehad – geringe productiviteit en een paar onprettige rechtszaken – maar dat was allemaal geregeld, we hadden het ergste gehad en we zochten nieuwe kredietmogelijkheden. We waren serieus in gesprek met drie grote kredietverstrekkers toen ik op een dag werd gebeld door een analist – een van de weinigen die dat bedrijf volgden.

Ik kende hem natuurlijk. Hij werkte bij een groot regionaal bedrijf en ik sprak hem minstens enkele keren per kwartaal. Hij was zo'n corpulent geworden corpsbal, maar hij was altijd aardig geweest en tamelijk eerlijk. Het duurde even voordat hij ter zake kwam.

Hij begon vragen te stellen over onze jacht op nieuw krediet, waarover ik met slechts een paar beleggers en analisten – onder wie hem – had gesproken, een paar weken eerder. Ik dacht dat hij op zoek was naar inside-informatie en ik begon te zeggen dat ik hem niets zou vertellen wat ik niet aan de groep had verteld, maar hij viel me in de rede. Daar wilde hij niet over praten, zei hij, en hij vertelde me dat er nog meer gemotiveerde krediet-verleners waren, buiten die op ons lijstje. Op dat moment kreeg ik het gevoel dat we op bijzonder glad ijs waren – maar ik had nog steeds geen benul wat die vent wilde. Ten slotte kwam het hoge woord eruit.

Hij vroeg of ik wist dat zijn bedrijf eveneens kredieten verstrekte. Ik zei dat dat me bekend was, maar dat ik vond dat we ons op gevaarlijk terrein begaven. Ik probeerde het gesprek te beëindigen, maar hij negeerde me. Hij zei dat hij er niet van overtuigd was dat ik over het *grote geheel* had nagedacht en misschien kwam het doordat ik tijdelijk was – interim-directeur – dat ik een bedrijf negeerde dat mijn onderneming altijd had gesteund. Hij zei dat, als ik zijn bedrijf bleef negeren, die steun zou kunnen ophouden. Ik vroeg hem of hij met *steun* zijn verslagen over ons bedrijf bedoelde – zijn onderzoeksrapporten – en hij zei dat hij altijd al had geweten dat ik een slimme meid was.'

'Een *slimme meid*?'

Jane lachte. 'Ik stond paf – minstens evenzeer van zijn tactloosheid als van wat ook.'

'Wat heb je gedaan?'

'Ik bedankte hem voor zijn advies, hing op en belde de vice-president van zijn bedrijf. Ik vertelde hem wat er gebeurd was en wees erop dat hij – al was het maar voor de schijn – zijn jongen misschien een beetje wilde afremmen. Een paar dagen later maakte het bedrijf bekend dat onze analist weggepromoveerd was en ze wezen een nieuwe corpulente corpsbal aan om ons te volgen. Hij was dommer dan de eerste, maar rustiger. Einde verhaal.'

'Behalve dan dat je wrok koestert.'

'Ik heb een goed geheugen.'

'Waarvan akte.'

'Ik heb altijd wel geweten dat je een slimme jongen bent,' zei ze glimlachend. Ze keek op haar horloge.

'Je moet terug naar kantoor,' zei ik. 'Ik trek wat aan en loop met je mee.' Ik liep naar de slaapkamer en Jane kwam achter me aan. Ze gooide haar t-shirt op het bed en bleef in het tegenlicht van de deuropening staan. Schaduwen vielen over haar kleine, ronde borsten. De tepels waren donker en hard.

'Nog niet,' zei Jane zacht en ze kwam de kamer in en trok mijn handdoek weg. Haar handen waren zacht en warm op mijn lichaam, net als haar mond. Ze duwde me achterover op het bed, trok de rest van haar kleren uit en kwam naast me liggen. Haar lichaam straalde golven warmte uit, doordrenkt van de melkachtige geur van haar zeep en de vage, kruidige geur van haar parfum en, onder die twee, haar lichaamsgeur. Ik haalde diep adem en mijn hart bonsde tegen mijn ribbenkast.

Ik kuste haar en haar tong bewoog zacht in mijn mond. Ik proefde de smaak van munt, curry en koriander. Ik liet mijn handen over haar rug en haar dijen glijden. Ze huiverde en rolde tegen me aan. Ik kuste haar borsten en haar buik, spreidde haar benen en proefde haar.

Ze zei iets onverstaanbaars, begroef haar vingers in mijn haar en legde haar gladde benen op mijn schouders. Ze drukte zich tegen me aan, huiverend, telkens weer en plotseling kronkelde ze zich onder me uit.

'Nog niet,' fluisterde ze. Ze rolde me op mijn rug, sloeg haar benen over mijn heupen en liet zich op me glijden. Toen nam ze me in haar handen, liet zich langzaam over me heen zakken en daar lagen we, amper ademend. En toen begon ze te bewegen.

Ik kwam bij uit de vergetelheid die over me was gekomen en lag dwars over het bed. Jane lag naast me, haar donkere hoofd op mijn borst, een arm en een been over me heen. De kamer was vol van haar geur en de warmte van haar lichaam. In het zwakke licht keek ik naar het trage rijzen en dalen van haar rug, het zwakke trillen van haar ooglid en de nauwelijks merkbare bewegingen van haar gewelfde mond. Ik streek met mijn vinger licht langs haar haarlijn, net boven de rechterslaap, en voelde de kleine oneffenheden daar – onzichtbaar voor het oog – het gevolg van de kogel die haar vorig jaar had geschampt. Jane opende haar ogen en keek me lang aan voordat ze sprak.

'Het is niets,' zei ze zacht. Ik wilde haar geloven.

— 3 —

Vind het onroerend goed. Vind de auto's. Zoek naar strafbladen en rechtszaken. Leg de hand op de telefoonrekeningen. Controleer de ziekenhuizen. Controleer de mortuaria. Elk geval van vermissing is anders, maar elk geval begint op dezelfde manier. Het is als het openingsgambiet van een schaakpartij en als je vermiste persoon zich niet schuilhoudt – of er niet goed in is – kan het spel kort daarna stoppen. Ik besteedde het grootste deel van de ochtend aan die zetten en dankzij de wonderen der techniek en de wonderen van het uitbesteden kon ik het doen zonder de deur uit te gaan.

Ik zette een cd van Charlie Haden op, schonk een beker koffie in, startte mijn laptop en gaf de naam en het sofinummer van Gregory Danes op aan enkele van mijn favoriete internet-zoekdiensten. Ze zouden gehakt maken van zijn privacy.

Nina Sachs had me al het adres gegeven van Danes' appartement in Upper East Side en de telefoonnummers van thuis en kantoor en dat van zijn gsm, en ze had me verteld over de grote zwarte BMW waarin hij in het weekend soms reed – en het hielp allemaal. Maar wat me pas echt interesseerde waren de dingen die ze me níét kon vertellen – zoals eventuele andere telefoonnummers op Danes' naam of eventuele andere auto's of huizen die hij bezat. Die konden de zoekdiensten voor me vinden, en nog een heleboel meer. Vliegtuigregistraties, bootregistraties, veroordelingen, kiezersregistraties, faillissementen – het hele uitgestrekte universum van openbare dossiers stond tot hun beschikking. Eén dienst zou zelfs zoeken naar eventuele rechtszaken waarbij Danes betrokken was geweest, en een andere zou de databanken van de SEC nasnuffelen op mogelijke klachten of arbitrageclaims die tegen hem waren ingediend. Ze waren niet onfeilbaar, maar ze waren een goed begin en een stuk sneller dan wanneer ik het zelf deed. En ze waren legaal. Zijn telefoonrekeningen waren een ander verhaal.

Telefoonrekeningen zijn geen openbare dossiers en de zoekdiensten die erin handelen verdwijnen soms zonder waarschuwing van het web, vaak om – onder een nieuwe naam en op een nieuwe site – enkele dagen later weer te verschijnen. De legaliteit ervan is twijfelachtig, maar zo niet hun nut – niet voor iemand zoals ik – en ik gaf een ervan Danes' privé-nummer en mobiele nummer door.

Niet alle voorbereidend werk kon online gebeuren; voor bepaalde dingen zou ik de telefoon moeten gebruiken. Simone Gautier is een elegante Haïtiaanse vrouw die een klein detectivebureau in Forest Hills leidt, samen met haar minder elegante neef, die bij de politie is geweest. Ze doen voornamelijk mishandelingen en echtscheidingen, maar voor een redelijk bedrag is Simone bereid een van haar vele dagloners langs de ziekenhuizen en mortuaria te sturen. We spraken af in vijf wijken te beginnen en kwamen een prijs overeen. Ik mailde haar het signalement van Danes en faxte haar een foto.

De resultaten zouden even op zich laten wachten – enkele uren voor de zoekdiensten, enkele dagen voor Simone en enkele dagen meer voor de telefoonrekeningen – maar Danes' spoor in de openbare zoekmachines was genoeg om me in de tussentijd bezig te houden.

Danes was de laatste tijd min of meer onzichtbaar geweest, althans in de media, maar voordat de zeepbel barstte – en meteen daarna – was hij opvallend aanwezig geweest. In het eeuwigdurende nu van het internet leefde zijn faam voort. Ik begon links aan te klikken.

Danes' biografie op de website van Pace-Loyette was bondig op het zuinige af. Hij vermeldde zijn geboortedatum en geboorteplaats (23 juli 1962, Maplewood, New Jersey), vertelde over zijn bachelorsopleiding (Cornell) en mastersopleiding (de universiteit van Chicago) en dat hij eind jaren tachtig als analist in dienst was getreden bij Pace. Dat was alles – er stond niet eens een foto bij. Ik klikte door.

Op een lang niet bijgewerkte site voor beleggingsadviezen, *iLoveYour-Money.com*, stonden een pasfoto en een uitgebreidere versie van zijn biografie – waarschijnlijk in betere tijden gekopieerd van de site van Pace-Loyette. Deze editie omvatte een waslijst van Danes' persoonlijke betrekkingen en van de lof die de industriële en commerciële pers hem in de loop der tijden had toegezwaaid – Hightechanalist van het Jaar, Beste Hightechaandelenadviseur, Invloedrijkste Hightechanalist, Nieuwe-economiegoeroe van het Jaar – het ging maar door.

Een recentere site, *RobberBaronsRedux.com*, had dezelfde biografie, op een pagina met de titel 'Toppooiers'. Dit relaas echter was voorzien van ironische en brutale aantekeningen en geïllustreerd met een grote foto van Danes, digitaal voorzien van snor, geitensik, bril en duivelshoorns. Kinderachtig, dat wel, maar ik lachte.

Ik klikte erop los en de boog van Danes' carrière doemde op uit een mist van gegevens. Hij was begonnen als computerhardware-analist, aanvankelijk bij een grote effectenmakelaar en later bij Pace-Loyette, zonder zich te onderscheiden van het legioen andere analisten die hetzelfde terrein bestreken.

Dat veranderde toen hij tot taak kreeg om een toen betrekkelijk nieuwe marktsector te volgen – netwerkinstallaties. Het eerste bedrijf dat hij analiseerde was een nauwelijks bekende fabrikant van netwerkrouters, Biscayne Bay Technologies. Toen hij de winstverwachting van Biscayne *op het sullige af behoedzaam* noemde en voorspelde dat de aandelenkoers van het bedrijf in een halfjaar zou verdrievoudigen, variëerden de reacties van ongeloof tot spot. Uiteindelijk duurde het vijf maanden en de aandelen Biscayne verviervoudigden. Het was de eerste in een reeks klappers.

Danes was de juiste man op de juiste plek op het juiste moment. Hij voorzag de commercialisering van het internet en besefte de implicaties daarvan voor de hard- en softwarebedrijven die dat mogelijk maakten, en voor bedrijven die hun goederen en diensten daar konden verkopen. En hij had de moed van zijn overtuigingen. Biscayne Bay werd gevolgd door even verbazingwekkende – en accurate – voorspellingen aangaande Ambient Reasoning, Surfside Search, ColdKarma.com en een half dozijn andere ondernemingen. Eind jaren negentig had Danes zijn salaris vele malen terugverdiend. Hij was dé man in de technologiesector en zijn woord volstond om de aandelenkoersen te wijzigen. Belangrijker nog: het volstond om een succesvolle beursgang te verzekeren.

Danes maakte eind jaren negentig heel wat kilometers tijdens de ene reis na de andere met Pace-Loyette-investeringsbankiers om de vooruitzichten van het ene hightechbedrijf na het andere te taxeren dat Pace naar de beurs wilde brengen. Enkele van die bedrijven zouden uitgroeien tot echte ondernemingen, met echte producten en winsten, maar de meeste niet en vele ervan waren niet meer dan met Powerpoint opgeleukte krabbels. Maar de goedkeuring van Danes legde veel gewicht in de schaal bij beleggers die, ook als ze zijn enthousiasme niet deelden, in elk geval besef hadden van het prijsopdrijvende effect dat het kon hebben op nieuw uit te geven aandelen.

Bij het aanbreken van het nieuwe millennium zakte de markt, zoals zoveel andere dingen, als een pudding in elkaar. En hoewel hij de hausse voorspeld had, had Danes niet de crisis voorzien – of misschien had hij gedacht dat zijn woord alleen voldoende zou zijn om die te voorkomen. Terwijl de koersen kelderden, volhardden Danes en een handvol andere analisten in hun waanzinnige enthousiasme, tot vele van hun favorieten waardeloos waren geworden of volledig waren verdwenen.

Het instorten van de markt was al een verrassing geweest voor Danes, maar de nasleep ervan was een klap op zijn hoofd met een voorhamer. De radeloos makende wirwar van tegenprestaties en tegenstrijdige belangen tussen investeringsbanken, hun cliënten in het bedrijfsleven en de mensen die die bedrijven leidden, waren op Wall Street een publiek geheim. Maar toen de bijzonderheden ervan – het handjeklap om gunstige aandelenkoersen, persoonlijke leningen en aandelen van succesvolle beursintroducties, om lucratieve overeenkomsten van beleggingsbanken – onder de publieke aandacht werden gebracht, was het publiek behoorlijk nijdig. Hoewel analisten de kuil niet hadden gegraven of er niet zo gretig in waren gesprongen als sommige anderen, waren ze de voor de hand liggende zondebokken – vaak beschilderd met goed van pas komende doelwitten. De opvallendste op Danes' rug waren Piedmont Science en zijn minzame president-directeur, Denton Ainsley.

Piedmont Science was een softwarebedrijf dat factureringsprogramma's leverde voor huis- en tandartsenpraktijken. In de begintijd was het een onopvallend bedrijf geweest, met een aandelenkoers die de Nasdaq-notering nauwelijks rechtvaardigde en waaraan beursanalisten geen enkele aandacht schonken. Toen de president-directeur in zijn slaap overleed, zag het ernaar uit dat het bedrijf zijn voorbeeld zou volgen. Tot Denton Ainsley verscheen.

Ainsley was de ster van een tiental reclamespots die leurden met de producten van Dentco, de fabriek van consumentenproducten waarvan hij de oprichter was. Ainsley was slank en knap, op een zilverharige, leerachtige manier en zijn ruige cowboyfiguur was enorm populair onder tv-kijkers die op zoek waren naar wasmiddelen en boenwas. Ze waren gesteld op zijn cowboyhoed en luchtige humor en ze verbeeldden zich dat ze iets authentieks hoorden in zijn lijzige Texaanse accent. Niemand leek zich af te vragen hoe een in Connecticut geboren en getogen man aan zo'n accent kwam.

Vrienden in het bestuur van Piedmont hadden de deur geopend voor Ainsley en zijn ontwapenende persoonlijkheid en de aanzienlijke hoeveelheid Piedmont-aandelen die hij kocht stelde zijn positie als algemeen directeur veilig. Maar Ainsley had meer dan enkel charme en geld, hij had een idee – een toekomstvisie voor Piedmont.

Ainsley besefte dat de markt van Piedmont ernstig versnipperd was, met veel kleine leveranciers en geen dominerende speler. Hij onderkende dat de markt rijp was voor consolidatie en dat Piedmont, met de juiste financiering, kon groeien door zijn concurrenten op te kopen, hun cliënten naar de producten van Piedmont te lokken en kostenbesparingen door te voeren. En zijn plan had nog een andere, radicalere kant. Ainsley besefte het groeiende belang van het internet en zag het als een kans voor Piedmont om een andere weg in te slaan – leverancier te worden niet van factureringsprogramma's, maar van factureringsdiensten. Hij zag kortom een gelegenheid om Piedmont uit de softwarebusiness te halen en in de uitbesteding te stappen. En dat was het wat Danes' aandacht trok.

Drie maanden na de benoeming van Ainsley tot president-directeur werd Danes de eerste analist die Piedmont volgde. Hij was zeer uitgesproken in zijn steun voor de bedrijfsstrategie en meer dan optimistisch over de toekomstige waarde. Zijn uitspraken leidden ertoe dat Piedmont de aandacht trok van meer onderzoekers en meer beleggers en de aandelen schoten omhoog.

Het ontging Ainsley niet en hij knoopte nauwe betrekkingen aan met de analist en zijn bedrijf. Hij nodigde Danes uit als gastspreker tijdens verscheidene kwistige bedrijfsbijeenkomsten, vroeg Danes' mening over beoogde bedrijfsovernames en maakte hem eregast op een van zijn van beroemdheden wemelende liefdadigheidsbarbecues. Wat Pace-Loyette betreft, hij gebruikte het als Piedmonts investeringsbank bij alle acquisities en bombardeerde het tot eerste garantiesyndicaat voor de secundaire aandelenemissies van het bedrijf. Pace werd tevens Ainsleys privé-bank, die hem hoge leningen verstrekte, met grote aandelenpakketten van Piedmont als onderpand.

Een tijdlang steeg de markt en alles ging goed. Piedmonts groeistrategie werd in versneld tempo uitgevoerd, de intekening op de nieuwe uitbestedingsdienst verliep sneller dan verwacht en de aandelen werden onmisbaar voor iedereen die in het internet wilde investeren. Pace-Loyette incasseerde zijn vette bankkosten, Danes' reputatie straalde feller dan ooit, evenals zijn mening over aandelen Piedmont, en Denton Ainsley voerde ingrijpende vernieuwingen door in zijn onlangs gekochte wijngaard in Napa Valley. En niemand sloeg veel acht op geruchten over boekhoudkundige onregelmatigheden en vervalste verkoopcijfers bij Ainsleys vorige bedrijf, Dentco, of op vragen over het aantal inschrijvers op Piedmont of op klachten dat de software domweg niet functioneerde.

Toen het grote publiek het wel in de gaten kreeg, verliep de ontmanteling snel en heftig. Op een maandag aan het begin van het nieuwe millennium maakte de SEC bekend dat zij een onderzoek instelden naar Dentco; daags daarna volgde de bekendmaking van een onderzoek naar Piedmont. Op woensdag begon het proces dat was aangespannen door een aantal cliënten van Piedmont; op donderdag volgden het Openbaar Ministerie en het verhoor van leden van de raad van bestuur van Piedmont. Op vrijdag werd het eerste geding door aandeelhouders aangespannen.

Op zaterdag werd Denton Ainsleys glanzende Italiaanse auto opgevist uit een meer op zijn landgoed in Napa en Ainsleys lichaam uit zijn auto. *Zelfmoord per Ferrari* was de onofficiële bevinding van een van de politie-agenten ter plaatse – een mening die daags daarna werd gestaafd toen de lijkschouwer een onthutsend hoog promillage alcohol in Ainsleys bloed vaststelde.

De forensische accountants hadden wat meer tijd nodig voor de lijkschouwing van Piedmont Science, maar toen ze zover waren, onthulde hun rapport grootschalige fraude, verborgen schulden en systematische plunderingen van de bedrijfskas – allemaal op initiatief van de hoogste top. Tegen die tijd was het bedrijf grotendeels tot ontbinding overgegaan.

Piedmont bezat weinig activa, en directie en bestuursleden hadden betrekkelijk ondiepe zakken, zodat het niet lang duurde voordat boze klanten, beleggers en beheerders hun fakkels en hooivorken op de bankiers van Piedmont richtten. Hun aanklacht was indertijd opzienbarend: Pace-Loyette en Gregory Danes waren ofwel nalatige stommelingen of criminelen – nalatig als ze niets hadden geweten van Piedmonts werkelijke financiële situatie of regelrecht medeplichtig aan Ainsleys fraude als ze het wel hadden geweten, maar niets hadden gezegd. En hoe dan ook, ze waren afschuwelijk gecompromitteerd. Het belang van Pace om Piedmont als cliënt te behouden en de aandelen Piedmont zo hoog mogelijk op te schroeven had ertoe geleid dat Pace – en Danes – onderzoeksrapporten hadden vervalst en beleggers hadden misleid.

De beschuldigingen vormden weliswaar leuk leesvoer, maar ze waren moeilijk te bewijzen. Er was geen spoor van memo's of zelfgenoegzame e-mails dat erop wees dat iemand bij Pace-Loyette van de fraude had geweten of dat suggereerde dat Danes niet in zijn eigen onderzoeksrapporten had geloofd. Bovendien was er het feit dat Pace een hele hoop poen had verloren op zijn leningen aan Ainsley. Maar het ontbreken van harde bewijzen had de juristen niet afgeschrikt en Danes' reputatie niet gered. Columnisten, politici en commentaarschrijvers zwelgden maandenlang in de affaire-Piedmont – en in Danes – tot er een stroom grootschaliger en opvallender gevallen van fraude bekend werd.

De zoekmachines leverden links op naar interviews die Danes in de loop der jaren had gegeven en ik nam er een stel door. Zijn rozige prognoses over e-commerce, breedband, *data mining* en een tiental andere van jargon vergeven onderwerpen hadden iets vreemds. Het was alsof je las over achtsporenrecorders of hasjpijpen. Ik volgde de reeks links naar beneden en stopte bij iets wat *LindaObsession.com* heette. Ik klikte, zonder te weten wat ik kon verwachten.

Het was een onthutsende site met een toepasselijke naam. Een pagina 'Onze missie' vatte het samen.

> *We zijn op aarde tot verering van de mooiste, intelligentste en opwindendste gastvrouw/reporter/superster/diva op televisie op dit moment (OF OOIT!) – de Adembenemende, Ongelooflijke, Spectaculaire* LINDA SOVITCH! *We zijn Totaal Linda!!*

Linda Sovitch was de blonde, chique gastvrouw van *Market Minds*, het programma van Business News Network dat analyses gaf van de dagelijkse marktbewegingen, reportages over beleggen, de economie en politiek. De afgelopen jaren was Sovitch ook het gezicht van BNN geworden. Gregory Danes was regelmatig te gast geweest bij *Market Minds*, hoorde er nagenoeg bij het meubilair sinds het begin van de show eind jaren negentig, en dat was de reden waarom *LindaObsession* in mijn zoektocht naar boven was gekomen.

Afgezien van de koortsachtige deconstructie van Linda Sovitch' lichamelijke charmes – de korenbloemblauwe ogen, het stroblonde haar, de verfijnde neusvleugels, volle lippen en grote borsten – en de nauwgezette ontleding van schijnbaar al haar uitspraken, waren er foto's en videoclips van het programma. Op verscheidene ervan stond Gregory Danes.

Daar was Danes in het belangrijkste onderdeel van de show, en toen de Dow Jones de 10.000-grens passeerde. Daar was hij toen Cisco General Electric overtrof qua volgestorte aandelen. En daar was Danes toen het programma zijn eerste verjaardag vierde en in alle volgende shows – op de laatste paar na. Ik klikte op een videoclip.

Hij was wazig en springerig, maar het aanzien waard. Het ging over het belang van het opnemen van Microsoft en Intel in het Dow Jones Industrial Average. Sovitch glimlachte en flirtte en wierp balletjes op; Danes was arrogant en zelfingenomen en gaf ze van katoen. Maar hij had tevens iets prikkelbaars en puberaals dat zelfs in de wazige video zichtbaar werd – als de wijsneus van de klas die plotseling aanvoerder van het rugbyteam wordt. Maar zijn boodschap was eenvoudig en helder: we leven in een volkomen nieuwe wereld en we kunnen alleen maar omhoog. Reken maar, Greg.

De meeste verwijzingen die ik tijdens mijn zoektocht vond waren enkele jaren oud en allemaal van zakelijke aard. Er waren geen verwijzingen naar hem op de sociale pagina's en – afgezien van Ainsleys chique barbecue – geen vermeldingen dat hij was gesignaleerd op een van de vele liefdadigheidsevenementen op Wall Street. Zelfs de weinige persoonsbeschrijvingen in de tijdschriften vermeldden niets persoonlijkers dan zijn liefde voor klassieke muziek.

De enige uitzondering was de vermelding van Danes in een artikel uit 1989 in een krant in Newark, New Jersey. Het was een kort stuk, waarin melding werd gemaakt van een administratieve actie door de SEC tegen een klein bedrijf in New Jersey en een effectenmakelaar, een zekere Richard Gilpin, voor een reeks overtredingen die nét geen regelrechte fraude waren. Gilpin, zo zei het artikel, was de jongere broer van 'de prominente Wall Street-analist Gregory Danes'. De verslaggever had bijna gelijk – volgens Nina Sachs was Richard Gilpin Danes' enge halfbroer. Gilpin stond op het lijstje van mensen met wie ik wilde praten, vooropgesteld dat ik hem kon vinden, en ik noteerde de gegevens.

Ik ging naar de keuken, warmde mijn koffie op in de magnetron en keek uit het raam terwijl ik hem opdronk. De lucht was zacht, effen grijs en de meeuwen die traag boven het gebouw aan de overkant van de straat cirkelden gingen er bijna in op. Het was nog altijd zacht buiten en ik had een heleboel ramen opengezet. Een zachte bries voerde de geluiden van de straat aan.

Ik dacht aan Danes en aan de sporen die hij op het web had achtergelaten – zijn voetafdrukken op het grote toneel van Wall Street – en ik dacht aan de andere acteurs die onlangs tot de orde waren geroepen. Ik herinnerde me de tv-uitzendingen van de hoorzittingen en de gezichten, bleek onder het op de golfbaan opgedane bruine kleurtje. Sommigen hadden geïrriteerd gedaan omdat ze als getuigen waren opgeroepen, anderen zonder meer boos en een enkeling misschien was bijna bang geweest, maar ongeacht hun houding schenen ze één ding gemeen te hebben: een gevoel van verbazing dat er überhaupt vragen werden gesteld.

Gedachten aan arrogantie en geld en Wall Street leidden me onvermijdelijk naar mijn familie. Geld is het familiebedrijf – in elk geval van mijn moeders kant – en is dat al sinds mijn overgrootvader de handelsbank Klein & Sons oprichtte. De bank wordt tegenwoordig geleid door een van mijn ooms, met hulp van mijn oudste broer, Ned. Mijn andere broer, David, en mijn oudere zus, Liz, werken er ook, evenals de rest van mijn ooms en talloze neven en nichten. Maar niet alle Klein-telgen zijn in bankzaken gegaan. Mijn jongste zus bijvoorbeeld niet en door de jaren heen zijn er altijd ketters geweest die waren afgedwaald naar medicijnen, rechten en de academische wereld. Maar er was nog nooit een politieman of privédetective geweest – niet vóór mij.

Het was niet bepaald een bron van familietrots, maar dat was ik gewend. Tegen de tijd dat ik een carrière had gevonden – of andersom – had ik al voor tweeëntwintig jaar teleurstelling en onvervulde hoop vergaard. Ik kon mijn moeders kille stem nóg horen: *Je verbaast me slechts, John, met de aard van je keuzen, niet met de mate van dwaasheid.* Ze is dood – evenals mijn vader – maar haar standpunt zweeft als een geest boven mijn familie.

Niet dat ik de familielijn nooit gevolgd had – dat had ik wel, zij het sporadisch. Op college had ik een minuut of tien economie als hoofdvak gehad en enkele zomers lang had ik stage gelopen op de beursvloer van een grote effectenmakelaar. Ik had koffie gehaald, de telefoon aangenomen, prijsmodellen gedraaid, transacties bevestigd en mijn katers gekoesterd en ik had tijdens lange, dure lunches zwijgend geluisterd terwijl mensen amper ouder dan ikzelf me een toekomst bij het bedrijf probeerden te verkopen. Het sloeg niet aan. De inhaligheid, het egoïsme en het zelfbedrog dat ik daar had gezien grensden aan het karikaturale en toen de ergste ontzetting was weggeëbd had ik me doodverveeld op Wall Street.

De afgelopen jaren was ik er voor cliënten en opdrachten enkele keren teruggekeerd en had ik er een somberder maar interessantere kijk op gekregen. In mijn zeven jaar als politieman had ik gezien wat begeerte en arrogantie kunnen aanrichten in combinatie met wanhoop en gelegenheid – dat was niet nieuw. Wat anders was in Wall Street was de inzet waar om werd gespeeld, de verscheidenheid aan spellen en de speciale mix van hersens en ijdelheid waarmee ze aan de speeltafel verschenen. Ik haalde diep adem en ademde langzaam uit.

Ik dronk mijn koffie op en zocht het telefoonregister van Pace-Loyette dat ik van Neary had gekregen. Ik bladerde naar de nummers van Gregory Danes' afdeling, Aandelenresearch.

Research was geen grote groep bij Pace-Loyette – nog geen dertig analisten – maar dat was ook nergens voor nodig. Pace-Loyette was geen groot bedrijf en ze volgden niet elke sector van de markt; technologie was de specialiteit van het huis. Danes' naam stond boven aan de pagina, met de titel Directeur Research. Meteen onder zijn naam stond die van zijn assistent, Giselle Thomas. Neary had er een vinkje voor gezet. Onder haar, eveneens aangevinkt, stond Irene Pratt, adjunct-directeur Research. Halverwege de pagina was nog een naam aangevinkt: Anthony Frye, Telecommunicatieresearch. Door het register bladerend vond ik nog slechts één naam met een vinkje: Dennis Turpin. Volgens het register was Turpin hoofd van de juridische afdeling – de eerste bedrijfsjurist. Turpin, had Neary me verteld, was degene die ruzie had gehad met Danes vlak voor Danes' onverwachte verlof. Ik nam mijn koffie en het telefoonregister mee naar de tafel en pakte de telefoon.

Giselle Thomas nam meteen op. Haar stem klonk rijp en muzikaal en Caribisch. Ik vroeg naar Danes en er werd even gezucht aan de andere kant van de lijn.

'Met wie spreek ik?' Ik noemde mijn naam. 'Meneer Danes is afwezig, meneer March. Kan iemand anders u helpen? Irene Pratt misschien?'

'Wanneer was meneer Danes voor het laatst aanwezig, mevrouw Thomas?'

Ze zweeg even. 'Daarvoor moet ik u doorverwijzen naar mevrouw Mayhew van Bedrijfscommunicatie, meneer.'

'Weet zíj wanneer u voor het laatst van Danes hebt gehoord? Weet zíj waar u denkt dat ik hem zou kunnen vinden?'

Giselle Thomas lachte. Het klonk helder en aangenaam. 'Tja, meneer March, ik weet niet precies wat mevrouw Mayhew weet, maar ik denk dat het veel is. En ze zal het u met alle genoegen vertellen. Zal ik u doorverbinden?'

'Ik begrijp dat er regels zijn, mevrouw Thomas, en ik snap dat u zich daaraan moet houden, maar het is niet mevrouw Mayhew die me kan helpen; dat bent u. U kent meneer Danes. U werkt al – hoe lang? – met hem samen. Als u liever niet op kantoor praat, wil ik u graag ergens ontmoeten – u zegt maar waar.'

Ze lachte nogmaals. 'U lijkt me een aardige man, meneer March, echt waar. En het is leuk dat u met me wilt praten. Maar het gebeurt gewoon niet. Zal ik u nu doorverbinden met Nancy Mayhew?' Ik wees het aanbod beleefd van de hand en verbrak de verbinding.

Vervolgens probeerde ik het nummer van Irene Pratt, maar ik kreeg onmiddellijk een computer aan de lijn die me vroeg een boodschap achter te laten. Uit wat Giselle Thomas zei had ik begrepen dat Pratt op kantoor was, dus ik hing op, wachtte vijf minuten en probeerde het toen opnieuw. Met hetzelfde resultaat. Ik bladerde door naar Anthony Frye.

Ook Fryes toestel werd opgenomen door het antwoordapparaat, maar de stem was van een vrouw en het bericht was kort. Anthony Frye werkte niet meer bij Pace-Loyette en eventuele vragen moesten worden gesteld aan Irene Pratt. Ik maakte een aantekening dat ik zijn privé-nummer moest opzoeken en probeerde nogmaals het toestel van Pratt. Ditmaal kreeg ik haar aan de lijn.

'Research, Pratt,' zei ze snel. Ik stelde me voor en vroeg haar of ze wist hoe ik in contact kon komen met Gregory Danes.

'In verband waarmee?' vroeg ze. Haar stem klonk hoog en nasaal en ze had een vaag Long Island-accent. Ze klonk ongeduldig en ik hoorde bladzijden ritselen.

'In verband met het feit dat ik zou willen weten waar hij is.'

'Greg is met verlof. Als u meer wilt weten, moet u met Nancy Mayhew van Communicatie praten.'

'Hebt u de afgelopen vijf weken iets van hem gehoord, mevrouw Pratt? Of iemand anders?'

'Waar werkt u, March?'

'Ik ben detective en ik probeer Gregory Danes te lokaliseren.'

'Bent u van de politie?' vroeg ze. Ik had nu haar onverdeelde aandacht.

'Ik ben privé-detective. Hebt u iets van hem gehoord, mevrouw Pratt?' Ze zweeg even en toen ze antwoordde, sprak ze zacht en langzamer.

'Het spijt me, maar... ik kan u echt niet helpen. Ik zal u het nummer van Nancy Mayhew geven.' Ze las het voor en zei gedag.

Ik haalde diep adem en liet hem langzaam weer ontsnappen en masseerde de zenuwknopen uit mijn nek. Alle wegen schenen naar Nancy Mayhew te leiden. Ik pakte de telefoon weer en toetste haar nummer.

Nancy Mayhew en ik moemden elkaar meteen bij de voornaam. Ze was verfrissend en intelligent en vriendelijk en ze lachte als een tante van me op Chestnut Hill. En afgezien van het feit dat Danes met verlof was vertelde ze me helemaal niets.

'Heeft hij met zoveel woorden tegen iemand gezegd dat hij verlof nam, Nancy, of kwam het van één kant?'

'Ik ben bang dat ik dat niet kan zeggen, John.'

'Niet kan of niet wil?'

Ze giechelde. 'Sorry, John.'

'Kun je zeggen wanneer je Danes voor het laatst hebt gesproken? In de loop van de laatste vijf weken?'

Ze lachte opnieuw en nam niet de moeite om antwoord te geven. 'Misschien kun je me vertellen, John – voor wie werk je?'

Het was mijn beurt om te lachen. 'Ik ben bang dat ik dat niet kan zeggen, Nance,' vertelde ik haar en ik hing op.

De bries door de openstaande ramen was aangewakkerd en had nu iets snijdends. Regen op komst. Mijn koffie was opnieuw koud geworden, maar ik dronk hem niettemin op en keek naar enkele voorbijdrijvende wolken. Drie mensen die niets te melden hadden. Ik pakte de telefoon weer en belde Dennis Turpin.

Een assistente nam op, noteerde mijn naam en vroeg me te wachten. Ik hoefde niet lang te wachten.

'Ik weet wie je bent, March, en ik weet wat je in je schild voert,' zei Turpin toen hij aan de lijn kwam. Hij had een vaag New England-accent en een geïrriteerde, schampere stem. 'Je hebt vandaag drie van mijn mensen lastiggevallen met je vragen en dat stellen we hier niet op prijs.'

Het verbaasde me dat Turpin zo snel op de hoogte was van mijn andere telefoontjes – Neary had gelijk dat Danes zijn medewerkers opjoeg – en ik werd verrast door Turpins woordkeus. *Lastiggevallen*? Ik was me nog aan het warmlopen. En *mijn mensen*? Tamelijk aanmatigend voor een doodgewone bedrijfsjurist.

'Ik probeer niemand lastig te vallen. Ik wil gewoon in contact komen met Gregory Danes.'

'En ik meen dat u – herhaaldelijk – gezegd is dat meneer Danes met verlof is. Maar met dat antwoord schijnt u geen genoegen te nemen.'

'Dat antwoord is prima, wat dat aangaat. Alleen, het zegt weinig. Verwacht u Danes binnenkort terug? Heeft iemand bij u hem gesproken sinds zijn vertrek? Of bericht van hem gekregen, e-mail? Of een ansichtkaart?' Turpin maakte een blazend geluid.

'Dat gaat u niet aan,' snauwde hij. 'We hoeven dit niet te nemen.' Toen zweeg hij en ik kreeg de stellige indruk dat hij tot tien telde. Hij zuchtte luid.

'Misschien wilt u zelf een paar vragen beantwoorden, March – zoals voor wie u hieraan werkt. Misschien kunnen we zaken doen.' Turpin probeerde verzoenend te doen – vriendelijk zelfs – maar het klonk gluiperig. Maar goed, zijn aanbod was mijn beste kans om bij Pace-Loyette binnen te komen, vooralsnog tenminste.

'Ik moet eerst met mijn cliënt overleggen,' zei ik.

Turpin snoof. 'Doe dat,' zei hij, ' en kom naar me toe, morgen om één uur – mits u iets te verhandelen hebt.' Hij hing op.

Ik legde de telefoon neer en vroeg me af wat Nina Sachs te zeggen zou hebben over mijn afspraak met Turpin. Hem haar naam geven leek me een kleinigheid, in aanmerking genomen dat men bij Pace-Loyette al wist dat Nina haar man probeerde te vinden, maar ik was er niet zeker van dat zij daar ook zo over zou denken. Ik toetste haar nummer en Ines Icasa nam op. Ze sprak zacht en vertelde me in haar precieze Engels met een accent dat Nina niet bereikbaar was. Ze vroeg of ik een boodschap wilde achterlaten. Ik ging er niet op in.

Ik stond op en rekte me uit. Ik was stijf van te lang telefoneren en ongedurig door te veel koffie en ik had behoefte aan rennen om erover na te denken. En ik moest de stad in, naar Danes' flatgebouw. Maar voor die tijd moest ik nog twee punten verbinden.

Ik klapte mijn laptop open en opende een bestand dat ik twee dagen geleden had opgeslagen. Het bevatte de links die ik had gevonden toen ik onderzoek had gedaan naar Nina Sachs. Ze bestonden voornamelijk uit recensies over haar exposities en vermeldingen van belangrijke verkopen van haar werk. Ik las er een paar. Nina had de afgelopen drie jaar een stuk of zes exposities gehad in een galerie in SoHo, de I-2 Galeria de Arte. Ik voerde de naam in in een zoekmachine.

Volgens de website bestond de I-2 Galeria de Arte al een jaar of twaalf en hield zich bezig met een breed scala aan hedendaagse kunst – schilderkunst, beeldhouwkunst en zelfs video. De galerie was gespecialiseerd in werken van vrouwen en Latijns-Amerikaanse kunstenaars en bezat drie expositieruimten: in SoHo, in Brooklyn en in het noorden van de staat, aan de Hudson River, in Kinderhook. Ik keek naar het adres van de galerie in Brooklyn. Het was hetzelfde als dat van Nina Sachs. Ik keek naar de foto van de eigenaar. Het was Ines Icasa.

— 4 —

Het luxe flatgebouw waar Greogry Danes woonde, bevond zich aan 79th Street, tussen Lexington Avenue en Third Avenue. Ik stond met Christopher onder de groene luifel, uit de regen. Hij was ongeveer net zo lang als ik – ruim één meter tachtig – en mager. Hij was waarschijnlijk ergens in de twintig, maar zag eruit als tegen de zestig. Zijn smalle gezicht was bleek en bedekt met acnelittekens en op zijn knokige vingers zaten nicotinevlekken. Het grijze portiersuniform hing om hem heen als de huid van een vervellende slang en zijn dikke haar kwam weerbarstig onder zijn pet uit.

Christopher nam mijn geld graag aan en was bereid om in ruil daarvoor met me te praten, maar hij was zenuwachtig. Zijn kleine ogen schoten heen en weer en hij keek door de glazen deuren achter me de lobby van het gebouw in. Hij verstijfde, bracht een beleefde glimlach op zijn gezicht en bewoog nauwelijks zijn kaken toen hij sprak. 'Daar komt die verrekte hoofdportier – die klootzak heeft een pesthekel aan me. Hij kijkt me de hele dag vuil aan. Doe me een lol, man – maak een ommetje. Geef me tien minuten en kom dan terug. Dan is hij weg en kunnen we praten.'

Ik keek langs hem heen, knikte en liep door 79th Street in westelijke richting. De regen tikte zacht op mijn paraplu. Ik sloeg af naar Lexington Avenue en keek in de kleine, chique winkels die aan de straat lagen. Ze waren overladen met verfijnde, ondeugend uitziende schoenen, van vlindervleugels gemaakt briefpapier en Franse babykleertjes die met de hand waren genaaid door blauwogige maagden. De etalages waren doorwrochte bouwsels en stelden de koopwaar met fetisjistische devotie ten toon en ze deden me allemaal denken aan Joseph Cornell. Bij 83rd Street stak ik Lexington Avenue over en liep in westelijke richting naar Park Avenue. Ik zigzagde op mijn gemak over Park, langs hoge, oude gebouwen van het type waartoe ook dat van Danes wilde behoren, en sloeg bij 75th weer af naar het westen. En toen keerde ik om.

Christopher knikte me ontspannen toe terwijl hij de zware deur opende. De lobby was op ons na verlaten. We stonden in een vestibule bij de ingang en Christophers blik gleed door de lobby en over het trottoir. Ik stopte hem een briefje van twintig toe en hij liet het verdwijnen.

'Die lul blijft minstens twintig minuten weg,' zei hij. 'Wat wil je weten?'

'Werk je hier al lang?' vroeg ik.

'Een jaar ongeveer, parttime. Ik val in voor de vaste portiers als ze met verlof of ziek zijn. Ik draai zo'n acht à tien diensten per maand.'

'Altijd overdag?'

Christopher snoof. 'Stik, nee. Meestal schuiven ze zodanig met de diensten dat ik 's nachts werk – twaalf tot zes.' Ik knikte.

'Hoe komt het dat je vandaag dagdienst hebt?'

Christopher glimlachte zuur. 'Superlul zit de komende weken krap in zijn personeel – hij moest wel.'

'Ken je de huurders?'

Hij schudde zijn hoofd. 'Niet echt. Doordat ik in de nachtploeg werk zie ik ze zelden en er zit me een stel klootzakken tussen! – ik zou niet eens op ze pissen als ze in de hens vlogen.' Een bronzen liftdeur achter in de lobby gleed open. Een vrouw van een jaar of vijftig in een Burberry-regenjas stapte uit, op de voet gevolgd door een teckel in bijpassende uitmonstering. Ze wierp een blik op de verlaten portiersbalie en snoof. Ze keek Christopher aan en snoof luider. Ze keek mij aan. Mijn haar was korter, mijn kleren zagen er beter uit en ik had geen acnelittekens, maar ze was niet onder de indruk. Christopher zei goedendag en hield de deur open en ze snoof nogmaals toen ze naar buiten liep.

'Zie je wat ik bedoel?' zei hij. Ik knikte meelevend en haalde een foto van Danes tevoorschijn.

'Ken je hem?'

Christopher keek naar de foto en toen naar mij. Zijn ogen werden kleiner. 'Danes, is het niet?'

Ik knikte. 'Weleens gezien?'

Hij schudde langzaam zijn hoofd. 'Al een hele tijd niet meer – ik weet niet wanneer voor het laatst. Dat heb ik die andere kerels ook verteld.'

Ik keek Christopher aan en haalde diep adem. Ik stopte de foto weer in mijn zak. 'Welke andere kerels?' vroeg ik zacht.

Christopher schuifelde met zijn voeten en keek weg. Zijn blik was nerveus toen hij me eindelijk weer aankeek. 'Jij hoort zeker niet bij ze, hè?' zei hij.

'Welke andere kerels, Christopher?'

'Die twee die eerder naar Danes informeerden.'

'Wanneer?'

Hij haalde zijn schouders op. 'Een dag of tien geleden.'

'Wat vroegen ze?'

Christopher keek de lobby rond. 'Dezelfde dingen als jij. Ze lieten me een foto zien, vroegen me of ik hem gezien had en wanneer voor het laatst. Vroegen of ik zijn vrienden in het gebouw kende.'

'Wat heb je ze verteld?'

'Hetzelfde als jou – ik heb die vent niet gezien en de huurders kunnen mijn rug op.'

Ik knikte. 'Wie waren het?' Christopher schudde zijn hoofd en keek verward. 'Waren ze van de politie? Waren het advocaten?'

'Geen advocaten... en ook geen politie. Ze waren privé, net als jij.'

'Hebben die mannen een naam?'

Opnieuw een hoofdschudden. 'Niet dat ik weet.' Ik staarde hem aan en hij streek met een vuile hand over zijn nek en zei niets.

'Weet je nog hoe ze eruitzagen?'

'Gewoon als... twee kerels.'

Ik zuchtte. 'Waren ze klein, lang, zwart, blank...?'

Hij haalde zijn schouders op. 'Ik weet het niet... ze waren... doorsnee. Ze waren blank – allebei – en ik geloof dat ze donker haar hadden. Ze waren ongeveer even lang – een tachtig misschien, misschien wat korter.'

Ik schudde mijn hoofd. 'Hebben ze je gevraagd te bellen als je Danes toevallig zag?' vroeg ik. 'Hebben ze je een telefoonnummer gegeven?'

Christopher trok aan zijn oorlel, wreef nog eens over zijn nek en keek de lobby rond. 'Nee, man, daar hebben ze niets over gezegd. Ze stelden gewoon hun vragen en smeerden hem.'

Ik keek hem nog eens aan. Ik was er tamelijk zeker van dat Christopher niet helemaal eerlijk tegen me was. Sterker nog, ik was er tamelijk zeker van dat hij loog dat hij barstte. Maar ik had hem nog nodig en ik kon er weinig aan doen. 'En je hebt sindsdien niets meer van ze gehoord?' vroeg ik.

'Niks,' zei Christopher. Hij rekte zijn nek om het trottoir in oostelijke en westelijke richting te controleren. 'Niet om je op te jagen of zo, maar die lul kan elk moment terugkomen.'

'Oké,' zei ik. 'We zijn bijna klaar. Werkt hier iemand die de huurders goed kent?'

'Degene voor wie ik vandaag inval – Paul Gargosian. Hij werkt hier al vanaf het begin en hij kent iedereen. Bovendien is het een geschikte kerel – geef hem wat geld en hij praat met je.'

'Wanneer komt hij terug?'

'Paar weken.'

'Weet je zijn nummer, of waar hij woont?'

'Ergens in de Bronx – ik weet het niet.' Christopher keek weer op zijn horloge, nerveuzer nu. 'Ik wil je niet opjagen, maar...'

Ik knikte. 'Geen punt, Christopher, je hebt me prima geholpen. Hoeveel om in Danes' appartement te komen?'

Christopher keek me aan en kreunde. 'O, stik man... je verlangt niet veel, wel?' Hij schudde zijn hoofd en trok aan een oorlel. 'Het zou me verdomme mijn baan kunnen kosten.' Ik knikte en liet hem praten en erover nadenken. 'O jezus – wat wil je godver daarbinnen doen?'

'Ik probeer hem alleen maar te vinden, Christopher. Ik heb geen belangstelling voor zijn spullen.'

'Stik... het zou minstens honderd moeten zijn – nee – tweehonderd.' Ik knikte.

'Tweehonderd is goed,' zei ik. 'Wanneer?' Christopher werd steeds bleker.

'Het moet volgende week – maandagmiddag. Dan is superlul er niet.' Ik was niet blij met zes dagen uitstel, maar ik had weinig keus. Ik knikte. Christopher inspecteerde het trottoir nog eens. 'Je moet ervandoor.'

'Nog één vraag,' zei ik. 'Waar stallen de huurders hun auto?'

'Ik ken twee plekken die ze gebruiken,' zei hij en hij noemde de namen. 'En nu weg, man.' Ik ging.

De parkeergarages die Christopher had genoemd stonden allebei binnen vier straten van de flat, maar in tegengestelde richtingen. Ik liep in noordelijke richting en had mazzel.

Het was in een zijstraat van Third Avenue, ingeklemd tussen twee vervallen flatgebouwen en de ingang was een smalle afrit vol olievlekken. Ik vond een kleine, zwijgzame man in een hokje onder aan de afrit. Zijn haar was zwart en golvend en zijn donkere ogen lagen diep verzonken in een verweerd, intelligent gezicht. De naam 'Rafe' was in dunne rode letters op het zakje van zijn blauwe uniformhemd geborduurd. Hij herkende Danes' foto en benoemde hem: 'zwart, '04 BMW 750'. Hij vertelde dat de auto niet in de garage stond, al een hele tijd niet meer, en voor twintig dollar keek hij een stapel verfomfaaide papieren door en gaf me het kenteken, plus de datum en het tijdstip waarop de auto voor het laatst was opgehaald. Dat was vijf weken geleden, daags nadat Nina Sachs Danes voor het laatst had gesproken, om tien voor halftien in de ochtend. Ik vroeg Rafe waar de dichtstbijzijnde benzinestations waren. Hij vertelde het me en ik bedankte hem. Ik draaide me om om te gaan en draaide toen weer terug.

'Zijn er nog anderen die hiernaar hebben gevraagd?'

Er flitste een berekenende blik door Rafes donkere ogen en hij knikte. 'Een vent, anderhalve week geleden.'

'Wat vroeg hij?'

'Over de auto en de klant – net als jij – en ik heb hem hetzelfde verteld. Maar van hem kreeg ik vijfentwintig pop.'

Ik viste een briefje van tien uit mijn zak. 'Weet je nog hoe hij eruitzag?' Rafe stopte het biljet weg. 'Blank, ergens in de dertig, mager, ongeveer een zeventig, met donker haar en een snor.'

'Heeft hij zijn naam genoemd of je een identiteitsbewijs laten zien?' Hij schudde zijn hoofd. 'Gaf hij een nummer dat je kon bellen voor het geval Danes opdook?'

'Dat probeerde hij. Ik zei nee, bedankt. Geld aanpakken en vragen beantwoorden, oké, maar spioneren is iets anders.'

Ik knikte. 'Is hij nog terug geweest?'

'Nee,' zei Rafe en toen ging de telefoon in het glazen hokje en hij nam hem aan en begon te praten. Ik liep weer de afrit op.

Het dichtstbijzijnde benzinestation lag in noordelijke richting, vlak bij een oprit van FDR Drive. Ik voelde me nog soepel na het rennen en de regen was zacht, dus ik liep richting binnenstad en vroeg me onderweg af wie er nog meer op zoek was naar Gregory Danes.

Het station lag op een hoek en er reed een constante stroom auto's af en aan, gevaarlijk dwars over vele rijbanen slingerend. Het was er niet rustig. Behalve de pompen waren er twee vettige smeerkuilen met een autolift en een overvolle winkel waar sigaretten, loten en frisdrank werden verkocht. Ingeklemd tussen de twee smeerkuilen en de winkel stond een smerig glazen kantoor. Het stonk er naar benzine en sigaren en ongewassen sokken. Ik wachtte aan een tot borsthoogte reikende triplex balie tot Frank zijn telefoongesprek had beëindigd.

Frank was zwart, een jaar of zestig en bijna kaal en hij zag eruit alsof hij zijn hele leven met zware dingen had gesjouwd. Hij was bijna een meter tachtig lang, met een brede borst en schouders en hoegenaamd geen nek. Hij had een grijs uniformhemd aan met een open kraag en een heleboel pennen in het borstzakje. Zijn mouwen waren opgerold over gespierde onderarmen. Hij hing op en wreef met een hand over zijn brede, vermoeide gezicht.

'Laat me nog eens kijken,' zei hij. Ik gaf hem de foto van Danes en hij viste een half brilletje uit zijn zak en tuurde ernaar. Na enige tijd haalde hij zijn brede schouders op.

'Hij rijdt in een zwarte BMW 750, als dat helpt,' zei ik. 'Een '04.'

'Ik weet het niet... misschien. Het is geen vaste klant – geen wekelijkse knaap – maar ik heb hem weleens gezien.'

'Weet u nog wanneer voor het laatst?' Hij schudde zijn hoofd. 'Was u hier vijf weken geleden, rond halftien 's morgens?'

Frank snoof. 'Jongen, deze tent is van mij. Als ik niet slaap, ben ik hier. Maar ik weet niet of hij er wel of niet was.'

'Zou een van uw klanten het nog weten?'

Frank lachte. 'Het zou me verbazen, maar ga je gang – doe je best.'

Het was over vijven toen ik thuiskwam. Mijn flat was vol grijs licht en mijn hoofd vol vragen. Er was een voicemail van Jane, die me vertelde dat ze die avond een diner had met de kopers, en een tweede van mijn broer Ned, om me te herinneren aan het verjaardagsfeestje van mijn neef dat weekend en me te vertellen dat er enkele e-mails aankwamen: drie samenvattingen en een sollicitatieschema.

Klein & Sons was op zoek naar een hoofd Beveiliging. Ned had geprobeerd mij de baan aan te smeren en was niet gelukkig geweest toen ik de andere kant op was gerend. In een opwelling van familieverzoening had ik aangeboden een sollicitatiegesprek te voeren met de laatste kandidaten. Het was een van die goede daden waarop geschreven staat: 'God straft onmiddellijk.'

Ik checkte mijn e-mail en vond de samenvattingen. Ik vond ook verslagen van de zoekdiensten. Ik schonk mezelf een glas cranberrysap in en ging zitten om ze te lezen, me afvragend of ze enig licht zouden werpen op waar Gregory Danes naartoe was gereden en wanneer hij van de kaart was verdwenen.

— 5 —

Richard Gilpin noemde zich tegenwoordig Gilford Richards, althans bij de eerbiedwaardige beleggingsfirma Morgan & Lynch te Fort Lee, New Jersey. Zijn stem was diep en vol van oprechtheid, maar hij werd stil toen ik de naam Gilpin gebruikte en hing op toen ik zei dat ik belde over zijn halfbroer, Gregory Danes.

Het was niet moeilijk geweest om Gilpin te vinden – hij stond in het telefoonboek, met een adres ergens in Englewood. Ik had het nummer gedraaid en een antwoordapparaat vertelde me dat ik verbonden was met de woning van Gilford Richards. Ik had Gilford Richards in een zoekmachine getypt en was terechtgekomen op de flodderige website van Morgan & Lynch. Volgens de site was Morgan & Lynch een bedrijf op de Cayman Islands dat een stuk of vijf hedgefondsen beheerde – voornamelijk microcap-aandelen en buitenlandse obligaties. Ze beloofden een gestage groei in bedrijfsmiddelen en opmerkelijke winsten en beweerden moeilijke, onsamenhangende dingen over de wiskundige modellen die werden gebruikt om hun investeringen te beheren. Het hele gedoe rook naar flessentrekkerij.

Er scheen geen Morgan of Lynch aan de firma verbonden te zijn, maar Gilford Richards werd genoemd als een van de bazen. Richards' cv was indrukwekkend, maar maakte merkwaardig genoeg geen melding van zijn vroegere incarnatie als Gilpin, of zijn botsingen met de SEC. Een vergissinkje natuurlijk. Na vijf pogingen gaf ik het op om te proberen hem opnieuw te bereiken en legde me neer bij een trip naar Fort Lee. Maar niet vandaag.

Vandaag stond Dennis Turpin op mijn agenda. De avond tevoren had ik Nina Sachs gebeld om te vragen of ze het goed vond dat ik Turpin haar naam onthulde. Het was een verrassend pijnloze ervaring geweest. En te oordelen naar wat ik aan de telefoon had gehoord, was de hele sfeer in huize Sachs er absoluut op vooruitgegaan.

Nina had opgenomen. Haar stem was luchtig en haar stemming mededeelzaam. Er klonk muziek op de achtergrond en Billy lachte en riep iets naar Ines.

'Kom op, Nes – ik draai die Miami-troep die je zo mooi vind.' Hij zong, vals, 'Turn the Beat Around'.

Ik vertelde Nina over mijn gesprek met Turpin en over zijn aanbod om informatie uit te wisselen en ze dacht niet lang na voordat ze toestemming gaf.

'Hé, wat dondert het – ze weten al dat ik Greg zoek.' Ze dacht langer na over mijn gesprekken met Christopher de portier en Rafe de garagewachter.

'Ze waren niet van de politie?' vroeg ze na een poos. Ze was stiller en bezorgd.

'Zo te horen niet.'

'Wie dan wel?'

'Ik hoopte dat jij een idee zou hebben.'

'Stik, nee... mensen van zijn werk misschien?'

'Zou kunnen,' zei ik. 'Misschien weet ik morgen meer.'

Ik had nog wat tijd over tot mijn afspraak met Turpin – tijd genoeg voor de lunch en meer telefoontjes. Ik toetste het nummer van Simone Gautier.

Ze had nog geen nieuws voor me van de ziekenhuizen en mortuaria, maar daar belde ik niet voor. Ik gaf haar Danes' kenteken en een beschrijving van zijn BMW en sprak een honorarium af voor het natrekken van de langparkeerplaatsen op Newark, LaGuardia en JFK. Ik had zelf al naar Danes' auto gezocht in het onlinebestand van in beslag genomen voertuigen van de New Yorkse politie en niets gevonden en ik verwachtte weinig van de langparkeerplaatsen – Danes leek me het type dat een taxi gebruikt voor zijn ritten naar het vliegveld – maar ik zou me een oen voelen als ik iets zo voor de hand liggends oversloeg.

Mijn volgende telefoontje was met Paul Gargosian, de vakantievierende portier van Danes' flat. Ik had hem in het telefoonboek gevonden – de enige Gargosian op City Island, in de Bronx. Mevrouw Gargosian nam op. Ze had een zwaar Brooklyn-accent en ze was vriendelijk en voorkomend.

'Paulie is er niet, schat. Is de eerstkomende weken in Sarasota, met zijn broer, Jerry. Ze zitten het grootste deel van de tijd op Jerry's boot en ik weet niet wanneer hij belt. Als je een nummer wilt achterlaten, misschien dat hij je terugbelt.' Ik gaf haar mijn nummer en bedankte haar.

Daarna ging ik naar de keuken en maakte twee boterhammen met pindakaas en jam op volkorenbrood en schonk mezelf een groot glas melk in. Ik ging aan mijn lange tafel zitten, opende mijn laptop en ging verder waar ik gisteravond gebleven was, met de rapporten van de zoekdiensten.

Ze bevatten geen makkelijke antwoorden. Het appartement in 79th Street was Danes' enige huis: geen weekendhuis in de Hamptons, geen winterverblijf in Florida, geen zomerhuis in Maine. Hij had de flat bijna vier jaar geleden gekocht en tegelijkertijd een huis verkocht in 90th Street, in Carnegie Hill. Hij woonde er sinds de scheiding, toen hij en Nina overeen waren gekomen het pand aan Monroe Place, in Brooklyn Heights, dat gezamenlijk eigendom was, te verkopen. En er hoefde alleen naar de BMW te worden gezocht; er stonden geen andere voertuigen op Danes' naam, althans niet in de vijftig staten. Er was echter wel een lange lijst van rechtszaken en arbitrageclaims.

De zoekdiensten hadden me de rolnummers gegeven en nu ploegde ik op het internet door gerechtelijke dossiers en het gegevensbestand van de SEC over alle zaken. Ik had me niet gerealiseerd dat het er zoveel waren. En evenmin dat sommige ervan niet alleen Pace-Loyette beschuldigden van wanbeheer, maar ook Danes persoonlijk. Een advocaat, een zekere Toby Kahn, had Danes vertegenwoordigd in de rechtszaken en ik sprak een bericht in en vroeg hem te bellen. Ik vorderde maar langzaam en ik had nog niet veel zaken doorgenomen toen het tijd was voor mijn afspraak bij Pace-Loyette. Ik gaf de tulpen van Jane water en ging de deur uit.

Het hoofdkantoor van Pace-Loyette besloeg acht verdiepingen van een kantoortoren in 52nd Street en Sixth Avenue, een straat verder dan Radio City. De hoofdreceptie was op de twintigste verdieping en ingericht als een hobbyruimte van Mies van der Rohe. Het meubilair bestond uit zwart leer, verchroomd staal en scherpe hoeken, de marmeren vloeren waren kaal en witter dan eierschalen en de wanden bestonden voornamelijk uit glas.

De receptiebalie was een reep van glas en staal, nauwelijks zichtbaar als je er recht tegenaan keek, net als de receptioniste. Haar strakke jurk was van staalblauwe zijde en ze sprak zacht en monotoon. Ze vroeg me plaats te nemen, liet haar vingers over de toetsen van een slanke telefoon glijden en fluisterde in de hoorn. Ze legde de telefoon neer, keek me aan en knikte, maar het knikje en de blik waren betekenisloos. Na een poos werd ik opgehaald door een jonge vrouw. Ze was jong en opgewonden en nerveus en haar donkere haren waren kort en verward.

Ik volgde haar de lift in en er weer uit op de vierentwintigste verdieping. We sloegen linksaf, langs een wachtruimte met vierkante leren stoelen en glazen bijzettafels, en door openslaande glazen deuren. Alles voorbij de deuren – het tapijt, de wanden van de kantoorcellen, de dossierkasten en de meubels – was in grijstinten gehouden. De kantoorcellen waren vol mensen die telefoneerden of naar computerschermen tuurden. Hun zachte stemmen vermengden zich tot een stemmig gemompel, slechts onderbroken door het zachte klikken van toetsen. De jonge vrouw leidde me door een gang naar een deur met Turpins naam. Ze klopte vinnig en duwde hem open en ik ging naar binnen.

Het was een hoekkantoor, vierkant, met grote ramen, mooi licht en uitzicht naar het westen en noorden. Ik zag het CBS-gebouw aan de overkant van 52nd Street en een stuk van het Hilton aan de andere kant van Sixth Avenue. De muren waren wit en de vloeren bedekt met dik, beige tapijt. Het meubilair was kantoor-modern – warme houtsoorten en geborsteld staal, aardkleuren en rustige patronen. Rechts van me stond een sofa met geelbruine stoffen bekleding en twee bij elkaar passende stoelen aan een lage kersenhouten tafel. De andere kant van het vertrek werd gedomineerd door een groot, L-vormig bureau met daarachter een troon van geelbruin leer en een lange penanttafel en ervoor twee stoelen. In een van de stoelen zat een vrouw, die opkeek toen ik binnenkwam. De man op de leren troon keek niet op.

De vrouw was een goed geconserveerde veertiger. Ze droeg een mantelpakje en een witte blouse, met een groene, zijden sjaal om haar hals. Haar glanzende haren waren diep kastanjebruin, met net genoeg grijs om het aannemelijk te maken. Haar wangen waren bespikkeld met sproeten. Ze had lachrimpeltjes rondom haar mond en haar bruine ogen, maar ze lachte niet.

Turpin, achter zijn bureau, negeerde me nauwgezet. Hij was een jaar of vijftig en klein, maar zag er fit uit. Hij droeg een wit overhemd. Zijn blauwe krijtstreepcolbert viel soepel om zijn schouders. Er zat een strakke scheiding in zijn korte grijze haren en zijn wenkbrauwen waren dikke, perfecte strepen boven bijna zwarte ogen. Hij was gladgeschoren en zijn huid spande zo strak over de onderliggende spieren en botten dat hij er bijna aapachtig uitzag – als een uiterst propere chimpansee. Zijn handen rustten op een toetsenbord terwijl hij het scherm voor hem bestudeerde. Af en toe grinnikte hij in zichzelf, klaarblijkelijk om iets wat hij daar zag. Niemand zei iets.

De vrouw keek me aan en liet niets blijken. Turpin staarde nog aandachtiger naar zijn scherm en lachte nog luider. Ik vermoedde dat de voorstelling nog even zou duren, dus ging ik naast de vrouw zitten en keek naar Turpins snuisterijen.

Achter hem op de penanttafel stond een ingelijste foto van hemzelf in de stuurhut van een zeilboot, met drie mensen van wie ik aannam dat ze zijn vrouw en kinderen waren. De vrouw had sluik blond haar, een zure mond en was zo te zien zeeziek. De tieners keken chagrijnig.

Naast de foto, keurig op een rijtje, stonden een stuk of tien perspex grafstenen, ter nagedachtenis aan bedrijfsovernames onder toezicht van advocatenkantoor Hazelton, Brown & Cluett. Ik had van geen van de betrokken ondernemingen gehoord, maar ik kende Hazelton als een keurig kantoor. De transacties waren een jaar of tien oud en bij elk ervan had Dennis Turpin zijn kantoor vertegenwoordigd.

Het was in het gunstigste geval een stap opzij – en waarschijnlijk een stap omlaag – van partner van een kantoor zoals Hazelton tot hoofd van Juridische Zaken bij Pace-Loyette en ik vroeg me af wat er met Turpins carrière was gebeurd. Misschien had hij geen geld meer in het laatje gebracht toen de overnamemarkt instortte en hadden zijn partners hem weggepest. Of misschien waren ze zijn poeha beu geworden.

Naast de grafstenen stond een druk bewerkte tinnen bierpul, voorzien van twee geëmailleerde wapens – van het ministerie van Justitie en van de FBI. En daarnaast stond opnieuw een ingelijste foto: Turpin in zwart pak, naast de openbare aanklager van het Southern District van New York. Daarnaast stond een koffiebeker met een inscriptie van het Marine Corps. *Semper Fi.* Geweldig. Turpin lachte nog een laatste keer en draaide zijn stoel naar me toe.

Hij keek me aan, slaakte een zucht en keek theatraal het kantoor rond, alsof hij iemand anders had verwacht.

'Dat is alles?' vroeg hij. 'Alleen u?' Ik zei niets. 'Geen vertegenwoordiger. Geen raadsman?' Zijn stem klonk ontoeschietelijk en het New England-accent was nu duidelijker hoorbaar. 'Vrienden van me in de stad zeiden dat u altijd een jurist meeneemt. Maar goed ook, zeiden ze.' Hij keek of ik verbaasd was, maar ik trok slechts een wenkbrauw op. Turpin haalde zijn schouders op.

'Jan Carmody, van Harris, Coldwater – onze externe jurist,' zei Turpin met een knikje in de richting van de vrouw. Hij keek me opnieuw aan. 'Weet u, ik heb samen met uw broer Ed aan een transactie gewerkt, een paar jaar geleden,' zei Turpin. 'Een bedrijfsovername door Klein.'

Hij zocht opnieuw naar verbazing, maar opnieuw bleef die uit. Wall Street is in veel opzichten een kleine stad en mijn familie is er niet onbekend, zodat ik mijn belangstelling voor het spelletje van wie wie kent al lang geleden had verloren. Maar ik vond het amusant dat Turpin mijn broer Ed noemde. Hoewel Edwin zijn eigenlijke naam is, is er niemand die mijn broer – al is het maar oppervlakkig – kent die hem anders noemt dan Ned. Turpin keek Jan Carmody aan.

'Je kent Ed March, bij Klein, is het niet, Jan?'

'Ik ken Ned,' zei ze. Turpin merkte haar correctie niet op of deed alsof. Ook dat vond ik amusant.

'En we kennen u ook,' zei Turpin. 'We weten dat u zichzelf voor een soort cowboy houdt en we weten wat voor arrogante klootzak u kunt zijn. Dus laten we van meet af aan iets duidelijk stellen – we zijn niet van plan uw gelul te pikken.' Turpin wees naar me en de kijvende klank die ik aan de telefoon had gehoord sloop terug in zijn stem. 'Blijf mijn mensen lastigvallen, bemoei u met de leiding van ons bedrijf en ik heb uw vergunning – en uw verrekte beheersfonds – in mijn zak voordat ik met u klaar ben.' Turpin wierp me een harde blik toe. Jan Carmody hield het bij leeg. Ik glimlachte naar hen.

'Als ik me niet vergis hebt u me uitgenodigd en ik dacht dat we een volwassen gesprek zouden voeren in plaats van een slecht toneelstukje uitzitten.' Carmody verstrakte. Turpin liep rood aan en haalde adem om iets te zeggen, maar ik ging door: 'Ik heb begrepen wat u gisteren zei en ik begrijp het vandaag nog steeds, al denk ik niet dat een paar telefoontjes als lastigvallen zullen worden aangemerkt. Ik ben alleen maar geïnteresseerd in het vinden van Gregory Danes. Als u daarover wilt praten, prima. Anders laat ik u doorgaan met uw werk.' Turpin kneep zijn lippen op elkaar en keek dreigend. Jan Carmody schraapte haar keel en wisselde een blik uit met Turpin. Hij knikte even. Ze nam het woord.

'Wat Dennis bedoelt, meneer March, is dat Pace-Loyette zijn verantwoordelijkheid tegenover zijn aandeelhouders, zijn cliënten en werknemers zeer ernstig neemt. En het zal krachtig optreden tegen alles wat zijn vermogen om deze personen van dienst te zijn belemmert.' Het was indrukwekkend juristenjargon – een zachte dreiging, een beroep op zedelijke normen, maar slinks en uitermate ontwijkend qua betekenis. En Jan Carmody deed het goed – beleefd, redelijk en ernstig en zonder zelfs maar een zweem van Turpins aanstellerij. Ik knikte naar haar.

'Wat Danes betreft...?' zei ik. Carmody keek naar Turpin, die stoom had afgeblazen.

'Ik neem aan dat u toestemming van uw cliënt hebt om met ons te praten,' zei Turpin. Ik knikte 'En? Voor wie werkt u?'

Ik glimlachte. 'Voordat we zover zijn wil ik enige zekerheid dat mijn vragen beantwoord zullen worden.' Turpin boog zich naar voren in zijn stoel. Hij wees weer.

'Dat hangt van de vragen af, niet? Denk verdomme niet dat u hier een blanco volmacht hebt.'

'Dat denk ik niet. Maar ik wil weten of u bereid bent over bepaalde dingen te praten – zoals wanneer u Danes voor het laatst hebt gezien of wanneer iemand hier hem voor het laatst heeft gesproken of in wat voor stemming hij was – dat soort dingen.'

Carmody antwoordde. 'En in ruil daarvoor, meneer March, wat bent u gemachtigd ons te vertellen?'

'Ik kan u vertellen voor wie ik werk en wat ik tot dusver heb ontdekt.' Carmody en Turpin keken elkaar aan en kwamen tot overeenstemming. Turpin knikte.

'Goed,' zei hij, 'u eerst.' Ik vertelde hun wie me in de arm had genomen en wat ik tot dusver wist. Het was een kort verhaal en ze zwegen toen ik klaar was, alsof ze op meer wachtten.

'Dat is alles?' zei Turpin. 'Dat is wat u weet? Er is niets bij wat ik niet al wist.' Ik haalde mijn schouders op. Hij fronste zijn dikke wenkbrauwen. 'Trouwens hoe weet ik of u niet uit uw nek lult? Kunt u bewijzen dat u niet voor iemand anders werkt?'

'Voor wie anders zou ik werken?'

'Hoe moet ik dat verdomme weten – het stikt van de klagers.'

Jan Carmody onderbrak hem met een kuchje. 'We hebben het nummer van mevrouw Sachs. Waarom bellen we niet om het te verifiëren?' Ze haalde een gsm uit haar zak en liep de kamer uit. Ze bleef nog geen vijf minuten weg en in de tussentijd zaten Turpin en ik zwijgend tegenover elkaar en staarden in de verte. Carmody knikte naar Turpin toen ze terugkeerde; hij keek naar mij. Mijn beurt.

'Heeft iemand bij Pace iets van hem gehoord sinds hij naar buiten is gestormd?' vroeg ik hem.

Hij boog zich naar voren en liep weer rood aan. 'Wie beweert dat hij weggestórmd is, verdomme?' gromde hij. 'Met wie hebt u gepraat?' Ik keek Carmody aan. Ze zuchtte.

'Voorzover we weten heeft Danes sinds zijn vertrek met niemand binnen het bedrijf contact gehad,' zei ze. Turpin sloeg met de vlakke hand op zijn bureau.

'Wat doe je verdomme, Jan? Waarom zouden we hem ook maar íéts vertellen als hij niet mee wil werken?'

Carmody keek hem aan. 'Hij werkt mee, Dennis, hij heeft zich aan de afspraak gehouden... Nu stelt hij zijn vragen en vist intussen wat. Daar is niks mis mee. En we zijn ook niet verplicht in het aas te happen.' Haar stem was kalm en vlak en ik glimlachte naar haar. Turpin was dan misschien een machtige jurist geweest – en was dat misschien nog steeds – het was duidelijk dat hij niet veel tijd in de rechtszaal had doorgebracht. En Carmody had dat even duidelijk wél.

Turpins kneep zijn lippen opeen en sperde zijn neusgaten open en ik zág dat hij zich probeerde te beheersen.

'Dus dat gedoe dat hij met verlof zou zijn...?' vroeg ik.

'Formeel is hij met verlof,' zei Carmody. 'Dat is de officiële stand van zaken sinds hij niet van verlof is teruggekeerd.' Turpin wierp haar een geergerde blik toe, maar die schampte af.

'Wanneer heeft hij verteld dat hij verlof opnam?'

Ditmaal antwoordde Turpin. 'De laatste dag dat hij op kantoor was – of diezelfde avond. Hij liet een voicemailbericht achter voor zijn vervanger bij Research dat hij drie weken opnam. Ze kreeg het de volgende dag.'

'Heeft hij gezegd waar hij naartoe ging?' Turpin schudde zijn hoofd. 'En hij had eerder met niemand over dat verlof gesproken?' Opnieuw een hoofdschudden. 'En het maakte niemand iets uit?' Turpin keek me aan.

'Verlof leek me een goed idee. Hij had een heleboel aan zijn hoofd.'

'Zoals rechtszaken en arbitrage?' vroeg ik. 'Zoals de SEC?'

'Zullen we het daar vandaag niet over hebben, meneer March?' zei Carmody. Ik knikte.

'Is hij speciaal bevriend met iemand van kantoor?' vroeg ik. Ze keken me vragend aan.

'Niet dat ik weet,' zei Turpin.

'Hebben jullie hem gezocht?' vroeg ik.

'We hebben een paar telefoontjes gepleegd,' zei Turpin.

Ik knikte. 'Met wie?' Turpin verstrakte merkbaar en keek Carmody aan.

'We hebben zijn advocaat gesproken, Toby Kahn,' zei ze. 'Hij heeft niets meer van Danes gehoord sinds hij hier is weggegaan. Anderzijds, dat verwachtte hij ook niet. De zaken liepen naar een schikking toe en er gebeurt momenteel niets waar Danes' inbreng bij nodig is.'

'En dat is alles wat jullie gedaan hebben – zijn advocaat bellen?'

Turpins gezicht betrok. 'Wat had u verdomme dan nog meer verwacht?' zei hij.

Ik haalde mijn schouders op. 'Maakt u zich helemaal geen zorgen om hem?'

'We zouden graag weten of hij van plan is terug te komen,' zei hij gepikeerd. 'We zouden graag...'

Carmody viel hem in de rede. 'Hebt u reden om u zorgen te maken over hem, meneer March?' vroeg ze me. 'In dat geval zou u naar de politie moeten gaan. Dat is wat wíj zouden doen.'

'Maar u hebt het nog niet gedaan?'

Ze schudde haar hoofd. 'Zoals Dennis al zei, we hebben een paar telefoontjes gepleegd, maar we zijn nog niet meer te weten gekomen dan u en niets wat aanleiding voor ons is om naar de politie te stappen.'

Turpin keek op zijn horloge. 'Ik denk dat u uw limiet bereikt hebt, March,' zei hij.

'Eén ding nog: waarover hadden u en hij ruzie op de dag dat hij het kantoor verliet?' Turpin mocht dan een kort lontje hebben, maar hij was niet op zijn achterhoofd gevallen en ditmaal verzon hij een plausibele leugen.

'Ik weet niet met wie u gesproken hebt, maar ze zijn in elk geval niet betrouwbaar. Gregory Danes is een intelligente kerel met uitgesproken meningen die hij fel verdedigt. Dat respecteer ik – ik ben zelf ook zo. Soms komt Greg in aanvaring met anderen – net als ik. En enkele keren zijn we met elkaar in aanvaring gekomen. Stemmen worden verheven, er wordt met deuren gegooid – die dingen gebeuren – soms is het zelfs gezond. *Creatieve spanning* noemen ze dat.' Zijn glimlach was sluw en verontrustend.

'En waarover waren jullie die dag creatief gespannen?'

Turpins gezicht werd strak, maar Jan Carmody was hem voor. 'Ik denk dat Dennis gelijk had toen hij voorstelde dat we hier een eind aan zouden maken, meneer March. Bedankt voor uw tijd vandaag.' Ze wachtte niet op een antwoord, maar haalde een agenda uit de aktetas aan haar voeten en begon erin te bladeren. Turpin zat doodstil. Hij had zijn dikke wenkbrauwen gefronst en staarde me aan alsof ik zijn laatste banaan had gepikt. Ik stapte op.

Ik wachtte als enige op de lift en die was leeg. Uit het telefoonregister dat Neary me had gegeven wist ik dat Danes' afdeling, Research, op de tweeëntwintigste verdieping lag. Ik daalde twee verdiepingen af.

De receptie was onbemand toen ik er langsliep en zonder goede reden sloeg ik linksaf. Het kleurenschema op deze verdieping was leiblauw en wit, maar verder was alles bijna identiek aan vierentwintig – kantoorcellen en dikke tapijten, telefoons en computers, gebogen hoofden en fluisterende stemmen. De mensen in de kantoorcellen besteedden geen aandacht aan me.

Ik sloeg een hoek om en betrad een nieuw gedeelte van blauw met witte kantoorcellen, omringd door kantoren en vergaderzalen. Hier echter geen nietszeggende bedrijfskunst aan de muren, maar lange, verchroomde rekken vol onderzoeksrapporten van Pace-Loyette. De kantoorcellen hier waren groter en voorzien van indrukwekkender computers, soms meer dan één, en de stapels papier en tijdschriften waren hoger. Tegen de achtermuur was een grote, glazen ruimte, ingericht als bibliotheek. Ik vermoedde dat dit Research was. Hoewel de lunchpauze allang was afgelopen waren er weinig mensen. Als iemand me al opmerkte leek het ze koud te laten. Ik ging op zoek naar het grootste kantoor.

Het lag op een hoek en was voorzien Danes' naam. Er vlakbij was een grote kantoorcel met lage wanden en de naam Giselle Thomas erop. Het vertrek was leeg. Ik keek om me heen en zag niemand. Ik voelde aan de deur. Die was op slot.

'Kan ik u helpen?' Het was een vrouwenstem en die klonk allesbehalve behulpzaam. Ik draaide me om. Ze was lang en bijzonder slank en ze stond bij de kantoorruimte van Giselle Thomas met een arm vol kranten. Ze droeg een kaki broek en een stijve beige blouse en had een achterdochtige uitdrukking op haar smalle gezicht.

'Het kantoor van Irene Pratt?' zei ik.

Ze keek me nors aan en haar blik gleed naar het naamplaatje van Danes en weer naar mij. 'Nou, dit is het duidelijk niet.' Ze bekeek me van top tot teen en besloot dat ik aan een of andere maatstaf voldeed. 'Irene is die kant op en de hoek om.' Ze gebaarde met haar hoofd. Ik bedankte haar en ging ervandoor. Toen ik de hoed om sloeg keek ik om en zag haar praten met een grote, zwarte vrouw. Ze keken mijn kant op. Stik.

Mijn pols versnelde. Het was nu slechts een kwestie van tijd; ik moest sneller te werk gaan. Het kantoor van Irene Pratt was waar de magere vrouw gezegd had dat het zou zijn en de deur stond open. De kantoorcel van haar assistente was verlaten. Ik keek naar binnen.

Pratts kantoor was identiek aan dat van Turpin, maar met meer zichtbare tekenen van het werk dat er verzet werd. Er stond meer apparatuur op haar bureau – drie grote TFT-schermen – en er lag ook meer papier: wankele stapels spreadsheets, prospecti, onderzoeksrapporten en financiële bladen, en er was geen ruimte voor prullaria. Pratt zat aan haar bureau, praatte in een headset en keek naar een van haar monitoren toen ik naar binnen stapte. Ze keek op.

Haar golvende, kastanjebruine haar hing net over haar schouders. Het zat enigszins in de war en was dik genoeg om de headset te verbergen. Haar gezicht was bleek en ovaal en haar wangen waren vaag rozig. Een ronde bril met draadmontuur stond scheef op haar kleine, rechte neus en de ogen erachter waren groot, donker en intelligent. Haar mond was klein en sceptisch en ging gedeeltelijk schuil achter de microfoon van de headset. Haar roze blouse had een vierkante hals en een koffievlek op het voorpand. Zonder de headset en de snelheid waarmee ze sprak had je Irene Pratt makkelijk voor een wetenschapster kunnen aanzien – een Beowulf-deskundige misschien of een expert in middeleeuwse stoffen – iets stoffigs en ver van de wereld van de commercie verwijderd. Een flard van haar conversatie verdreef die gedachte.

'Ik zeg je, ze lullen uit hun nek. Ze bagatelliseren de kosten en van hun pensioenaannames klopt geen zak.' Haar hoge, nasale stem klonk zoals ik me herinnerde.

Irene Pratt trok haar donkere wenkbrauwen op, hief haar hoofd op en keek me aan. Haar blik was niet geschrokken en nauwelijks nieuwsgierig, alleen lichtelijk geïrriteerd. Ze knikte terwijl ze door de headset luisterde en zich weer naar haar monitor draaide. Ze sprak verder, maar ik kreeg niet te horen wat ze zei.

'Neem me niet kwalijk, meneer, kunnen we u helpen?' Het was een strenge, sceptische stem – een politiestem – in de gang achter me. Ze waren sneller dan ik dacht. Ik voelde een adrenalinestoot en draaide me om.

Ze waren met z'n tweeën, beiden ruim een meter tachtig, in slecht zittende blauwe blazers, slobberige grijze pantalons en zware politieschoenen. Ze droegen een riem met apparatuur onder hun colbert – een radio op de linkerheup, een uitschuifbare metalen wapenstok op de rechterheup; de handboeien en het traangas hingen waarschijnlijk op hun rug. De oudste was breed en grijs en keek slaperig. De jongste had kortgeknipt blond haar, een breed gezicht en grote handen die hij niet stil kon houden. De politiestem behoorde toe aan de oudste.

'Kunt u hierheen komen, meneer, en ons een identiteitsbewijs laten zien?' vroeg hij. Hij gebaarde zijn jongere partner achter me te gaan staan, maar hun ritme werd verstoord door Dennis Turpin, die met de stoom uit zijn oren om de hoek kwam. Nu hij stond was hij niet langer dan een meter vijfenzestig en de waggelende tred van zijn o-benen en zijn lange armen benadrukten zijn aapachtige eigenschappen.

'Als ik het niet dacht,' zei hij. Hij was verongelijkt en op de een of andere manier vergenoegd. 'Ik wist wel dat je niet te vertrouwen was. Wat denk je verdomme dat je hier te zoeken hebt? Dacht je dat ik het niet meende toen ik zei dat je uit de buurt moest blijven? Dacht je dat ik maar wat zei?' Hij porde met zijn vinger in mijn borst. Ik glimlachte naar hem omlaag.

'Dat zal wel het probleem zijn met poeha – te veel en je verliest je geloofwaardigheid. De mensen weten niet meer wanneer je zomaar iets zegt en wanneer niet. Zoals dat gelul over *creatieve spanning* – wat moest ik daarvan denken?' Ik glimlachte niet meer. 'En blijf alsjeblieft van me af.' Turpin sputterde en wierp een blik op zijn beveiligingsbeambten en de mensen die vanuit hun kantoorcellen toekeken. De grijze bewaker keek nog altijd even slaperig, maar hij fronste zijn voorhoofd, alsof hij iets vergeten was. De jongste keek gretig.

'Je merkt wel hoe serieus ik het meen als ik je door deze mannen buiten laat smijten en je aanklaag wegens huisvredebreuk.'

'Huisvredebreuk?' Ik glimlachte opnieuw. 'Ik heb op mijn weg naar buiten een verkeerde afslag genomen en toen ik merkte dat ik op de afdeling Research was, dacht ik: ik wip even binnen bij mevrouw Pratt. Dat is een magere grond voor huisvredebreuk, Turpin – zeker gezien het feit dat ik hier ben op uitnodiging van jou.' Ik sprak luid en keek om naar het kantoor van Pratt. Ze stond in de deuropening te kijken, maar haar gezicht verraadde niets. Turpin sputterde nog wat. Hij schudde heftig zijn hoofd en porde weer in mijn borst.

'Smijt die lul met kop en kont naar buiten,' zei hij. De oudste bewaker wilde iets zeggen, maar de jongste kon zich niet langer bedwingen. Zijn stem klonk nerveus en opgewonden en verrassend hoog. Van de steroïden waarschijnlijk.

'Je hebt het gehoord, klootzak, rot op,' zei hij.

'Nee, Jimmy...' begon de grijze bewaker, maar het was te laat. Jimmy had mijn arm al beetgepakt, net boven de elleboog en tastte naar mijn pols om de kom-mee-greep te voltooien. Ik deed een stap naar voren en Jimmy volgde, uit zijn evenwicht gebracht en naar me toe leunend. Ik draaide een kwartslag om mijn as en plantte mijn vrije elleboog tussen zijn ribben. Hij hapte naar adem en liet zijn greep verslappen en ik draaide nogmaals, rukte mijn andere elleboog los en ramde die tegen zijn neus. Zijn hoofd sloeg achterover en zijn handen vlogen naar zijn gezicht en ik tolde van hem weg; de adrenaline gierde door mijn armen en benen.

'Godver!' jammerde hij. Bloed druppelde tussen zijn vingers door. 'Mijn neus, verdomme...' Turpin staarde – met open mond – van Jimmy naar mij en weer terug.

'Jezus...' zei hij. De oudere bewaker schudde vol medelijden zijn hoofd. Jimmy veegde zijn neus schoon met de rug van zijn hand en kermde. Hij staarde naar het bloed en toen naar mij en zijn ogen werden klein. 'Klootzak,' siste hij en hij greep naar zijn wapenstok. De oudere man legde een hand op Jimmy's pols en hield hem tegen.

'Oké, Jimmy,' zei hij zacht en hij keek me aan. Zijn ogen waren hard en glanzend, als blauwe knikkers en ze stonden absoluut niet slaperig meer. 'Deze heer gaat gewoon weg en hij doet het rustig en onmiddellijk. En hij weet dat, als hij dat doet, niemand iemand nog hoeft aan te raken. Waar of niet, meneer?' Ik knikte langzaam en de schouders van de oudste man ontspanden zich. Hij verstrakte weer toen Turpin het woord nam.

'Hij gaat godverdomme nergens naartoe. Hij heeft deze man aangevallen en we houden hem vast voor de politie.' Turpin schommelde van de ene voet op de andere en de oudste man schudde zijn hoofd. Ik haalde opnieuw diep adem, om mijn stem tot kalmte te brengen, en produceerde een korte lach.

'Dat is jouw verhaal. Het mijne is dat jij die vent hebt opgehitst om me aan te vallen en dat ik mezelf verdedigde. Ik blijf met alle genoegen hier

om het door de politie en de pers te laten uitzoeken; ik ga ook met alle genoegen weg. De keus is aan jou.'

Turpins gezicht had een vreemde paarse kleur en zijn lippen waren bijna onzichtbaar. De grijze man keek hem bedroefd aan, maar Turpin zag
het niet eens. Hij stond daar maar – rood aangelopen, zwijgend en bevend
van woede. Ik keek naar Pratts kantoor. Ze stond nog steeds in de deuropening toe te kijken en haar gelaatsuitdrukking was nog steeds een raad-
sel. Na een minuut draaide ik me om en liep naar de lift.

− 6 −

Ik plofte op de achterbank van de taxi en vervloekte mezelf gedurende de hele rit naar 34th Street. Ruzie zoeken met Turpin en zijn boef van een bewaker was stom en zinloos geweest en ik was boos op mezelf. Die bewaker was een aanstellerige spierproleet en ik hield niet van porren − maar dat was geen excuus, evenmin als het feit dat hij zich zo makkelijk uit zijn tent had laten lokken. Hem afzeiken had me niks opgeleverd en had me tijdverspillende ellende kunnen besparen.

De rest van de rit naar huis dacht ik na over het weinige wat ik bij Pace-Loyette te weten was gekomen. Zoals Nina Sachs al had vermoed had de Pace-directie geen beter zicht op Danes' verblijfplaats dan zij, maar ze hadden beslist belangstelling − genoeg in elk geval om enkele discrete telefoontjes te plegen en een afspraak met mij te maken. Maar ik dacht niet dat hun nieuwsgierigheid − of bezorgdheid − hen ertoe had aangezet enkele boodschappenjongens de stad in te sturen om wat smeergeld uit te delen en vragen te stellen. En het was niet genoeg geweest om ze de politie te laten bellen. Of misschien, zoals Neary had gesuggereerd, dat de noodzaak om zo min mogelijk op te vallen al het andere had overschaduwd. Waarna ze, leek me, weinig anders met het probleem-Gregory Danes konden doen dan er een paar advocaten omheen wikkelen.

Het was na drieën toen de taxi me thuis afzette. Ik nam de trap naar boven. Het was stil in het gebouw, op mijn voetstappen na en het zachte geluid van een vrouw die zong − de Indigo Girls, dacht ik − toen ik de tweede verdieping passeerde. Ik zette een paar ramen open en zachte lucht drong mijn appartement binnen. Ik rook een vaag, verrassend spoor van Janes geur en vroeg me af wat ze op dat moment deed. Ik schonk mezelf een groot glas water in en luisterde mijn antwoordapparaat af. Laurens stem klonk door de luidspreker.

'Hé, met mij. Ik herinner je maar even aan Ned, op zaterdag. Keith en ik komen om twee uur. Tot dan.' Ik had mijn familie de afgelopen paar maanden vaker gezien dan in de jaren daarvoor − tijdens brunches, verjaardagsfeesten, een gedenkdag en zelfs de bar mitswa van een achterneef.

Maar de toenadering was voor alle betrokkenen een experiment en Lauren en haar man Keith hadden besloten dat ik bij die gelegenheden gechaperonneerd moest worden – voor het geval ik hem smeerde of erger. Ze hadden zichzelf als zodanig benoemd.

Na Lauren kwam de sussende schoolfrikkenstem van mevrouw Konigsberg, de secretaresse van mijn broer. Ze was circa driehonderd jaar oud en vóór mijn broer had ze gewerkt voor mijn ooms en mijn opa bij Klein & Sons. Mevrouw K. was niet alleen stokoud, maar ook nauwgezet, star en volstrekt humorloos en haar afkeuring jegens mij had niet erger kunnen zijn als ze mijn eigen moeder was geweest.

'Meneer March, u spreekt met Ida Konigsberg van Klein & Sons,' zei ze, alsof ik haar stem of haar naam niet zou herkennen of zou denken dat ze na al die eeuwen van werkgever was veranderd. 'Ik bevestig uw afspraak van morgenmiddag, om twee uur, hier ten kantore.' Ze noemde het adres en ik lachte hardop; het zou me niet verbaasd hebben als ze me verteld had hoe ik er moest komen. 'U zult een sollicitatiegesprek voeren met de heer Geoffrey Tyne, wiens curriculum vitae u reeds ontvangen moet hebben. Het gesprek zal plaatsvinden in de vergaderruimte van meneer Ned March, naast zijn kantoor op de zesde verdieping. Meneer March zou u na afloop graag een minuut of vijftien willen spreken om uw indruk van de heer Tyne te bespreken. Belt u me alstublieft om dit te bevestigen.' Ik zou niet anders gedurfd hebben.

Het telefoontje van mevrouw K. eindigde met een discrete klik en toen kwam Janes stem. Er zat ruis op de lijn en ik hoorde stemmen op de achtergrond.

'Ik ben in de stad, weer bij de juristen, en het ziet ernaar uit dat het laat wordt.' Ik hoorde de spijtige glimlach in haar stem. 'Laat een boodschap achter, zeg wat je van plan bent. Misschien kunnen we uit eten gaan, als je het niet erg vindt om te wachten.' Ik hoorde iemand haar naam noemen. 'Moet me haasten. Bel me.'

Ik had geleerd dat 'laat' voor Jane alles kon betekenen tussen negen en twaalf uur 's avonds en ik belde om haar voicemail te vertellen dat ik die avond niet kon wachten. Vanavond moest ik werken. Ik had twee vergeefse pogingen gedaan om met Irene Pratt te praten; de derde keer, stelde ik me zo voor, zou de toverformule zijn. Ik opende mijn laptop en startte mijn browser.

Er waren drie Irene Pratts in de hele stad, maar slechts één in Manhattan – in Upper West Side. Ik toetste haar nummer en kreeg een antwoordapparaat aan de lijn. Ik herkende de kalme stem en het Long Island-accent. Ik liet geen bericht achter. Ik kon er niet op rekenen dat ik Pratt de eerstkomende uren thuis zou treffen, dus zette ik koffie en keerde terug naar de gerechtelijke dossiers en mijn lijst van klachten tegen Danes en Pace-Loyette.

De lijst van klagers was lang – van pensioenfondsen in het Midden-Westen tot couponknippers in de Sunbelt en daghandelaars aan beide kusten – en hun beschuldigingen varieerden van gewone nalatigheid en belangentegenstellingen tot gecompliceerde samenzwering en oplichting. De meeste, maar niet alle klachten hadden betrekking op Piedmont Science. Sommige claims waren opgelost, in der minne geschikt voor niet-genoemde bedragen waarbij alle betrokkenen de mond was gesnoerd door een zwijgplicht; andere waren nog in behandeling en zweefden traag door een limbo van getuigenverklaringen en ontdekkingen, maar er was er niet één waarin al een uitspraak was gedaan.

Naast de beleggerszaken waren er andere die geen verband hielden met Danes' werk als analist. Er was een zes jaar oude en uiteindelijk afgewezen vordering jegens Danes en alle andere aandeelhouders in zijn oude bedrijf aan 90th Street, ingesteld door een fietskoerier die zijn enkel had verstuikt in de lobby van het gebouw. En er was een acht jaar oude vordering, ingediend door Danes, met betrekking tot schilferende granieten keukenbladen, een gebroken gootsteenbak en een onwillige aannemer. Ze was na vijf jaar opgedroogd en gestorven. Onder aan mijn lijst stond de zaak *Sachs versus Danes*, de echtscheidingsprocedure. Dat deed me eraan denken dat ik Nina een voortgangsrapport schuldig was en ik belde haar voordat ik de stad in ging. Ze nam na acht keer overgaan op en ze was met haar aandacht elders en nauwelijks beleefd.

'Jezus, ik ben aan het werk,' mompelde ze en ik hoorde haar aansteker klikken. 'Je kunt vanavond komen als je wilt praten.' Ik zei haar dat ik dat zou doen.

Irene Pratt woonde in de hogere Seventies, in een lommerrijke straat met oude herenhuizen tussen Columbus Avenue en Amsterdam Avenue. Het liep tegen zessen toen ik er aankwam en de smalle trottoirs krioelden van mensen die hun hond uitlieten, met boodschappen sjouwden of op weg waren naar dure fitnessscholen. Pratts gebouw was een weids, Romaans aandoend huis van ruwe, tabakskleurige natuursteen. Het had vijf verdiepingen, smalle, boogvormige ramen, een ingang als een spelonk en hopen siermetselwerk. De deur was voorzien van een video-intercomsysteem. Aan de belknoppen te zien was er slechts één appartement per verdieping. Pratt woonde op de tweede. Ik belde en wachtte en er gebeurde niets. Het was nog vroeg en het verbaasde me niet. Ik liep de straat uit.

Op de hoek met Columbus was een bar met kleine terrastafels onder parasols. Ik vond een tafel met onbelemmerd uitzicht op het gebouw van Pratt. Ik bestelde een gemberbier, strekte mijn benen en verorberde een bakje cashewnoten terwijl het zachte licht grijs werd. Geluid en rook en de geur van alcohol werden steeds dichter om me heen en tegelijk daarmee – opeens – kwam een sterke, bittere nostalgie.

Het kan aan het licht hebben gelegen – de rijpende purperen hemel en de lengende schaduwen, het gevoel van zorgeloosheid en belofte dat tegelijk met de avond scheen te vallen – of aan het geroezemoes van stemmen – lachend, flirtend, snoevend en schalks, behaagziek, geblaseerd en een beetje brabbelend. Het kan gelegen hebben aan het zachte zoemen van gevaar naarmate de klanten luidruchtiger en onvoorzichtiger werden, of de mogelijkheid – hoe klein ook – van geweld die gepaard ging met elke bewegende arm en elleboog. Het kan gelegen hebben aan het anonieme gevoel van alleen zijn te midden van een schorre menigte, of aan mijn eigen beginnende rusteloosheid, in mijn hoofd kriebelend als een milde koorts. Hoe dan ook, de herinneringen – aan andere bars en andere avonden, jaren geleden – waren sterk en nabij genoeg om ze te kunnen proeven. Columbus Avenue was een heel andere wereld dan Burr County en de tenten die ik had bezocht in de maanden na de dood van Anne. Maar het verscheurende, woedende gevoel dat me nooit verliet was plotseling terug – vastzittend in mijn borst als een glasscherf.

Indertijd was het gebroken glas en een hoofd vol statische ruis, een vinnig zoemen dat ik nooit kon uitschakelen, alleen afleiden. Elke avond, vier wazige maanden lang, deed ik niet meer dan dat – verdriet en schuldgevoel ruilen voor beweging, voor drank en drugs en geweld en seks. Ik scheurde door achterafstraten met gedoofde koplampen en een chemische brand in mijn hoofd en ik deed de ronde langs kroegen zoals The Rind en Buddy's Fox en elke andere ballentent in de omgeving. Als ik even stopte was het alleen om buiten westen te raken en wanneer ik weer bijkwam zat ik vaak onder de blauwe plekken of lag ik languit naast vrouwen wier naam ik niet wist en die nooit blij waren als ze me bij daglicht zagen. Na een poos verplaatste ik mijn show naar aangrenzende districten, om mijn collega's de moeite en de gêne te besparen van mijn rotzooi te moeten opruimen. Het was puur geluk dat er geen doden waren gevallen.

Ik nam een slok gemberbier en heel even smaakte het rokerig en bitter en mijn slokdarm trok samen. Het waren lang onderdrukte gevoelens, maar ze waren maar al te vertrouwd. Ze lagen ergens onder de bewuste herinnering en waren in me verankerd als spiergeheugen. En ik was er doodsbenauwd voor.

Er ging een rilling door me heen en ik keek op en zag Irene Pratt, vanaf Amsterdam Avenue naar het oosten lopend. Ze had een handtas en een grote leren boodschappentas aan haar schouder en een plastic boodschappentas in haar hand en ze liep moeilijk. Haar hoofd was gebogen, maar ik herkende het dikke kastanjebruine haar en de roze blouse.

Ik keek toe terwijl ze haar sleutels zocht en naar binnen ging. Ik gaf haar twintig minuten – voldoende tijd om de post te sorteren, de boodschappen op te bergen, haar voicemail af te luisteren, zich te verkleden – toen pakte ik mijn gsm en toetste haar nummer. Toen ze antwoordde sprak ik snel.

'Mevrouw Pratt, met John March. We hebben elkaar gisterochtend gesproken en ik ben vanmiddag even in uw kantoor geweest...' Ze viel me in de rede.

'Jezus christus – waarom belt u me verdomme thuis? Wat wilt u van me?'

'Ik wil over Gregory Danes praten, mevrouw Pratt. Ik probeer hem te vinden en ik dacht dat u me misschien zou kunnen helpen.'

Ze slaakte een vertwijfelde zucht. 'Ik zei toch, we kunnen niet...'

Nu was het mijn beurt om haar in de rede te vallen. 'Ik weet wat uw orders zijn, mevrouw Pratt. Ik ben in de bar op de hoek, aan een tafel buiten. Ik blijf nog een halfuur, voor het geval u wilt praten.' Ik verbrak de verbinding.

Ze had er drie kwartier voor nodig en haar tred was weifelend. Ze had een spijkerbroek en sportschoenen aangetrokken en een blauw T-shirt van een elektronicabeurs in Las Vegas. Ze was slank en had kleine borsten en haar armen leken soepel en zacht. Haar dikke haren waren met een clip achterover gebonden. Ze bleef bij mijn tafel staan en keek me aan.

'U bent er nog,' zei ze. Er lag een donkere glans in haar ogen en meer kleur op haar ovale gezicht. Een licht parfum zweefde naar me toe – iets met lelies. Ik knikte.

'Gaat u zitten,' zei ik, maar ze bleef staan.

'Wat wilt u van me?'

'Ik zei toch, ik probeer uw baas te vinden. En ik probeer iemand te vinden die het erg genoeg vindt dat hij vermist wordt om me te helpen. Ik dacht dat u dat zou kunnen zijn.' Pratt keek me van opzij aan, maar ze zei niets. 'Gaat u zitten,' zei ik nogmaals. Ik trok de metalen stoel naast me naar achteren. 'Ik trakteer.'

Ze legde haar hand op de rugleuning en schudde haar hoofd. 'Waarom zegt u *vermist*?'

'Ik zou niet weten hoe ik het anders moet noemen. De man is weggegaan – niemand weet waarheen – en niet teruggekomen op het aangekondigde tijdstip. En niemand heeft sinds zijn vertrek nog iets van hem gehoord. Hoe noemt ú het?'

Ze beet op haar onderlip. 'Ik kan u niets vertellen. Ik weet niet waar hij is en het laatste wat ik van hem hoorde was zijn voicemail, dat hij verlof nam.'

Er cirkelde een serveerster rond de tafel; ik trok haar aandacht en ze kwam naar ons toe.

'Voor mij nog een gemberbier en...' De serveerster keek Irene Pratt aan, die geprikkeld keek en zich toen overgaf.

'Ik weet het niet... doe maar een Bud.' De serveerster verdween en Pratt keek me aan.

'Ga zitten,' zei ik. Pratt trok de stoel naar achteren en ging op de rand zitten. 'Iets te knabbelen?' Ik hield haar het schaaltje voor. Ze keek er niet eens naar.

'Ik weet verdomme niet waar hij is,' zei ze zacht. Ze speelde met het bandje van haar gouden horloge. Haar handen waren klein en haar nagels kort en niet gelakt.

'Hoe lang werkt u al met hem samen?' Ze keek op en gluurde me weer van opzij aan en ik zag de rimpeltjes rond haar ogen en mond. Ik schatte haar op vijfendertig.

'Wat heeft dat ermee te maken?' zei ze.

'Het heeft te maken met hoe goed u hem kent, wat weer te maken heeft met de hulp die u me zou kunnen bieden.'

Pratt fronste haar voorhoofd en de serveerster kwam. Ik nam een slok gemberbier. Pratt dronk haar Bud uit de fles.

'Ik werk al voor hem sinds ik ben afgestudeerd – bijna twaalf jaar,' zei ze. 'En ik denk dat ik hem even goed ken als wie ook – beter misschien.'

'Kende u hem al toen hij nog getrouwd was?'

Ze glimlachte wrang en knikte. 'En tijdens de scheiding,' zei ze.

'U kent zijn vrouw?' Opnieuw een wrange glimlach.

'De Frida Kahlo van Brooklyn? Niet echt. Ik heb haar een of twee keer ontmoet, voordat de kogels in het rond vlogen.' Ze nam nog een teug Bud en pakte een noot uit het schaaltje.

'De scheiding was pijnlijk?'

Pratt lachte. 'Erger dan je je kunt voorstellen.' Ze nam nog een slok en schudde haar hoofd. 'Het verbaast me dat ze erdoorheen zijn gekomen zonder dat er doden vielen. Natuurlijk verbaast het me dat ze ooit getrouwd zijn of een kind hebben gekregen.' Opnieuw een slok en een hoofdschudden. 'Ik snap niet waarom mensen het doen.' Ik wist niet zeker wat *het* precies was, maar ik vroeg er niet naar. Haar bier was op en ik gebaarde de serveerster er nog een te brengen.

'Ging hij vreemd?'

Irene Pratt keek me opnieuw van opzij aan. 'Gaat het daarover? Wilt u daarom met me praten? U denkt dat we iets hadden?'

De gedachte was bij me opgekomen, maar dat zei ik niet. Ik zei niets. De serveerster bracht nog een bier, nog een gemberbier en een nieuw schaaltje noten. Pratt nam een slok.

'Nou, dat is gelul – oud gelul ook. Jezus, ik zou wel gek zijn... Zijn vrouw probeerde er tijdens de scheiding iets mee te doen, maar het leidde tot niets. En ze had genoeg andere dingen om haar tanden in te zetten.'

'U bedoelt dat hij vreemdging?' Pratt knikte. 'Vaak?' Opnieuw een knikje. 'Met iemand in het bijzonder?'

'Indertijd? Met niemand in het bijzonder en met iedereen die hij kon krijgen.' Ze dronk nog wat Bud, keek naar de fles en toen naar mij. 'Niet dat Greg een seksmachine was. Sterker nog, ik vond altijd dat hij iets... ik weet het niet... iets neutraals had, seksueel gesproken, bedoel ik.' Pratt pakte nog een noot uit het schaaltje. 'Maar wat weet ik er verdomme van? Wat ik bedoel te zeggen is dat ik denk dat vreemdgaan meer met zijn ego te maken had dan met zijn libido.'

Ik knikte. Dat is meestal zo. Pratt trok haar stoel dichter naar de tafel en zette haar fles erop. Hij was bijna leeg.

'Zat de scheiding hem dwars?'

'Nou en of... het was een klap voor zijn ego. Zijn kind kwijtraken, plus een smak geld, en zijn vrouw aan een andere vróúw... hij was er beroerd aan toe.'

Pratt leunde weer naar achteren en legde haar enkel op haar knie. Een haarlok had zich losgewerkt uit de clip en was over haar wang gevallen en haar blik was wazig achter de bril. Ze zag er jong en studentikoos uit in het schemerlicht. Ze had nu een draad te pakken en ik wilde niet dat ze die losliet.

'Was hij toen even moeilijk als de laatste tijd?' vroeg ik.

Ze schudde langzaam haar hoofd. 'Nee... dat was anders. Dat was maar één ding... maar één deel van zijn leven, vermoed ik. En hoewel hij er pisnijdig over was, ging de rest van zijn leven – zijn werk – prima, meer dan prima. En nu is het allemaal naar de kloten.'

'Ik neem aan dat iedereen op uw afdeling een paar zware jaren achter de rug heeft,' zei ik. Ik schoof het schaaltje met noten naar haar toe. Ze pakte een handvol en keek over mijn schouder naar de nu dichtere menigte die op het trottoir langstrok. Het was stampvol in de bar en de stemmen, de muziek en de verkeersherrie vermengden zich tot een witte ruis. De zon was bijna onder en natrium- en neonlampen kleurden de gezichten om ons heen. Pratt dronk de Bud op, zette de fles voorzichtig op tafel en keek me aan.

'Een nachtmerrie,' zei ze zacht. 'U zou niet...'

De woorden bleven steken in haar keel en ze keek omlaag en slikte enkele keren. Onze serveerster rende langs en ik gebaarde om een tweede rondje. Pratt keek me weer aan.

'Een tijd lang kon je niet aan de verhalen ontsnappen – in de kranten, op tv, overal op het internet – het was verdomme prijsschieten op beursanalisten.' Er gleed een verbitterde glimlach over haar gezicht die overging in een grimas. 'Als je er maar genoeg leest zou je denken dat we maar wat rondhingen en leugens verzonnen om aan de weduwen en wezen te vertellen – dat wil zeggen, als we niet zaten te slijmen met directeuren en onze bonussen incasseerden. Het ebde uiteindelijk weg – de verhalen en de slechte grappen – maar het is niet meer zoals het was. De afdeling is nog niet de helft van wat ze was en het salaris...' Pratt schudde haar hoofd, pakte haar lege bierfles en zette hem weer neer.

'Vertelden ze de verkeerde verhalen?' vroeg ik zacht.

'De pers?' Pratts gezicht was nors, net als haar stem. 'De pers heeft het bijna altijd mis of ze brengen slechts de helft van het verhaal.' Daar kon ik niets tegen inbrengen en ik knikte. Pratt ging verder: 'Ik ben nu bijna twaalf jaar analist – en behalve mijn masters in de economie heb ik een bachelors in computerwetenschappen en een masters in elektronica. Ik heb halfgeleiders gedaan, consumentenelektronica, de videogamesindustrie en – zonder valse bescheidenheid – ik weet waarschijnlijk evenveel over de bedrijven die ik volg als de directeuren die ze leiden.

Mijn gemiddelde werkdag telt veertien uur – kamerbreed, inclusief de lunch, zes dagen per week. En weet u wat ik doe als ik 's avonds thuiskom – nadat ik de vissen heb gevoerd en mijn moeder heb gebeld? Ik lees – jaarverslagen, kwartaalverslagen, tussentijdse aanvullingen, economische analyses, koopcijfers en je wilt niet weten wat nog meer. Ik lees de wetenschappelijke tijdschriften vanwege de oorspronkelijke research en de advertentiebladen vanwege de geruchten. Ik lees wie swingt en wie niet, wiens project de begroting overschrijdt en wiens project is afgeblazen en wie net op een ander paard heeft gewed. En ik lees natuurlijk alle productsignalementen – de vergelijkende warenonderzoeken, de toptienlijsten, de focusgroepen...' Haar stem trilde en ze kuchte en schudde haar hoofd. 'Ik lees verdomme besprekingen van videogames en ik hang rond in van die kutchatrooms om te horen wat die verrekte pubers denken.

En als ik niet lees, kluif ik op cijfers – winstverwachtingen, kostenramingen, marktaandeel, financieringskosten, rentevoetscenario's, kasstromen... Jezus – het heeft me half blind gemaakt.'

Onze consumpties kwamen en Pratt nam een grote slok en scheen tot bedaren te komen.

'Ontroert het u, dat toontje?' vroeg ze en ze lachte verbitterd. 'Ik ben niet gek en ik hoef geen medelijden. Ik ken massa's mensen die hard werken en bijna geen van hen verdient wat ik verdien. Maar het punt is, ik heb er nooit van genoten. Het punt is...' Ze nam opnieuw een slok en zette haar fles neer. Haar handen waren nat van de condens en ze staarde er lang naar en droogde ze af aan haar spijkerbroek. 'Ik weet verdomme niet wat het punt is.'

'U zei dat de pers het mis had, of maar half goed...'

Pratt zuchtte en schudde haar hoofd. 'Mijn moeder heeft nooit enig benul gehad van wat ik doe voor de kost – geen flauw idee. Ze vroeg er weleens naar toen ik nog maar net was begonnen en ik probeerde het uit te leggen, maar het ging het ene oor in en het andere uit en na een tijdje vroeg ze er niet meer naar. Maar weet u wat ze tegen me zei op het hoogtepunt van de gekte – toen die verhalen zowat elke dag verschenen? Ze zei: *Schrijf voortaan gewoon op wat je van die bedrijven vindt, lieverd, en laat je door niemand overhalen om iets anders te zeggen. Vertel voortaan gewoon de waarheid – dat kan niemand je kwalijk nemen.* Dat geloof je toch niet? Mijn eigen moeder – en ze gaat ervan uit dat het allemaal één grote zwendel is – ze gaat ervan uit dat ik gelogen heb.

De pers draafde maar door over *belangenconflicten* en *gebrek aan onafhankelijkheid* alsof ze een nieuwe planeet hadden ontdekt of zo. Alsof het een groot geheim was dat effectenmakelaars zaken deden met de bedrijven die door hun analisten werden gevolgd – alsof we iets probeerden te verbergen. Jezus, als dat geheim was, was het het slechtst bewaarde geheim aller tijden.

Ik denk dat het voor sommige beleggers inderdaad nieuw was. En ik denk dat het koehandeldeel ervan – koopadviezen en god weet wat nog meer ruilen voor bankactiviteiten – voor iedereen moeilijk te verteren was.'

Pratts gezicht werd rood en haar ogen schitterden. 'Hé, ik zeg niet dat er geen misbruik werd gemaakt. En als iemand besluit dat het reglement niet deugde en dat we een volkomen nieuwe editie nodig hebben – oké. Ik heb me aan de oude versie gehouden en ik zal me ook aan de nieuwe houden. Maar stel me achteraf niet voor als een crimineel, verdomme – alleen omdat ik het spel op dezelfde manier speelde als iedereen.' Pratt veegde iets weg onder haar ogen en nam nog een slok bier.

'En zomaar voor de goede orde – weet u wanneer ik voor het laatst zei *stik toch, wat stelt een paar cent winst per aandeel nou helemaal voor* – de laatste keer dat ik nadacht over hoeveel zaken een van mijn ondernemingen doet met Pace en wat voor advies ons nog wat meer zou kunnen opleveren – de laatste keer dat ik een mening gaf waarin ik niet geloofde, voor de volle honderd procent? Nooit. Niet één keer. Nooit, verdomme.' Ze nam opnieuw een lange teug en glimlachte scheef.

'Mijn moeder heeft het nooit meer over mijn werk gehad,' zei Pratt. 'Ze wil alleen nog maar weten wanneer ik ga trouwen.' Er was nog een haarlok voor haar gezicht gevallen en ze schoof hem achter haar oor. Ze haalde diep adem en liet hem langzaam ontsnappen. 'Trouwens, wat heeft dat allemaal met Greg te maken?' zei ze. Er denderde een vrachtwagen voorbij die een kielzog van kille, verschroeide lucht achterliet. Ik keek naar Pratt, maar ze ontweek mijn blik.

'Voelt hij al die dingen hetzelfde als jij? Voelt hij zich... in de steek gelaten?'

Pratt zette haar bril af en poetste hem met haar t-shirt. Haar gezicht zag er bloot en beduusd uit zonder bril. Ze zette hem weer op en schudde haar hoofd.

'Voor hem is het erger. Voordat deze ellende begon geloofde Greg heilig in dat steranalistengedoe – hij geloofde zijn eigen pers. Hij had jarenlang geleefd op een vast dieet van geld en tv en mensen die ja en amen zeiden op alles wat hij wilde en zijn krankzinnige gezeik op kantoor verdroegen. Alsof je alleen maar chocolade eet. En toen, van de ene dag op de andere, veranderden we van de dorpswijzen in de dorpsidioten – of erger.

Iedereen had het er moeilijk mee, maar Greg het meest. Hij had er het sterkst in geloofd en ik denk dat hij het het meest nodig had. Dus toen het ophield, toen mensen niet meer belden...' Pratt liet haar vinger langs de rand van het Bud-etiket glijden en begon er met haar nagel aan te peuteren.

'Ik heb gehoord dat hij door het lint ging.'

'Van wie?' zei ze, maar ze wuifde haar eigen vraag weg. 'Wat maakt het verdomme uit? U hebt het goed gehoord – hij was een tijd van slag – geobsedeerd door zijn eigen reputatie, ervan overtuigd dat hij zou moeten opdraaien voor Piedmont en al het andere terwijl alle anderen het hazenpad kozen – regelrecht paranoïde. Uiteindelijk werd hij alleen maar onmogelijk.' Pratt dronk haar derde fles Bud leeg en zwaaide ermee naar de serveerster. Haar bril gleed van haar neus en ze schoof hem omhoog met haar duim.

'Waarom pikt u het?' vroeg ik haar. Ze lachte luid en meisjesachtig.

'Al sla je me dood,' zei ze. Ze keek me aan, wachtend op een reactie. Toen die uitbleef schudde ze haar hoofd. 'Ken je die mop niet, over wat de masochist zei toen ze hem vroegen waarom hij omging met een sadist? *Al sla je me dood.*' Ze lachte weer en de serveerster bracht opnieuw een rondje. Pratt nipte van haar vierde bier en nam de draad van het gesprek weer op.

'Als je hem niet kent komt hij over als een klootzak – wraakzuchtig, arrogant... geschift. Maar dat is niet de echte Greg – in elk geval niet de hele Greg. Neem nou zijn arrogantie... voor een deel is het gewoon zijn gevoel voor humor – hij is enorm sarcastisch. En voor een deel is het gewoon... hij is net een kind dat altijd de slimste van de klas wil zijn en ervoor zorgt dat iedereen het weet.

Maar veel van wat ze over hem zeiden klopte wel. Het is niet te geloven wat hij uit een balans kan opmaken en wat hij in zijn hoofd opslaat... Wil je weten wat de gemiddelde opbrengst per werknemer is van de drie grootste softwarebedrijven of hoeveel schuld ze hebben – vraag het Greg. Hij is sneller dan het internet. Ik heb de eerste maand dat ik bij Pace werkte meer van hem geleerd dan in twee jaar universiteit.

En het is meer dan de cijfers paraat hebben. Dit soort analyses is net zo goed kunst als wetenschap en als het op het totaalbeeld aankomt – de macro-economische kant, de krachten en trends die hele bedrijfstakken kunnen veranderen – ziet Greg dingen lang vóór ieder ander. Hij ziet wat er gaat gebeuren.'

Ik liet het ijs ronddraaien in mijn glas en keek Pratt aan. 'Hoe kan hij het dan zo vaak mis hebben gehad?'

Ze haalde haar schouders op. 'Ik zou het echt niet weten. Misschien vertrouwde hij wat al te sterk op een van zijn theorieën, misschien had hij niet voldoende oog voor nieuwe gegevens, misschien was hij wat te traag met het opnieuw evalueren van bepaalde bedrijven – ik weet het niet. Zoals ik al zei, het is net zo goed kunst als wetenschap en je hebt het niet altijd goed – dat heeft niemand. Uiteindelijk had Greg het minder vaak mis dan een heleboel anderen. Die man is verdomme een genie, March.'

Ik knikte. 'Genieën zijn niet altijd makkelijk in de omgang.'

Pratt glimlachte scheef. 'Zeg dat wel,' zei ze. 'Maar Greg kan je verrassen. Hij kan... aardig zijn. Je verwacht het niet van hem, maar hij kan ongelooflijk grootmoedig en loyaal zijn.'

Ik keek haar aan en trok een wenkbrauw op. Pratt schudde haar hoofd en haar haren raakten los uit de clip en vielen over haar schouders. Het scheen haar niet te deren.

'Ik werkte anderhalf jaar bij Pace toen mijn moeder ziek werd. Borstkanker – heel agressief. We hebben alleen elkaar en ze woont op het Island en ik wist me geen raad. Op een ochtend ga ik Gregs kantoor binnen en vertel het hem – en dat ik misschien een tijdje vrij zou moeten nemen – en hij kijkt me alleen maar aan en knikt en zegt geen boe of bah. Leuk hoor, denk ik, een hele steun – nóg iets om me zorgen over te maken.

Die middag roept hij me naar zijn kantoor. Hij geeft me een papiertje met een adres en een tijdstip. Vertelt me dat mijn moeder de volgende dag een afspraak heeft in het Sloan-Kettering, met de beste kankerspecialist, en dat hij met Bobby Loyette geregeld heeft dat we de bedrijfsflat kunnen gebruiken als mijn moeder in de stad moet blijven voor behandelingen.

Ik wist niet hoe ik het had. Ik zat daar maar, niet wetend wat ik moest zeggen. Greg verwachtte blijkbaar niet dat ik iets zou zeggen. Verdomme – hij keek me nauwelijks aan terwijl hij me die dingen vertelde. Ik zat daar en hij verstuurde een paar e-mails en na een tijdje begonnen we over de waardebepaling van Intel.' Pratt pakte de fles en keek ernaar, zette hem toen zonder eruit te drinken weg.

'Hij is geschift – zoals een heleboel anderen.' Ze zweeg en keek me aan. Ik liet me niet tot een discussie verleiden. 'Maar hij is een ook aardige kerel.' Pratt leunde naar achteren en woelde met haar vingers door haar dichte haardos. Haar clip viel op de grond en ze bukte zich. Toen ze overeind kwam hield ze zich vast aan de tafel en lachte. 'Jezus... vier bier op een nuchtere maag. Je hebt me dronken gevoerd.'

Ik knikte. 'Wil je iets eten? Ik betaal.'

Ze keek me aan en zette haar bril recht. 'En daarna, wil je misbruik van me maken?'

Ik schudde mijn hoofd en lachte. 'Niet meer dan ik al gedaan heb.' Ik wenkte de serveerster, die twee menukaarten bracht.

'Waarom niet – ben je getrouwd of zoiets?' Pratt bloosde terwijl ze het vroeg.

Ik glimlachte. 'Zoiets.'

Ze knikte en bekeek de kaart.

De serveerster kwam terug en Pratt bestelde een hamburger en een cola; ik nam de vegetarische chilischotel. Pratt was stil en ik dacht dat ze zich misschien geneerde en zorgen maakte. Ik wilde haar niet laten piekeren.

'Ik heb gehoord dat hij op de dag van zijn vertrek een levendig gesprek heeft gehad met Turpin,' zei ik.

Pratt glimlachte. '*Levendig* – dat is er een leuk woord voor. Iéts levendiger en we hadden de politie gebeld.'

'Enig idee waar het over ging?'

'Het oude liedje, denk ik – de aanklachten. Daar maken Greg en Tampon voortdurend ruzie over.'

'Tampon?'

Pratt bloosde weer. 'Zo noemt Greg hem. Het is aangeslagen.'

'Dat kan ik me voorstellen. Waar maken ze precies ruzie over?'

'Vechten of vluchten, noemt Greg het – vecht het uit voor de rechter of schik. Greg is helemaal vóór vechten.'

'En Turpin wil schikken?'

Pratt knikte. 'Daar hebben ze hem voor aangenomen.'

'Wie zijn *ze*?'

'De directie. Ze hebben Tampon een maand of vijf, zes geleden binnengehaald om *de lucht te klaren*, zeiden ze – zodat we ons op andere dingen konden concentreren. Blijkbaar betekende dat de zaken snel, stil en zo goedkoop mogelijk regelen.'

'En Greg was het daar niet mee eens?'

Pratt snoof. 'Het maakt hem woest. Hij zegt dat ze hem niet de kans geven om zijn naam te zuiveren en dat ze hem opofferen. Greg is sowieso al niet bepaald goed van vertrouwen en dit speelt precies in op zijn paranoia.'

'Maar ik begrijp dat hij het nog niet voor mekaar heeft?'

Pratt keek me vragend aan. 'Je bedoelt Turpin?'

Ik knikte. 'Als je op zijn gedrag mag afgaan zit de directie van Pace lelijk met Danes in haar maag.'

'Tussen de ruzies en de geruchten over nog een onderzoek door de toezichthouders – en nu Greg verdwenen is – ja – ik vermoed dat ze zenuwachtig zijn.'

'Hebben ze daar reden toe?'

'Dat Greg hen erbij zal lappen of zo?' Ik knikte en Pratt fronste haar voorhoofd. 'Ik zou graag nee zeggen, maar eerlijk gezegd, ik weet het niet. Greg is inderdaad paranoïde en hij dekt zich áltijd in. Hij is beslist niet iemand met wie ik een stoelendans zou willen doen – niet zonder een heleboel kussens. Maar... ik weet het niet.'

De serveerster bracht onze bestelling. Pratt nam een wanhopige slok van haar cola en een hap van haar hamburger. Er liep sap langs haar kin en ik gaf haar een servet. Ik nam een lepel vegetarische chili. Het smaakte naar stoffige maïs met bonen, gedrenkt in tabasco. Ik schoof mijn bord weg.

'Je zei dat Greg moeilijk kan zijn...' Pratt snoof. 'Is er iemand tegen wie hij speciaal moeilijk deed? Iemand die wrok koestert?'

Ze schudde haar hoofd. 'Hij doet moeilijk tegen iedereen.' Ze beet nogmaals in haar hamburger. 'Maar iemand die wrok koestert...? Er is niemand die eruit springt – tenzij je degenen die hem een proces hebben aangedaan meetelt.'

'Met wie heeft hij verder nog een goede band – afgezien van jou?'

Pratt veegde haar handen af aan haar servet, bond haar haren achter in haar nek en zweeg even. Ze schudde langzaam haar hoofd.

'Ik zou het echt niet weten. Ik weet dat hij meer houdt van zijn zoontje – Billy – dan van wie ook. Hij mag dan de helft van de tijd niet weten wat hij aan hem heeft – en ik weet niet hoe goed hun band is – maar hij houdt van hem. Afgezien van hem...' Ze haalde haar schouders op.

'Geen andere familie?'

'Zijn ex, als die telt. Ze praten nog steeds met elkaar – voornamelijk over het kind – en ze irriteert hem nog steeds. En ik geloof dat hij ergens een broer of stiefbroer heeft. Ik weet nog dat die zich een paar jaar geleden in de nesten heeft gewerkt – in New Jersey, geloof ik. Een of andere journalist pikte het op en het leverde Greg vijf minuten gêne op.'

'En zijn vrienden?'

'Er is een of andere man met wie hij naar muziek luistert, ergens buiten de stad. Maar ik weet niet hoe hij heet.' Ze dacht nog even na en aarzelde. 'En... er was Sovitch.' Ze keek me weer van opzij aan.

'Linda Sovitch? Van *Market Minds*?' Pratt knikte. 'Zijn ze bevriend?'

'Vroeger wel – toen Greg voortdurend in haar programma verscheen. Ik weet niet hoe goed bevriend ze nu nog zijn – hij was niet blij toen het afgelopen was met de gastoptredens. Maar ik weet dat Greg met haar geluncht heeft – vlak voor zijn laatste contact met Tampon.' Ik dronk mijn gemberbier, beet een ijsblokje stuk en dacht na. 'Heeft hij ooit over weggaan gesproken?' vroeg ik.

'Bij Pace? We hebben het er vaak over gehad – vooral de laatste tijd – over voor onszelf beginnen, een researchbedrijf oprichten. Een van de redenen waarom hij zich zo opwond over die schikkingen, was dat hij dacht dat die alles zouden verknoeien – zijn reputatie en zijn kapitaalproductiviteit. Nog verder verknoeien, bedoel ik.'

'Maar je zou het desondanks doen – met hem in zee gaan?'

Ze knikte opnieuw, heftig.

'Op fiftyfifty-basis – nou en of. Bij Pace zou ik dat nooit krijgen.'

'Je komt niet in aanmerking voor Gregs baan als hij weggaat?'

Pratt maakte een minachtend geluid. 'Ben je nou helemaal gek? Ik ben goed genoeg om Gregs plek warm te houden zolang hij weg is, maar als zijn plaats permanent moet worden opgevuld, zullen ze iemand van buiten aantrekken – ervan uitgaande dat ze een afdeling Research willen houden. Als Greg weggaat, zal ik hoe dan ook plannen moeten maken.' Ze speelde met de berg sla op haar bord en keek me aan. Ze was nu minder licht in haar hoofd en de bezorgde blik keerde terug. Ik had niet veel tijd meer.

'Weet je nog wat hij zei in zijn voicemail – toen hij je vertelde dat hij verlof nam?'

Ze knikte. 'Ik weet het nog – het was geen lang bericht. Het was iets van *Ik ben er drie weken vandoor – met ingang van nu. Geef het door aan iedereen die het moet weten. Het beste.*'

'Dat was alles? Verder zei hij niets?' Ze schudde haar hoofd. 'Enig idee over het tijdstip – over waarom hij net op dat moment wegging?'

Ze kneep haar lippen op elkaar en streek afwezig door haar haren. 'Ik weet dat hij nijdig was over een heleboel dingen – de rechtszaken, de negatieve publiciteit, Tampon – een hele tijd al. Ik denk dat het hem die dag net iets te veel werd. Tampon was de laatste druppel.' Pratt beet op haar onderlip en keek twee keer achter elkaar op haar horloge. Ze keek de straat in, in de richting van haar flat.

'Is er, behalve mij, nog iemand op zoek naar Danes? Heeft er verder nog iemand gebeld of contact met je gezocht?'

'Wat bezoek betreft ben jij de enige, maar er wordt voortdurend gebeld voor Greg. Als het zakelijk is praten ze met mij of met een van de andere analisten en anders verwijzen we ze naar Nancy Mayhew.'

'Heeft hij vaker zoiets gedaan – onverwachts verlof opnemen?'

Pratt knikte. 'Twee keer, geloof ik, maar al die keren belde hij na een paar dagen om te zeggen wanneer hij terug zou komen.'

'Maar ditmaal heeft hij niet gebeld en hij is niet teruggekomen. Enig idee waarom niet?'

Pratt werd stil en wendde haar blik af, naar de straat achter mijn schouder. Ze kneep haar lippen op elkaar en schudde haar hoofd. 'Ik weet het niet,' zei ze zacht. 'Ik weet het gewoon niet.'

'Maak je je zorgen?'

Pratts ogen waren groot en donker achter haar bril. Ze keek me lange tijd aan en knikte.

– 7 –

Het was een heel eind rennen: drie kilometer omhoog, een rondje van negen kilometer en drie kilometer terug naar huis en ik was net halverwege – aan de noordkant van Central Park, op de lange, steile helling van Green Hill. Het was kwart over vijf, kort na de dageraad, en de dunne, grijze wolken die 's nachts regen hadden gebracht, begonnen te rafelen en open te breken. Het plaveisel was nog nat en er was weinig verkeer – een paar taxi's, een paar limousines, een agressief peloton racefietsen en enkele andere eenzame joggers, gehuld in gedachten en adem. Ik liep voorovergebogen en probeerde niet te hijgen. Mijn eigen gedachten gingen uit naar Nina Sachs en haar familie.

Het was gisteravond kort voor tienen geweest, toen ik van Clark Street via Old Fulton naar Water Street liep. In Brooklyn was het koeler en ik had gerild in de bries vanaf de rivier. Er brandde licht in Sachs' appartement en ook op de begane grond, in de I-2 Galeria de Arte – filiaal Brooklyn. Ik bleef voor de grote glazen deur staan en keek naar binnen.

Het was een enorme ruimte, even groot als Sachs' appartement, met geschuurde houten vloeren en een wand met kamerhoge ramen. De andere muren waren wit en aan het plafond hing een kluitje lampen. Er hingen eveneens, aan rails langs het plafond, een reeks scheidingswanden – verplaatsbare wanden in verschillende breedten. Op dat moment verdeelden ze de galerie in drie grote expositieruimten. Op de voorgrond, een meter of tien van de deur, was een lange mahoniehouten balie, borsthoog en met druk bewerkte panelen.

Er waren mensen in de galerie – een magere jonge vrouw met kort, geblondeerd haar, camouflagebroek en een t-shirt waar haar middenrif onderdoor gluurde, en een nog magerdere jongeman met een glimmende blauwe broek met wijde pijpen en een stalen knop in zijn neus. Ze waren in hoog tempo houten kratten aan het verslepen en dichttimmeren. Op de lange balie stonden twee geopende wijnflessen, drie glazen en een asbak met een smeulende sigaret. Ik hoorde muziek door het glas – iets bonkends en techno.

Ines Icasa kwam door een deur achter in de galerie. Ze had een strakke zwarte broek aan en een strak, roze T-shirt. Haar haar was achterovergekamd en toen ze me zag, bleef ze abrupt staan. Een ogenblik lang stond ze doodstil en toen kwam ze weer in beweging – liep naar de balie, pakte haar sigaret uit de asbak en wenkte me naar binnen.

Ik duwde de zware deur open. De muziek werd luider en ik voelde de bassen in mijn ingewanden. Ik rook tabak, zaagsel en boenwas. De magere mensen keken op van hun kratten en staarden me vragend aan. Ines riep me.

'*¿Que tal?* Toevallig in de buurt, speurneus, of ben je op zoek naar kunst?' Ik glimlachte. Ines nam een diepe trek van haar sigaret en pakte een wijnglas. Ze schonk wat rode wijn in, liet me de fles zien en trok haar mooie wenkbrauwen op. Ik schudde mijn hoofd. Ines fronste theatraal haar voorhoofd, haalde haar schouders op en schonk zichzelf nog wat meer in. Ik hoorde een geluid aan de andere kant van de balie en een voet, gestoken in een soort bowlingschoen, gleed mijn blikveld binnen. Ik liep ernaartoe en keek omlaag. Het was Billy.

Hij zat op de grond, op een groot gebloemd kussen, met zijn rug tegen het eind van de balie. Hij had een oortelefoon in waarvan het snoer naar een platte MP3-speler aan zijn riem kronkelde en op zijn schoot lagen een opengeslagen spiraalschrift en een dik studieboek – *Inleiding tot de trigonometrie*. Hij hief zijn hoofd op en keek me aan, aanvankelijk uitdrukkingsloos, daarna herkennend, maar zonder merkbare belangstelling. Hij had een potlood tussen zijn tanden en naast hem stond een fles Sprite. Hij droeg ook nu een slobberige broek en een T-shirt, maar had de Talking Heads-tekst geruild voor het omslag van een Dr. Strange-strip. Ik stak mijn hand op om hem te begroeten. Billy keek me enige tijd aan en knikte toen kort. Ik wees naar zijn T-shirt.

'Meester van de Mystieke Kunsten,' zei ik. 'Een van mijn favorieten – al is hij natuurlijk geen Batman...' Billy kreunde en liet het potlood in zijn schoot vallen.

'Batman is een watje,' zei hij zacht en richtte zijn aandacht weer op zijn boek.

Ik lachte. 'Ik zal het hem doorgeven.'

'Hij is bezig, speurneus, en heel geconcentreerd.' Ines legde een hand licht op mijn arm en loodste me terug naar de balie. 'Weet je zeker dat ik je niets kan inschenken? Iets sterkers dan wijn misschien?' Ik schudde mijn hoofd. Er lag een vochtige glans op de gave huid van haar gezicht en haar grote, amandelvormige ogen schitterden.

'Trigonometrie is hoog gegrepen voor een twaalfjarige, niet?' vroeg ik. 'Ik geloof dat ik het op de middelbare school heb gehad – als ik het me goed herinner.'

Ines glimlachte trots en knikte. 'Guillermo is in wiskunde altijd al ver voor geweest. Hij volgt de meeste lessen van de bovenbouw.' Ze keek naar de magere man en vrouw die weer met houten kratten aan het slepen waren. 'We zijn de laatste stukken van een expositie aan het inpakken,' zei ze. '*Iguacu* – het werk van vijf schilders uit de Parana-streek in Brazilië. Ze hebben veel talent en de tentoonstelling is heel goed ontvangen.'

'Jammer dat ik het gemist heb.'

Ze nam nog een trek van haar sigaret. 'Ik zal je op de verzendlijst zetten. Je zult er nooit een meer hoeven missen.' Ze dronk nog wat wijn. Haar glas was bijna leeg.

'Nina boven?' vroeg ik.

'Ze verwacht je,' zei Ines.

'Dan mag ik haar niet laten wachten.' Ines knikte en ik liep naar de deur. Halverwege bleef ik staan en draaide me naar haar om. 'Heb je enig idee waar hij zou kunnen zijn?' Ines keek me aan. Ze schudde langzaam haar hoofd en blies een rookwolk uit.

Boven was Nina Sachs nog aan het werk. Ik had twee keer aangebeld en enkele minuten gewacht voordat ze opendeed. Ze had een T-shirt vol verfspatten en een grijze yogabroek aan. Ze was op blote voeten en haar kastanjebruine haren hingen los. Ze had een sigaret in de ene en een penseel in de andere hand en haar hazelnootbruine ogen keken gespannen, maar ze had geglimlacht toen ze de deur opende.

'Ik ben ginds,' zei ze en ze liep snel door het appartement naar haar atelier. Het was er weer een puinhoop, alsof Ines er nooit had opgeruimd, en de geur was terug. Ik volgde haar rookspoor. Nina stond voor haar ezel. Uit haar kleine stereo-installatie bonkten The Subdudes.

'Schuif een stoel bij.' Ze wees naar de gehavende fauteuil in de hoek. 'Ik ben druk bezig, dus ik kan niet praten.' Ik zette de stereo een tikje zachter, schoof de fauteuil dichterbij en ging zitten. Nina ijsbeerde voor haar doek heen en weer, zette er af en toe een klodder verf op en zong met The Subdudes mee terwijl ik praatte. Ze onderbrak me niet en keek me niet één keer aan. Ik vertelde haar over mijn bezoek aan Pace-Loyette en mijn gesprek met Pratt en over de lange reeks processen en arbitrageclaims waarin Danes verwikkeld was. Toen ik klaar was dronk ze haar mineraalwater op, stak een nieuwe sigaret op en leunde met haar heupen tegen het aanrecht.

'Het komt er dus op neer dat je nog niets hebt ontdekt.' Ze zei het zakelijk.

'Niet veel. Maar we weten dat ze zich zorgen maken bij Pace...'

'Dat wist ik al,' viel Sachs me in de rede.

Ik knikte. 'We weten dat er nog iemand is die hem zoekt...'

'Maar niet wie het is.'

'En we weten dat Irene Pratt zich oprecht zorgen over hem maakt. Voorzover ik kan zeggen is zij een van degenen die hem het best kennen en ze heeft geen flauw idee van waar hij naartoe is gegaan of waarom hij niet terug is gekomen.'

Nina lachte vals. 'Wat vond je van Pratt? Net een gefrustreerde bibliothecaresse, niet? Of een non die stiekem geilt op de pastoor.'

'Denk je dat zij en Danes iets hadden?'

Nina schudde haar hoofd en gniffelde. 'Ze is zijn type niet. Ze is slim genoeg, maar Greg houdt van pikant – van hitsig. Pratt heeft te veel weg van een schoolkind. Maar ze was wel geïnteresseerd – god weet waarom. Geen blijk van goede smaak, lijkt me.'

'Lijkt me niet,' zei ik. 'Maar je hebt vast ooit gevonden dat hij iets had – al was het vroeger maar.'

Ze snoof. 'Natuurlijk wel, vroeger. Toen ik kersvers van de kunstacademie kwam en ruziemaakte met mijn ouders over de puinhoop waarin ik leefde en de vreetschuur waar ik serveerster was. Toen vond ik Greg een spetter. Hij was intelligent en dat wist hij en hij had geen geduld met mensen die dat niet waren. En anders dan de meeste would-be bohémiens met wie ik toen optrok vond hij zijn werk echt leuk, hij verdiende er goed mee en was van plan nog veel meer te verdienen. Plus dat hij ontzettend grappig was. Hij zei alles tegen iedereen en het kon hem geen zak schelen wie hij op stang joeg. Hij was onuitstaanbaar indertijd, en ik ook. Misschien ben ik dat nog steeds.' Nina keek naar het hoge plafond en blies een lange rookpluim uit.

'Natuurlijk, dat gaat allemaal heel snel vervelen als je er elke dag mee leeft en hij vindt dat hij slimmer is dan jij en dat je er alleen maar bent om te sloven terwijl hij het universum gaat veroveren.' Ze streek met haar hand door haar haren, sloeg haar armen over elkaar en keek me aan. Een vlok as zweefde langs haar oor. 'Je bent écht een nieuwsgierige klootzak.'

Ik haalde mijn schouders op. 'Zoals ik al zei, het is een van de dingen waarvoor je betaalt.'

Ze wreef met de rug van haar hand over haar kin en pafte aan haar sigaret. 'Tja, nou ja... wat kan ik anders krijgen? En nu?'

'Komende maandag ga ik naar zijn flat. Dat zou iets moeten opleveren. Tot die tijd probeer ik erachter te komen wie er nog meer naar Danes op zoek is en ik probeer met Linda Sovitch te praten.'

'Is dat niet riskant?' vroeg Sachs. 'Met Sovitch praten is nogal... openbaar.'

'Natuurlijk. Ze krijgt er lucht van dat hij vermist wordt – en hoe lang al – en het zou diezelfde avond nog op tv kunnen zijn. En ik kan weinig doen om het tactvol aan te pakken. Maar hij heeft nou eenmaal met haar geluncht op de dag dat hij zijn kantoor verliet en volgens Pratt was ze een van zijn nieuwe vriendinnen, dus ik kan haar moeilijk negeren. Trouwens, een beetje aandacht in de pers kan misschien geen kwaad. Als hij een tv in de buurt heeft, komt hij misschien te voorschijn. En misschien komt hij er niet achter wie er uit de school heeft geklapt – of hoe.'

Sachs keek sceptisch. 'Hij zal pisnijdig zijn...'

'Ervan uitgaande dat hij daartoe in de positie is.' Ze keek me zijdelings aan. 'Ik wil dat je nadenkt over de politie, Nina,' zei ik.

'Ik peins er niet over.' Ze schudde haar hoofd. 'Ik zei toch, ik zou er nooit het fijne van horen...'

'Nina, zijn werkgever maakt zich zorgen, de beste vriendin die ik heb kunnen traceren maakt zich zorgen, zelfs ik maak me zorgen – en ik ken hem niet eens. Jij zou je ook zorgen moeten maken.'

Ze keek me aan, zoog aan haar sigaret en schudde langzaam haar hoofd. 'Oké, oké... praat met Sovitch... maar wees in godsnaam discreet. Geef me wat tijd om over de politie na te denken.' Ik wist niet hoeveel discretie mogelijk was, maar ik knikte en vertrok.

De helling werd minder steil naarmate ik dichter bij de top van Great Hill kwam en ik nam wat tempo terug. Mijn hart bonsde en mijn ademhaling was snel en oppervlakkig. Ik verlengde mijn pas en ademde langzaam en diep in. Een gespierde vrouw op skeelers, in lycra pak en een helm als een haaienvin passeerde me in tegengestelde richting. Ze reed soepel en haar gezicht straalde bij het vooruitzicht van de afdaling.

Tegen de tijd dat ik Loch en 100th Street bereikte had ik niet meer het gevoel dat mijn hart zou exploderen. Links van me was North Meadow. Ze waren er graszoden aan het leggen en ik rook de mulaarde en de natte grond en het gras. De hemel was lichter nu en het zonlicht gleed langs de onregelmatige rij appartementen aan Central Park West.

Ik passeerde de kruising met 97th Street en vroeg me af of Irene Pratt al wakker was. Ze was maar een beetje wiebelig geweest toen ik haar de avond tevoren bij haar deur had afgezet, maar ze was beangstigend stil geweest en ik was ervan overtuigd dat ze vandaag diepe spijt zou hebben.

Mijn hartslag was rustig toen ik het Reservoir bereikte. Ik schudde mijn armen los en haalde diep adem en mijn gedachten versprongen weer – nu naar Jane.

Het was bijna middernacht geweest toen ik terug was gekomen uit Brooklyn en mijn gedachten waren vervuld geweest van Nina en Billy en Ines. Er brandde licht achter Janes ramen, maar ik was niet naar haar flat gegaan. In plaats daarvan ging ik naar de mijne, schonk een glas water in en bleef in de keuken staan. Er lag een reistijdschrift op het aanrecht, opengeslagen bij een artikel over Venetië. Ik sloeg de pagina's om terwijl ik dronk en keek naar de foto's van het Piazza San Marco en de Ponte Rialto en de exquise etalages van de exquise winkels bij de Ponte Accademia. Ik vroeg me af hoe het zou zijn om daar met Jane naartoe te gaan en met haar over de bruggen te lopen, met haar tot diep in de nacht in de cafés te zitten. En toen – zonder enige aanleiding – dacht ik aan mijn Proustiaanse moment op Columbus Avenue en mijn vraag veranderde in de vraag hoe lang we in Venetië zouden blijven en of het een stad was om te joggen en hoe ik aan mijn kilometers zou komen met al dat water en al die mensen. Er trok een golf van irritatie door mijn ruggengraat en ik schoof het tijdschrift van me af.

Ik liep naar de woonkamer, pakte een boek van de plank, legde het op mijn schoot en las niet. Ik luisterde een halfuur naar Janes kickboxtraining – het *bonk-bonk-bonk* terwijl ze de zware zak die in een hoek van haar appartement hangt tot moes sloeg – en toen het stompen ophield luisterde ik naar het rinkelen van mijn telefoon. Nadat ook dat was opgehouden bleef ik nog even zitten en toen kleedde ik me uit en ging naar bed. Ik keek naar het spelen van het licht over het plafond en luisterde naar de regen, tot een uur of halfvijf, toen ik mijn joggingkleding aantrok.

Ik wist nog steeds niet waarom ik haar niet gebeld had en de telefoon niet had opgenomen, of waarom het zo lang had geduurd voordat mijn irritatie was weggeëbd of waarom er iets van angst in lag. Ik snapte niet waarom ik niet kon slapen.

Ik was overdekt met een laagje zweet en mijn gewrichten waren nu soepel en veerkrachtig. Er bruiste heel wat zuurstof in mijn hersenen. Rechts van me stond het Museum of Natural History, badend in geel licht. Ik verkortte mijn pas en voerde het tempo op.

Hij was bijna zes uur toen ik thuiskwam en bijna zeven tegen de tijd dat ik mijn rekoefeningen had gedaan en me had gedoucht en geschoren. Toen ik uit de slaapkamer kwam lag er een briefje onder de voordeur. Het briefpapier was zwaar en ivoorkleurig en de letters waren hoekig en precies, als die van een architect.

Diner? Bel me.

Ik zette de kaart op het aanrecht, naast de tulpen, die hun bloembladen verloren. Ik zette het koffiezetapparaat aan en schepte yoghurt in een kom met schijfjes appel en muesli. En toen dacht ik na over hoe ik in contact zou kunnen komen met Linda Sovitch.

Sovitch was een soort ster – de meest herkenbare presentator van BNN en gastvrouw van de meest succesvolle show. Als zodanig zou ze omringd worden door een raamwerk van assistenten, persagenten en allerlei andere lijfwachten, om haar heen gewikkeld als de rokken van een ui en betaald om rapaille zoals ik op afstand te houden. Als ik een paar dagen kon wachten kon ik een vriend van een vriend van een vriend opscharrelen die misschien een van Sovitch' schildwachten zou kennen en een introductie zou kunnen regelen. Maar ik kon geen paar dagen wachten. Ik wilde Sovitch zo snel mogelijk spreken en dat vergde een directere aanpak. Ik belde Tom Neary.

'Ken je iemand die in telefoonnummers van beroemdheden doet?' vroeg ik.

'Jij ook goedendag. Heeft iemand vandaag te veel koffie gedronken?'

'Iemand heeft nog lang niet genoeg koffie gedronken. Een dure tent zoals Brill heeft vast een paar duistere contacten voor zulke dingen.'

'Nou en of. En ze zijn zo nuttig dat we ze niet verspillen aan vrije jongens zoals jij.'

'Ik vraag je niet iets te verspillen – ik wil alleen maar een nummer.'

'Van wie?'

'Linda Sovitch.'

'Die van tv?'

'Die ja.'

'Ik zal zien wat ik kan doen,' zei Neary. 'Tussen haakjes, ik hoorde dat je een leuk gesprek hebt gehad met Dennis Turpin.'

'Het had een zekere amusementswaarde, zei ik. 'Maar ik weet niet precies hoe nuttig het was. Maar ik heb wel een interessant gesprekje gehad met Danes' portier.' Ik vertelde het Neary en hij zweeg even nadenkend.

'Geen politie,' zei hij ten slotte.

'En ook geen mensen van Turpin – niet volgens hem tenminste. En ik neem aan dat je het zou zeggen als het de jouwe waren.'

'Ze zijn niet van mij,' zei hij.

'Van wie dan wel?'

'Ik weet het niet,' zei Neary. 'In elk geval niet zonder meer koffie. Ik bel als ik een ingeving krijg of als ik Sovitch' nummer kan vinden.'

Ik las Geoffrey Tyne zijn cv door terwijl ik wachtte, om me voor te bereiden op het sollicitatiegesprek die middag. Zoals ik uit zijn naam al had opgemaakt was Tyne een Brit, zij het dat hij een groot deel van zijn vijf-entwintigjarige loopbaan in het buitenland had doorgebracht. Zijn achter-grond was precies goed – universiteit, wat militaire dienst, een tijd bij een groot Engels beveiligingsbedrijf, in het begin 'persoonsbeveiliging' – lijf-wacht – daarna promotie naar de managementkant van de zaak. En toen volgde een reeks buitenlandse functies – voornamelijk bij banken – als di-recteur beveiliging van een bijkantoor, een districtskantoor of een regio-naal kantoor. Maar hij was nergens langer dan een paar jaar gebleven en had nooit een topfunctie verworven. Ik vroeg me net af waarom, toen de tele-foon ging. Het was niet Neary. Het was de advocaat van Gregory Danes, Toby Kahn, die me terugbelde. Hij belde met een gsm, onderweg naar de rechtbank. Zijn stem was diep en had een New Yorks accent en zijn gehaas-te woorden gingen voor de helft verloren door een slechte verbinding.

'Wie bent u?' vroeg hij en ik legde het hem nogmaals uit.

'Ik word betaald om aandelenkwesties voor Greg te behandelen, meer niet,' zei Kahn. 'Ik ben niet gekwalificeerd om familierecht te doen en ik krijg geen bonuspunten om het uit te knokken met zijn ex of haar huur-lingen – wat u volgens mij bent. Ik moet nu naar binnen – sorry, ik kan niet...' Zijn woorden werden zwakker en de ruis werd sterker en toen viel de verbinding weg. Ik legde de telefoon neer.

Toen hij opnieuw overging was Neary aan de lijn. Hij had geen idee wie er verder naar Danes op zoek kon zijn, maar hij had wel een telefoon-nummer voor me.

'Het is haar supergeheime, alleen voor familie en goede vrienden be-stemde privé-nummer, dus gebruik het verstandig.'

Linda Sovitch' supergeheime, alleen voor familie en goede vrienden bestemde privé-nummer werd beantwoord door haar supergeheime, al-leen voor familie en goede vrienden bestemde assistent, een vastberaden jongeman, Brent geheten.

'Hoe bent u verdorie aan dit nummer gekomen?' vroeg hij.

Ik onderdrukte de neiging om iets over een wc-muur te zeggen. 'Ik ben privé-detective, Brent – dingen vinden is mijn broodwinning. En als ik even met Linda kan praten, over een zaak, ben ik zo weer weg.'

'Hoe bent u verdorie aan dit nummer gekomen?' Zo gingen we nog een tijdje door. Ten slotte raakte mijn geduld op.

'Zeg haar nou maar dat ik over Gregory Danes wil praten, oké? Het duurt niet langer dan een halfuurtje van haar leven en we kunnen het doen op een plaats en tijd die zij kiest.'

'Hoe bent u verdorie...?'

'Zeg het tegen haar, Brent.' Ik hing op.

Ik wist niet wanneer en of ik nog iets van Brent zou horen – laat staan van Sovitch – en ik had nog enkele uren de tijd tot mijn gesprek met Geoffrey Tyne. Ik opende mijn laptop om de laatste dingen op mijn lijst van Danes' processen te onderzoeken. Ik zette de tv aan voor achtergrondgeluid. Hij was afgestemd op BNN en na twintig minuten en een niet al te intelligent marktcommentaar verscheen Linda Sovitch op het scherm.

Het was een korte reclamespot – niet langer dan vijftien seconden – voor de uitzending van *Market Minds* die avond. Sovitch' haren hingen als een sierlijke blonde klok om haar gezicht en lange hals. Haar onberispelijke, onopvallende make-up accentueerde het blauw van haar ogen, de welving van haar jukbeenderen en de volheid van haar mond. Ze babbelde iets over de verwachte gasten toen mijn telefoon overging. Het was Brent.

'Kent u de Manifesto Diner?' Niet dus. 'Op 11th Avenue, tussen 53rd en 54th. Ze verwacht u daar vanmiddag om halfvier – precies – en u krijgt exact vijftien minuten.' Hij hing op. Het was gemakkelijker geweest dan ik verwacht had.

Ik schakelde over naar een andere zender en keerde terug naar mijn laptop en Danes' processen. Ik zat er ongeveer een uur en toen trok ik een donkerblauw kostuum aan, een wit overhemd en een stropdas en nam de metro naar de binnenstad. Maar ik was niet met mijn gedachten bij Geoffrey Tyne en zelfs niet bij mijn afspraak met Linda Sovitch. Ik dacht aan het laatste gerechtelijk dossier dat ik had gelezen en over een nieuwe tocht naar Brooklyn later die avond.

De kantoren van Klein & Sons zijn in het centrum, vlak bij Hanover Square, een korte wandeling vanaf de beurs, een wat langere vanaf de Fed en een steenworp van de twee kamertjes die mijn grootvader huurde toen hij het bedrijf had opgericht, honderd jaar geleden. Het was vroeg in de middag, maar de smalle straat lag al in de schaduw.

Het Klein-gebouw is een klein meesterwerk van art deco, met chevronpatronen in groen en goud rondom de voet en een toren die bekleed is met gestileerde bronzen varens. De lobby is een gewelfde grot van gepolijst zwart gesteente met inlegwerk van vergulde zigzagstrepen. Ik had er een pesthekel aan om er te zijn.

Als kind kwam ik er zelden. Ik verveelde me en werd chagrijnig als ik er was, ik irriteerde mijn ooms en zij irriteerden mij. Ik vermoed dat mijn vader veel van mijn gevoelens deelde en me daarom zelden uitnodigde. En toen ik volwassen werd kwam ik er nog minder. Daardoor waren er, afgezien van mijn familie, weinig mensen die me herkenden. Mijn naam was een ander geval.

De bewaking deed eerbiedig en verontschuldigend terwijl ze wachtte op toestemming om me door te laten. En de bleke jongeman die me begeleidde door de stille, met teakhout betimmerde doolhof van de zesde verdieping – die van de directiepartners – was met ontzag en stomheid geslagen. Alleen de potige Latijns-Amerikaanse vrouw die me door de dubbele deuren van de vergaderzaal leidde en me koffie aanbood was niet onder de indruk. Ik zei ja tegen de koffie en ze liet me alleen.

Het was een lang vertrek met een hoog plafond, deuren aan het ene eind en een witmarmeren open haard aan het andere. De muren waren beneden de rugleuning van de stoelen met mahoniehout betimmerd en erboven gestukadoord. Twee koperen kroonluchters hingen blinkend boven het mahoniehouten ovaal van de vergadertafel en werden vlekkeloos weerspiegeld door het vlekkeloze oppervlak. Om de tafel heen stonden zestien groene leren stoelen en tegen een van de muren stonden onder vier hoge ramen twee bij elkaar passende leren banken. Aan de muur ertegenover hingen de foto's.

Het waren portretten – van personen en groepen – in kostbare vergulde lijsten – Klein & Sons-partners door de eeuwen heen. De eerste decennia waren het allemaal bloedverwanten – Morton Klein, zijn jongere broer Meyer en hun mannelijke nakomelingen. Toen het bedrijf groeide en de dochters-Klein trouwden, begon er schoonfamilie te verschijnen op de foto's en tegen de jaren veertig waren er zelfs enkele niet-verwante partners. Tegen de jaren zestig – Klein was zijn tijd vooruit geweest – kon je enkele niet-blanke gezichten onderscheiden in de menigte en zelfs een paar vrouwen. En op de recente foto's stond een even gevarieerde groep directeuren als je overal in Wall Street kon vinden. Maar de evolutie heeft grenzen – en Klein-nakomelingen en hun echtgenoten hebben altijd de topfuncties bekleed en het meerderheidsbelang in het bedrijf gehouden.

Ik liep langs de muur tot ik mijn vader vond. Hij stond alleen op de groepsportretten en altijd achteraan – een bleke, afwezig kijkende man, lang, met sluik zwart haar, een spuuglok en een hoekig, scherp gezicht – een uiterlijk dat mijn zus Lauren en ik hadden geërfd, tot en met de groene ogen. Een jaar of tien lang had hij een functie gehad die mijn opa voor hem in het leven had geroepen en toen opeens niet meer. Hij had nooit verteld waarom hij was opgehouden met naar kantoor gaan en zijn schoonfamilie had nooit aangedrongen.

De deuren gingen open en de Latijns-Amerikaanse vrouw kwam binnen met een zilveren dienblad met daarop een porseleinen koffieservies. Achter haar stond een grijze bezemsteel in een blauw mantelpak, imitatie-Chanel, en platte lakschoenen: mevrouw Konigsberg. Haar koele grijze ogen inspecteerden het koffieservies, richtten zich toen op mij en werden kleiner.

Haar haren waren slagschipgrijs en lagen in platte krullen tegen haar hoofd. Haar stipte gelaatstrekken lagen vlak op haar gezicht en haar huid was zo wit als papier. Haar mond was een scherf van misprijzen. De schouders onder het jasje waren dun als ijzerdraad en haar klcine handen waren geaderd en gevlekt als dorre bladeren. Ze woog niet meer dan een kilo of vijftig en het was jaren geleden sinds ze een meter vijftig was geweest. Ze zette haar halve bril op haar neus en kwam naar me toe.

'Goedemiddag, meneer March. Leuk u weer te zien.' Haar stem was niet helemaal een fluistering, maar spoorde op de een of andere manier aan tot ingetogenheid.

'Altijd een genoegen, mevrouw Konigsberg.' Ze keek me onderzoekend aan en toen naar de foto waar ik naar had gekeken. Haar mond vertrok en ze maakte een zacht klikkend geluid.

'Goed, dan... meneer Tyne is onderweg. Hebt u verder nog iets nodig?'

'Nee, dank u, mevrouw Konigsberg.'

Ze knikte. 'Dan zal ik hem binnenlaten.' En dat deed ze.

Ik heb niet veel sollicitatiegesprekken gevoerd – niet de curriculum-, wat is uw sterkste punt-, wat wilt u over vijf jaar bereikt hebben-gesprekken. Misschien een half dozijn pogingen, alles meegerekend, toen ik studeerde – misschien minder. Maar ondanks mijn beperkte ervaring en mijn apathie had ik al doende één stukje wijsheid geleerd: niet dronken verschijnen. Niet opvallend dronken in elk geval. Niet zo dronken dat je brabbelt, tegen meubels op loopt, koffie morst, in het wilde weg kakelt, jezelf onder pist. Niet zo dronken dat je je schoenen onderkotst. Geoffrey Tyne had die les gemist.

Mijn eerste aanwijzing was de blik in de ogen van mevrouw K. terwijl ze hem binnenliet – alsof iemand haar in haar billen had geknepen en tegelijkertijd haar portemonnee had gerold. Tyne was een pafferige man van gemiddelde lengte, in de vijftig, met golvend bruin haar dat twintig jaar jonger leek dan de rest van hem. Zijn gezicht was mollig en heel erg roze. Kleine blauwe, roodomrande ogen flitsten rond onder zijn woeste wenkbrauwen en zijn kleine neus was ingedeukt en doorschoten met gesprongen adertjes. Zijn liploze mond was vol scheve, gele tanden. Hij streek over de revers van zijn jasje en trok aan de manchetten van zijn overhemd. Mevrouw K. trok zich ijlings terug.

De tweede aanwijzing kwam toen hij een klamme hand om de mijne legde, een ginwolk in mijn gezicht blies, me meneer Marx noemde en zei dat ik er niet joods uitzag. Van daaraf ging het bergafwaarts.

Tyne ging lang genoeg zitten om met mijn koffie te morsen en de suikerpot om te gooien; toen stond hij op om door het vertrek te denderen en te bazelen. Voorzover ik het kon volgen had zijn tirade voornamelijk te maken met zijn uitzending naar het buitenland – die, zo liet hij doorschemeren, ergens tijdens de regering van koningin Victoria had plaatsgevonden, naar plaatsen die hij beschreef als *het hart van de rimboe* en *de vierde kutwereld*. Zijn getier was doorspekt met woorden zoals *bruinjoekel* en beschrijvingen zoals *onze kleine bruine broeders* en het ging twintig minuten door. Voor de grootse finale kreeg Tyne een grauwe kleur, streek met bevende handen over zijn gezicht en kotste op zijn schoenen. Toen zakte hij op een van de banken in elkaar. Ik weet niet precies wanneer hij het in zijn broek deed.

Ik voelde zijn pols, maakte zijn stropdas los en maakte zijn luchtwegen vrij. Toen ging ik er stilletjes vandoor. Ik was er niet aan toe gekomen zelfs maar één vraag te stellen. Ned was in zijn kantoor.

Zoals de meeste kantoren van adjunct-directeuren was ook het zijne bescheiden – nauwelijks honderd vierkante meter. Het was net als de vergaderzaal tot halverwege betimmerd met mahoniehout en de muur daarboven was lichtgeel geschilderd. Links van me stond een miniatuurversie van de tafel in de vergaderzaal, met plaats voor zes personen, en rechts van me was een zithoek – sofa en met gele zijde beklede fauteuils, spichtige Franse bijzettafeltjes, van Chinese vazen gemaakte lampen en aan de muren enkele Engelse landschappen. De lange muur aan mijn rechterhand was van vloer tot plafond bedekt met schappen. Eén sectie, wist ik, verborg een deur naar een toilet en een andere kwam uit in een kleine keuken. Het bureau stond achter in het vertrek, naast de hoge ramen – een gebeeldhouwd, zwart rif in een oceaan van lichtgeel tapijt. Ernaast stond een penanttafel vol foto's in zilveren lijsten. Ned was aan het telefoneren toen ik binnenkwam. Hij draaide zich om en zijn hoekige gezicht werd verlicht door een glimlach.

Net als mijn andere broers en zussen was Ned qua uiterlijk een echte Klein: golvend, rossig haar, een blozende gelaatskleur en ietwat lompe trekken. Hij was bijna vijfenveertig, hoewel hij er door het runnen van Klein & Sons ouder uitzag. Achter zijn leesbril zagen zijn fletse ogen er vermoeid uit, met kraaienpootjes, en er waren wat nieuwe rimpels op zijn voorhoofd en langs zijn mond verschenen. Zijn gedrongen lichaam was in de loop der jaren wat dikker geworden.

Hij hield zijn hand over de hoorn van de telefoon. 'Vijf minuutjes,' fluisterde hij. Hij streek zijn stropdas glad op zijn hagelwitte overhemd en maakte een bevestigend geluid in de telefoon. Ik liep naar de tafel langs de wand en bekeek de foto's die erop stonden.

Het was geen egostrelende verzameling – geen foto's van Ned die grijnzend de hand schudt van de groten en bijna-groten der aarde – dat is zijn stijl niet. Het was familie. De grootste foto toonde een glimlachende vrouw die rechtop op een napoleonstoel zat, met twee jongens die naast haar stonden. De vrouw was blond, had blauwe ogen en ingevallen wangen en de soort fijnbesneden, goed verzorgde trekken die je in Upper East Side vaak ziet – de soort die alles tussen de vijfendertig en de vijftig kon zijn en onmiskenbaar rijk. Haar slanke handen rustten gemakkelijk – met blinkende ringen – in haar smalle schoot. Haar glimlach was koel en geoefend: Neds vrouw, Janine.

De jongens naast haar waren in de basisschoolleeftijd en hadden volle, ronde gezichten en dik, rossig haar – voor de gelegenheid platgekamd. Ze waren identiek gekleed in blauwe blazer en wit overhemd en hadden dezelfde, afzichtelijke geruite stropdassen om hun nek. Hun glimlach was gemaakt en levenloos, maar hun ogen waren vol woeste plannen. Derek was de oudste van de twee; zijn jongere broer was Alec. Ik kende het licht in de ogen van mijn neven goed en ik glimlachte inwendig. Ik durfde te wedden dat de fotosessie na deze opname niet lang meer geduurd had.

Niet voor alle foto's was geposeerd – er waren ook kiekjes van de jongens terwijl ze in Central Park aan het voetballen waren en van de jongens met alle twee hun ouders, op een skihelling ergens, gekleed in parka en met half dichtgeknepen ogen tegen de schittering. En niet alle foto's waren van Neds kroost. Er was een leuke opname van Lauren en haar man, Keith, voor het laboratoriumgebouw van de Rockefeller University waar Keith mysterieuze dingen doet met DNA. Ze leunden tegen een bakstenen muur. Oranje bladeren dwarrelden overal om hen heen. Ernaast stond een foto van mijn oudste zus, Liz, gezeten achter de trading desk die ze runt voor Klein & Sons. Ze sprak in de telefoon en werd omringd door schermen en toetsenborden en stapels papier. Haar dikke blonde haar was samengebonden tot een paardenstaart. Haar donkere wenkbrauwen waren gefronst en ze keek dreigend naar degene die de camera hanteerde. Naast haar foto stond opnieuw een geposeerd portret – een man en een vrouw onder aan een marmeren wenteltrap. De man was slank en had hetzelfde golvende, rossige haar als Ned, maar dan meer. Zijn scherpe trekken waren samengebald op een smal gezicht dat op het punt leek te staan een standje uit te delen. De vrouw was mager en bleek, met verwarde, weerbarstige haren en donkere, veel te grote ogen vol spanning en afgunst. Mijn oudere broer David en Stephanie, zijn vrouw. Mijn kaak was gespannen en ik bewoog hem heen en weer om hem los te maken.

Aan de zijkant van de tafel stonden twee foto's die ik lang niet meer had gezien. De kleine was een foto waarvan de kleuren in de loop van de jaren verbleekt waren. Hij was genomen op een strand; een gebruinde man met blond haar en een donkerharige jongen die samen een rubberboot uit de branding trekken. De man was stevig en de jongen mager en bleek, en wit schuim spoelde om hun knieën. De man lachte en de spieren in zijn armen en benen waren goed zichtbaar, terwijl hij aan het druipende touw trok. De jongen keek nors in de camera terwijl hij stond te trekken – niet echt van harte, herinnerde ik me – aan het touw. Ned was toen net vierentwintig, net van school en pas begonnen met zijn werk bij Klein & Sons. Ik was niet ouder dan Billy Danes. Ik zette de foto neer en pakte de andere op.

Het was een zwartwitfoto, enigszins vergeeld onder het glas, van een ander echtpaar, dat er heel jong uitzag. Ze waren buiten en daalden hand in hand een trap af die ik kende en die niet ver hiervandaan was. De vrouw was klein en gedrongen en ze droeg een lichte rok en een blouse zonder mouwen. Haar dikke, blonde haren waren achter haar hoofd bijeengebonden met een sjaal. De man was lang en goed verzorgd en hij had een donkere broek en een wit overhemd met korte mouwen aan. Hij had steil achterovergekamde zwarte haren en een opvallende spuuglok. Het gezicht van de vrouw was vol en knap en had niets kils of verwijtends. Dat van de man was bleek en hoekig en allesbehalve gereserveerd. Sterker nog, ze glimlachten allebei en hun ogen lichtten op van... ik heb nooit precies geweten wat. Geluk? Verwachting? De sensatie van uit de band gesprongen zijn? Wat het ook was, ze maakten dat het er betoverend en sexy en op de een of andere manier samenzweerderig uitzag, alsof ze net de Hope-diamant hadden gestolen en zich op klaarlichte dag uit de voeten maakten. In werkelijkheid begaven ze zich naar de auto van een vriend voor een rit naar Idlewild Airport en een vliegtuig naar Rome. En de klus die ze net geklaard hadden was geen juwelendiefstal, maar een trouwerij in het stadhuis waarover geen van beide families de eerstkomende dagen zou horen. Zij heette Elaine, hij Philip. Mijn ouders.

Ik hoorde Ned afscheid nemen en de telefoon neerleggen.

'Schitterende foto, hè?' zei hij. 'Janine vond hem een paar weken geleden, ergens achter in een la. Ken je hem nog?'

'Ik ken hem nog.'

'Ik niet. Ze zien er gelukkig uit, niet?' Ik knikte en zette de foto terug. Ned liep om zijn bureau heen, pakte me bij mijn schouders en bekeek me van top tot teen. Hij moest er een decimeter of zo voor omhoogkijken. 'Ben je al klaar met Tyne?' vroeg hij. 'Dat was snel.'

'Hij werkte erg goed mee,' zei ik.

Ned glimlachte en streek door zijn haren. 'Uitstekend. Goed, neem iets te drinken en vertel op.' Hij liep naar de schappenwand, drukte ergens op en er kwam een bar te voorschijn. Hij maakte een cranberrysap met spuitwater voor mij en schonk zichzelf een gemberbier in. Hij kwam met de glazen naar me toe en keek me vol verwachting aan.

'Ik denk voornamelijk dat al zijn andere sollicitatiegesprekken vóór de lunch waren gepland,' zei ik. Ned keek verwonderd en ik vertelde hem mijn verhaal. Hij keek eerst ongelovig, toen geschrokken, toen vol afschuw en ten slotte verwonderd en geamuseerd. Hij schudde zijn hoofd.

'Denk je dat hij er nog is?' vroeg hij.

'Ik durf te wedden dat mevrouw K. hem inmiddels weg heeft gekruid.'

'Ongetwijfeld om zijn roes uit te slapen.' Ned grinnikte en hij zag er tien jaar jonger uit wanneer hij dat deed. 'Weet je zeker dat je er niet op terug wilt komen, Johnny? Het is een behoorlijk goede baan, zie je.' Ik hief mijn handen op en schudde mijn hoofd.

'Mevrouw K. zou het nooit goedkeuren,' zei ik. Ned glimlachte en knikte en stond op om zijn glas nog eens vol te schenken. Hij wilde iets zeggen, maar zijn telefoon ging en de lichaamloze stem van mevrouw K. vulde de ruimte.

'Uw bezoek van drie uur is vroeg, meneer March. Ze zijn in de lobby.'

Ned trok een gezicht. 'Stik,' zei hij zacht. De lijnen rondom zijn kleine mond werden dieper en hij leek weer tien jaar ouder. 'Sorry dat je je tijd hebt moeten verdoen aan die Tyne. Ik zal ervoor zorgen dat de twee anderen beter nagetrokken worden dan hij.' Ik knikte. 'We waarderen je hulp hierbij, Johnny – het is heerlijk om hieraan met je samen te werken.' Ik knikte opnieuw. 'Tot zaterdag, ja?'

'Tot zaterdag,' zei ik en ik vertrok.

De deuren van de vergaderzaal stonden open en ik keek naar binnen. De zaal was leeg en zonder de zwakke geur van een luchtverfrisser zou je niet zeggen dat Tyne er ooit geweest was. Op weg naar buiten kwam ik langs het bureau van mevrouw K. Ze maakte opnieuw een klikkend geluid en keek me bedachtzaam aan.

– 8 –

In de Manifesto Diner zocht ik een plaats bij het raam, die uitzicht bood op Eleventh Avenue en de in noordelijke en zuidelijke richting langsdenderende vrachtwagens. Aan de overkant stond een reeks lage, bakstenen flats met op de begane grond een pornotheek, een slotenmaker en een zaak in loodgietersmaterialen. Schuin aan de overkant, verder naar het zuiden, was een hoek van het DeWitt Clinton Park. Ik zag enkele kale rozenstruiken en een stel handballers zonder shirt die rondrenden over een betonnen speelveld. Ik had mijn colbert en das uitgetrokken, maar ik was nog steeds te chic gekleed voor de Manifesto, en voor de buurt.

Eleventh Avenue tussen 53rd en 54th Street is het noordelijke uiteinde van Clinton – ofwel Hell's Kitchen, zoals het vroeger genoemd werd. De buurt heeft een lang, morsig en geromantiseerd verleden, vol struikrovers, jeneverkroegen, onfortuinlijke zeelui en plunderende straatbenden. Het heden is prozaïscher. Clinton is tegenwoordig het slachtoffer van een nietsontziende opknapbeurt – de oude huurkazernes en fabrieken maken plaats voor hoge woonflats en dramatische eethuizen, de bevolking van arbeidersimmigranten en aspirant-acteurs komt elk jaar meer in het gedrang of wordt gewoonweg verjaagd. Maar ondanks deze stormloop zijn de ruige industriële wortels van de buurt nog duidelijk zichtbaar.

Ik wist niet hoe lang de Manifesto al bestond, maar het was geen nieuwkomer. Het was lang en smal, aan de buitenkant met metaal bekleed en binnen met formica in twee tinten groen. Er was een lange bar met groene plastic krukken, een rij groene plastic compartimenten bij het raam aan de straatzijde en nog een paar in een hoek aan het ene uiteinde van de bar. De plafondventilatoren bewogen niet en het rook er naar vet, ammoniak en oude koffie.

Afgezien van de barkeeper en de kok waren er alleen twee Aziatische vrouwen, in zacht maar indringend gesprek verwikkeld aan de bar en een oude kerel die Spaans sprak in de telefoon. Een zwarte auto reed rondjes om het blok. Ik telde vier ronden toen hij om halfvier voor de deur stopte.

Er stapte een magere jonge man in kakibroek en een stijf donkerblauw overhemd uit die het eethuis binnenkwam. Hij werd al kaal en droeg zijn resterende haar erg kort – nog korter dan zijn smalle sik. Er lag een geïrriteerde, ongeduldige trek op zijn gezicht terwijl hij zijn blik door het vertrek liet glijden. Zijn ogen stopten bij mij. Hij kwam naar me toe.

'March?' vroeg hij zacht. Ik herkende de stem – Brent. Ik knikte. 'Zullen we wat verder achterin gaan zitten?' vroeg hij. Ik stond op en nam mijn koffiekop mee. Ik keek naar de barkeeper en wees naar de achterkant. Hij haalde zijn schouders op.

'Momentje,' zei Brent en hij liep naar de auto. Een grote, kale blanke man in een zwart pak stapte aan de rechterkant uit. Brent opende het achterportier en Linda Sovitch stapte uit. Ze nam een laatste haal van haar sigaret en smeet hem in de goot en gedrieën staken ze het trottoir over en kwamen binnen. De grote kerel keek rond en toen naar mij. Hij had een gezicht als een ham en zijn huid had de kleur van een raap en hij had een zwarte, gesloten zonnebril op. Ik negeerde hem. Hij en Brent namen plaats aan de bar. Sovitch kwam naar mijn tafel en zette haar zonnebril af.

Ze was kleiner dan ik gedacht had, ongeveer een meter vijfenvijftig, en haar gezicht was hierbuiten, in de echte wereld, op de een of andere manier intenser, maar verder zag Linda Sovitch er ongeveer hetzelfde uit als op tv. Ze droeg hetzelfde crèmekleurige jasje en dezelfde zeegroene blouse met vierkante hals als die ochtend op tv. Hetzelfde parelsnoer rustte op haar verfijnde sleutelbeenderen. Haar lichte haren vielen nog steeds in een kunstige golf tot op haar schouders. Haar lippen waren misschien voller en haar ogen ietsje blauwer. Afgezien van het jasje en de blouse droeg ze een versleten, verbleekte spijkerbroek en zwarte muilen en ze had een muskusachtig, bloemachtig parfum opgedaan – Shalimar misschien. Haar handen waren klein, met scherpe, roze nagels. Ze droeg een grote gele diamant aan een vinger, boven een platina trouwring. Ik wist dat ze midden dertig was, maar ze zag er jonger uit.

Ze liet zich op de bank tegenover me glijden en keek op haar horloge. 'U wilde me spreken over Greg?' vroeg ze. Haar stem was hoog maar accentloos en er was niets meisjesachtigs aan. Ze keek me recht in de ogen.

'Wanneer hebt u meneer Danes voor het laatst gesproken?' Ik kon net zo goed met de deur in huis vallen. Ze hield haar hoofd schuin en dacht na.

'Een week of vijf geleden. We lunchten. Waarom?'

'Zijn vrouw – zijn ex-vrouw – kan moeilijk contact met hem krijgen.'

Sovitch hield haar hoofd weer scheef. 'Heeft ze zijn kantoor geprobeerd?'

'Hij is met verlof en nog niet terug.'

'Weten ze bij Pace niet waar ze hem kunnen bereiken?'

'Blijkbaar niet. Ik heb begrepen dat u bevriend was. Ik dacht dat u misschien iets van hem had gehoord of dat u misschien een idee had over waar hij is.'

Sovitch keek verbaasd en schudde langzaam haar hoofd. 'Ik heb Greg de laatste tijd zelden gezien. Die lunch was de eerste keer sinds lang.'

'Hij had het niet over vakantieplannen?'

Ze schudde haar hoofd. 'Niet met mij in elk geval. Weet u zeker dat hij haar niet gewoon ontloopt?'

'Waarom zou hij?'

Sovitch haalde haar schouders op. 'Ik weet het niet... misschien om haar op stang te jagen. Ze zijn niet bepaald dikke vrienden, weet u.'

Ik knikte. 'Waarover hebt u tijdens die lunch gesproken?'

Sovitch' mond sloot zich en haar ogen werden kleiner. 'Wat doet dat ertoe?'

'Ik weet niet of het iets uitmaakt, maar dat weet ik pas als u het me vertelt.'

Ze keek me nors aan en schudde haar hoofd. 'Dat lijkt me gelul, March.'

'Ik ben nieuwsgierig naar wat hij dacht. Als hij bijvoorbeeld veel over muziek praatte, is hij misschien weggegaan om naar muziek te luisteren.'

Sovitch keek ongeduldig. 'Hij praatte niet over muziek,' zei ze. Ze keek op haar horloge en toen naar de bar. Ik raakte haar kwijt.

'Ik heb gehoord dat hij de laatste tijd niet erg in zijn hum was. Heeft hij daar iets over gezegd?'

Sovitch richtte haar blik weer op mij. 'Als u ergens naartoe wilt, March – zeg het verdorie gewoon. En hou anders op met dat betweterige gedoe.'

Het was een redelijk verzoek. Het probleem was dat ik niet precies wist waar ik naartoe wilde. Ik viste.

'Ik probeer niet betweterig te doen en ik wil er ook geen raadselspelletje van maken. Ik wil alleen maar weten hoe Danes overkwam de laatste keer dat u hem zag – in wat voor stemming hij was, waarover hij praatte – dat soort dingen. Het lijkt u misschien onbelangrijk – het komt misschien over als vrijblijvend snuffelen – maar ik hak lang genoeg met dit bijltje om te weten dat nuttige dingen meestal niet van een label voorzien zijn. Soms zijn ze in het begin niet eens nuttig, soms worden ze pas later van belang, als je ze naast vijf andere dingen zet. Soms moet je gewoon het hele spul in een zak doen en schudden.' Haar mond stond sceptisch. Ik ging verder.

'Luister, ik ben u dankbaar voor uw tijd, mevrouw Sovitch, en ik wil u niet langer lastigvallen dan nodig is, maar wat was er mis met die lunch?'

Sovitch' ogen fonkelden en ze keek me strak aan. Na een poos knikte ze bedachtzaam en haalde diep adem. 'Er was niks mis mee. Het was gewoon niet... bijzonder leuk, meer niet.' Sovitch pakte haar zonnebril en speelde met de brug. 'Zoals ik al zei, ik had Greg al een poos niet meer gezien. Dat kwam doordat hij de laatste tijd een beetje ontevreden over me was... over de meeste dingen trouwens. Toen hij belde voor een lunch maakte ik daaruit op dat dat verleden tijd was. Maar ik denk het niet.'

'Waar was hij ontevreden over?'

Sovitch lachte. Het klonk spottend en onaangenaam. 'Hebt u het nieuws de laatste jaren niet bijgehouden? Het is een beetje onrustig geweest op Wall Street, voor het geval het u ontgaan mocht zijn. Greg kreeg klachten van beleggers aan zijn broek en zijn reputatie heeft een lelijke deuk opgelopen.'

'Dat weet ik. Wat ik bedoelde is: waarom was hij ontevreden over u?'

Sovitch sloeg haar ogen weer neer. 'Hij is woedend – gekwetst, denk ik – over een paar items die we hadden over analisten. Hij vond dat we eenzijdig bezig waren. Ik heb hem verteld dat een heleboel mensen vonden dat we behoorlijk eenzijdig in de andere richting waren geweest, in de tijd dat de Dow Jones op elfduizend stond, maar dat wilde hij niet horen. En ik heb gezegd dat hij het moest vergeten en verder moest gaan – dat het tussen 11 september, de oorlog en de verkiezingen sowieso oud nieuws was – maar dat maakte hem alleen maar woester.'

'Hebt u daar tijdens die lunch over gesproken?'

'Ja. En als ik geweten had dat het daarover zou gaan, zou ik het afgezegd hebben. Maar zoals ik al zei: ik dacht dat we dat achter de rug hadden. Maar Greg bleek er anders tegenaan te kijken. Hij wilde me een idee aan de hand doen. Een speciaal item in *Market Minds* – "Door de ogen van een analist", wilde hij het noemen – met hemzelf als enige gast.' Ze schudde ongelovig haar hoofd en er sloop een verongelijkte klank in haar stem.

'Lijkt het u leuk – Greg Danes die een uur lang zijn kant van het verhaal vertelt? Misschien konden we wat harpmuziek op de achtergrond zetten, en vergrotingen van zijn babyfoto's. Kunt u zich voorstellen dat ik hem moest uitleggen waarom het nooit iets zou worden? Jezus, hij kon zo doof zijn voor sommige dingen.

En toen had hij het lef om pisnijdig op me te worden. Hij begon over dat hij zich *gebruikt* voelde, dat we hem behandelden als een afgerichte zeehond of een circusartiest – iets waarmee je kaarten verkocht – ontzettend grof. Ten slotte werd ik het beu en vertrok.' Sovitch streek haar haren glad en wierp ze achterover. De gedachte kwam in me op dat Danes met die kaartjes misschien een punt had gehad, maar ik hield het voor me.

'En dat was het laatste wat u van hem gehoord hebt?'

'Het laatste wat ik van hem gehoord heb en het laatste wat ik hoop te horen. Greg is een intelligente kerel, maar hij is ook volkomen geschift. En de tijden zijn veranderd – hij is domweg de moeite niet meer waard.' Ze keek op haar horloge.

Ik knikte. 'Nog één ding, mevrouw Sovitch – bent u gebeld door anderen die naar Danes vroegen?'

Ze schudde haar hoofd. 'Bofkont dat ik ben, u bent de enige.' Ze keek naar Brent en trok een wenkbrauw op. Hij en de grote kerel stonden op en stelden zich op naast de deur. Sovitch wendde zich weer tot mij. 'Ik heb u twintig minuten gegeven, March.'

'En daar ben ik dankbaar voor – ik zal proberen niet om meer te vragen.'

Sovitch glimlachte koel. 'Vraag zoveel u wilt,' zei ze, 'u krijgt geen minuut meer.' Ze zette haar zonnebril op en vertrok, op de voet gevolgd door haar lijfwachten.

Ik ging te voet naar huis. Er hing een kilte in de lucht en vage strepen geel en oranje in de hemel boven New Jersey. Ik dacht na over wat een goede kameraad Linda Sovitch was en over het weinige wat ze me had verteld. Haar verhaal klopte met de andere die ik had gehoord – dat Danes boos en verbitterd was en gefixeerd op zijn rechtszaken en de slechte pers en de slechte behandeling die hij volgens hem had gekregen.

Maar interessanter dan wat ze had gezegd was wat ze níét had gezegd – of gevraagd. Voor iemand die zichzelf journalist noemde had Sovitch opmerkelijk weinig belangstelling getoond voor de vermissing van Danes. Andere verslaggevers die ik kende zouden me uitgehoord hebben zodra ze het vernamen en ze zouden mijn vragen beslist niet hebben beantwoord zonder er zelf een paar te stellen. Zo niet Sovitch. Onderweg naar 16th Street verbaasde ik me aan één stuk door over haar gebrek aan nieuwsgierigheid en waarom ze om te beginnen had ingestemd met een ontmoeting.

Het was vijf uur geweest toen ik thuiskwam en er waren boodschappen. De eerste was van Simone Gautier, in Queens. Danes' auto stond niet op de luchthaven en zijn lijk lag niet in de plaatselijke mortuaria. Schriftelijke verslagen en rekeningen zouden volgen.

Het tweede bericht was van Danes' vakantievierende portier. Zijn stem klonk ernstig en typisch Brooklyn. Er klonken andere stemmen op de achtergrond en iets wat zo te horen een honkbalwedstrijd op tv was.

'Met Gargosian – u hebt een boodschap achtergelaten bij mijn vrouw. Ik probeer het later nog een keer, of wanneer ik thuis ben – over een dag of tien.' Stik. Ik belde zijn huis op City Island en liet een nieuwe boodschap achter voor mevrouw Gargosian. Ik maakte een aantekening en zag mijn vorige notitie, dat ik Anthony Frye moest bellen, eertijds werkzaam op de afdeling Aandelenresearch van Pace-Loyette. Ik zette mijn laptop aan en pakte opnieuw de telefoon.

Het duurde niet lang voordat ik het adres van Frye had gevonden en hij nam onmiddellijk op. Hij sprak met een bekakt accent en zijn stem klonk jong en ironisch. Ik legde uit wie ik was en wat ik wilde en niets van wat ik zei leek hem bijzonder te verbazen.

'Ik heb gehoord dat Greg naar buiten is gestormd,' zei hij, 'maar ik had begrepen dat hij plotseling had besloten verlof op te nemen.'

'Misschien, maar zijn ex en zijn zoon zouden graag met hem in contact komen. Was u erbij toen hij wegging?'

'Ik had de week tevoren ontslag genomen en de leiding ziet zielepoten en deserteurs liefst zo gauw mogelijk vertrekken.'

'Was dat de laatste keer dat u Danes hebt gezien – de dag dat u ontslag nam?'

'Ja, hoewel ik hem toen nauwelijks gezien heb, zo snel hadden ze me de deur uitgewerkt,' zei Frye. Er werd bij hem aangebeld en hij riep: 'Kom binnen – de deur is open.' Ik hoorde het geluid van stemmen en gelach op de lijn en Frye werd moeilijk te verstaan.

'Dit is zo te horen niet het goede moment.'

Frye lachte. 'Inderdaad – een uitstekend moment om iets te drinken, maar een slecht moment om te praten. Wat vindt u van morgen?' We spraken een tijd en een plaats af en hij hing op, bij het geluid van reggae en rinkelende glazen.

Ik keek op mijn horloge en haalde diep adem. Tijd om Nina te bellen.

'We hebben iets te bespreken,' zei ik. 'Kan ik vanavond langskomen?'

'Heb je iets gevonden?'

'Niet Danes, als je dat bedoelt.'

'Wat dan wel?'

'Iets wat we persoonlijk moeten bespreken. Kan het vanavond?'

'Heel mysterieus. Maar goed, kom maar. Stik, je begint een vaste gast te worden, March. Pas maar op – de mensen mochten eens iets gaan denken.' Ze lachte en hing op.

Ik dronk wat water uit een kan in de koelkast en keek naar de tulpen van Jane. De stelen hingen kaal en slap in de vaas, de bloembladen werden bruin op het aanrecht. Ik hing mijn kostuum op, trok een spijkerbroek aan, ging zitten en opende mijn laptop. Ik opende het bestand dat ik die ochtend had bewaard en herlas de bijzonderheden van *Sachs versus Danes*.

– 9 –

Het was zeven uur geweest toen ik bij Sachs aankwam. De temperatuur was blijven dalen en de wind die tussen de oude fabrieksgebouwen door gierde was bijtend. De kantoortorens aan de overkant van de East River waren verlicht en gekleurd door de laatste donkere tinten van de ondergaande zon. Ook achter de ramen van de 1-2-galerie brandde licht. Ik keek naar binnen en zag Ines' magere hippies de scheidingswanden rondom een nieuwe reeks kratten plaatsen, maar geen spoor van Ines.

Ze was boven. Ze deed open op mijn kloppen en de spanning stroomde door de deuropening met de sigarettenrook en de verflucht en de te luide muziek en verheven stemmen. Ines stond stil en zwijgend in de vloedgolf.

'Het kan me niet schelen wat die verrekte studieadviseur zegt – ik blijf niet nóg een jaar op die kutschool!' klonk Billy's stem achter in het appartement. Hij klonk rauw en hees. Ines reageerde niet.

'Ze verwacht me,' zei ik. Ines knikte.

'Dit is misschien niet het meest geschikte moment, speurneus,' zei ze zacht. Ik hoorde Nina's stem. Ik verstond niet wat ze zei, maar haar woede en frustratie waren onmiskenbaar. Billy antwoordde op vol volume.

'Het kan me niet schelen hoe goed hij volgens jou is – jíj hoeft er niet naartoe. Jíj hoeft niet elke dag met die verrekte klootzakken om te gaan!' Er knalde een deur.

'Goed!' riep Nina. 'Ga dan maar naar een gewone school. Eens kijken hoe het bevalt als die *verrekte klootzakken* wapens hebben.'

'Je denkt toch niet dat ze die op mijn school níet hebben!' gilde Billy terug. 'Je weet geen zak.'

Er klonken snelle voetstappen en Nina Sachs kwam op een holletje aangerend. Achter haar wervelde een boze rookwolk. Ze keek me aan en snoof en liep regelrecht naar haar atelier. Ines en ik keken elkaar aan.

'Komt hij voor mij?' riep Nina. 'Stuur hem maar naar binnen – het kan niet veel erger worden.' Ze lachte verbitterd. Ines knikte kort en ik stapte naar binnen. De hopen kleren waren kleiner dan de vorige keer en de half opgegeten maaltijden waren verdwenen. Ines was aan het opruimen. Ze verdween in de keuken en ik liep naar Nina's atelier

Nina stond bij haar tekentafel, gekleed in spijkerbroek en een blauw mannenoverhemd met afgeknipte mouwen. Haar kastanjebruine haren waren in haar nek gebonden. Er bungelde een nieuwe sigaret tussen haar lippen en op het wagentje naast haar stond een glas zonder voet vol rode wijn. Ze was driftig aan het schetsen. Ik liep naar de kleine stereotoren en zette de Ramones zachter. Nina keek me vuil aan.

'Blijf met je poten van mijn muziek af.' Ze leek Billy wel toen ze dat zei. Ik negeerde haar.

'Heb je nog nagedacht over de politie?' vroeg ik. Ze schudde haar hoofd.

'Geen tijd gehad. Je hebt misschien gemerkt dat ik mijn handen hier vol heb.' Ze keek me met half dichtgeknepen ogen aan. 'Heb je me iets te vertellen?'

Ik knikte. 'Ik heb Linda Sovitch vanmiddag gesproken,' zei ik en ik vertelde haar over mijn ontmoeting in de Manifesto. Toen ik klaar was kneep Nina Sachs haar lippen op elkaar en tuurde naar haar schets.

'Denk je dat ze het in het journaal brengt – over Greg?'

'Ik denk het niet – maar ik zou niet kunnen zeggen waarom niet.'

Ze glimlachte even. 'Het lijkt erop dat Greg een verrekt slechte dag had, is het niet?' vroeg ze. Vrolijker had ze niet geklonken sinds ik binnen was gekomen.

'Een slechte dag, die nog erger werd toen hij later op de middag Turner ontmoette. En Sovitch is gewoon de zoveelste – de zoveelste vriend van hem – die geen idee heeft waar hij is. Maak je je nog geen zorgen?' Nina antwoordde niet. We hoorden gesmoorde stemmen en Ines verscheen in de deuropening.

'Ik ga naar de galerie en Guillermo gaat mee,' zei ze tegen Nina. Nina fronste haar wenkbrauwen en schudde haar hoofd.

'Nee, Nes, hij moet zijn huiswerk maken en ik wil niet dat hij je lastigvalt.'

Ines hief een slanke hand op. 'Hij is niet lastig en hij maakt zijn huiswerk beneden wel.' Ines keek naar mij en toen naar Nina. 'En misschien kun jij dan iets doen.' Ze staarden elkaar even zwijgend aan. Ten slotte haalde Nina haar schouders op. Ines draaide zich om en vertrok en even later hoorden we de deur dichtvallen. Ik keek Nina aan.

'Maak je je nog geen zorgen?' vroeg ik nogmaals.

Ze keek me fronsend aan en schudde haar hoofd. 'Wat heb je toch? Je vindt me een... kreng, hè? Nou, krijg de klere maar, March. Je kent me niet en je kent mijn lieve ex evenmin. Je wilt niet weten wat voor wraakzuchtige lul hij kan zijn. En de politie in zijn leven halen is precies het soort ding waarvan hij door het lint zou gaan.'

'Weet je zeker dat dat alles is wat je ervan weerhoudt?'

Sachs ging rechtop zitten op haar kruk. Ze nam een diepe trek van haar sigaret en keek me door de rook heen aan. 'Heb je iets op je lever?' vroeg ze.

Ik haalde diep adem om de boosheid te verdrijven die zich had samengebald in mijn keel. 'Alleen een kleinigheid die je niet hebt vermeld, Nina – dat je scheidingsprocedure vier maanden geleden is heropend, na tien jaar. Dat Greg je de voogdij over Billy wil afpakken.'

Sachs trok haar gezicht in een ongeduldige grimas en wuifde met haar hand. 'Nou en? Wat is daar zo bijzonder aan?' zei ze. 'En trouwens, wat heb jij daarmee te maken? Ik betaal je om Greg te zoeken, niet om een onderzoek in te stellen naar mij.' Ik haalde opnieuw diep adem en slikte mijn eerste reactie in, die begon met de woorden: *Luister, stomme trut.* Toen ik sprak was mijn stem vlak en kalm.

'Ik zóék hem, Nina, maar een van de dingen die je doet als er iemand wordt vermist, is kijken naar eventuele juridische kwesties waarin de vermiste verwikkeld is, uitgaande van de theorie dat ze een aanwijzing kunnen geven voor de reden van de vermissing – of waarom iemand hem heeft laten verdwijnen.'

Nina lachte onaangenaam. 'Ben je daarom zo heetgebakerd? Je denkt dat ik Greg heb laten verdwijnen?' Ze lachte opnieuw. 'En daarna heb ik jou aangenomen om me de politie van het lijf te houden? Jezus, March, dat is me nogal een complottheorie.'

'Ik zeg nu alleen maar dat je belangrijke informatie voor me hebt achtergehouden. Vraag ik me af waarom, en wat je misschien nog meer achterhoudt? Nou en of. En zit het me dwars? Meer dan een beetje – het is al moeilijk genoeg zonder dat jij spelletjes speelt. Maar wat complottheorieën betreft: ik ben nog niet eens begonnen. En wees gerust: de mijne zijn niets vergeleken met wat de politie je voor de voeten zal werpen als je ze zo belazert. Je mag me een ansichtkaart sturen en me er alles over vertellen.'

Nina pakte het glas wijn op en nam een grote slok. 'Wat wil je daar verdomme mee zeggen?'

'Daar wil ik mee zeggen dat ik ervandoor ga, Nina – meteen – tenzij je ophoudt met je gezeik.' We staarden elkaar aan en geen van ons beiden knipperde met de ogen. Ten slotte schudde ze haar hoofd.

'Wat wil je van me? Ik heb geen groot geheim. Ik heb je alles verteld wat ik weet over waar Greg is. Dat andere... het leek me niet de moeite van het vermelden waard. Greg zanikt en zeurt met tussenpozen al jaren over de voogdij. Het enige wat onlangs is veranderd is zijn gerechtelijk verzoek. Maar het is niet zo dat het ergens toe leidt. Het is gewoon typisch Greg: drukte maken. We spraken erover. We zouden het eens geworden zijn... net als alle vorige keren.'

'Welke vorige keren?'

'De vorige keren dat Greg moeilijk deed over de voogdij. De vorige keren dat hij zich in zijn hoofd had gezet dat hij meer wilde doen met de jongen of dat het hem niet bevalt zoals de jongen opgroeit. Hij fokt zichzelf op, we roepen een tijdje tegen elkaar en we spreken iets af.' Nina trok heftig aan haar sigaret. De as gloeide oranje op en de sigaret slonk zichtbaar.

'Wat beviel hem niet aan de manier waarop Billy opgroeit?' vroeg ik na een poos. Nina trok een gezicht.

'Ga zelf maar na, March – zijn enige zoon en erfgenaam groeit op met twee potten... En hij is altijd gebeten geweest op Nes. Hij heeft zichzelf wijsgemaakt dat zij er de oorzaak van was dat ons huwelijk strandde, wat gelul is. Het was allang naar de klote voordat ik Nes leerde kennen en toen ik van Greg scheidde, waren we nog gewoon vriendinnen. Maar hij luistert nooit.' Nina nam nog een slok en ik dacht nog even na.

'En de vorige keren dat dat gebeurde, wat hebben jullie toen afgesproken?' Nina stond op en liep naar de kleine stereotoren in de hoek. Ze zakte door haar knieën en zocht tussen een stapel cd's op de grond en verwisselde de Ramones voor iets anders. Ze zette het geluid harder – Brian Ferry. Ze stond op en draaide zich weer naar me om.

'We spraken af dat Greg hem vaker mocht zien – tenminste, zolang zijn belangstelling duurde.'

'Was dat meestal niet zo?'

'Nooit. Maar verdomme, we spraken het af.'

'En wat zat er voor jou aan vast?' vroeg ik.

Nina Sachs keek met schuin aan. 'Wat wil je daarmee zeggen?'

'Je stond hem uit de goedheid van je hart meer tijd toe met Billy?'

Sachs' gezicht werd bleek en hard en strak. Haar mond werd een dunne witte streep. 'Je hebt geen idee hoe het is – een kind opvoeden in deze stad, proberen de kost te verdienen als schilder. Ik zit krap bij kas en als Greg de kinderalimentatie ophoest helpt dat. Moet ik me daarvoor schamen? Betekent dat dat ik hem beroof? Of dat ik mijn kind verkoop, verdomme?' Ze nam een diepe haal van haar sigaret en blies een kolkende rookkolom uit. 'Je hebt verdomme wel lef voor een betaald hulpje.'

Ik knikte afwezig. 'Als het die keer niet anders was, waarom heeft Danes het voogdijproces dan heropend?'

'Hij had de pest in over alles, hij was kwaad op de hele wereld en hij klaagde over geld.'

'Dus gaf hij het liever uit aan een proces?'

Sachs haalde haar schouders op. 'Ik zou het niet weten,' zei ze. Ze liet haar vingers over haar hals glijden. 'Hij denkt misschien dat hij er niets aan kan doen dat zijn carrière in het slop zit, maar dat hij wel iets aan Billy kan doen. Misschien denkt hij dat dit een gevecht is dat hij kan winnen.' Ze zuchtte diep en schudde haar hoofd. 'Hoe moet ik verdomme weten wat hij denkt?'

Ze ging aan de tekentafel zitten, drukte haar sigaret uit en wreef met haar vingertoppen door haar ogen. Toen pakte ze een potlood op en begon te schetsen. Uit de kleine stereotoren klonk Brian Ferry.

I could feel at the time
There was no way of knowing

Ik observeerde haar en luisterde naar de muziek en zo bleven we schijnbaar lange tijd zitten.

'Heb je me in de arm genomen om Danes te vinden of om vuiligheid over hem te vinden in verband met die voogdijkwestie?' vroeg ik ten slotte.

Nina slaakte een zucht van wanhoop. 'Ik zei toch al – die voogdijzaak laat me koud. Er kómt verdomme geen voogdijzaak.' Ze nam een lange haal van haar sigaret en schudde haar hoofd. 'Luister, het trieste feit is dat Greg nog altijd mijn voornaamste bron van inkomsten is. Als er iets is... als dat verandert moet ik het weten. Ik heb jou aangenomen om hem te zoeken – punt uit. Nou, doe je het of doe het je niet?'

'Bel je de politie?'

'Jezus... jij geeft het ook nooit op,' zuchtte Nina. 'Is dat een vereiste om ermee door te gaan?'

'De vereiste is dat je niet tegen me liegt, Nina, en dat je niks achterhoudt. De politie is voorlopig alleen maar een advies – een goed advies.'

Ze keek naar haar schets en knikte. 'Ik lieg niet tegen je en ik zal nadenken over de politie,' zei ze zacht. Ze pakte een stuk houtskool en bewoog haar arm met brede gebaren.

Ik keek naar de kruin van haar kastanjebruine haren. 'Oké,' zei ik. Ik verliet haar appartement en liep naar buiten.

Ik liep langs de galerie, sloeg de hoek om en botste tegen Billy op. Hij stond tegen het gebouw geleund een sigaret te roken. Hij deinsde terug en de vonken vlogen in het rond.

'Verdomme,' jammerde hij en richtte zijn moeders geïrriteerde blik op zijn gebroken sigaret en toen op mij. Ik veegde as van mijn mouw en Billy herkende me. 'O stik,' zei hij.

'Hé – je hoeft je niet te verontschuldigen, Billy,' zei ik.

Hij snoof. 'Verontschuldigen? U bent degene die tegen mij op botste, voor het geval u het niet gemerkt hebt.'

Ik lachte. 'En je daarmee van een vroege dood hebt gered.'

Billy liet zijn ogen rollen. 'Ja hoor,' zei hij. Hij had een slobberige camouflagebroek aan en een T-shirt met lange mouwen en een bedroefd kijkende *manga*-figuur erop. Hij zocht in zijn broekzak naar een nieuwe sigaret. Hij vond er een, stopte hem tussen zijn lippen en keek me uitdagend aan. 'Gaat u me de les lezen?' Hij zag eruit als tien.

Ik haalde mijn schouders op. 'Ik niet.' Hij snoof opnieuw en stak de sigaret aan met een gele wegwerpaansteker. Ik wees naar zijn T-shirt. 'Cowboy Bebop?' vroeg ik.

Hij knikte stuurs. 'Dus u bent een stripfanaat? Een beetje oud, vind u ook niet? Wat doet u; in winkels rondhangen en kleine jochies in de gaten houden?'

'Allang niet meer. En jij, verzamel jij?' Billy haalde zijn schouders op. 'Iets in het bijzonder?' vroeg ik. Hij trok aan de sigaret, onderdrukte een hoestbui en haalde opnieuw zijn schouders op.

'Voornamelijk horror. *House of Mystery*, *House of Secrets*, *Dark Mansion* – die dingen.' Ik knikte.

'Wat vind je van *The Unexpected* of van *Vault of Evil*?' vroeg ik. Billy's gezicht klaarde heel even op en toen trok hij weer zijn façade van norse onverschilligheid op.

'Ja, zoiets,' zei hij en hij hoestte opnieuw. Hij staarde voor zich uit over het water en ik staarde met hem mee.

'Heeft ze u ook een stuk uit uw kuiten gebeten?' vroeg hij na een poos. Zijn stem klonk zachter en de luchtigheid ging gepaard met een vermoeide wijsheid.

'Een beetje – niet zo erg dat ik niet meer kan lopen of zo,' zei ik.

Billy lachte. 'Waarschijnlijk omdat ze al gegeten had,' zei hij.

Ik grinnikte en we zwegen weer.

'Ze is niet altijd zo,' zei hij.

'Hm-mm.'

'Ze heeft van alles aan haar kop – een expositie en... gezeik met mijn vader.'

'Hm-mm.'

'Bent u naar hem op zoek?'

'Ja.'

'Hebt u hem al gevonden?'

'Nog niet.' Er klonken voetstappen op het trottoir. Ines Icasa kwam de hoek om en bleef staan. Ze keek Billy aan en hij knipte de sigaret met een geoefende beweging met een boogje het donker in. Hij deed een stapje naar achteren.

'Wat ben je aan het doen, Guillermo?' vroeg ze. Haar stem klonk gespannen van boosheid.

'Niks – zomaar wat staan – met hem praten.' Zijn stem klonk weer jengelend.

Ines schudde ongeduldig haar hoofd. 'Laat maar – ik weet wat je doet en we hebben het er later wel over. Ga naar binnen en maak je huiswerk af, alsjeblieft.' Billy wilde iets zeggen, maar Ines legde hem het zwijgen op. Haar stem klonk scherp. 'Nú, Guillermo.' Billy snoof en mompelde iets en schuifelde toen de hoek om naar de galerie.

Ines keek me aan. Haar tengere lichaam was gespannen en haar gave gezicht leek harder dan steen. 'Waar ben je me bezig?' vroeg ze. Haar donkere ogen stonden fel.

Ik had zin om eveneens een stapje achteruit te doen, maar ik deed het niet. 'We stonden te praten,' zei ik, 'voornamelijk over stripboeken. Ik wilde hem eigenlijk de les lezen over het gevaar van roken, maar ik bedacht me.'

Ines keek me een poos aan en de spanning leek uit haar gezicht en lichaam te verdwijnen. Ze zuchtte even en leunde tegen de muur. 'Sorry, speurneus,' zei ze. Ze stak haar hand in haar broekzak en haalde er een verfomfaaid pakje Gitanes uit en een platte gouden aansteker. Ze inhaleerde diep en blies rook de lucht in. 'Ik stel me aan, niet?' De wind wakkerde aan en ze sloeg haar armen om zich heen. 'Ik heb een zware avond gehad.'

'Dat vermoedde ik al. Waar ging de ruzie over?'

Ines zuchtte en ging met de punt van haar schoen over het ongelijke plaveisel. Er reed een snorder voorbij die een luidruchtige groep afzette voor de club in het aangrenzende gebouw. Ines keek hem na toen hij wegreed.

'Over zijn school,' zei ze. 'Hij zit op een privé-school in The Heights, een heel goede, maar hij is er niet gelukkig. Hij heeft het er moeilijk – niet wat de studie betreft, maar sociaal. Er zitten een heleboel begaafde leerlingen, maar Guillermo is een van de jongsten. Hij is in veel opzichten jong en... een beetje opstandig. Hij maakt niet makkelijk vrienden.' Ze nam weer een trek van haar sigaret en blies de rook met een bevende zucht uit.

'Hij denkt dat hij liever naar een andere school gaat – een kostschool misschien. Nina is het er niet mee eens. Ze heeft liever dat hij dicht bij huis blijft. De discussie speelt al een tijdje.'

'En wat vind jij?'

'Ik zou hem ook het liefst dicht bij huis hebben, maar ik weet niet of we hem alles kunnen geven wat hij nodig heeft. We doen ons best, maar ik denk dat Guillermo verlangt naar een... voorspelbaarder leven dan nu. Conventioneler misschien.' Opnieuw een trek, opnieuw een zucht. 'Hij is op een leeftijd waarop dat belangrijk is.'

'Wat vindt zijn vader ervan?'

Ines verstijfde. 'Ik zou het niet weten, speurneus,' zei ze en ze drukte haar sigaret uit tegen de muur en verdween om de hoek.

Jane trakteerde me op een etentje in Viva!, een duur Mexicaans restaurant in Chelsea met mangokleurige muren en een leuke, kleurrijke klantenkring. Om halftien was het gevuld met muziek en gerammel en duizend kwetterende gesprekken. We zaten onder een muurschildering van grijnzende doodskoppen, gevederde slangen en grote, onheilspellende zonnebloemen en we aten, gegrilde zalm met venkel voor mij en *chicken molé* voor Jane. Onze tafel was de stilste in de hele zaak.

Jane was bleek en had donkere kringen rondom haar grote, zwarte ogen. Het weinige wat ze zei over haar dag en haar transactie werd onderbroken door pauzes en geeuwen.

'Hou ik je uit je bed?' vroeg ik haar.

'Sorry,' zei ze, haar hoofd schuddend. 'Ik word het beu tegenover die lui aan tafel te zitten. Ik zal blij zijn als het achter de rug is.' Ze nam een slok water en prikte in haar kip. 'Zware tijden in Brooklyn?' vroeg ze.

'Meer bizar dan zwaar,' zei ik en ik vertelde haar over mijn gesprek met Nina Sachs en later met Billy en Ines. Er lag een zorgelijke trek om haar gewelfde lippen terwijl ik sprak en haar ogen lieten me niet los.

'Een aparte jongen, zo te horen,' zei ze toen ik klaar was.

'Zeg dat wel.'

'Je hebt medelijden met hem.' Het was geen vraag.

'Hij is op een moeilijke leeftijd – gevangen tussen de kindertijd en wat daarna komt. Je wilt erbij horen, maar je weet niet waarbij. Je wilt de helft van de tijd een gat in de lucht springen en ergens weet je misschien dat het erger wordt voordat het weer beter wordt.

En Billy heeft daarbij nog andere problemen. Hij is intelligenter dan de anderen, en kleiner, en zijn ouders hebben hem wie weet hoe lang als kop van jut gebruikt. Voorzover ik het kan bekijken is Ines nog de meest volwassen mens in zijn leven – komt ze nog het dichtst bij een ouder.'

Jane knikte. Haar frons werd wat dieper en er verscheen een rimpeltje tussen haar ogen. 'Mag je hem?' vroeg ze.

Daar moest ik over nadenken. Hij was in elk geval een irritante, moeilijke mix van angst en woede en zelfbeklag en achterdocht. En zijn wisselvallige pogingen om cool te zijn misten hun doel nog en resulteerden meestal in nukkige agressiviteit. Maar dat was niet de hele Billy. Ik herinnerde me het maniakale plezier in zijn stem toen ik hem over de telefoon had gehoord, toen hij iets naar Ines riep. Ik herinnerde me de vonk van belangstelling in zijn ogen toen we het over stripboeken hadden en zijn laconieke stem toen hij zijn mening gaf over Batman. En ik hoorde nog steeds zijn ernstige stem toen hij mij – en misschien zichzelf – uitlegde waarom zijn moeder zo boos was, en zijn ernst toen hij vroeg of ik op zoek was naar zijn vader. Ik knikte langzaam naar Jane.

'Ik kan denk ik niet anders,' zei ik. 'Hij doet me denken aan mezelf op die leeftijd.'

'Onbemind en onuitstaanbaar?' Haar stem klonk luchtig, maar ze glimlachte niet.

'En op zijn hoede,' ze ik. 'En zonder leiding.' Jane keek me zonder iets te zeggen aan. De ober ruimde onze tafel af en liet ons alleen met de nagerechtenkaart. We lazen hem in stilte.

'Wat wil je?' vroeg ik.

'Naar huis,' zei ze.

— 10 —

Jane werd de volgende ochtend laat wakker en stapte vloekend uit het bed, in haar kleren en de trap op naar haar flat. Ik hoorde bonzen en bonken en toen snelle hoge hakken over mijn plafond en toen werd het stil. Ik trok de dekens om me heen, sloot mijn ogen en probeerde een warm plekje te vinden op Janes kussen, maar tevergeefs. Haar warmte was verdwenen en ik was wakker.

Ik douchte en schoor me en trok een kakibrock aan en daarna at ik op mijn gemak een kom havermoutpap en las de krant. Vervolgens nam ik mijn koffiekop mee naar de tafel, samen met de telefoon en een notitieblok.

De advocaat die Gregory Danes' heropende voogdstrijd met Nina Sachs regelde was Reggie Selden, een in New York bekende naam in scheidingskringen. De vrouw die zijn telefoon aannam herinnerde me daaraan en verzekerde me dat ze me niet zou doorverbinden voordat ik haar verteld had wie ik was en wat ik wilde. Toen ik dat deed lachte ze hatelijk.

'We hebben begrepen dat mevrouw Sachs vertegenwoordigd wordt door Margaret Lind,' zei ze. 'Vragen van u aan meneer Selden zullen via haar kantoor moeten worden gesteld.'

'Ik wil alleen maar weten of iemand van uw kantoor Gregory Danes onlangs nog heeft gesproken. Ik...'

Ze viel me in de rede. 'Dat is ons beleid en een discussie verandert daar niets aan. Het spijt me dat ik u niet kan helpen.' Om de een of andere reden twijfelde ik aan haar oprechtheid. Ik dronk mijn koffie op, keek op mijn horloge en hoopte dat Anthony Frye wat tegemoetkomender zou zijn.

Klokslag elf uur stond ik voor 60 Wall Street. Om vijf voor halftwaalf kwam Frye door de draaideur. Hij had een gsm aan zijn oor en hij praatte snel en keek naar het trottoir. Ik herkende het Engelse accent en de spottende toon.

'Maureen? Ja, met Tony. Ja, ik weet dat ik laat ben en het wordt nog wel later, want ik stap net in een taxi. Dus geef het ze namens mij door, wil je

– een halfuurtje, als het verkeer niet tegenzit. Bedankt, Mo.' Hij borg zijn telefoon op, schudde zijn hoofd en speurde de straat af naar een taxi.

Frye was een slanke, knappe vent van een jaar of dertig. Zijn donkere, golvende haar was lang en weerbarstig en zijn kleine, regelmatige trekken waren vlekkeloos, op de donkere wallen onder zijn ogen na. Hij was gekleed in een verfomfaaid maar duur grijs krijtstreepkostuum, een roodgestreept overhemd en een loshangende grijze stropdas.

'Frye?' vroeg ik. Hij was slechts lichtelijk verbaasd.

'O, jezus – u bent March, is het niet?' zei hij glimlachend. Ik knikte. 'En ik ben veel te laat, ik weet het. Sorry.'

'Geen punt,' zei ik, 'zolang we nog kunnen praten.'

Frye knikte verstrooid. 'Zolang u er geen bezwaar tegen hebt dat achter in een taxi te doen.'

We liepen naar de hoek van Wall Street en Water Street, waar Frye me de stuipen op het lijf joeg door het verkeer in te wandelen en spastisch naar elke taxi te wuiven die hij zag. Het was een bizarre en riskante techniek, maar het werkte. Vijf minuten later rammelden we over FDR Drive in noordelijke richting. Ik stelde vragen en Frye – tussen het afluisteren van berichten op zijn gsm door – beantwoordde ze. Hij was minder dol op Danes dan Irene Pratt en wond er minder doekjes om.

'Hoe lang hebt u voor Danes gewerkt?'

'Te lang,' zei Frye met een spijtige glimlach. 'Vijf jaar.'

'Ik heb gehoord dat hij moeilijk kan zijn.'

Frye glimlachte. 'Degene die u dat verteld heeft was een meester in understatements.'

'Waaruit ik opmaak dat u niet met hem kon opschieten.'

'Het is maar hoe je het bekijkt,' zei hij. 'Gemeten naar de maatstaven van normale menselijke interactie zou ik zeggen dat we verdomd slecht door één deur konden. Maar naar Greg-maatstaven gemeten denk ik dat ik het aardig deed – beter dan de meesten in elk geval.' Hij drukte een toets op zijn gsm in en bracht hem weer naar zijn oor.

'Wat betekende dat, in praktisch opzicht?'

Frye stak een vinger op, luisterde een ogenblik aandachtig en schudde toen zijn hoofd. 'Dat we elkaar alleen spraken als het niet anders kon en verder zo min mogelijk met elkaar te maken hadden.'

'Niet bepaald dikke vrienden na vijf jaar. Wat was het probleem?'

Frye zuchtte en stopte zijn telefoon weg. Hij keek naar de East River die achter het raam van de taxi voorbijdanste. 'Greg kan niet tegen afwijkende meningen, meneer March, en hij eist enorm veel respect van zijn collega's. Toevallig heb ik te veel van de eerste en te weinig van het laatste.'

'Hebt u daarom ontslag genomen?'

'Daarom en omdat blijven mijn carrière geen goed deed. Wie wil de laatste rat zijn die het schip verlaat?'

'Ik wist niet dat Pace-Loyette zinkend was.'

'Het bedrijf zal het wel overleven, denk ik, maar de afdeling Research niet – in elk geval niet in haar huidige vorm. Ze is al sterk afgeslankt en het einde is nog niet in zicht. Ik ben allesbehalve de eerste die dat beseft en ik zal niet de laatste zijn.'

'Realiseerde Danes dat zich?'

'Natuurlijk wel, maar Greg is Greg en hij plaatst zichzelf in het centrum. Hij beschouwt het als het zoveelste voorbeeld van het streven van de directie om zijn reputatie te bezoedelen en hem alle schuld voor de excessen in het verleden in de schoenen te schuiven.'

'Zit daar een grond van waarheid in?'

Frye keek me aan en knikte langzaam. 'Enige, misschien, maar de leiding van Pace wil eigenlijk alleen maar doorgaan – ze willen hun claims schikken en verdergaan. Greg ziet dat niet in; hij beschouwt een schikking als een schuldbekentenis – zijn schuld.'

'Dus u denkt niet dat hij binnenkort ontslag zal nemen?'

'Nee, niet Greg. En tot die claims zijn geschikt denk ik niet dat er veel vraag naar hem zal zijn – niemand heeft zin in de bagage.'

'Dus als ik het goed begrijp hebt u niet met hem over zijn vakantieplannen gesproken, de laatste dag dat u op kantoor was?'

Frye snoof. 'God, nee – toen niet en nooit. Zoals ik al zei, zo'n verstandhouding hadden we niet.'

'Met wie wel?'

'Vriendschap? Een goede verstandhouding? Ik kan niemand bedenken, al komt Irene Pratt er misschien het dichtst in de buurt. Kent u Pratt?' Ik maakte een vaag bevestigend geluid. 'Een nijvere ziel en veel beter in respect dan ik.' Fryes telefoon piepte en hij verontschuldigde zich nogmaals tegenover Maureen en smeekte haar datzelfde te doen tegenover degene die in het centrum op hem wachtte. Het gaf me tijd om na te denken.

'Vergeet die vrienden dan maar,' zei ik toen hij de verbinding verbrak. 'Hoe zit het met iemand die door Danes is afgezeikt?'

Frye lachte. 'Dat is een hele lijst. Greg maakt iedereen het leven zuur, van de stagiairs tot en met de helft van de directie.'

'Heeft hij iemand speciaal boos gemaakt? Iemand die wrok koestert?'

'Ik zou het echt niet weten. De mensen leren zoveel mogelijk afstand te bewaren en de meesten van degenen die de mazzel hebben rechtstreeks onder Greg te werken, ontwikkelen een dikke huid.'

'En degenen die dat niet doen?'

Frye keek me gissend aan. 'Greg heeft een soort radar voor ze, meneer March. Ze schijnen meer dan hun portie van de kwelling aan te trekken en ze blijven niet lang.'

'Wat een beleefde manier is om te zeggen dat Danes een bullebak is.'

'Ik neem aan van wel.' Frye glimlachte onschuldig.

'Bullebakken maken gewoonlijk vijanden. Heeft Danes dat op de een of andere manier kunnen vermijden? Is er niemand die boos op hem gebleven is?'

Hij haalde zijn schouders op. 'Ze blijven ook niet boos op het weer, lijkt me. En als je Greg eenmaal kent, realiseer je je hoe hij is. Hij is een soort natuurkracht – een klootzak van nature. Maar hij bedoelt het niet persoonlijk – liever gezegd, wel persoonlijk, maar zonder onderscheid te maken. Vroeg of laat valt de regen op iedereen.' Frye trok een wenkbrauw op. 'Vanwaar die belangstelling? Denkt u dat Greg iemand tegen zich in het harnas heeft gejaagd? Is hij daarom niet teruggekomen?'

Ik haalde mijn schouders op. 'Ik weet nog niet genoeg om ergens een mening over te hebben,' zei ik. 'Het enige wat ik nu heb zijn vragen. De meeste ervan zullen wel niets opleveren, maar ik moet ze stellen.'

'Een hele klus,' zei hij. Ik knikte. We bereikten de U.N. en het verkeer was bijna tot stilstand gekomen. Frye vloekte zacht en belde Maureen maar weer eens. Ik dacht na over enkele dingen die Irene Pratt me had verteld. Frye hing op en ik had een nieuwe vraag voor hem.

'Afgezien van zijn innemende persoonlijkheid: hoe is Danes als analist?'

'Greg is absoluut een briljante vent – scherp inzicht in bedrijven en bedrijfstakken, snel van begrip en een fenomenaal geheugen. Ik ben de eerste om toe te geven dat ik veel van hem geleerd heb.'

'Zij het niet van zijn werk aan Piedmont, vermoed ik.'

'Dat weer,' zuchtte Frye. 'Ze kunnen er niet genoeg van krijgen. Maar echt, het is onredelijk te verwachten dat Greg – of welke analist ook – kon weten wat Denton Ainsley in zijn schild voerde. Greg mag dan tijdens een paar fotomomenten te veel naar Ainsley hebben gelachen en naar een paar Piedmont-feestjes te veel zijn gegaan, maar dat maakt hem nog niet medeplichtig. Dom misschien, of ijdel, maar niet medeplichtig.'

'Piedmont was gewoon een slechte beurt – en de rest dan? Als Danes zo briljant is, hoe kon het dan zo slecht aflopen?'

'Het krioelt van de slimme mensen in deze branche, March, maar slim is niet alles. Slim is niet altijd genoeg. Je hebt inzicht nodig in hoe de markt zich ontwikkelt en gevoel voor de mensen daarachter.'

'En Danes heeft dat niet?'

'Iedereen heeft zijn blinde vlek,' zei Frye. 'Die van Greg is, denk ik, dat hij zijn mening niet wil herzien – zelfs niet als de markt verandert – en misschien een zekere gevoeligheid voor manipulatie door fondsbeheerders.'

'Het eerste begrijp ik min of meer, maar wat betekent dat laatste?'

Frye glimlachte. 'Een van de dingen die een analist doet is praten met mensen die veel aandelen hebben in de bedrijven die ze volgen. Dat doen ze deels om de mening van beleggers te peilen over waar die bedrijven naartoe gaan, en deels om hun eigen ideeën te lanceren. Maar die gesprekken kunnen bloedlink zijn.

Stel, je volgt bedrijf x en meneer Smith, een hedgefondsbeheerder, heeft veel aandelen in x. Als je van plan bent x als een goede belegging te taxeren, zou het leuk zijn te weten dat meneer Smith zijn aandelen-x wil vasthouden – of er zelfs meer wil kopen. Dus voordat je verslag uitbrengt wil je misschien eens met meneer Smith gaan praten. Kunt u me tot dusver volgen?' Ik knikte.

'Mooi. Nou, meneer Smith is niet gek. Hij weet dat, als bedrijf x een koopadvies krijgt van een zo vooraanstaande analist, de koers waarschijnlijk zal stijgen. En hij weet dat, als hij zijn aandelen daarna verkoopt, hij er een aardige cent aan kan verdienen. Dus gezien dat alles, en omdat hij net zo'n smerige, manipulerende klootzak is als al zijn soortgenoten, zal meneer Smith misschien proberen u, arme goedgelovige drommel, om de tuin te leiden. Hij zal u misschien proberen wijs te maken dat hij uw ideeën over x briljant vindt en subtiel en subliem – en dat hij het er helemaal mee eens is. En als u zich zou laten bedotten, zou u terug naar kantoor hollen en een *goedkoop*-advies geven... en onaangenaam verrast zijn wanneer Smith nog tijdens uw ontluikende herstel zijn aandelen verkoopt en de aandelen-x kelderen.'

'Is dat wat Danes is overkomen?'

Frye knikte. 'Mijn voorbeeld is simplistisch, maar het geeft een goed beeld. Ter verdediging van Greg: het is een subtiel spel met talloze combinaties. En het wordt gespeeld tegen enkele slimme mensen die bijna altijd betere kaarten hebben dan jijzelf. Zelfs de besten worden af en toe op het verkeerde been gezet.'

'Maar Danes vaker dan af en toe?'

'Hij heeft een hongerig ego, wat hem kwetsbaar maakt voor vleierijen door slimme, machtige mensen.'

Ik dacht er even over na. 'Inzichtelijk, voor een beursanalist,' zei ik en ik meende het.

Frye lachte. 'Ik verzeker u, ik ben strikt een amateur-psycholoog. Maar Greg is me een figuur – onmogelijk om daar niet over te speculeren. En tussen haakjes: het is éx-beursanalist.'

Onze chauffeur had de FDR na veel worstelen kunnen verlaten en reed nu door het centrum, veel sneller – maar niet snel genoeg voor Frye. Hij vloekte heftig bij ieder stoplicht en op het kruispunt van 47th Street en Third Avenue gooide hij een handvol bankbiljetten door het plastic tussenschot en stapte uit. Bijna hollend liep hij Third in.

'Wat gaat u doen nu u bij Pace weg bent?' vroeg ik, hem volgend.

'De droom van iedere analist,' grinnikte Frye. 'Ik begin een hedgefonds.' En hij verdween in Smith & Wollensky.

— II —

Fort Lee ligt hoog boven de Hudson, op de beboste kliffen van de Palisades en makkelijk bereikbaar vanuit Manhattan: West Side Highway op en de George Washington Bridge over. Het is een oud stadje met een verleden dat zich uitstrekt tot de Engelse pioniers en de Nederlandse vóór hen. Het welkomstbord bij de stadsgrens pochte erop; *Rijk aan historie*, zei het, in witte krulletters. Kon zijn, maar ze hielden het goed verborgen. De stad leek vooral rijk aan opritten en afritten en parkeerplaatsen, aan winkelcentra en drive-inbanken, aan videowinkels en copyshops, manicuresalons en pizzeria's. De armoede scheen zich voornamelijk te beperken tot architectuur en ruimtelijke ordening.

Het was rond het midden van de namiddag toen ik de GW overstak en het was druk bij de tolstations. Ik had dus volop tijd om naar het knooppunt van autowegen te kijken waar het tolplein overging in de New Jersey Turnpike en enkele andere wegen, en het woud van onontcijferbare wegwijzers te bekijken dat daar was aangeplant. Desondanks had ik slechts een vaag idee van waar ik naartoe moest. Dat effect heeft New Jersey op me.

Ik reed mijn gehuurde Toyota van de Turnpike af. De straten waren hobbelig en grauw en de plaatselijke automobilisten hadden weinig geduld met onzekerheid. Maar ik negeerde ze en vond de weg naar Marginal Road, een toepasselijke naam. Ik volgde Marginal Road naar Lemoine Avenue en Lemoine naar Lincoln Avenue.

Het was niet moeilijk geweest een adres van Richard Gilpins bedrijf, Morgan & Lynch, te vinden, al was het adres dat ik gevonden had een ander dan op de website van het bedrijf. Dat adres hoorde bij een commercieel correspondentieadres in een van de vele winkelcentra in Fort Lee. De ontdekking had me niet geschokt en ik had het telefoonnummer van Morgan & Lynch ingevoerd in een telefoonboek voor omgekeerd zoeken. Dat had een vermelding opgeleverd van iets wat Ekaterinberg Holdings heette en een adres op Lincoln Avenue.

Het was een klein kantoorgebouw met een bruin wordende gevel van witte baksteen en smalle ramen in stalen kozijnen. De ramen waren sme-

rig en voorzien van een gordijn, op twee op de eerste verdieping na, waarop reclame stond voor 'A-Plus All-Stars – Trofeeën en medailles voor alle
gelegenheden', en die waren donker. Het gebouw telde slechts vier verdiepingen, maar het torende boven zijn buren uit, waaronder een Koreaans
restaurant met spiegelruiten en wit pleisterwerk, een reisbureau met een
gescheurde rode zonwering, een parkeergarage van twee verdiepingen en
een leverancier van operatiematerialen met getraliede ramen en een recla-
mebord dat de grootste keus latexhandschoenen van de hele streek beloofde. Kantoorruimte was zeker schaars geworden op de Cayman-eilanden.

Ik reed het gebouw voorbij en parkeerde de Toyota op een parkeerplaats anderhalf blok verderop, voor een bar die Roxy heette. De regen
viel nu harder, opgejaagd door de wind. Een natte schoenendoos dwarrelde over de straat, in het spoor van een plastic boodschappentas die zweefde als een spook. Ik zette de kraag van mijn jack op, opende mijn paraplu
en liep langs het blok.

De lobby was nauwelijks groter dan een bezemkast en voorzien van
algen-groene tegels en tl-buizen. Rechts van me stond een stoffige plastic plant en links hing een plattegrond aan de muur, achter een gebarsten
ruit. Ik raadpleegde hem, maar werd er niet wijzer door, aangezien de enige overgebleven plastic letters het woord 'shat' vormden. De lift was achterin, met daarnaast een stuk karton waarop in rode inkt een met de hand
geschreven boodschap voor de postbode stond. Ik begreep eruit dat alles
voor Ekaterinberg Holdings of EK Industries of Gromyko Construction
naar de derde verdieping moest. Ik nam aan dat dat ook voor mij gold,
wurmde me in de kleine ruimte en drukte op drie.

De lift rook naar taxi's, alleen minder fris, en de korte gang waarop
hij uitkwam stonk nog erger – sigaretten, bier, oude pizza's, schimmel en
pis, niet per se in die volgorde. De naar aardbeien ruikende luchtverfrisser
die iemand onlangs had verspreid leverde een verloren strijd. De wanden
waren betimmerd met namaakhout, als een ongure goktent, en de glazen plafondverlichting verspreidde een somber licht. Het tapijt was bruin
en zompig, als mos, en ik was blij dat het niet ver lopen was naar de enige
deur die er was. Deze was leeg, op een brievenbus na, en had geen bel. Ik
liep zonder kloppen naar binnen.

Ik bevond me in een ruimte niet veel groter dan de lift, zonder ramen,
zonder afbeeldingen en met een soortgelijke betimmering en vloerbedekking als de gang. De enige andere deur was in de tegenoverliggende muur
en die was op slot. Het enige meubilair waren een gedeukt metalen bureau links, de plastic draaistoel erachter en de zwarte canvas bureaustoel
ervoor. Het bureau was klein en de telefoon en de tv die erop stonden be-

sloegen bijna het hele oppervlak. De bureaustoel was leeg. De stoel achter het bureau niet.

Ze lag er languit in, met haar benen voor zich uit gestrekt en haar enkels over elkaar geslagen. Ze zag eruit als veertien, terwijl ze bijna veertig was. Haar haren waren blond aan de punten en zwart bij de wortels. Het was kort in haar nek en lang aan de zijkanten en een rafelige pony hing over haar voorhoofd. Haar trekken waren fijn en kinderlijk – een rood mondje, een kleine, ronde neus, dunne wenkbrauwen, kleine, grijze, enigszins scheefstaande ogen, oren die nauwelijks groot genoeg waren voor het halve dozijn piercings en het ijzerwerk dat eraan hing. Haar gezicht was rond en donzig en de botten gingen nog schuil onder een laag babyvet en haar huid was vlekkeloos wit, op de tatoeages na.

Ze had er een bij de hoek van haar rechteroog die leek op een kleine rode traan, en een in haar hals die in minutieuze zwarte letters het woord 'pijn' vormden. Dezelfde grillige letters keerden terug op haar knokkels en vormden het woord 'white' op haar linkerhand en 'bitch' op haar rechterhand. Een groene slang slingerde zich rondom haar magere rechterarm en stak zijn rode inkttong uit naar haar pols.

Ze droeg een spijkerbroek en een strak grijs t-shirt en de hard uitziende confectieborsten eronder leken aan iemand anders toe te behoren – een veel groter iemand. Ze staken naar voren als een stenen schoorsteenmantel en vormden een handig schap voor haar asbak. Ze pakte er een sigaret uit, trok eraan en hief langzaam haar hoofd op om me aan te kijken. Haar kleine ogen waren leeg en flets. Ze staarde me een ogenblik aan en keerde toen terug naar haar tv-programma – iets over vrouwen wier mannen van schapen hielden.

Toen de reclame verscheen pakte ze de asbak van haar borsten, zette hem op het bureau en ging rechtop zitten. Haar grijze ogen werden kleiner.

'Wilt u iets?' Ze had een zwaar accent en sprak de *w* uit als een *v*. Oost-Europees. Er klonk geen vijandigheid in haar stem, geen argwaan zelfs, alleen een milde nieuwsgierigheid omdat er iemand aan haar deur was verschenen. Ik dacht even na. Ik wist niet onder welke naam Gilpin hier bekendstond – aangenomen dat hij hier was.

'Is Richard er?' vroeg ik. Een van haar wenkbrauwen ging omhoog en er verscheen een geaffecteerde glimlach op haar jonge gezicht.

'Dick?' Zoals ze het zei rijmde het op *ziek*. Haar blik gleed weer naar de tv toen de reclame afgelopen was en de schapenmensen terugkwamen. 'Ginds,' zei ze. Ze wees met haar duim naar een deur, plantte de asbak terug op haar boezem en zakte weer onderuit. Ik opende de deur en ging naar binnen.

Het was een rechthoekig vertrek, met aan de ene kant ramen die uitkeken op Lincoln Avenue en de regen. Het hing vol sigarettenrook en testosteron.

De mannen zaten aan tegen elkaar geschoven tafels, in drie rijen in de lengte van het vertrek, en ze tuurden op hun scherm en praatten in headsets. Het was een merendeels jong gezelschap – twintig en nog wat – en merendeels onaantrekkelijk – als een stel jolige dronkelappen die snakten naar een kloppartij. Er waren een heleboel halskettingen in de kamer, en polskettingen en dure horloges. Er was veel haargel en een stormfront van met elkaar vloekende geurtjes. De kleding varieerde van spijkerbroeken tot zijden trainingspakken en verfomfaaide Armani's. Behalve asbakken, koffiekoppen en bierflessen waren blootbladen de meest voorkomende bureau-accessoires. Er werden heel wat hoofden omgedraaid toen ik binnenkwam, maar ze draaiden zich algauw terug naar hun schermen en telefoons. Er was werk aan de winkel.

Ze bedelden om dollars. Sommigen van hen lazen voor uit scripts en sommigen improviseerden; sommigen van hen fluisterden in hun headset en sommigen riepen; sommigen smeekten, anderen vleiden en een enkeling dreigde bijna – maar uiteindelijk kwam het op hetzelfde neer, telkens en telkens weer: de kans van uw leven, mis die niet, gegarandeerde opbrengst, volledig gedekt, risicoloos, absoluut veilig. Stuur nu geld. De verkopers van Morgan & Lynch aan het werk.

De man die het dichtst bij de deur zat had een dikke nek, vettig blond haar en een rood poloshirt dat dreigde te scheuren rond zijn biceps. Ik ging achter zijn stoel staan.

'Waar is Richard?' vroeg ik. Hij legde zijn hand op de microfoon, draaide zich om en keek me vuil aan. Toen draaide hij zich weer om en begon te fluisteren.

'Ik verzeker u, meneer Strelski – mag ik je Gerald noemen? – het kan elk moment van start gaan. En als het van start gaat, gaat het als een raket...'

De man naast hem tikte op mijn arm en wees naar de andere kant van het vertrek, naar een deur die half geblokkeerd werd door een van de tafels. Ik knikte en liep erheen. De deur stond op een kier en erachter zat iemand te praten. Ik herkende de diepe, intens oprechte stem – Richard Gilpin.

Gilpin was aan de telefoon en keek alleen maar op toen ik binnenkwam. Hij werd meegesleept door het ritme van zijn verkooppraatje.

'... we hebben enkele bijzonder opwindende mogelijkheden op de Latijns-Amerikaanse markten, mevrouw Trillo – een paar sterk ondergewaardeerde bedrijven...'

Ik draaide me van hem weg en keek om me heen. Het kantoor was niet groter dan de receptie en in dezelfde geest gemeubileerd, hoewel Gilpin een chiquere telefoon had en in plaats van een tv en neptieten had hij een computer en een grote piepschuimen koffiebeker. In de hoek stond een metalen dossierkast naast een prullenbak en een draaistoel. Ik trok de stoel naar me toe, ging zitten en sloeg Gilpin gade.

Hij was breedgebouwd, eind dertig, met zware armen en schouders en een vierkant hoofd op een dikke nek. Hij had golvend, keurig geknipt bruin haar dat hij lang droeg, als een soort gemuteerde Prins Valiant. Het viel laag over zijn lage voorhoofd en raakte bijna zijn dikke wenkbrauwen. Zijn donkere ogen waren klein en lagen diep in zijn vlakke, vlezige gezicht en ze stonden te dicht bij zijn wigvormige neus. Zijn mond was klein en strak en het kuiltje in zijn kin begon al te verdwijnen in een vervagende kaaklijn. Zijn huid was diep gebronsd en zag er machinaal vervaardigd uit.

Gilpin droeg een kakibroek en een bezadigd blauw overhemd, waarvan de mouwen opgerold waren over zijn onbehaarde armen. Hij had meer weg van de rugbycoach van een middelbare school in het zuiden dan van een fondsbeheerder. In werkelijkheid was hij geen van beiden. Hij keek in de verte terwijl hij zijn praatje afdraaide en zijn grote handen sneden door de lucht terwijl hij sprak. Hij was het nu aan het afronden.

'Denk er gerust eens over na, mevrouw Trillo, dat is alleen maar verstandig. Maar bedenk wel dat het fonds op dit moment bijna gesloten is. De tijd dringt, en dringt steeds harder.' Gilpin luisterde en knikte 'Een nachtje slapen is geen probleem, mevrouw Trillo, volstrekt niet. Ik bel u morgenvroeg meteen terug.' Gilpin drukte een knop op zijn toestel in, zette de headset af en zuchtte diep. Hij masseerde zijn nek en bewoog zijn hoofd heen en weer. Ten slotte keek hij mij aan.

'Wat wilt u?'

Ik zweeg even en zocht in zijn gezicht naar een gelijkenis met Gregory Danes. Ik vond er geen. 'Ik wil met je praten over je broer.'

Gilpin kreunde en trok zijn schouders op. 'Stik... jij bent die vent van dat telefoontje. Wat doe jij verdomme hier?' Zijn stem was nog even diep, maar de gelijkmoedigheid was plotseling verdwenen.

'Je wilde mijn telefoontjes niet beantwoorden, Richard, en ik had een middag niks om handen.' Gilpin fronste zijn voorhoofd en keek achter me, door de deuropening. Hij liet zijn stem dalen.

'Ben je van de politie?'

'Niet meer.'

'Privé?' Ik knikte en Gilpin ontspande zich enigszins. 'Voor wie werk je?' Ik glimlachte naar hem en schudde mijn hoofd. 'Ik weet niet wat je wilt,' zei Gilpin, 'maar ik zeg je, dit is er niet de plek voor. Het kantoor is niet toegankelijk voor het publiek en de directie wordt hypernerveus van bezoekers. Ik heb horen zeggen dat de laatste die kwam snuffelen van geluk mocht spreken dat hij bij het weggaan al zijn vingers nog had. Als ik jou was maakte ik me uit de voeten, makker.'

'En waar is je directie vandaag, op de Cayman-eilanden of verderop in de straat om een afhaalmaaltijd te halen? Tussen haakjes, noem ik je Gilford op kantoor, of Richard of gewoon Dick?'

Gilpin verbleekte onder zijn bronskleur. Hij stond op, deed de deur dicht en ging weer achter zijn bureau zitten. Hij bewoog zich snel voor zo'n grote man.

'Je bent hysterisch, makker – een verrekte relschopper. Ik schat dat je tien minuten hebt voordat je uitgelachen bent, dus profiteer ervan.'

Ik porde met de punt van mijn paraplu in het tapijt. 'Ik ben zo klaar, Richard. Zeg me alleen maar wanneer je voor het laatste iets van je broer hebt gehoord.'

'Van Greg?' snoof hij. 'Ik hoor nooit iets van die lul, tenzij ik hem zelf bel – en daar ben ik een tijd geleden mee gestopt.' Gilpin pakte zijn koffiekop en nam een slok. Hij trok een vies gezicht en zette hem neer. 'En hij is mijn hálfbroer.'

'Dus wanneer heb je hem voor het laatst gesproken?'

Gilpins dikke gezicht betrok door iets ergers dan de smaak van zijn koffie. 'Een jaar geleden – nee, veertien maanden.'

'En?'

'En niks. Dat is de laatste keer dat we elkaar spraken. Punt.' Gilpin keek naar de deur en toen op zijn horloge.

'Waar hadden jullie het over?'

Hij fronste opnieuw zijn voorhoofd en boosheid begon in zijn kleine, diepliggende ogen te wedijveren met nervositeit. 'Wat heb jij daar verdomme mee te maken?'

'Ik zei dat ik zo klaar was, Richard, maar nu begin je een langzaam-aan-actie.'

Gilpins smalle lippen vertrokken. Hij richtte een worstvinger op me. 'Krijg de klere, man. Je bent niks. Ik hoef je geen zak te vertellen.'

Ik haalde mijn schouders op. 'Natuurlijk hoef je dat niet, Richard – je moet het helemaal zelf weten. Zoals ik zelf mag weten of ik je vriendjes bij de SEC bel – van de uitvoerende afdeling misschien – en ze vertel waarheen ze je kerstkaarten dit jaar kunnen doorsturen. Ze zullen het vast boeiend vinden waar jij en je medewerkers mee bezig zijn.'

Gilpin verbleekte opnieuw. 'Hé, ik ken die lui van Adam niet,' zei hij, naar de deur wijzend. 'Ik weet niet wat ze daar uitvreten en ik vraag het niet – we delen alleen maar ons kantoor.' Maar zelfs hij was niet overtuigd. Hij hief zijn handen op en schudde even zijn hoofd. 'Oké, oké – de laatste keer dat ik Greg heb gesproken – ik belde hem veertien maanden geleden, over geld – een lening die ik nodig had. Mijn grote broer bleef zichzelf en zei dat ik kon barsten. Ik zei dat hij de klere kon krijgen en dat was dat. Het gesprek duurde nog geen tien minuten.'

'Gaat dat meestal zo tussen jullie?'

Gilpin glimlachte spottend. 'Héél scherpzinnig, man – je bent vast een beroeps.'

'Ken je een van zijn vrienden? Iemand met wie hij dik is?'

Hij lachte hatelijk. 'Je denkt toch niet dat ik ook maar íets weet over zijn leven? Je denkt toch niet dat hij sinds hij ging studeren ook maar íets met me te maken wilde hebben? Jezus – hij had daarvóór al amper tijd voor me. Praat met zijn vriendjes in Wall Street als je iets over hem wilt weten; praat met die pot van een wijf van hem – praat met iedereen, maar niet met mij.' Gilpin nam nog een slok koffie en trok opnieuw een vies gezicht.

'Dus je weet niet waar hij met vakantie naartoe kan zijn?'

Opnieuw die hatelijke lach. 'Ik zeg toch – ik weet niets over Gregs leven en ik wil het niet weten. Ik heb al problemen genoeg.' Hij gebaarde de kamer rond en snoof. 'Ik heb mijn eigen vakantie om me druk over te maken, hier.' Gilpin pakte zijn koffiekop en keek erin; toen draaide hij ermee in het rond en gooide hem met een boog in de prullenbak in de hoek. Koffie spatte tegen de muur en stroomde langs de betimmering; het leek Gilpin koud te laten. Hij keek me opnieuw loerend aan.

'Wordt Greg vermist?' vroeg hij me. 'Gaat het dáárover?' Ik dacht erover het hem te vertellen, maar hij gaf me de kans niet. Hij kneep zijn ogen dicht en wreef met zijn dikke handen over zijn gezicht. 'Stik maar,' zei hij. 'Ik wil het niet eens weten.' Hij keek weer op zijn horloge. 'Doe me een lol en maak dat je wegkomt, ja?'

Gilpin zakte in elkaar achter zijn bureau en ik zag vermoeidheid en chronische bezorgdheid onder zijn nepbruin. Hij leek een gekooid dier – uitgeput en berustend, alle overgebleven vechtlust niet meer dan een reflex. Hij had niet veel gezegd, maar het was alles wat hij wist. Ik stond op.

Er was niets veranderd in het grote kantoor toen ik erdoorheen liep; de jongens zaten nog steeds te roken en te telefoneren en ditmaal keek niemand op. Maar in de receptie was wel iets veranderd.

Het meisje was weg. Op haar plaats achter het bureau zat een gedrongen man in een groen, weerbestendig veldjack, identiek aan het mijne. Hij had kort, blond haar en precieze, knappe gelaatstrekken en een smal, bleek gezicht. Zijn ogen waren grijs en enigszins naar boven gekeerd en ze deden me denken aan de ogen van het meisje dat er niet was. De tv stond nog aan – maar hij keek naar *c-span* in plaats van naar schapen. Hij keek me even aan toen ik binnenkwam en richtte zijn blik toen weer op het scherm. Ik bleef even staan, in de verwachting dat hij iets zou zeggen, maar dat deed hij niet. Ik liep het vertrek door en zijn hand verdween in zijn jaszak en kwam te voorschijn met een telefoon. Ik verliet het kantoor en zag dat de lift al wachtte in de verlaten gang.

Ze stonden buiten op me te wachten, vlak achter de deuren van de lobby, en ze waren met zijn drieën. Twee van hen waren groot en de derde was groter. De twee grote mannen hielden elk een grote golfparaplu op. Een van de mannen was rond de dertig, met vuilblond, in een staart gebonden haar. Hij had een heleboel ringen aan zijn parapluhand en door zijn hoge jukbeenderen, spitse neus en v-vormige mond had hij iets van een haai. Hij droeg een lange, tot zijn hals dichtgeknoopte canvas jas. De andere man was ouder, met kort, donker haar, een keurige baard en donkere, argwanende ogen. Hij droeg werkschoenen en een kakibroek en een duur waterproof jack over een geruit overhemd en in andere omstandigheden zou ik hem voor een monteur of een geoloog hebben gehouden. Ze hadden elk een decimeter of zo op me voor, en minstens tien kilo. De derde man was een heel ander verhaal.

Hij was minstens een vijfennegentig en bijna honderdvijftig kilo en zijn kale, kogelvormige schedel ging voor het grootste deel schuil onder een ingewikkelde tatoeage: twee in dodelijk gevecht verwikkelde rode draken waarvan de lange slagtanden boven op zijn schedel bij elkaar kwamen. Mogelijk een aanwijzing voor wat er onder hen gaande was.

Zijn gezicht was vlezig, onbehaard en zo bleek als een vissenbuik. Een lichtblauw litteken liep van zijn linkerslaap naar zijn wang en ontmoette daar een tweede dat over zijn kin liep. Zijn voorhoofd was een benen plaat boven twee kleine zwarte ogen en een neus die enkele keren verbouwd was. Zijn mond was een liploze rimpel en zijn armen zagen eruit als twee zakken keien. Hij was gekleed in een zwartleren motorpak, zwarte handschoenen en zware zwarte laarzen, allemaal doorweekt van de regen. De regen geselde zijn kale hoofd en elke druppel leek hem woedender te maken. Hij scheen het een prettig gevoel te vinden. Zijn blik was strak op mij gericht.

De geoloog knikte naar me. 'Laten we droog gaan staan terwijl we praten,' zei hij. Hij wenkte me onder zijn paraplu. Hij had een accent, maar het was vaag en ik kon het niet plaatsen. Ze wekten geen vertrouwen, maar aangezien mijn vuurwapenvergunning in New Jersey niet geldig is en mijn pistool veilig thuis lag, waren mijn opties beperkt. Bovendien was er altijd een kans dat ik iets te weten zou komen. Ik knikte terug, vouwde mijn paraplu dicht en ging onder de zijne staan. De haai voegde zich bij ons en Attila vormde de achterhoede. Ze brachten me naar de nabijgelegen parkeergarage.

Binnen klapten de twee grote kerels hun paraplu dicht en gingen me voor over een oprit naar het tweede niveau. Attila liep achter me en maakte kusgeluiden. De enige auto op het twee niveau was een zware, zwarte Hummer met rookglazen ruiten en een grote, verchroomde koeienvanger en hij glinsterde van de regendruppels. De twee grote mannen liepen ernaartoe, maar bleven op twintig meter afstand ervan staan. Ik bleef ook staan. Ze draaiden zich naar me om. Attila liep achter me heen en weer en maakte snuivende geluiden. De twee grote mannen keken me aan en ik keek terug en zo bleven we even staan.

'Zullen we praten?' zei ik ten slotte.

Attila ging pal achter me staan en brulde in mijn oor. 'Bek dicht, zak!' Zijn stem was hoog – vast weer zo'n steroïdengebruiker – en zijn accent Oost-Europees. Zijn adem verspreidde een verbrande, chemische geur en zijn lijfgeur was ranzig en sterk. Hij ging verder met ijsberen en stootte me daarbij aan met zijn schouder. Alsof je door een bus opzij werd geslingerd. Ik struikelde een stap naar voren, maar bleef de twee anderen aankijken. Er gleed een glimlach over het gezicht van de haai. Hij schudde langzaam zijn hoofd, legde een vinger tegen zijn lippen en maakte een sussend geluid. Zo bleven we nog een paar minuten zwijgend staan en toen hoorden we voetstappen.

Het was de gedrongen, blonde man van de receptiebalie. Zijn veldjack was dichtgeritst tegen de regen en zijn corduroy kraag was opgeslagen. Hij droeg een antracietgrijze broek en glimmende zwarte veterschoenen. Zijn hoofd was gebogen en zijn handen zaten in zijn jaszakken en hij keek niet op terwijl hij langzaam de oprit op liep. De twee grote kerels schuifelden nerveus met hun voeten toen hij naderbij kwam en zelfs Attila werd stil.

Hij kwam tot stilstand tussen de twee grote mannen, opende zijn jack en schudde de regendruppels eraf. Eronder droeg hij een dunne zwarte trui over een grijs overhemd. Hij was ongeveer een vijfenzestig en zag eruit alsof hij van betonijzer was gemaakt. Hij streek met een kleine, sterk uitziende hand door zijn korte haren en sloeg het water weg. Hij keek me aan.

'Bent u Morgan of bent u Lynch?' vroeg ik. Hij negeerde mijn vraag.

'Wie bent u en wat had u bij Gilpin te zoeken?' vroeg hij. Zijn stem was zacht en vlak en had een vaag accent.

'Heeft Gilpin dat niet verteld?' De twee grote mannen bewogen en Attila kwam naderbij om tegen me te roepen.

'Zak! Geef antwoord!' De chemische geur was overweldigend. Een methadonroker misschien. Steroïden en methadon – het ontbijt van kampioenen. Schitterend. De gedrongen man schraapte zijn keel en gebaarde met zijn kleine hand naar Attila. Attila ging weer achter me staan.

'Gilpin vertelt me alles en u zult straks wel inzien dat dat verstandig is.' Hij zweeg even, hield zijn hoofd toen schuin en keek me aan. 'Wie bent u en wat had u bij Gilpin te zoeken?'

'Ik ben privé-detective en ik werk aan een geval van vermissing. Ik dacht dat Gilpin misschien iets had gehoord van de man die ik zoek. Blijkbaar niet.' De kleine man kneep zijn smalle lippen op elkaar en gebaarde weer naar Attila, die voor me kwam staan.

'Misschien heb ik me niet duidelijk gemaakt; misschien is dat de reden waarom u mijn vraag niet volledig hebt beantwoord. Of misschien hebt u me niet begrepen.' Het regende nu harder en de stem van de kleine man ging bijna verloren in het ruisende geluid. Mijn hart bonsde. 'Ik denk dat Gorans vragen duidelijker zullen zijn.' Attila grijnsde vals naar me en maakte een kusgeluid.

Ik keek de kleine man aan en haalde diep adem. 'Ik zal met alle genoegen met u praten en misschien zelfs wat vragen beantwoorden – en als u op uw beurt een paar antwoorden wilt geven, betaal ik zelfs voor de koffie. Maar sluit uw freak weer op in de zolderkamer en laten we het beschaafd houden.' Attila's neusvleugels trilden en zijn zwarte kraaloogjes werden kleiner en zwarter. Hij zette een stap in mijn richting en bracht zijn vuist naar achter. Hij opende zijn mond om tegen me te brullen, maar ik onderbrak hem.

Met een ruk bracht ik mijn paraplu omhoog naar zijn kruis en boorde de metalen punt in zijn ballen. Ik weet niet hoeveel schade ik aanrichtte, maar ik had zijn aandacht – lang genoeg voor me om hem twee keer met de vingertoppen van mijn rechterhand in zijn hals te slaan. De slagen kwamen van onderen, vanuit de benen en de heupen, en met veel draaiing en kracht. Hij maakte een kokhalzend geluid en greep naar zijn keel en terwijl hij dat deed draaide ik om mijn as en schopte hem hard tegen de zijkant van zijn knie. Hij ging neer en zijn kale schedel maakte een nat, krakend geluid op het plaveisel.

Ik deed hijgend een stap terug en merkte tot mijn verbazing dat ik mijn paraplu nog had. De geoloog richtte een groot automatisch pistool op me, evenals de haai. De kleine man schudde langzaam zijn hoofd en er lag een trek van vermoeide teleurstelling op zijn keurige gezicht. Hij legde zijn hand op de arm van de geoloog en zei zacht iets in een taal die ik niet herkende. De twee mannen lieten hun wapen zakken en de haai knielde neer naast Attila, die nog steeds op de grond lag en niet zo scherp meer zag. Er druppelde bloed uit zijn neus. De kleine man keek naar Attila, zuchtte en schudde opnieuw zijn hoofd.

'De drugs maken Goran prikkelbaar en te makkelijk te provoceren. Hij is steeds minder nuttig.' Hij keek me aan. 'Misschien laat u zich ook te makkelijk provoceren. Misschien, als ik wat minder... *beschaafd* was... zou u nu dood zijn.' Ik vocht om mijn ademhaling onder controle te krijgen en slaagde erin mijn schouders op te halen. De haai en de geoloog hadden Attila met vereende krachten overeind gehesen en droegen hem half slepend naar de Hummer. Ze tilden hem op de achterbank, deden het portier dicht en bleven naast de auto wachten. Ik haalde opnieuw diep adem.

'Ik vermoedde dat, als u voorzichtig genoeg was om, om te beginnen, met me te willen praten, u ook voorzichtig genoeg zou zijn om de boel niet onnodig te laten escaleren. In elk geval niet voordat u wist wie ik ben – en wie verder nog zou kunnen weten waar ik vandaag was.'

Hij knikte. 'Dat zijn heel wat vermoedens – en risico's.'

Ik haalde opnieuw mijn schouders op.

'Niet zóveel,' zei ik met een korte glimlach. 'Niet met iemand die naar *c-span* kijkt en zo'n goede smaak voor kleding heeft.'

Er gleed een zweem van een glimlach over zijn gezicht. 'Meer dan u denkt, dat verzeker ik u,' zei hij.

'Wilt u praten? Mijn koffieaanbod staat nog.' De kleine man schudde zijn hoofd.

'We praten hier. U zei dat Gilpin u niet kon helpen – dat hij niets van uw vermiste persoon had gehoord, ja?' Ik knikte. 'En u geloofde hem?' Ik knikte nogmaals. 'Gilpin zei dat u hem bedreigde... met bepaalde reguleringsorganen.' Opnieuw een knikje. De kleine man keek me zwijgend aan en wachtte.

'Hij wilde eerst niet meewerken; ik had een pressiemiddel nodig.'

'Dus uw dreigementen waren loos?' Het was zo'n *sla je je vrouw nog steeds?*-vraag. Ik dacht er even over na.

'Mijn mening over de federale politie is dat ze hun salaris moeten verdienen. Ze hebben mijn hulp niet nodig en ze hebben er geen behoefte aan.'

De kleine man keek me enige tijd aan en knikte ten slotte. 'Dus u hebt geen reden om nogmaals met Gilpin te praten of mijn activiteiten opnieuw te verstoren?'

'Voorzover ik weet niet.'

Het gezicht van de kleine man verstrakte en zijn grijze ogen werden kleiner. 'U hebt geen reden,' zei hij. Zijn zachte stem klonk kil en er klonk geen vraag in. Ik keek hem een ogenblik aan en knikte. De vage glimlach flitste weer over zijn gezicht en hij zette de kraag van zijn jack op. 'Dus ik zie u niet terug, meneer...' Hij stak zijn hand uit. Ik keek hem aan en schudde hem de hand. Het was als een vuist vol stormwering.

'March,' zei ik.

Hij knikte. 'Gromyko.' Hij ritste zijn jack dicht en klom op de passagiersstoel van de Hummer. De geoloog ging achter het stuur zitten en de haai achterin en ze reden de helling af en de regen in.

Ik bleef enkele minuten boven aan de helling staan en liet de spanning wegebben, maar mijn ledematen trilden nog van bevrijde adrenaline toen ik terugliep naar mijn auto, en ik was nog steeds gespannen en op mijn hoede. Als ik dat niet was geweest, had ik misschien niet de auto's gezien die me volgden, de brug over en naar Manhattan.

— 12 —

Een slechte schaduwklus is zo subtiel als een koortslip; een goede – een dure, met een heleboel auto's, en bestuurders die niet overdreven gretig worden – is zo verfijnd als kant. De lui die me vanuit New Jersey hadden gevolgd waren niet slecht – ze hadden minstens twee auto's gebruikt en ze kwamen niet te dichtbij – ze hadden gewoon pech. Door het verkeer dat over de brug reed kwamen ze te dichtbij en ik was al schichtig. Ze hadden beseft dat het spel uit was toen ik langzaam door de straten van Morningside Heights begon te kronkelen en na een halfuur kapten ze ermee. Maar ze waren niet slecht.

Dat was de reden waarom ik die zaterdag een omweg nam naar het huis van mijn broer en vaak in de spiegel keek. Ik stopte bij een Starbucks op First Avenue, nam een tafel bij het raam en zocht in de verkeersstroom naar gezichten of auto's die ik te vaak had gezien. Ik ving geen glimp op van de roestige bruine Cavalier van de vorige avond of van de zwarte, nieuwe Grand Prix, maar dat bood weinig troost. En ik had er nog steeds geen idee van wie ze waren of wat ze wilden – wat nog minder troost bood.

Ik had Neary 's morgens gebeld en het hem verteld en hij had gedacht dat het Gromyko was. Ik was het niet met hem eens geweest.

'Het zou me om de een of andere reden verbazen,' had ik gezegd.

Neary lachte sceptisch. 'Na wat je vertelde over jullie gesprekje in die garage verbaast het me dat hij je niet in de Hudson heeft gedumpt omdat je zijn gorilla buiten westen hebt geslagen.'

'Ik denk dat hij subtieler is – in elk geval bij een eerste afspraakje. Hij wilde erachter zien te komen wat ik wilde en me laten weten dat ik niet op zijn territorium mocht komen. Dat deed hij en we zijn het eens geworden. Trouwens, er zijn ook praktische overwegingen. Denk je dat hij de mankracht paraat heeft voor een professionele schaduwklus per auto?'

'Ik weet niet wie hij is of over hoeveel mankracht hij beschikt, en jij evenmin. Maar ik zal eens wat rondbellen en misschien komen we erachter.' Ik bedankte Neary en zei dat ik bij hem in het krijt stond. Hij mompelde iets over een lange lijst en vroeg of ik al iets meer wist over Danes. Ik zei nee en vertelde hem over Pratt en Sovitch en Anthony Frye en wat ik had gehoord over Danes' voogdijzaak met Nina Sachs. Toen ik klaar was floot Neary zacht.

'Niet bepaald een sympathiek baasje, wel?'

'Niet bepaald.'

'Niettemin, je zou denken dat een semi-beroemde vent zoals hij wat meer vrienden zou hebben.'

'Als hij die heeft houden ze zich goed verborgen.'

Ik dronk mijn koffie op, verliet Starbucks en reed naar het zuidwesten. Ik hield het verkeer en de trottoirs in de gaten en dacht nog eens na over de nietigheid van Gregory Danes' leven – hoe dunbevolkt het was, hoe een afwezigheid van vijf – bijna zes – weken zo weinig aandacht trok en nog minder bezorgdheid wekte. Ik liep en dacht na over Danes' isolement en tegen de tijd dat ik bij Ned aankwam dacht ik aan het mijne.

Ned woont in Park Avenue, in de lage zeventigers, in het grote, oude appartement waarin we allemaal zijn opgegroeid. Het was even na tweeën toen ik voor de luifel stopte. De portier kwam naar buiten gedraafd, hield de grote bronzen deur open en begroette me met mijn naam – een zeker teken dat ik te vaak op bezoek was geweest. Een lang, slank stel wachtte in de marmeren lobby – Lauren en haar man, Keith.

'Kijk eens aan, stipt op tijd,' zei Lauren en ze kuste me op mijn wang. Ze droeg een groene katoenen sweater en een slobberbroek. Haar zwarte haren hingen los en waren in het midden gescheiden. Ze streek het weg uit haar hoekige gezicht en het viel recht en glanzend over haar rug. Haar wangen en haar sterke, spitse neus hadden een kleurtje. Haar groene ogen werden kleiner.

'Waar is Jane?' vroeg ze.

'Op kantoor,' zei ik, 'aan het ruziën met juristen.' Lauren knikte en ik reikte om haar heen om haar man een hand te geven. Keith Berger keek vanaf zijn verheven een meter negentig omlaag. Hij droeg een spijkerbroek en een geruit hemd en had zijn identiteitsplaatje van de Rockefeller University nog opgespeld. Hij streek door zijn verwarde bruine haren en grinnikte.

'Je wordt steeds beter,' zei hij. 'Je knarst amper meer met je tanden.'

Lauren stootte hem aan en keek achter me. Liz kwam binnen. Ze had een grijze linnen hemdjurk aan en een zure glimlach op haar gezicht. Ze kuste Lauren en Keith en porde me tussen mijn ribben.

'Je mag nog steeds wat meer vlees hebben,' zei ze en kuste ook mij. 'Waar is Jane?' Ik vertelde het haar en ze keek me een ogenblik sceptisch aan en knikte.

Lauren keek op haar horloge. 'Laten we naar boven gaan,' zei ze.

Mijn neef Derek was onlangs zeven geworden en het was zijn verjaardagsfeestje. Niet het grote feest voor schoolvrienden – dat was volgende week, in het Museum of Natural History. Dit was de meer ontspannen versie, voor familie. En voor een familieaangelegenheid was het best leuk.

Er was een kluwen kinderen in de hobbykamer: Derek, zijn jongere broer Alec en een stel Klein-neven en -nichten in de eerste en tweede graad. Ze waren in de laatste stadia van een spelletje Twister en de actie leek zich voornamelijk te beperken tot elkaars sokken uittrekken.

De volwassenen waren verspreid over de woonkamer, de eetkamer en het betegelde terras dat om bijna het hele appartement heen loopt. Het waren er een stuk of twintig – mijn oom Daniel en tante Marion, mijn oom Ben, en enkelen van hun kinderen – mijn neven en nichten – en hun echtgenoten, een paar broers en zussen van Janine, mijn broer David en zijn onaardige vrouw. Er klonk muzikaal jazzbehang, dat prettig verloren ging in de geluiden van ijs op glas en zilver op porselein. Iemand drukte me een glas ijsthee en een bord eten in de hand en begon te praten. Ik plakte een glimlach op mijn gezicht en startte met knikken.

Ik drentelde door het grote appartement, door de familiemenigte, door de middag, als een nieuwe vrijer – minzaam, meegaand en meestal zwijgend. Maar ik had geen klachten. Er vielen geen boze woorden, er werden geen snedige opmerkingen gemaakt over sleutelgaten, motelkamers of verborgen camera's en niemand gaf me iets wat zelfs maar léék op een loopbaanadvies. Misschien werd het nog eens iets, mijn familie en ik; misschien ontdekten we neutraal terrein. Of misschien kwam het gewoon doordat ik mijn broer David de hele middag wist te ontlopen.

Het was bijna halfvijf toen Lauren en Keith me kwamen halen. Ik speelde net een videospel met Derek, Alec en nog een stel kinderen en bakte er niets van – tot hun grote plezier. Ik kuste mijn neven en we gingen.

Voor een familieaangelegenheid was het best leuk.

Ik was vóór vijf uur thuis, zonder dat iemand me gevolgd had of me op het trottoir had opgewacht – dat wist ik in elk geval zeker. Ik trok andere kleren aan en ging rennen voordat de straten verstopt werden door de zaterdagavondmassa. Toen ik terugkwam was er een bericht van Jane. Ik pakte een kan uit de koelkast, schonk een glas water in en luisterde met een merkwaardige mengeling van teleurstelling en opluchting naar haar vermoeide stem door de telefoon.

'Ik ben net aan het afronden, maar ik heb morgen opnieuw een bespreking met die vlerken, dus ik ga meteen naar bed. Ik ga vroeg weg, dus ik weet niet wanneer ik je zie. Ooit, neem ik aan.'

Ik dronk mijn glas leeg en voelde hoe de kou zich verspreidde door mijn borst en naar mijn maag.

'Ooit,' zei ik zacht.

— 13 —

Ik was bang geweest dat Christopher zich zou bedenken en me niet in Da-nes' flat zou laten, maar mijn angst was ongegrond geweest. Hij had een ruig weekend achter de rug en het enige waar hij die maandagmiddag aan dacht was geld. We stonden in de kleine nis naast de lobby en steggelden wat over prijs en tijd. We werden het uiteindelijk eens over driehonderd voor drie uur en hij stopte me de sleutel toe. Ik gaf hem de helft van het geld.

'Het is op de twintigste, 20-B,' zei hij. 'Maar doe het rustig aan, man, en wees verdomme verrekte voorzichtig.' Zijn lichaam was gespannen en zijn bewegingen waren wat spastisch.

'Zijn de buren thuis?' vroeg ik. Christophers ogen flitsten door de lobby.

'Hoe moet ik dat nou weten?' siste hij. Hij veegde zijn handen af aan zijn uniformbroek en dempte zijn stem. 'Ik denk het niet.'

'Diep inademen, Christopher. Het komt prima in orde.' Ik begaf me al-leen naar de twintigste verdieping.

De deuren kwamen uit op een stille gang die in het vierkant rondom de liftkoker liep. Het tapijt was dik en perzikkleurig en de muren ivoorkleu-rig met koperen wandlampen. Er waren vier deuren van donker hout met glimmend koperen hang- en sluitwerk. Appartement B was links van me, op elf uur. Op het deurkozijn zat een knop en ik drukte erop. Ik hoorde een gong binnen, maar verder niets. Ik haalde diep adem, stak de sleutel in het slot en ging naar binnen.

Ik deed de deur zacht achter me dicht en luisterde. Ik hoorde getik in de leidingen en ver weg het suizen van verkeer, maar verder niets. Ik stond in een rechthoekige hal met een lichtgrijze vloerbedekking. De muren waren wit en in het plafond waren kleine halogeenlampen gemonteerd. Links van me was een toiletruimte in wit marmer en rechts een kast met dubbele deuren. De lucht was bedompt en stil, maar rook naar niets an-ders dan tapijt en boenwas en stof. Mijn hart klopte snel en mijn schouders waren gespannen en ik was vervuld van de gespannen, onaangename op-winding die ik altijd voel wanneer ik een huis binnensluip. Ik bracht mijn ademhaling tot rust en trok een paar vinylhandschoenen aan.

Ik begon met een rondwandeling. Danes' appartement lag op een hoek, in de vorm van een brede v, met de woonkamer in de punt. Achter de woonkamer, in de ene poot van de v, waren de eetkamer en de keuken. In de andere waren een grote slaapkamer, een logeerkamer en een werkkamer.

Het was geen heel groot appartement, maar goed ingericht. De deuren waren stevig en de muren dik; de schakelaars en armaturen waren Europees en de keukenapparatuur was van topkwaliteit. De ramen waren stevig en voorzien van dubbel glas. Behalve de keuken van geborsteld staal en de marmeren badkamers waren alle vertrekken wit geschilderd en bekleed met hetzelfde grijze hoogpolige tapijt als in de hal.

De kamers waren sober gemeubileerd met moderne Italiaanse dingen. Alles was slank en aërodynamisch gevormd en de kleuren waren gedempt – grijs, bruin en olijfkleurig – op de kersenrode bank in de woonkamer na, een gifgroene fauteuil in de grote slaapkamer en een reeks neon-oranje boekenplanken in de werkkamer. De muren waren nagenoeg kaal en wat er hing was abstract nietszeggend. Het appartement leek niet zozeer ingericht als wel kant-en-klaar opgeleverd door een showroom in Milaan. Ik besloot mijn rondwandeling in de keuken, leunde tegen een werkblad en zuchtte.

'Verrekte Christopher,' zei ik hardop.

De flat was al eens doorzocht, en niet voorzichtig. Er was niets overhoopgehaald – de banken stonden niet ondersteboven en de matrassen waren niet opengesneden – maar het was niettemin zonneklaar. Hoewel het hele appartement schoon en opgeruimd was, klopte er iets niet – als een stok kaarten dat wel geschud was, maar niet gecoupeerd. De werkbladen waren vlekkeloos en de afvalemmers en zelfs de zeepbakjes waren schoon – maar de kastdeuren stonden op een kier en de laden een eindje open en de inhoud ervan was weliswaar netjes opgehangen en opgevouwen, maar hing en lag schots en scheef. Ik stelde mijn verwachtingen bij en begon te zoeken.

De koelkast was schaars voorzien, maar niet leeg. Er waren kruiden, een doosje eieren, een fles spuitwater, gemalen koffie en een magnumfles champagne, maar geen kliekjes en niets wat kort houdbaar was. Dat kon betekenen dat Danes hem zelf voor zijn vertrek had leeggehaald, dat zijn schoonmaakster het had gedaan, of het kon betekenen dat hij niet vaak thuis at. Dat was in New York City moeilijk te zeggen. De diepvries was op de ijsbakjes na leeg.

De laden en kasten bevatten niets interessants. Het servies en het bestek waren goed, maar niet bijzonder en de potten, de pannen en het keukengerei zagen er ongebruikt uit. In de voorraadkast stonden Zwitserse ontbijtvlokken, theezakjes, blikken soep en dure koekjes, maar geen aanwijzing voor waar Danes kon uithangen.

In de eetkamer was niets dan een aluminium eettafel met glas, acht spichtige aluminium stoelen en een buffet van geloogd hout. Het buffet was leeg. Ik liep door naar de woonkamer.

De wanden in de punt van de v waren van glas, met deuren die uitkwamen op een v-vormig terras dat uitkeek naar het zuidwesten, en de kamer was vol licht. De dunne wolken waren zo dichtbij dat je ze bijna aan kon raken. De kamer werd, behalve door de rode sofa, gedomineerd door een glimmend zwarte vleugel en een kastenwand. Ik opende een van de deuren. Erachter stond muziek.

Planken vol, van vloer tot plafond – cd's en vinyl – een heleboel vinyl. Ik trok er enkele uit. Allemaal klassieke muziek en elke plaat zat in een doorschijnende plastic hoes. Achter de andere deuren stond de stereo-installatie, al was dat nauwelijks een toereikende omschrijving. Het was een muur van zwartmetalen technologie: een voorversterker en een versterker – met echte buizen – een verschrikkelijk gecompliceerde equalizer, een cd-speler, een aparte cd-wisselaar en een zwart-met-zilveren draaitafel die eruitzag als iets waarmee je plutonium kon maken.

Onder in de kast waren ordnerladen. Ik opende ze en bladerde door de papieren die erin zaten. Het was bladmuziek, allemaal voor piano en gerangschikt op componist. Bach, Beethoven, Hayden, Mozart. De bladen waren voorzichtig behandeld en in de marges met een potlood van aantekeningen voorzien.

Ik liep door de korte gang naar de grote slaapkamer en bevroor. Er klonken stemmen op de gang buiten. Ze werden gesmoord door de dikke muren, maar het waren mannenstemmen en ze kwamen dichterbij. Ik hoorde sleutels rammelen en de stemmen werden luider en iemand lachte. En toen gleden de liftdeuren met een zachte tik open en de stemmen werden zwakker. De deuren gingen dicht en het werd stil. Ik begon weer te ademen en voelde zweet over mijn rug lopen. Mijn schouders waren gespannen en ik rolde ze heen en weer en ging Danes' slaapkamer binnen.

Het was een grote kamer, met weinig erin – de fluorescerende groene stoel, als iets uit een aflevering van *Star Trek*, een breed bed met ingebouwde nachtkastjes en nog meer inbouwkasten. Een deur rechts leidde naar een diepe inloopkast en een andere naar de badkamer. Het bed was opgemaakt. Het beddengoed was lichtgroen en voelde duur aan. Er slingerden geen kleren rond. Ik begon met de kasten.

Er stonden een grote tv met een vlakke beeldbuis, een dvd-speler en een kabelbox. Danes' dvd-collectie was bescheiden – niets vergeleken met zijn muziekwand en duidelijk populairder: actiefilms, sciencefiction, een paar kostschoolkluchten. Ze waren gerangschikt op genre en titel.

Op een van de nachtkastjes stonden foto's in zilveren lijsten – een van Billy toen hij een jaar of tien was, naast de ijsberenkuil in de dierentuin in Central Park, en een van Billy en Danes bij het zeehondenaquarium. Deze was onscherp en het leek erop dat Danes de camera op armlengte had gehouden toen hij hem nam.

Op het andere nachtkastje stonden een zwarte wekker en een grijze telefoon. Ik pakte de telefoon op en drukte op de herhaaltoets. Hij ging vier keer over en een stem met een zwaar accent antwoordde: 'Garage.' Ik bleef lang genoeg aan de lijn om vast te stellen dat het de garage was waar Danes zijn auto parkeerde en hing toen op. De laden van de nachtkastjes bevatten weinig interessants: pennen, schrijfblokken, een zakje hoestbonbons en een pakje tissues. De schappen eronder waren leeg op een dunne rode restaurantgids na en een afstandsbediening voor de tv. Onder het bed of onder de matras lag niets. Ik ging naar de badkamer.

Het was een beige marmeren tempel voor de goden van hygiëne en stoelgang. Er was een lange tafel met twee chique Duitse wastafels erin, een badkuip in Japanse stijl en een glazen douchecabine met een zitplaats voor zes personen en meer knoppen, slangen en sproeiers dan een onderzeeër. Het toilet en het bidet stonden apart in een eigen marmeren kapelletje. Ze waren laag en futuristisch en leken ongeschikt voor de menselijke anatomie. Het medicijnkastje hing boven de wastafels, achter een spiegelpaneel. Ik drukte erop en het ging zoevend open.

Het bevatte een verzameling toiletartikelen en medicijnen. De toiletartikelen waren allemaal duur en de medicijnen waren vrij verkrijgbaar en niet bijzonder: aspirine, maagzuurtabletten, oogdruppels en vitaminen.

Naast het bad stond een linnenkast vol lakens, dikke handdoeken, toiletpapier, een verbanddoos en een doosje condooms. De condooms hadden niets bijzonders – een gewoon, alledaags merk zonder toeters of bellen – maar ze duidden erop dat Danes een seksleven had. Ik moest er alleen nog achter komen met wie. Ik liep terug naar de slaapkamer, naar de grote kast.

Het was eigenlijk een met hout betimmerde kamer, ingericht als een filiaal van een modehuis. Kleren hingen aan dubbele rekken aan weerszijden en net als zijn collecties muziek en films was Danes' garderobe nauwgezet geordend. Zakenkostuums links, vrijetijdskleding recht, met bijpassende riemen en stropdassen – en alles gesorteerd op seizoen en kleur. Zijn schoenen stonden in slagorde op planken onder de hangende kleren. Ik zag lege hangers aan de vrijetijdskant en leemten in het peloton vrijetijdsschoenen – er ontbrak minstens twee paar.

Achter in de kast stond een brede ladekast met daarboven verzonken schappen. Op de hoogste stond een set bruinleren tassen. Ze waren leeg, maar er ontbrak er zo te zien een van de set – iets groter dan een vliegtas, maar kleiner dan een koffer. Ik zette de tassen terug en doorzocht de ladekast. De bovenste la bevatte hardware – horloges, manchetknopen, gespen. De andere bevatte kleding – ondergoed in één la, sokken in een andere, pyjama's in de volgende – allemaal van dure kwaliteit en allemaal onopvallend. En toen opende ik de onderste la.

Het waren setjes – lichtblauw, lichtgrijs, groen, kastanjebruin en zwart – allemaal van hetzelfde dure Italiaanse merk – beha's en slips, keurig opgevouwen. Ik dacht niet dat ze Danes' maat waren. Behalve de lingerie lag er een groen damespolohemd in de la, een verwassen spijkerbroek en ik rook een vage muskusachtige geur. Onder de spijkerbroek lag een handtas met zilveren sluiting. Het leer was zacht en had een matte finish. De sluiting was mat. In de tas zaten een lekkende blauwe pen, een opgevouwen creditcardafrekening, een stoffig rolletje pepermunt en drie munten. Ik vouwde de kwitantie open. Het was er een van een klein Frans restaurant in Lexington, enkele straten van Danes' appartement, en meer dan een jaar oud. De letters waren vervaagd maar nog leesbaar in het licht, evenals de handtekening onderaan. *Linda Sovitch.*

Ik liet mijn adem ontsnappen en bekeek de kwitantie enige tijd. Toen vouwde ik hem op, stopte hem weer in de tas en legde de tas terug in de la.

Ik keek op mijn horloge. Ik had nog een uur voordat Christopher een hartstilstand zou krijgen. De logeerkamer ging snel. Er stonden een tweepersoonsbed, een nachtkastje, een ladekast, een fauteuil, een tv en niets wat voor mij van belang was. Ik ging verder met de werkkamer.

Het was een klein vertrek, met aan één kant smalle ramen. Tegen de linkermuur stonden een slank metalen bureau en een bijpassend dressoir en rechts de oranje boekenplanken en er was nauwelijks plaats voor de leren draaistoel. De sporen van mijn voorganger waren hier duidelijk zichtbaar – in de openstaande dossierladen en geopende kastdeuren, en in de boeken die als omgevallen dominostenen op de planken lagen. Ik begon met het bureau.

Op het blad stond alleen maar apparatuur – een telefoon en een antwoordapparaat aan de ene kant, aan de andere een platte monitor en een muis, aangesloten op het dockingstation van een laptop. Maar er was geen laptop te bekennen. Ik volgde de kabels van het dockingstation naar een la in het dressoir en vond een combiprinter en een modem, maar nog steeds geen laptop. Het was niet te zeggen of die tegelijk met Danes was verdwenen of later.

Een knipperend lampje op het antwoordapparaat trok mijn aandacht. Ik pakte de telefoon op. Deze was voorzien van nummerherkenning en ik scrollde door de vastgelegde nummers. Het waren er vijftig – het maximale aantal dat de telefoon kon bewaren. Ik dacht er even over de telefoon en het antwoordapparaat mee te nemen, maar zag ervan af. Er bestond een kans – misschien een goede kans – dat deze zaak een politieonderzoek zou worden. In dat geval zou de politie een wel heel lage dunk van me hebben als ik er met bewijsmateriaal vandoor was gegaan – zo laag dat ze er op hun beurt met mijn vergunning vandoor zouden gaan. Ik pakte pen en papier en ging op de draaistoel zitten.

Ik had er vijftien minuten voor nodig om de nummers in Danes' telefoon over te schrijven en nog eens tien om het tiental berichten op zijn antwoordapparaat af te luisteren en de namen van de bellers op te schrijven en het tijdstip waarop ze hadden gebeld. Ze waren allemaal van mensen die ik kende: Nina Sachs, Irene Pratt, Dennis Turpin, Giselle Thomas en Nancy Mayhew. De woorden verschilden, maar de inhoud was gelijk: 'Waar ben je? Bel me.' Een van de laatste oproepen was van Billy. Hij begon met een lange stilte na de pieptoon, teleurstelling misschien omdat hij het apparaat aan de lijn had gekregen. Toen hij ten slotte sprak, was zijn stem een gesmoorde mengeling van gekwetstheid, woede en lage verwachtingen die waren uitgekomen.

'Je zou me ophalen,' zei hij. En toen, na een lange stilte: 'Bel je verdomme ooit nog eens?'

Billy's boodschap was tamelijk recent, iets meer dan een week oud, en geen van de boodschappen was ouder dan drie weken. Ik borg mijn notitieblok op. Ik drukte op de herhaaltoets en nadat de telefoon twee keer was overgegaan werd er opgenomen door een Chinees restaurant waarvan ik wist dat het om de hoek lag, op Third Avenue. Iemand vroeg wat ik wilde bestellen en ik hing op.

Het bureau had een la in het midden en ik trok hem uit en zette hem op mijn knieën. Er zaten paperclips in, elastiekjes, een rolletje postzegels en – achterin – Danes' paspoort. Het was beduimeld en dik en vol stempels van landen in Europa, Azië en het Caribisch gebied en de aanwezigheid ervan betekende dat Danes op geen van die plekken was. Achter in de la lag een visitekaartje. Het papier was dik en de opdruk zwart en sober. FOSTER-ROYCE RESEARCH. JUDITH PEARSON, ACCOUNTMANAGER. Ik stopte het in mijn zak en schoof de la weer in het bureau. Ik richtte mijn aandacht op de ladekast.

De bovenste la zat vol dossiermappen, evenals de onderste. Er zaten etiketten op de mappen – telefoon, zaak, nutsbedrijven, bank, makelaardij, verzekeringen, juridische kwesties – en helemaal niets erin. Ik schoof ze ter zijde en vond slechts paperclips en verbogen nietjes onder in de laden. Ik schoof ze dicht en hoorde een schurend geluid. Ik opende ze weer, ging op mijn knieën zitten en stak mijn hand in de ruimte achter de laden. Degene die mij hier vóór was geweest had veel gezocht, maar misschien niet al te grondig. Ik vond papieren – een bankafschrift. Het was zes maanden oud en gekreukt, maar het was beter dan verbogen nietjes. Ik trok de onderste lade uit, tastte in de lege ruimte en vond een tweede stapeltje gekreukt papieren – creditcardafrekeningen en een makelaarsverklaring. Ik streek ze glad, vouwde ze op en stopte ze in mijn zak. Ik liep naar de oranje boekenplanken.

De meeste boeken hadden betrekking op bedrijfskunde en wiskunde, zij het dat één schap gewijd was aan muziek – de geschiedenis ervan, de theorie ervan, en biografieën van componisten. Ik pakte willekeurig enkele boeken van de planken en bladerde ze door, maar ik vond niets anders dan bladzijden.

Op de hoogste plank stonden foto's in zilveren lijsten en ik pakte ze er een voor een af om ze te bekijken. Er was een foto bij van een nors kijkende Billy op het dek van de Intrepid en nog een op de klimmuur van Chelsea Piers, waarop hij gegeneerd en boos keek. Er was een foto van Danes in avondkleding te midden van enkele grijze directietypes. Hij hield een ingelijst certificaat op waarop hij tot analist van 1999 werd uitgeroepen, althans volgens het oordeel van één prominent financieel tijdschrift. Naast de foto lag het ingelijste certificaat zelf. Het zag er nog als nieuw uit. Er was een foto van Danes met een oudere man, met tussen hen in een jonge Aziatische vrouw met een viool. Ik herkende haar van tv en van de keer dat ik haar had horen spelen in Carnegie Hall. De oude man herkende ik niet. Hij had dun grijs haar en een gebruind, sproetig hoofd en zijn gezicht was smal en ingevallen. Zijn glimlach was vermoeid maar warm. De laatste foto was een oude – meer dan tien jaar oud. Het was er een van Danes en Nina Sachs, tegen dezelfde tropische achtergrond als op de foto die Sachs me in haar flat had laten zien. Op deze stonden zij en Danes naast elkaar op een natuurstenen terras boven een verlaten baai. Hij droeg een blazer en een witte pantalon en zijn haar leek blond in het zonlicht. Nina droeg dezelfde doorschijnende kaftan. Hun vingers waren verstrengeld en haar hoofd neeg naar het zijne. Ze tuurden in de camera en grijnsden op dezelfde manier, als om een privé-grap. Ze zagen er gelukkig uit.

Ik keek op mijn horloge. Christopher kreeg vast en zeker een hartinfarct daar beneden; het was tijd om te gaan. Ik wierp een snelle blik in de gangkast en de toiletruimte en vond niets. Ik luisterde aan de voordeur.

Het was stil op de gang en ik glipte naar buiten en deed de deur achter me op slot. Ik trok mijn handschoenen uit, stopte ze in mijn zak en haalde diep adem.

De lift kwam meteen en ik wilde er net in stappen toen er een lange, breedgeschouderde man uit stormde. Zijn hoofd was gebogen en hij botste in het voorbijgaan tegen me aan. Ik struikelde achteruit, maar hij scheen het niet te merken. Hij had een lange jas aan, te warm voor de tijd van het jaar, en een spijkerbroek en werkschoenen. Hij had een bos donker, ongekamd haar rond zijn oren en zijn kraag en een dunne, warrige laag boven op zijn grote hoofd. Zijn gezicht was vol en donker door een baard van enkele dagen. Zijn mond was klein en gezwollen en bewoog terwijl hij uit de lift stapte, maar alleen hijzelf kon de woorden horen. Zijn uilenbril stond scheef op zijn brede neus en ik ving niet meer dan een glimp op van zijn ogen, die donker waren, geagiteerd en ver weg.

Ik stapte in de lift en zag hem naar de deur naast die van Danes gaan – appartement 20-c – zich over de klink buigen en een sleutel in het slot steken. De deuren gleden dicht en ik ging naar beneden. Er hing een ranzige geur in de lift.

— 14 —

Het was net vier uur toen de taxi me afzette in 23rd Street en ik wandelde op mijn gemak verder naar huis. Toen ik 16th bereikte was ik er tamelijk zeker van dat ik alleen was. Het was stil in mijn straat – een paar mensen die hun hond uitlieten, twee moeders achter een wandelwagen, een FedEx-chauffeur die aan het uitladen was, een lichtblauw busje dat net wegreed, een vieze rode vijfdeursauto die parkeerde. Ik ging naar boven.

Het was te warm in mijn appartement en het rook er muf, dus ik zette alle ramen open terwijl ik mijn voicemail afluisterde. Er was een bericht van mevrouw K. die me op behoedzame toon vertelde dat er later die week nog twee sollicitatiegesprekken waren gepland bij Klein en dat ik mijn e-mail moest lezen voor meer informatie. En Nina Sachs had gebeld, om – kortaf – te vragen of ik haar terug wilde bellen met een voortgangsrapport. Ik schudde mijn hoofd en vroeg me af wat ze zou vinden van de lingerie.

Ik wist zelf niet precies wat ik ervan moest vinden. De kleren en de kwitantie wezen erop dat Danes en Sovitch iets hadden gehad – een langdurig iets bovendien. Dat zou een ander licht werpen op wat Sovitch me had verteld – en misschien een verklaring vormen voor haar uitgesproken gebrek aan journalistieke nieuwsgierigheid. Ik zou het pas weten als ik nogmaals met haar had gesproken en misschien zelfs dan niet. Misschien zou ik tot de ontdekking komen dat de lingerie van iemand anders was. Misschien van Danes. Ik belde Nina Sachs en liet het toestel twaalf keer overgaan voordat ik het opgaf.

Ook Jane had gebeld: 'Ik heb vanavond vrij wegens goed gedrag – zin om iets te gaan doen? Ik bel je als ik klaarsta om te vertrekken.'

Ik zette mijn stereo aan. WFUV speelde Freedy Johnston, maar ik was er niet voor in de stemming. Ik zette een cd van Ry Cooder op, iets Cubaans, met gitaren, schonk een groot glas water in en liep ermee naar de tafel. Ik trok mijn jas uit en haalde al mijn souvenirs uit de zakken: mijn geschreven lijst van telefoontjes en berichten, het visitekaartje en de verfomfaaide collectie maanden oude documenten, het bankafschrift, de makelaarsverklaring en de creditcardafrekeningen.

Ik had geprobeerd Christopher wat meer recente post te ontfutselen, maar hij was niet behulpzaam geweest en had alleen gezegd dat Danes' brievenbus leeg was en dat zijn post werd achtergehouden op het postkantoor. Hij was echter niet volslagen nutteloos geweest, al had hij aanvankelijk weinig toeschietelijk gedaan.

Ik had moeten dreigen de rest van zijn geld achter te houden en moeten laten doorschemeren dat ik in de buurt zou blijven en met de hoofdportier zou praten om Christopher zo ver te krijgen dat hij toegaf dat dit niet de eerste keer was dat hij de toegang tot Danes' appartement had verkocht. Dat was bijna tien dagen eerder geweest, vertelde hij me – de week voorafgaand aan ons eerste gesprek – en de kopers waren dezelfde twee onopvallende figuren geweest over wie hij me eerder had verteld. Maar hoe zwaar ik hem ook onder druk zette, Christopher had volgehouden dat hij niet wist hoe ze heetten of hoe hij met ze in contact kon komen. Hij was in elk geval consistent geweest. Ik dronk wat water, rolde mijn mouwen op en pakte het bankafschrift.

Het was zes maanden oud, maar desondanks verhelderend. Het verklaarde bijvoorbeeld waarom de lampen in Danes' appartement nog steeds brandden. De meeste van zijn regelmatig terugkerende betalingen – voor telefoon, elektriciteit, servicekosten, parkeren en zelfs zijn schoonmaakdienst – werden automatisch afgeschreven, rechtstreeks vanaf zijn lopende rekening. Zijn salaris kwam op dezelfde manier – twee keer per maand, vet en automatisch. Als zijn huidige saldo ongeveer gelijk was aan dat van een halfjaar geleden, was zijn kabeldienst de eerstkomende jaren veiliggesteld.

Het afschrift maakte ook zeer concreet duidelijk waarom Nina Sachs zich zorgen maakte over haar ex. Zesduizend per maand aan alimentatie en nog eens zes aan kinderalimentatie. Nina zou een heleboel schilderijen moeten verkopen om zo'n kasstroom te genereren en ze zou het beslist merken als de cheque te laat kwam.

Danes' makelaarsverklaring besloeg ruwweg dezelfde periode als zijn bankafschriften. Zijn portefeuille bestond uit een voorzichtige mengeling van effecten, aandelen en overheidsobligaties, met een marktwaarde hoog in de zeven cijfers. De bedrijven waarin hij aandelen had waren grote namen en er stonden er geen op de lijst die ik herkende als technologiebedrijven. Er vonden weinig aan- en verkoopactiviteiten plaats.

Het was allemaal niet bijzonder verrassend – als hoofd van de afdeling Research van Pace-Loyette zouden Danes' persoonlijke beleggingen onderhevig zijn aan een heleboel door de Securities and Exchange Commission, de National Association of Securities Dealers, de New York Stock Exchange en zijn eigen bedrijf opgelegde restricties. Zijn bezittingen zouden onderwerp van onderzoek zijn door elk van die partijen en elke aan- of verkoopopdracht die hij gaf zou vooraf goedgekeurd moeten worden door de juridische afdeling van Pace. Actief handelen – kortetermijnspeculaties in plaats van langetermijnbeleggingen – zou moeilijk, zo niet volstrekt verboden zijn en hij zou in de praktijk geen aandelen kunnen bezitten in de technologiebedrijven waarover zijn afdeling verslag deed en misschien zelfs niet in bedrijven binnen dezelfde bedrijfstak.

Ik keek naar de maandelijkse en jaarlijkse opbrengst die op het afschrift werden vermeld. Het gebrek aan flexibiliteit had Danes niet gevrijwaard van de grillen van de markt en de opbrengst, in elk geval tot een halfjaar geleden, was beslist armetierig.

Een windvlaag verspreidde de pagina's over mijn bureau en ik stond op om me uit te rekken en een paar ramen te sluiten. De dag liep ten einde en de hemel was roze en vaag tropisch; 16th Street lag in de schaduw. De trottoirs waren volgestroomd en het verkeer zat vast achter een busje dat aan de overkant van de straat juist inparkeerde. Ik masseerde de knopen uit mijn nek en keek naar het busje. De achterlichten doofden, maar er gingen geen portieren open. Ik rolde met mijn schouders en vroeg me af welke kleur het busje had. Grijs? Zilverkleurig? Lichtblauw? Het was onmogelijk te zeggen in dit licht.

Ik ging weer aan tafel zitten en trok Danes' creditcardafrekeningen naar me toe. Ze waren niet zo oud als de twee afschriften, maar ook niet heel recent, dus er waren geen goed van pas komende afschrijvingen door de Hideout Hilton of iets van dien aard. Ik liet mijn blik over de pagina's glijden en zag dat Danes meestal at in Upper East Side, zijn kleren kocht op Madison Avenue en zijn muziek – bladmuziek, cd's en grammofoonplaten en audioapparatuur – via internet. Maar er waren uitzonderingen. Er was een drie maanden oude betaling, in het weekend, in een prijzige bed & breakfast in East Hampton. En nog geen vier maanden geleden, in een hotel in Lenox, Massachusetts. En eerder diezelfde maand had hij zo te zien een weekendreisje naar de Bermuda's gemaakt.

Ik legde de creditcardafrekeningen op een stapeltje en legde dat naast de bankafschriften en de makelaarsverklaringen. Ze waren, net als die, verhelderend geweest, maar niet direct nuttig. Mijn ogen waren zanderig en droog. Ik was het kijken naar cijfers beu. Ik pakte het visitekaartje.

Ik had nooit van Foster-Royce Research gehoord, maar gezien de naam nam ik aan dat het een aandelenresearchbureau was of misschien een headhuntingbedrijf. Ik zocht het op het internet en zag dat ik het mis had.

Research was kennelijk een hoffelijke Engelse uitdrukking voor *privé-onderzoek*. Foster-Royce was een in Londen gevestigde onderneming en blijkbaar een van de betere. Behalve het hoofdkantoor in Threadneedle Street had het bedrijf kantoren in Parijs, Zürich, Madrid, Rome, Hongkong, Toronto en New York, om, zo vermoedde ik, de beweerde specialisatie in *internationale opdrachten* des te beter te kunnen staven. Volgens zijn website had Foster-Royce ruime ervaring met organisaties zoals Interpol, de Metropolitan Police, de Gendarmerie Nationale, de RCMP, de FBI en andere en onderhield het *nauwe plaatselijke contacten* in alle landen waar het een kantoor had. Ze beloofden grondigheid, professionalisme, integriteit en, uiteraard, discretie. Ik hoopte dat dat laatste een holle frase was. Het bedrijfsoverzicht vertelde me dat Judith Pearson de leiding had van de vestiging in New York en gaf het telefoonnummer.

Judith Pearson nam onmiddellijk op. Ze had een prettige stem met een vaag zuidelijk accent en een kordate, vriendelijke manier van doen en helaas voor mij was ze op het stomme af discreet. Ze wilde me niet vertellen of ze Gregory Danes ooit ontmoet had, zelfs niet of ze zijn naam ooit eerder had gehoord, laat staan toegeven dat hij een cliënt van Foster-Royce was. Maar ze vroeg me wel haar terug te bellen als er iets anders was waarmee ze me kon helpen. Haar afscheidswoord was opgewekt en zelfvoldaan. Ik zuchtte.

Ik stond op, rekte me uit en liep naar het raam. De lucht was nu donker met purperen strepen. De avondspits was naadloos overgegaan in de eersten van de menigte die uit eten gingen en het verkeer zat zo mogelijk nog vaster. De straatlantaarns brandden en ik zag dat het busje nog steeds aan de overkant stond.

Ik schonk mijn glas vol water, zette de tv aan en zapte naar BNN. *Market Minds* was begonnen en Linda Sovitch' blonde hoofd vulde het scherm. Ze zei iets over huisvesting en het oversluiten van hypotheken en ik zette het geluid uit en keek hoe haar volle lippen bewogen en haar blauwe ogen heen en weer gleden. Ze gebaarde met haar linkerhand en de grote, gele diamant aan haar ringvinger fonkelde in de studioverlichting. Ik dacht aan iets wat ik ergens had gelezen.

Ik opende mijn laptop en ging online, terug naar *LindaObsession.com*. Ik vond wat ik zocht op de 'Linda Bio'-pagina — een vermelding van Sovitch' huwelijk, tien jaar geleden, met de projectontwikkelaar Aaron Lefcourt. Het had slechts één enkele regel gekregen — alsof de makers van de website er niet langer bij stil konden staan. Het was de enige verwijzing naar Lefcourt op de hele site en ik moest elders zoeken om meer te weten te komen.

Ik hoefde niet lang te zoeken. Aaron Lefcourt, hoewel niet bepaald een gangbare naam, was bepaald niet anoniem. Hij was al twaalf jaar president-directeur van Royal Court Development, een vastgoedbedrijf dat zijn vader in de jaren zestig had opgericht. Toen Aaron het bedrijf overnam was Royal Court gespecialiseerd geweest in goedkope 'verticale winkelcentra' in de armere wijken van New York City. Twaalf jaar later bezat Royal Court belangen in heel Noord-Amerika, met inbegrip van hotels, congrescentra, golfbanen en ski-oorden. Volgens een recent interview in *Business Week* had Aaron plannen voor uitbreiding naar Azië en om het bedrijf 'binnenkort' naar de beurs te brengen. Volgens een begeleidend stuk bij het interview was Lefcourts succes in het vastgoed zijn tweede optreden. Eerder had hij enige faam verworven op een heel ander terrein – televisie.

Veertien jaar eerder was Aaron Lefcourt directeur geweest van AXE – een van de eerste nieuwe televisienetwerken – en een wonderkind in een wereld van wonderkinderen. Hij had baanbrekende series ontwikkeld zoals *Showmom*, een sitcom over een verknipte alleenstaande moeder, haar wijsneuzige tienerdochters, haar beminnelijke oma en haar leven als showgirl in Las Vegas, en *Taggers*, een dramaserie over een aantrekkelijke en raciaal zeer verscheiden groep graffitikunstenaars in L.A. die tevens undercoveragenten waren. Lefcourt had de topfunctie binnen het netwerk bijna bereikt toen zijn genialiteit zich vergaloppeerde.

Volgens het artikel waren insiders tegenwoordig van mening dat het programma zijn tijd ver vooruit was geweest – een voorloper van reality-tv. Indertijd hadden ze het 'choquerend' en 'de slechte smaak voorbij' genoemd. Het was Lefcourts lievelingsproject geweest, zijn geesteskind, en het heette *Me! Me! Me!*. Het uitgangspunt was eenvoudig: drie schattige wezen zouden met elkaar wedijveren in wedstrijden van toeval en vaardigheid en dingen naar de genegenheid van een rijk, kinderloos echtpaar. Aan het eind van het seizoen zou het echtpaar één kind uitkiezen voor adoptie en de anderen terugsturen naar het weeshuis. Het werd slechts één keer uitgezonden. Er stak een storm van boze schriftelijke en mondelinge reacties op, die uitliep op Lefcourts ontslag twee dagen later.

De artikelen maakten slechts kort melding van Linda Sovitch en alleen om te speculeren over de invloed van haar man op de snelle opkomst van haar tv-loopbaan – iets waarop haar man geen commentaar wenste te geven.

Ik bekeek de foto van Lefcourt. Hij was nu drieënveertig. Zijn gezicht was vol en blakend van gezondheid, met ronde trekken en diepe kuiltjes – engelachtig, afgezien dan van de vage woede rond zijn kleine mond en de behoedzaamheid in zijn donkere ogen. Zijn bruine haren waren golvend en glanzend.

Ik wreef door mijn ogen en nam een slok water. *Market Minds* was afgelopen en twee corpulente, kalende mannen in een duur kostuum zaten geluidloos te mekkeren en naar elkaar te wijzen. Ik zette de tv uit, ijsbeerde voor de ramen heen en weer en keek·omlaag naar 16th Street, naar het nog steeds geparkeerde busje.

En wat dan nog als het lichtblauw is? vroeg ik mezelf. *Het wemelt in New York van de blauwe busjes en daar is niets sinisters aan, toch?* Ik trok mijn jas aan en ging naar beneden.

Het was koel buiten en de trottoirs waren vol stellen en luidruchtige groepen. Het busje stond een meter of veertig verderop in de straat. Op straatniveau kon ik zien dat het lichtblauw was en rookgrijze ruiten had. Ik liep er vandaan, naar het andere eind van de straat, stak daar over en keerde via de andere kant terug. Ik was er nog een halve straatlengte vandaan toen de uitlaat van het busje begon te roken en de koplampen aangingen; het reed weg van het trottoir en ging ervandoor. Ik probeerde het kenteken te lezen, maar het zat vol modder.

Massa's lichtblauwe busjes in New York. Inderdaad. Het nerveuze, ongemakkelijke gevoel dat als een opkomende migraine achter mijn ogen had gehangen sinds ik afgelopen vrijdag had gemerkt dat ik werd geschaduwd, bloeide nu op tot een rasechte paranoia.

Ik keek naar de geparkeerde auto's en naar de menigte die voorbijtrok en ik stelde me voor hoe ik het zelf zou doen. Ik zou het niet aan slechts één auto overlaten, en niet aan auto's alleen. Ik keek de straat op en neer, maar ik wist dat het zinloos was – als er anderen waren geweest, zouden ze gezien hebben dat ik naar het busje liep en dat het busje was weggereden. Ze zouden zich inmiddels ver hebben teruggetrokken. Ervan uitgaande dat het busje me had geschaduwd. Stik. Iemand pakte me bij mijn arm en ik haalde uit en draaide me met een ruk om.

'Jezus christus!' zei Jane. Ze rukte haar pols los. 'Wat is er met jou aan de hand? Je joeg me de stuipen op het lijf.'

'Sorry,' zei ik. 'Je overviel me.' Haar voorhoofd was gefronst en er lag een patina van boosheid over haar vermoeide, mooie gezicht. Ze draaide haar pols heen en weer en masseerde hem met haar andere hand. 'Sorry,' zei ik opnieuw.

'Je kijkt alsof je met je vinger in het stopcontact hebt gezeten. Wat doe je hier?'

'Niks... ik wilde net boodschappen gaan doen. Ik dacht dat je zou bellen voordat je wegging.'

'Ik had haast om weg te komen.'

Ik nam Jane bij de arm en loodste haar de straat over en de trap af naar ons gebouw.

Haar ogen waren spleetjes. 'Weet je zeker dat alles in orde is?'

'Ik voel me prima. Wat wil je eten?'

Jane schudde haar hoofd en ging naar binnen. 'Ik weet het niet,' zei ze. 'Laat me eerst een douche nemen en me verkleden.' Ik knikte. Ze drukte op de liftknop en keek me opnieuw aan.

'Laat me je hand eens ziens,' zei ik. Ze hield haar hand op en ik nam hem in de mijne en inspecteerde hem uitgebreid. Ik draaide hem om en kuste haar handpalm. 'Zo beter?' vroeg ik.

'Het is een begin.'

— 15 —

Dinsdagochtend was nat en winderig – eerder maart dan bijna mei – en
ik was na het lopen drijfnat en door en door koud. Mijn appartement
was stil en vol regenachtig licht en hoewel haar parfum vaag in de lucht hing
wist ik dat Jane weg was. Ik zette een paar wandschakelaars om en de plafondverlichting ging aan en de flat was lichter maar nog even leeg. Ik trok
mijn kleren uit, wreef mezelf droog en deed mijn rekoefeningen.

Een douche en een fatsoenlijke maaltijd hadden Jane de avond tevoren
weer de oude gemaakt en het vooruitzicht van de komende dagen, vol juristen en drukke vergaderingen, had haar gevuld met een verlangen naar
vrijheid, dus we waren tot laat uitgegaan. Er speelde een jazztrio in de Fez
en we waren er na de maaltijd naartoe gegaan voor het optreden van tien
uur. We bleven ook voor de voorstelling van twaalf uur en daarna hadden we over Broadway gewandeld en het dessert gebruikt in een nachtge-
legenheid vlak bij Union Square. Daarna waren we naar mijn flat gegaan,
hadden onze kleren uitgetrokken en ons bewusteloos gevrijd.

En we hadden het niet één keer over mijn zaak gehad, of over het voor-
val op het trottoir. Vraag niets, zeg niets. Ik beëindigde mijn rekoefeningen en stapte onder de douche.

Ik nam net mijn laatste slok koffie toen Neary belde. Hij gebruikte zijn
gsm en sprak luid om het verkeerslawaai te overstemmen.

'Ik heb een paar mensen gesproken over je makker in Jersey,' zei hij. En
hij vertelde me wat een paar mensen te melden hadden gehad.

'Hij heet Valentin Gromyko en hij komt uit Oekraïne, via Parijs en
Madrid. En hij is blijkbaar een rijzende ster. Hij begon hier een paar jaar
geleden, met een stel Slaven, berovingen in de buurt van Port of Eliza-
beth. Van daaruit werd hij groter en sloeg zijn vleugels uit – protectie,
gokken en woekerrente. Hij is ook noordwaarts gegaan, naar Passaic en
Paterson en recent Fort Lee. En hij zit de oude garde lelijk dwars – ver-
dringt ze, schiet onder hun duiven en verklaart ze nog net niet de oorlog.
Een paar jaar geleden heeft hij een callcenter van ze overgenomen. Misschien heb je dat gezien.'

'Enig idee wat zijn connectie met Gilpin is?'

Neary snoof. 'Ja,' zei hij, 'Gromyko heeft hem in zijn zak.'

'"In zijn zak" in de zin van...?'

'In de zin van met huid en haar aan hem overgeleverd zijn. Gilpin schijnt een verstokte gokker te zijn – en een behoorlijke stomme bovendien. Ongeveer een jaar geleden stond hij in het krijt bij zijn bookmaker – meer dan zes cijfers – en die bookmaker verkocht zijn schuld aan Gromyko. Sindsdien werkt Gilpin om zijn schuld af te betalen en doet hij waar hij het beste in is. Maar je weet hoe het gaat – met een schuld van die omvang redt-ie het nooit. En het is niet zo dat hij de politie kan bellen.'

Neary's stem loste op in ruis en de verbinding werd verbroken. Ik legde de telefoon neer en wachtte tot hij terugbelde, intussen nadenkend over Gilpin. Ik dacht aan wat hij me had verteld over zijn laatste gesprek met zijn broer – over de lening die hij niet had gekregen – en ik dacht aan Gilpins uitgeputte blik als van een gekooid dier. Ik had medelijden met de knaap. De telefoon ging over; het was Neary.

'Die mensen met wie je gesproken hebt weten een hoop over Gromyko,' zei ik.

'Niet genoeg voor een dagvaarding,' zei Neary. 'Ik heb me laten vertellen dat die Gromyko een voorzichtige knaap is. Hij doet niet opzichtig, houdt zijn zaakjes goed onder controle en schopt geen heibel, tenzij hij niet anders kan. Maar als hij het doet, doet hij het ook grondig. Er komt nooit iets boven water.' Ik zweeg en Neary vloekte tegen een onzichtbare automobilist.

'Heb je nog gezelschap?' vroeg hij.

'Vandaag niet,' zei ik en ik vertelde hem over het busje. Het was zijn beurt om stil te zijn.

'En je denkt niet dat Gromyko erachter zit?' vroeg hij ten slotte.

'Ik weet het niet,' zei ik. 'Misschien moet ik het hem eens vragen.'

'Vraag het lief.'

'Dat is mijn beste eigenschap,' zei ik en Neary snoof. 'Ooit van een tent gehoord die Foster-Royce heet?' vroeg ik hem.

'Een Brits agentschap, geloof ik. Ik heb nooit met ze te maken gehad, maar ik hoor dat ze behoorlijk goed zijn. Ze werken veel in Europa. Hoezo?' Ik legde uit hoe ik op de naam was gestuit en Neary dacht na. 'Je denkt dat hij ze in de arm heeft genomen?' vroeg hij.

'Zou kunnen, maar niemand bij Foster-Royce wil het ontkennen of bevestigen. Het is natuurlijk ook mogelijk dat een van hun mensen naar hem toe gekomen is. Hoe dan ook, het schijnt momenteel een doodlopende weg te zijn.' Neary luisterde, maakte een meelevend geluid en hing op.

Ik dronk mijn koffie op, belde Nina Sachs en kreeg opnieuw geen antwoord. Ik dacht erover naar Gromyko toe te gaan, maar ik had nog op geen stukken na genoeg cafeïne op voor New Jersey en het was nog te vroeg. Ik liep naar de tafel en bekeek de lijst telefoonnummers die daar op me wachtte.

Ik schonk mijn beker vol en schakelde mijn laptop in. Ik checkte mijn e-mail, maar er was nog niets over de gespreksoverzichten die ik vorige week had gekocht. Ik vloekte binnensmonds – gespreksoverzichten zouden dit een stuk makkelijker maken. Ik opende een rekenblad en begon data, tijdstippen, namen en nummers over te nemen uit mijn aantekeningen en boodschappen op het antwoordapparaat te koppelen aan de nummers van de nummerherkenning. Het was een eentonig karweitje, maar de koffie hielp. Ik typte en koppelde en wanneer ik een nummer tegenkwam zonder bijbehorende naam raadpleegde ik een omgekeerd internettelefoonboek om de leemte te vullen. Ik had niet erg gelet op de nummers toen ik ze in Danes' flat overschreef – ik wilde ze alleen maar hebben, en vlug ook – maar nu ik ze in het rekenblad invoerde zag ik een patroon.

Danes was ruim zes weken geleden met verlof gegaan en het eerste van de vijftig gesprekken in het geheugen van zijn telefoon dateerde van twee dagen na zijn verdwijning. De berichten op zijn antwoordapparaat echter waren slechts een week of drie oud. Er waren in de loop van die eerste tweeënhalve week bijna dertig gesprekken binnengekomen. Had niemand eraan gedacht een boodschap achter te laten? Het leek me onwaarschijnlijk.

Ik herkende een heleboel nummers van de nummerherkenningslijst, waaronder Danes' eigen mobiele nummer. Het verscheen telkens weer, met een regelmatige tussenpoos van drie dagen en altijd rond hetzelfde tijdstip – zes uur 's avonds. En toen, iets meer dan drie weken geleden, vlak voordat zijn antwoordapparaat het eerste bericht had opgenomen, verdween het. Ik was er tamelijk zeker van dat Danes had gebeld om de boodschappen op zijn antwoordapparaat af te luisteren en te wissen, maar ik had geen idee waarvandaan hij gebeld had en niet meer dan een bang vermoeden waarom hij ermee was gestopt.

Ik maakte een lijstje van de namen die behoorden bij de nummers in Danes' nummerherkenning. Het was een korte lijst en afgezien van Danes' advocaat in verband met de scheiding had ik alle mensen die erop stonden al gesproken. Maar de namen op de lijst dekten niet alle oproepen die Danes had ontvangen. Over de zes weken van zijn afwezigheid verspreid was er meer dan een dozijn telefoontjes die Danes' telefoon slechts had vastgelegd als *Privé*, zonder nummer of naam erbij. Telemarketers misschien. Of misschien ook niet. Ik bekeek de korte lijst en het verbaasde me opnieuw hoe klein Danes' wereld leek te zijn.

Ik reed in een Buick de brug over. Voor de rest was alles ongeveer hetzelf-de in Fort Lee – asfalt en verkeersopstoppingen, dat alles overgoten met regen. Het kleine kantoorgebouw stond er nog steeds, met zijn theekleu-rig gevlekte witte bakstenen. Het stonk nog steeds in de kleine lift en nog erger in de gang op de derde verdieping. En het meisje was er ook nog, met haar bleke huid, haar tatoeages en haar angstaanjagende borsten, ro-kend en tv-kijkend achter haar balie. Ze keek me met kleine, lege ogen aan. Even later herkende ze me.

'Wat moet je?' vroeg ze en ze blies rook naar me toe.

'Ik wil Gromyko spreken.'

Ze keek me opnieuw aan en deed een lange haal aan haar sigaret. 'Wie is Gromyko?' zei ze.

Ik zuchtte en schudde mijn hoofd. 'Ik zit in de bar verderop in de straat.' Het meisje knipperde met haar ogen en zei niets en ik ging.

De Roxy was verlaten en zo schemerig dat de aankleding voornamelijk hypothetisch was. Amberkleurige lampen gloeiden achter de gehavende zwarte bar, op de flessen en de glazen en de oude verchroomde kassa, en het enige andere licht was afkomstig van de bordjes UITGANG en het klei-ne raam aan de voorkant. Achter de bar stond een grijze man met de li-chaamsbouw van een brandkraan en achterin een schaduw die een ser-veerster kon zijn. Ik bestelde een spuitwater en nam een tafel bij het raam. Ik dronk langzaam en keek naar het vallen van de regen. Gromyko had er een uur voor nodig om te komen.

De zwarte Hummer stopte voor de bar en de grote, blonde vent die op een haai leek stapte aan de rechterkant uit, opende het achterportier en hield een paraplu op. Gromyko stapte uit en zei iets tegen de blonde knaap, die knikte. Hij ging weer voorin zitten en Gromyko stak over en kwam binnen.

Hij negeerde me, liep naar de bar en sprak zacht met de barkeeper, die hem een dampende papieren beker en een servet gaf. Toen kwam hij naar voren en ging tegenover me zitten. Hij had het groene waterdichte veldjack aan, een zwarte broek en glimmende zwarte veterschoenen. Regendruppels glinsterden op zijn korte blonde haren en zijn bleke, smalle gezicht was roer-loos. Hij dompelde zijn theezakje in en uit het hete water en keek me aan.

'Ik had niet verwacht je terug te zien,' zei hij kalm.

'Idem dito, maar er is iets gebeurd.' Gromyko legde zijn servet op de tafel. Hij kneep het theezakje leeg boven zijn beker en legde het op het servet. Zijn handen waren als kleine machines. Hij blies over de thee, nam een slok en keek me afwachtend aan.

'Toen ik vrijdag terugreed naar de stad, had ik gezelschap. Twee auto's: een zwarte Grand Prix en een bruine Cavalier. Zegt dat je iets?'

Gromyko nipte opnieuw van zijn thee. Er verscheen een rimpeltje tussen zijn schuine grijze ogen. 'Nee.'

'En een Ford Econoline-busje, lichtblauw, met rookglas en modder op het nummerbord?' Hij keek even op, draaide zich toen om en wenkte door het raam. De blonde vent stapte uit de Hummer en holde door de regen naar de bar. Gromyko sprak zacht en snel en ik verstond er geen woord van. De blonde man knikte en antwoordde en Gromyko liet hem gaan.

'Wist hij ervan?' vroeg ik, maar Gromyko negeerde de vraag.

'Waarom spreek je mij hierover aan?'

'Ik dacht dat er misschien een verband was,' zei ik. 'Ik werd geschaduwd nadat ik met jou had gepraat.'

Gromyko schudde zij hoofd. 'Is het niet in je opgekomen dat het gewoon de eerste keer was dat je ze opmerkte?' vroeg hij, opnieuw van zijn thee nippend. 'Er zijn winstgevender manieren voor me om mijn geld uit te geven dan door jou te volgen en dringender zaken die ik moet afhandelen.' Hij dronk zijn beker leeg en frommelde hem zo snel en compleet op dat hij voor mijn ogen leek te verdwijnen.

'En je... collega – Goran? Doet hij soms freelancewerk?' Gromyko's kleine mond bewoog heel even.

'Goran werkt niet meer voor me,' zei hij. 'Het is niet Goran.'

'Weet je dat zeker?'

'Volmaakt,' zei hij. Ik zweeg en dacht na. Gromyko wilde opstaan, maar deed het niet.

'Is het mogelijk dat iemand mij heeft gevolgd omdat ze jou zochten?'

Er verscheen een killer licht in zijn ogen en de kleine rimpel in zijn voorhoofd werd dieper. Zijn stem werd zachter. 'Ik denk het niet,' zei hij.

Ik knikte en wees naar de Hummer. 'Wist hij hier iets over?' vroeg ik. Gromyko knikte nauwelijks merkbaar. 'Hij verliet zaterdag het kantoor tegelijk met Gilpin en dacht dat hij misschien een tijdje gevolgd was door een blauw busje. Het haakte af voordat hij er iets aan kon doen. De kentekenplaat zat onder de modder.' Ik wachtte op meer, maar er kwam niet meer.

'Dat is alles?' vroeg ik. 'Geen theorieën over waar het om ging?'

Gromyko's gezicht was zo uitdrukkingsloos als dat op een icoon. 'Het is mogelijk dat ik je van dienst zou kunnen zijn, March, maar ik leid geen liefdadigheidsinstelling. Mijn adviezen zijn kostbaar en ik verwacht navenant betaald te worden.'

Ik lachte en zette mijn beste Marlon Brando-stem op: ' *"Someday, and that day may never come, I will call upon you to do a service for me..."* '

Gromyko trok een wenkbrauw op en schonk me een ijzige, microscopische glimlach. 'Het zijn geen valuta waarvan ik verwacht dat je er afstand van zult doen,' zei hij terwijl hij opstond. 'Je afrekening in de garage met Goran heeft je enig krediet opgeleverd, March – maar laat je daardoor niet misleiden. Bemoei je niet nogmaals met mijn zaken. Kom hier niet meer.' Hij pakte de verkreukelde beker, het theezakje en het servet, legde ze op de bar en vertrok. De blonde knaap was alweer, paraplu in de hand, uit de auto voordat Gromyko buiten stond.

Ik haalde diep adem. Achter in de bar werd een tv aangezet. Er was een voetbalwedstrijd aan de gang, voor een grote menigte, in een zonnig klimaat. Het commentaar was in een taal die ik niet herkende, maar het klonk levendig en druk en de barkeeper scheen het leuk te vinden. Buiten was de straat nat en lelijk en het vooruitzicht naar mijn auto te lopen en naar de stad te rijden leek plotseling afschuwelijk gecompliceerd.

Ik streek met mijn hand over mijn gezicht. Ik was moe en dat kwam slechts gedeeltelijk door slaaptekort. Te veel uren achter mijn laptop hadden me waterige ogen opgeleverd en een naar voorgevoel over Danes, maar verder niet veel, en dit tochtje naar Fort Lee was nauwelijks vruchtbaarder geweest. Ik had Gromyko geloofd toen hij zei dat hij me niet liet volgen – al zat er meer achter dan hij me verteld had. Daardoor kon ik zijn naam weliswaar van mijn lijst schrappen, maar het bracht me niet dichter bij degene die me schaduwde en zeker niet dichter bij Danes zelf.

Ik dronk het laatste smeltende ijs op de bodem van mijn glas op en wreef door mijn ogen. Het was warm in de bar, en geruststellend in het schemerige licht. De beelden van rennende mannen waren kleurrijk en vrolijk en de vreemde woorden klonken geanimeerd en vriendelijk. De schaduw achter in de bar begon rond te lopen en de kaarsen op de tafels aan te steken. Het was een serveerster. Ze was donkerharig en tenger en ik vroeg me af hoe ze heette en hoe haar stem zou klinken. De barkeeper zette twee glazen op de bar en haalde er een fles onder vandaan. Wodka. Hij schonk een glas vol, keek me aan en hield de fles op.

'U lusten?' vroeg hij. 'Van zaak.'

Ik schrok ervan hoe lang ik ervoor nodig had om nee te zeggen.

Nina Sachs had gebeld terwijl ik in Jersey was en toen ik haar terugbelde, nam ze warempel op.

'Waar heb je verdomme uitgehangen?' zei ze. 'Ik heb je meer dan een dag geleden gebeld.' Haar stem klonk krassend en snel en ik knarste met mijn tanden.

'Ik heb je teruggebeld – maar er wordt nooit opgenomen.'

'Ik ben aan het werk,' snauwde ze. Ik hoorde haar aansteker vonken.

'Ik ook, Nina.'

'Ja, voor mij.'

'Momenteel.'

Nina Sachs zuchtte en schraapte haar keel. 'Oké, oké – laten we stoppen met elkaar afzeiken. Vertel maar gewoon wat er aan de hand is.'

Ik begon met Gilpin. Sachs rookte en luisterde terwijl ik over mijn reis naar Fort Lee vertelde en haar enige reactie was milde verbazing over het feit dat Danes ooit contact had gehad met zijn halfbroer. Ik probeerde de naam Gromyko op haar uit, maar ze had nooit van hem gehoord.

Ik ging verder over Danes' appartement en de bewijzen die ik had gevonden voor een relatie tussen hem en Linda Sovitch. Het nieuws veroorzaakte gelach in plaats van verbazing.

'Jezus, selecteert ze haar gasten zó?' zei ze, vals gniffelend. Toen dacht ze er even over na. 'Denk je dat Sovitch je in de zeik nam toen ze zei dat ze niet wist waar Greg is?'

'Ik weet het niet en ik weet niet zeker of er iets tussen hen was. Daarom wil ik opnieuw met haar praten.'

'Geloof me,' hinnikte Sachs, 'als ze haar ondergoed laat liggen ís er iets gaande. Wat heb je verder nog gevonden?'

'Een visitekaartje,' zei ik en ik vertelde haar over Foster-Royce. 'Een detectivebureau in Londen. Ze hebben kantoren in New York en een heleboel andere steden en ze doen kennelijk veel internationaal werk. En ze zijn in elk geval goed genoeg om me zelfs niet te vertellen of Danes een cliënt van ze is. Heb jij enig idee waarom hij zo'n bureau in de arm zou nemen?'

De lijn bleef even stil en toen zuchtte Nina luid. 'Hoe moet ik dat verdomme weten?'

'Heeft hij al eens eerder een privé-detective ingehuurd?'

'Ik zeg toch – ik heb geen idee. Nou, wat heb je verder nog gevonden?'

Ik haalde diep adem en vertelde haar dat Danes' flat al eens eerder was doorzocht en dat ik werd gevolgd, in elk geval sinds mijn eerste reis naar Fort Lee. Sachs viel stil en alles wat ik lange tijd hoorde was het zachte geluid van roken.

'Wat is dit verdomme allemaal?' vroeg ze ten slotte. Haar verbazing was echt.

'Iemand anders is naar hem op zoek. Ik ben er nog niet achter wie, of waarom.'

Frustratie kookte in Sachs' stem en stroomde over van woede. 'Christus-nog-an-toe, ik dacht dat ik je betaalde om dingen uit te zoeken. Maar alles wat ik hoor zijn gissingen en nieuwe vragen!'

Ik hing niet op, maar ik dacht er hard over terwijl ik luisterde naar haar getier. Ik haalde opnieuw diep adem en liet hem langzaam ontsnappen.

'Zo gaat het soms, Nina. Sterker nog – zo gaat het meestal – en kwaad worden verandert daar niets aan.'

Ze wilde iets zeggen, maar hield zich in en slikte alles in, op een minachtend snuiven na. 'Teringzooi,' mompelde ze zachtjes. 'Kun je echte vooruitgang melden?'

'Ik heb nog meer gissingen,' zei ik. 'Beslis zelf maar of het vooruitgang is.' En ik vertelde haar over de boodschappen op Danes' antwoordapparaat en de nummers in zijn nummerherkenning en het patroon dat ik had gezien. Het hardop zeggen maakte het nog verontrustender.

'Hij belde zichzelf regelmatig, Nina – om de drie dagen, ruim twee weken lang. En toen stopte hij opeens.'

Ze zweeg enige tijd. 'Wanneer was dat ook alweer?' vroeg ze ten slotte.

Ik las de datum van Danes' laatste gsm-gesprek voor. 'Meteen daarna beginnen de boodschappen op zijn antwoordapparaat zich op te stapelen.'

'Misschien verwachtte hij een telefoontje,' zei ze zacht. 'Misschien had hij het ten slotte gekregen en stopte hij er daarom mee.'

'Ik neem aan dat dat een mogelijkheid is.'

'En de andere is wat – dat hem iets is overkomen?' De irritatie en de nukkigheid keerden terug in haar stem. Ik zei niets. 'En ik neem aan dat je me opnieuw aan mijn kop gaat zeuren over de politie. Nou, daar heb ik geen tijd voor.' Haar aansteker klikte en ik hoorde hoe ze haar longen vol rook zoog.

'Je zult er binnenkort tijd voor moeten máken, Nina, want er zijn maar een paar mensen over met wie ik moet praten – en als dat nergens toe leidt kan ik niks meer voor je doen. Niet zonder veel meer van je geld uit te geven.'

Nina Sachs vloekte binnensmonds. 'Luister, ik ben nu aan het werk. Geef me een dag of twee en dan praten we erover – oké? Kom donderdag langs.' Ik stemde er zuchtend mee in en ze hing op.

Ik legde mijn telefoon op het aanrecht en keek uit het raam. Het was opgehouden met regenen en het water dat zich had verzameld langs de trottoirbanden en op de daken rimpelde in een bries. Paraplu's waren verdwenen en de mensen bewogen zich makkelijker over de trottoirs. Het verkeer was rustig en aangenaam onbekend.

– 16 –

'U moet naar buiten, meneer,' zei de beveiligingsman. 'En er wordt hier op straat niet gelummeld.' Hij was een meter vijfennegentig en woog zo'n honderddertig kilo en zijn bruine blazer spande strak om zijn schouders. Van het dozijn gewapende bewakers in de natuurstenen lobby van de op een fort lijkende BNN-studio's in West Side was hij de tengerste. Hij spreidde zijn brede armen en maakte een duwend gebaar in de lucht, in de richting van de draaideuren. Ik was niet geneigd hem tegen te spreken. Trouwens, ik was het gewend; ze hadden me een groot deel van de dag gezegd dat ik moest ophoepelen. Ik liep naar Broadway en zocht een espressobar.

Ik had de hele ochtend geprobeerd Linda Sovitch te bereiken en had jammerlijk gefaald. Haar supergeheime gsm-nummer werd niet meer gebruikt en als ze een nieuw had gekregen, stond het niet op haar naam of was het nog niet te koop op de grijze markt. Het nummer van Lefcourts huis in Greenwich, Connecticut, dat ik had gevonden werd beantwoord door een gewichtig klinkende vrouw die me had verteld dat ongevraagde telefoontjes niet welkom waren en die geweigerd had een boodschap aan te nemen.

Mijn telefoontjes naar BNN werden nog minder hartelijk ontvangen. Daar kwam ik niet eens zo ver als Sovitch' assistent, Brent; ik kwam niet eens zo ver als Brents assistent. Naar de studio gaan was een wanhoopsdaad geweest en niet een waar ik veel vertrouwen in had gehad. En terecht. De grote kerels in de lobby wilden me uiteraard niet toelaten bij Sovitch of bij iemand die voor haar werkte en ze wilden ook geen boodschappen aannemen. En er was geen schijn van kans dat ik een glimp van haar zou opvangen, aangezien alle BNN-talenten de studio in en uit gingen via een afgelegen en goed bewaakte garage-ingang.

Meer geluk had ik gehad met Danes' schoonmaakdienst, Maid for You. Ik had de naam van Danes' creditcardafrekening en had het nummer die ochtend vroeg gebeld. Na slechts een beetje aanmoediging had een voorkomende knaap, een zekere Les, bevestigd dat Danes cliënt was en me verteld dat deze zijn wekelijkse schoonmaakbeurt een week of zes geleden had opgeschort. Danes had hem verteld dat hij een poos de stad uit zou zijn en dat hij zou bellen om de service te hervatten wanneer hij terug was. Hij had nog niet gebeld.

Ik rekende mijn espresso af, zakte onderuit in een grote stoel en observeerde een stel twintigers die furieus op hun laptop zaten te typen. Ik dacht aan Linda Sovitch. En ten slotte kreeg ik een inval. Het was geen lumineus idee en ik wist niet of het iets zou uithalen, maar wel dat het op mijn rekening een betere indruk zou maken dan een uiltje knappen bij Starbucks. Ik hees me overeind en nam mijn koffie mee naar huis.

Ik schakelde mijn laptop in en ging naar de website van BNN. Hij was slecht ontworpen en versierd met knipperende advertenties, zodat ik jacht moest maken op het icoon dat een e-mailvenster zou openen, dat ik wilde gebruiken om Linda Sovitch een bericht te sturen. Terwijl ik op jacht was had ik mazzel. Het was onder een banner met de tekst *Vandaag op BNN.com* en naast een fotootje van Linda: *Chat rechtstreeks met* Markct Minds-*presentator Linda Sovitch. Vandaag om 14.30 uur.* Het was 14.20 uur.

Ik ging naar de chatpagina, schreef me in en wachtte toen. Om 14.40 uur flitste er een boodschap op op mijn scherm en de netwerkbeheerder introduceerde de virtuele Linda. Ik typte mijn vraag in het chatvenster en liet hem daar de daaropvolgende vijftien minuten staan, terwijl mensen met nicknames zoals *munilov, byunsell* en *stockgal* Sovitch vragen stelden over aandelen en obligaties en rentevoeten – voor het beantwoorden van geen waarvan ze, leek me, gekwalificeerd was. Wat haar niet weerhield. Toen de beheerder alle betrokkenen vertelde dat de tijd bijna voorbij was, drukte ik op *enter.*

Ik verwachtte niet dat mijn bericht zichtbaar zou worden in het chatvenster en ik werd niet teleurgesteld. Linda beantwoordde een laatste vraag en de beheerder bedankte alle deelnemers, maakte reclame voor Linda's programma en beëindigde het gesprek. Tien minuten later ging mijn telefoon.

'Waar ben je verdomme mee bezig?' Het was Linda Sovitch. 'Je belt mijn huis, je belt de studio, je komt hierheen en nu dit weer. Dit komt dicht in de buurt van intimidatie – misschien zelfs van stalken.' Haar stem klonk kribbig en gespannen, heel anders dan ik in haar programma ooit had gehoord.

'Beviel mijn vraag je niet?' vroeg ik.

'Vind je jezelf grappig?' zei ze en ze las mijn vraag voor, heel korzelig. ' "*Wat zeg je tegen critici die beweren dat leden van de financiële pers hopeloos gecompromitteerd zijn door belangenverstrengeling – dat ze cheerleaders voor bedrij-*

ven zijn en te dikke maatjes zijn met de mensen die ze behoren te analyseren – dat ze in wezen twee handen op één buik zijn met hun onderwerpen?" Vind je dat leuk?'

'Ik vind het best een goeie vraag – en relevant ook.'

'Relevant waarvoor?' vroeg ze. Ik gaf geen antwoord en na een poos werd Sovitch' ademhaling hoorbaar. 'Kom op, klootzak – zeg op – relevant waarvoor?'

Ik zuchtte. 'Relevant voor jou en Danes.'

Sovitch wilde iets zeggen, maar bedacht zich. 'Wat wil je verdomme van me?' vroeg ze ten slotte.

'Ik wil met je over Danes praten. Ik wil weten waar hij is.'

Sovitch snoof. 'Ik ben het zat,' zei ze. 'Val me nog één keer lastig en je krijgt met mijn advocaat te maken.' Ze hing op. Ik schudde mijn hoofd en klapte mijn laptop dicht. Ik vond het een goede vraag.

Misschien dat Linda Sovitch er bij nader inzien ook zo over dacht. Een uur nadat ze had opgehangen en niet lang voordat *Market Minds* de ether in zou gaan belde ze terug. Ze klonk kordaat en efficiënt.

'Morgenvroeg, tien uur,' zei ze.

'Waar?'

'Geef me je adres; ik stuur een auto.' Ik gaf het haar en weg was ze.

Ik legde de telefoon neer en vroeg me af waardoor Sovitch van gedachten was veranderd. Bezorgd over hoeveel ik wist, of over wat ik wilde? Bezorgd over met wie ik verder nog zou praten? Alles tegelijk, waarschijnlijk.

Ik geeuwde, rekte me uit en ging naar de keuken. Mijn voetstappen klonken luid op de houten vloeren. Ik warmde wat koffie op in de magnetron, maar hij was bitter en drabbig en bezorgde mijn maag hetzelfde gevoel. Ik keek mijn appartement door. Laat daglicht viel in grote, gele rechthoeken aan de andere kant van het vertrek naar binnen, maar scheen het niet warmer te maken. Het was stil, en ook boven was het stil. Ik had Jane sinds de vorige ochtend niet meer gezien en ze had gezegd dat ik haar de rest van de week niet vaak zou zien. Toch betrapte ik me erop dat ik luisterde naar haar voetstappen.

Ik had heel wat tijd alleen doorgebracht in dit appartement – heel wat tijd alleen, punt – gedurende de afgelopen jaren en ik had het zo gewild. Alleen was rustig en voorspelbaar. Alleen was gedisciplineerd en georganiseerd en veilig. Het was me beperken tot mijn werk en mijn lopen en een voortkabbelend bestaan. Het was het tegengestelde van statische ruis in mijn hart en glas in mijn borst en doelloos, rampzalig bewegen en verzengende woede. En als de tol van die rust een zekere grimmigheid was geweest, een somberheid zelfs, was dat niet meer dan ik bereid was te betalen. Ik kwam er goedkoop van af. Alleen was wat ik kende. Het werkte voor mij. Maar de laatste tijd – sinds Jane – werkte het niet zo goed meer.

Ik zette de stereo aan. Jane had er een cd in laten zitten – Flora Purim die 'Midnight Sun' zong. Ik bladerde door de andere in de wisselaar – Nikki Costa, Lucinda Williams... Ik zette de radio aan. De Iguanas speelde iets funky-achtigs op WFUV, maar zelfs zij konden de stemming die bezit van me had genomen niet verdrijven. Ik neusde op mijn boekenplanken en mijn handen streken over de ruggen, maar de titels gleden voorbij, ongelezen. Ik opende mijn laptop en deed een halfslachtige poging om mijn aantekeningen bij te werken. Een uur en twee zinnen later sloot ik hem weer en ging lopen.

Klokslag tien uur stopte er een limousine voor mijn gebouw; de zwarte lak glom in de zon. Er zat een kleine man met grijs haar achter het stuur. Ik stapte in en we reden weg. We zetten koers naar het centrum, maar niet in de richting van de Manifesto Diner of de BNN-studio's. In plaats daarvan reden we naar het oosten en daarna over de FDR Drive naar het noorden.

'Waar gaan we naartoe?' vroeg ik hem. Hij schrok even, alsof ik hem uit een hazenslaapje had gewekt, en checkte enkele papieren op de stoel naast hem.

'Ik heb hier dat ik u naar Greenwich breng – North Street, staat er.'

Ik leunde achterover en keek naar de voorbijglijdende Triboro Bridge en de Bruckner Expressway. Hij nam de 95 en daar waren wegwerkzaamheden en chaos en een heleboel ontwijken en zwenken en abrupt remmen. Ik was blij dat ik niet reed. Vijftig minuten later ging hij er bij Greenwich af, bij het treinstation.

Het centrum van Greenwich was druk in de warme, late ochtend en we baanden ons langzaam een weg langs de lage kantoorgebouwen bij het tolstation en via de winkelwijk naar het noorden. De winkelgebouwen waren van baksteen en natuursteen en zorgvuldig onderhouden en de winkels zelf waren enigszins rustieke versies van hun tegenhangers op Madison Avenue. De straten en stoepranden wemelden van massieve terreinwagens en glimmende, merendeels Duitse sedans. De trottoirs krioelden van welvarende matrones en slanke, goedverzorgde, merendeels blonde jonge moeders.

We kronkelden richting East Putnam en er verschenen huizen. Ze waren groot en oud en Victoriaans en zagen er comfortabel uit op hun mooie, goed onderhouden percelen. De percelen werden groter toen we over Maple Avenue reden en nog groter in North Street, en de huizen trokken zich verder terug uit het zicht. We staken de Merritt Parkway over en reden onder een baldakijn van takken en jonge bladeren en de percelen en huizen verdwenen volledig achter dichte hagen en hoge natuurstenen muren.

Het Lefcourt-landgoed lag enkele minuten rijden ten noorden van de Merritt en werd omringd door een hoge, slingerende bakstenen muur. We stopten bij de smeedijzeren hekken en een bewakingscamera inspecteerde ons. De chauffeur zei iets in een intercom en de poort zwaaide open en we reden erdoorheen. Aan weerszijden van de kronkelende, met grind bestrooide oprijlaan stond een uitbundig bloeiende muur van forsythia. De laan eindigde in een oplopende lus rond een groot, rond gazon en een knoestige eik. Aan de andere kant van de cirkel, boven aan de helling, stond het huis.

Het was een grote wig van lichtbruine, gepotdekselde planken met grijsgroene kozijnen van de ramen en deuren en een onderkant van ruwe grijze natuursteen. De gevel was asymmetrisch en druk, een en al erkers en dakkapellen en een diepe veranda aan de rechterkant. Vier brede treden leidden naar de voordeur. De auto kwam knersend tot stilstand aan de voet van de trap en ik stapte uit.

'Ik ben ginds,' zei de chauffeur en hij wees naar een kleine, gepotdekselde garage verderop langs de grindlaan. Ik knikte en hij reed weg. De zon was warm op mijn schouders en de zachte bries voerde de geur van gras en aarde en ceders aan. Het was stil, op enkele sjirpende vogels na en het zachte brommen van een grasmaaier in de verte. De voordeur ging open en er kwam een vrouw naar buiten die boven aan de trap bleef staan. Het was niet Linda Sovitch.

Ze was ongeveer een meter vijfenvijftig lang en haar grijze mantelpakje was onberispelijk en hoekig, evenals haar korte, donkere haren en haar magere, bleke gezicht. Ze sloeg haar armen over elkaar en bekeek me met iets wat op zekere dag – in de verre toekomst – misschien zou ontdooien tot achterdocht. Ik droeg een zwarte katoenen polotrui, een dunne grijze broek en zwarte loafers en ik had mijn wapen thuisgelaten. Ik zag er, zelfs naar Greenwich-normen, toonbaar uit, maar ze keek me aan alsof ik in de stal had geslapen.

'Meneer March? Ik ben de secretaresse van meneer Lefcourt. We hebben elkaar telefonisch gesproken.' Ik herkende de koele, gewichtige stem. 'Meneer Lefcourt is in zijn kantoor.' Ze draaide zich om en ging naar binnen. Ik volgde haar.

'Ik kom eigenlijk voor mevrouw Sovitch,' zei ik. Ze draaide zich niet om. 'Ja, wel... hierheen.'

De hal was licht en groot, met een glanzend wit geschilderde lambrisering en druk bewerkte kolommen. De houten vloeren waren donker, glanzend bruin en de Perzische tapijten waren voornamelijk rood. De cassetteplafonds waren hoog.

Ik volgde de vrouw naar een brede gang. Een trap met ranke balustrades liep langs de muur aan mijn linkerhand. Recht vooruit was een zitkamer, met een deuropening geflankeerd door twee pilaren, hoge ramen en een marmeren open haard, met zijde beklede sofa's en oorfauteuils die louter decoratief leken. Ik zag een brede strook gazon door de ramen en in de verte een gepotdekseld huisje naast een met tegels afgezet zwembad. Twee mannen waren aan het werk bij het zwembad en trokken de groene zeilen weg.

De vrouw ging me door de gang voor naar rechts, langs nog meer smaakvol ingerichte kamers die geen sporen van gebruik vertoonden. De gang eindigde bij twee deuren met panelen. Ze bleef met haar handen op de deurknoppen staan en keek alsof ze op tromgeroffel wachtte, of misschien op bazuingeschal. Ten slotte duwde ze de deuren open en we gingen naar binnen.

De kamer was lang en laag, met achterin een bakstenen open haard en rechts een rij tuindeuren die uitkwamen op de diepe veranda die ik buiten had gezien. Bij de tuindeuren was een zithoek met een groene zijden sofa, fauteuils en lage tafels rondom een groot Perzisch tapijt. Links was een wand met ingebouwde schappen van blinkend wit hout en aan de andere kant van de kamer een groot mahoniehouten bureau.

Aaron Lefcourt zat achter het bureau, in een zacht ogende leren stoel. Hij had een telefoonhoorn in zijn ene hand en een afstandsbediening voor de tv in de andere en hij praatte met iemand terwijl hij langs de kanalen zapte op het grote scherm dat achter zijn bureau was gemonteerd. Hij zag er ongeveer zo uit als op de foto in *Business Week* – hetzelfde donkere, golvende haar, dezelfde boze, engelachtige trekken – alleen voller en gebruind. Hij had een linnen broek aan en een frambooskleurig poloshirt dat strak rond zijn buik spande. Zijn armen waren bruin en onbehaard en dunner dan zijn maag suggereerde. Hij droeg een gouden ketting aan een pols en een plat gouden horloge aan de andere. Hij keek ons aan toen we binnenkwamen en toen weer naar de tv. Zijn secretaresse leidde me naar het midden van de kamer. Ik bekeek de schappen achter Lefcourt.

Ze waren een schrijn ter ere van Lefcourt en Sovitch en opgetuigd met getuigschriften van liefdadige doelen die ze hadden gesteund, prijzen die ze hadden gekregen en foto's van hen met politici, beroemdheden en grootindustriëlen. Er stonden een heleboel foto's van Sovitch met gasten uit haar programma. Ik zag er geen met Danes. Lefcourt draaide zijn stoel om en keek mij en mijn gids fronsend aan. De vrouw loodste me naar de sofa. Ik ging in een stoel zitten; zij bleef staan.

'Je maakt je zorgen om niets, Mikey,' zei Lefcourt in de telefoon terwijl hij langs *Court TV* zapte. Zijn stem was middeldiep, met een duidelijk New Yorks accent. 'Hij zal ervoor gaan omdat hij mee wil doen. Geeft hem een goed gevoel, in jezusnaam – geef hem het gevoel dat zijn pik langer is dan vijf centimeter.' Hij zweeg en luisterde en zapte langs BNN en CNN en CNBC en kwam tot rust bij een reclamespot voor blekende tandpasta. Lefcourt lachte in de telefoon. 'Geloof me nou maar, Mikey. Jezus, je lijkt wel een oud wijf. Ik ga straks naar kantoor – bel me.' Hij lachte weer, hing op, draaide zijn stoel om en keek me aan. Hij drukte op een knop op zijn telefoon.

'Ja, hij is er. Stuur Jimmy.' Lefcourt legde de telefoon neer en kwam achter zijn bureau vandaan. Hij was ongeveer een meter zeventig en zijn bewegingen waren lomp maar energiek. Hij liep naar de andere kant van de kamer, naar een buffet naast de open haard. Er stonden een verchroomde kan op, porseleinen kopjes en schoteltjes. Lefcourt begon te schenken.

'Koffie, March?'

'Zwart graag,' zei ik.

Hij wendde zich tot zijn secretaresse. 'Blijf je hier als een gerant rondhangen?' Het bleke gezicht van de vrouw werd doorschijnend. Ze draaide zich om en vertrok zonder een woord. Een ogenblik later gingen de dubbele deuren weer open.

Er kwam een grote kerel binnen. Hij was kaal, had een gezicht als een ham en een ongezonde kleur. Het was de man die ik bij Sovitch had gezien in de Manifesto Diner, nog steeds in het zwart. Lefcourt bleef in het midden van de kamer staan en keek toe terwijl de grote kerel een digitale camera te voorschijn haalde, die bijna verdwaalde in zijn enorme handen. Hij keek naar me door de zoeker en klikte erop los. Ik bleef stil zitten en zei niets. Hij maakte vijf of zes opnamen en keek naar Lefcourt, die knikte en me aankeek terwijl hij sprak.

'Zo is het goed, Jimmy. Zorg ervoor dat iedereen een afdruk krijgt.'

'Misschien wil je er een paar van opzij,' zei ik.

Jimmy keek een beetje beduusd. Lefcourt keek geërgerd en gebaarde met zijn hoofd naar de stoel. Jimmy vertrok. Lefcourt zette mijn koffie op een kleine tafel en nam de zijne mee naar de sofa. Hij nam een slok en keek me aan.

'Ik neem aan dat u er geen bezwaar tegen hebt dat we foto's van u nemen,' zei hij. 'En ik neem aan dat u er geen bezwaar tegen hebt als we ze uitdelen, onder de plaatselijke politie bijvoorbeeld, of onder de bewakers in de studio.'

Ik glimlachte nog maar eens. 'Ik wil niet onnodig grof zijn, maar ik kom eigenlijk voor uw vrouw.'

Lefcourt dronk zijn kop leeg en zette hem op een bijzettafel. Hij sloeg zijn benen over elkaar, legde zijn onbehaarde armen over de rugleuning van de bank en probeerde er ontspannen uit te zien, maar de machine die in hem draaide deed dat niet graag stationair en zijn voet wipte in het rond aan het eind van zijn been.

'Waar wilt u mijn vrouw voor lastigvallen, March?' vroeg hij glimlachend.

Ik nam een slok koffie. 'Ik wil haar niet lastigvallen. Ik wil haar alleen maar spreken over haar vriend, Gregory Danes.'

'Wat is er met hem?' vroeg Lefcourt. Hij bleef glimlachen, maar zijn donkere ogen waren strak op mijn gezicht gericht.

'Dat is iets wat ik liever met uw vrouw bespreek.'

Lefcourt slaakte een naargeestige lach. Hij verschoof zijn compacte lijf op de sofa en liet zijn vingers over de bekleding glijden. 'Nou, daar wil ze niet met u over praten, nergens over. Dus u kunt kiezen tussen mij en oprotten.'

Ik dronk mijn koffie op en dacht erover na. 'Ik weet niet of ze dat nog zou vinden als ze wist waar ik over wil praten.' Lefcourt trok een sceptisch gezicht en schudde zijn hoofd. Ik ging verder: 'En ik weet niet zeker of u dit echt wilt horen.'

'Ik ben een volwassen man, March,' zei hij. 'Ik kan er tegen.' Ik knikte. Dat is wat iedereen zegt – voordat ze de foto's zien. Misschien dat Lefcourt het meende.

'Ik wil weten over haar relatie met Danes. Ik wil met haar praten over waar hij zou kunnen zijn.'

'Al dat gezeik heeft ze al met u besproken.' Hij maakte het niet gemakkelijk; hij probeerde het ook niet.

'Inderdaad. Ik wil een paar dingen nog eens doornemen.'

'U denkt dat haar antwoorden anders zullen zijn?'

Ik zuchtte. 'Ik heb een reden om te denken dat ze de eerste keer mogelijk niet... helemaal open is geweest.'

'Wat voor reden?' snauwde Lefcourt. 'Waar hebt u die reden vandaan?'

'Dat is het punt niet...'

Hij viel me in de rede en wees naar me. 'Gelul! Noem mijn vrouw geen leugenaar en uit geen beschuldigingen en zeg dan dat u ze niet hard hoeft te maken. Als dat uw manier van zakendoen is, is het maar goed dat u een fonds hebt.' Lefcourt keek of ik reageerde, maar dat deed ik niet. Het verbaasde me niet dat hij me had nagetrokken; ik zou verbaasd zijn geweest als hij dat niet had gedaan. Ik keek hem eveneens aan en zag dat er achter het getier geen echte woede schuilging, alleen maar pose en tactiek.

'Ik probeer geen zaken met u te doen,' vertelde ik hem. 'Ik probeer met uw vrouw te praten.'

Lefcourt liep met zijn koffiekop naar het buffet en schonk hem vol. Ik dacht niet dat hij nog koffie nodig had, maar ik hield mijn mening voor me. Hij ging achter zijn bureau staan en dronk ervan terwijl hij met zijn afstandsbediening langs de kanalen zapte. Hij stopte bij een muziekclip en keek hoe twee meisjes met hun buiken langs elkaar schuurden.

'U hebt haar één keer gesproken,' zei Lefcourt. 'Wat denkt u dat er de tweede keer anders zal zijn?'

Ik werd moe van dat heen-en-weergedoe. 'Ik weet het niet – de waarheid misschien?'

Hij keek me strak aan. 'Luister, March...' Ik liet hem niet uitpraten.

'Had ze wel of niet een verhouding met Danes?'

Lefcourt haalde diep adem en liet hem langzaam ontsnappen. Zijn stem was zachter toen hij sprak en zijn woorden waren heel duidelijk. Zijn donkere ogen fonkelden boven zijn bolle wangen. 'Het is niet zomaar roddelen als u zoiets zegt over iemand als mijn vrouw. Dergelijke praatjes doen afbreuk aan haar beroepsethiek – en aan haar oordeelsvermogen. Dat soort praatjes heeft impact – op reputatie, op kijkcijfers, op contractonderhandelingen. Het zijn geen puberpraatjes meer, March – het is serieus.' Hij tikte met zijn vinger tegen zijn kleine neus.

Ik zuchtte opnieuw. 'Haar ethiek of haar seksleven laat me koud. Ik wil alleen maar weten waar Danes is.'

Lefcourt gooide de afstandsbediening op het bureau, kwam terug naar de sofa en bleef erachter staan. 'Ze kan u niets vertellen.'

'Weet u dat zeker?'

'Een echtgenoot weet dingen,' zei hij en er speelde een kleine grimlach om zijn kleine mond.

'En Danes is een van die dingen? Weet u waar hij is?'

'Dat hou ik niet bij.'

'Niet meer?' vroeg ik. 'Of nooit?'

Lefcourt grijnsde. 'Hoe komt het trouwens dat u zo zeker weet dat ze iets hadden? Wat hebt u gezien?'

Hij bleef hardnekkig vissen en ik besloot een rukje aan de lijn te geven. 'Ze heeft spullen laten liggen in zijn flat,' zei ik.

Lefcourts gezicht verstrakte. Zijn gebruinde voorhoofd glom. 'Wat voor spullen? En wat hebt u voor bewijs dat ze van haar zijn?'

Ik schudde mijn hoofd. 'Ik ben niet geïnteresseerd in bewijzen.'

Lefcourt beende achter de sofa heen en weer en wees naar me, drentelde zijn woede van zich af. 'Ik zou me er toch maar op voorbereiden, als u zo blijft praten. U hebt geld zat, March – als u Linda's inkomstenbron versjteert, reken verdomme maar dat ik u uitkleed.' Ik stond op en Lefcourt leek verbaasd. 'Waar gaat u naartoe?'

'Het lijkt er niet op dat uw vrouw binnenkort komt opdagen en we draaien rondjes en komen nergens, dus het lijkt me tijd om op te stappen.' Lefcourt keek me enkele seconden aan. 'Hebt u zelfs maar gehóórd wat ik zei? vroeg hij.

'Weet u, ik wilde u net hetzelfde vragen.'

Ik was bij de deur toen Lefcourt naar me riep. 'Ik meen het, March: laat haar met rust. Nog één zo'n stunt als die chatroomtruc en uw botten worden kaalgevreten door een zwerm advocaten.' Ik keek hem aan en zei niets. 'En ik meen het ook wat Danes betreft – we weten geen van beiden waar hij is en het kan ons geen van beiden een zak schelen.'

'Stuur me een foto, als ze gelukt zijn,' zei ik. Ik liet mezelf uit.

17

'En of ik me die vent herinner,' zei Phyllis. 'Nog een paar klanten zoals hij en ik brand de tent plat en word weer reclasseringsambtenaar.' Ik was de motels en het hotel aan het afbellen die genoemd werden op Danes' creditcardafrekening en The Copper Beech Inn in Lenox, Massachusetts, was de eerste op mijn lijst. Phyllis was de eigenares en haar stem klonk ruw en vriendelijk door de telefoon.

'Het was me er een,' vervolgde ze lachend. 'Hij had overal aanmerkingen op, van de kussens via de koffie tot en met de waterdruk en het was nooit goed. We zijn dol op zulke gasten – ze maken het de moeite waard.'

'Was hij met iemand anders?'

'Nee, alleen hij en zijn zonnige humeur.'

'Was hij al eens eerder geweest?'

'Niet tevoren en niet sindsdien, godzijdank.'

'Enig idee wat hij daar deed? Het is niet bepaald het ideale seizoen voor herfstpracht.'

Phyllis lachte opnieuw. 'In januari zou het eerder sneeuwpret zijn geweest. Toch komen de mensen dan, om te langlaufen of gewoon om eruit te zijn. Maar ik heb geen idee wat Lachebekje deed. Kan niet zeggen dat hij er erg relaxed uitzag.'

Ik bedankte Phyllis en belde de volgende, de Maidstone Tavern in East Hampton. Er werd opgenomen door een zekere Tim. Hij was breedsprakig en kortademig en zette me telkens weer in de wacht en hij had veel tijd nodig om me heel weinig te vertellen. Uiteindelijk bevestigde hij dat Danes een maand of drie geleden te gast was geweest en sindsdien niet terug was geweest, maar hij herinnerde zich Danes slechts vaag en kon niet zeggen of hij alleen was geweest tijdens zijn verblijf. Ik hing op voordat ik hoofdpijn kreeg.

Ik dronk wat water. De tv stond aan, zonder geluid, en Linda Sovitch verscheen op het scherm. Haar mond bewoog, haar witte tanden blikkerden en toen was ze weg, verdrongen door een reclamespot voor een Duits automerk. Ik dronk mijn koffie en dacht – opnieuw – aan mijn bezoek aan haar man.

Aaron Lefcourt was niet bepaald geschokt geweest door het idee dat zijn vrouw iets had met Gregory Danes – hij was niet verder gekomen dan een vertoon van verbolgenheid. Hij was veel meer geïnteresseerd in hoe ik achter de affaire was gekomen en hoeveel ruchtbaarheid ik eraan wilde geven. Wat, nu ik erover nadacht, op een pragmatische manier verstandig was: het feit dat ze naar bed was gegaan met een van haar regelmatige gasten – vooral een die zo besmet was als Danes – zou Sovitch' carrière geen goed doen. Een vindingrijke advocaat kon het zelfs gebruiken om haar – en haar netwerk – te veranderen in beklaagden in een van de processen die nog steeds liepen. Reden genoeg, leek me, voor een praktisch man zoals Lefcourt om het stil te willen houden. Maar was het ook de reden waarom Danes niet terug was gekomen?

Die theorie zou meer hout snijden als Lefcourt gewoon jaloers was geweest – al was gewone inhaligheid, wist ik, een minstens even populair motief voor moord. Verdomme, misschien was hij inhalig én jaloers.

Het was puur giswerk, maar het was ook onweerstaanbaar. Ik wist dat Danes zijn naam wilde zuiveren en ik wist dat hij wilde dat Sovitch hem daarbij zou helpen. Ik wist ook – doordat Sovitch het me had verteld – dat hij nijdig op haar was omdat ze hem geen zendtijd in haar programma had willen geven. Stel dat hun gesprek tijdens de lunch nou eens wat anders was verlopen dan Sovitch had beschreven? Stel dat Danes gedreigd had hun verhouding openbaar te maken? Voorzover ik hem kende voelde Danes zich niet boven dergelijke dreigementen verheven; misschien was het zelfs typisch iets voor hem. En als hij dat gedaan had, zou Sovitch dan naar Lefcourt zijn gerend, zoals ze had gedaan toen ik rond was komen snuffelen? En wat zou Lefcourt dan gedaan hebben?

'Speculatief gelul,' zei ik hardop en dat was het natuurlijk ook. Maar Danes had bijna drie weken lang zijn berichten afgeluisterd en was er toen opeens mee gestopt. Daar was niets theoretisch aan.

Ik pakte de telefoon weer. De vrouw op Bermuda had een prachtige stem en een vreemd, midden-Oceanisch accent en ze weigerde op zo'n aardige manier mijn vragen te beantwoorden dat ik desondanks blij was dat ik gebeld had. Toen ik ophing was het tijd om naar Brooklyn te gaan.

Ik eet niet vaak samen met familie – de mijne noch die van een ander – en ik wist niet precies wat ik bij Nina Sachs thuis moest verwachten. Vast niet *Ozzie and Harriet* en hopelijk ook niet iets uit Eugene O'Neil. Het werd uiteindelijk een heel aangename avond. Tot het einde.

Ik kocht een bos irissen op een markt vlak bij de metro in Clark Street en ging te voet naar Willow Street en verder naar het water. De westelijke hemel was gedrenkt in onmogelijke kleuren en de bries was warm en vol bloesemgeuren en het aroma van maaltijden op het fornuis. Gelach en flarden van gesprekken zweefden door openstaande ramen naar buiten, de donker wordende lucht in en de avondlijke straten leken intiem en op de een of andere manier vol beloften. Ik nam er alle tijd voor.

De I-2-galerie was gesloten en de grote ramen waren bedekt met witte schermen. Ik keek omhoog en zag dat Nina's raam wijdopen stond. Ik drukte op de intercom en het slot zoemde meteen open. Muziek tuimelde me tegemoet toen ik de trap beklom – Motown. Nina's deur stond op een kier.

Billy zat met gekruiste benen bij de ramen, tussen twee stapels stripboeken en voor een stapel plastic zakken en stukken snijkarton. Hij droeg een wijde, net boven de knieën afgeknipte camouflagebroek en een groen t-shirt. Zijn voeten waren bloot en zijn benen knokig en wit. Hij zat strips in te pakken en met de muziek mee te wippen en hij keek op toen ik binnenkwam. Hij wuifde en ging verder met inpakken. Nina en Ines waren in de keuken en ze zetten me onmiddellijk aan het werk.

Ines stond aan het dure fornuis paprika's en uien te hakken en ze samen met brokjes vlees aan pennen te rijgen. Ze glimlachte naar me. Haar zwarte haren waren opgebonden tot een losse, glanzende knot en ze droeg een lang schort over een fuchsiakleurig linnen hemdjurk. Ze was op blote voeten en haar vingers en tenen waren keurig gemanicuurd en in dezelfde kleur gelakt als haar jurk. Ze droeg een dunne zilveren ring aan de tweede teen van haar rechtervoet.

'Speurneus,' zei ze en ze boog zich naar voren en verraste me door mijn wang te kussen. 'De bloemen zijn prachtig.' Haar gezicht was warm en ze rook naar lavendel.

Nina stond bij een van de roestvrijstalen werkbladen. Haar haren hingen los en ze droeg een grijs schort en een zwart t-shirt zonder mouwen. Haar benen waren bleek, maar stevig en welgevormd. Ze stond voor een snijplank met de verminkte overblijfselen van wat ooit een tomaat was geweest. Ze had een schilmes in haar ene hand en een wijnglas in de andere. Er zat iets roods en waterigs in het glas en ze nam er een slok van.

'Kun je hakken?' vroeg ze.

'Een beetje.'

'Beter dan ik dus,' zei ze. 'Ik ruil met je.' Ze reikte me het mes aan, met het heft naar me toe, en nam de bloemen aan. 'Heb ik iets om ze in te zetten, Nes?' vroeg ze.

Ines grinnikte. 'In het kabinet, boven de glazen, staat een hoge vaas.'

Ik hield het schilmes op. 'Heb je iets groters?' vroeg ik Ines. Ze glim-lachte en haalde een twintig centimeter lang mes uit een houten blok op het aanrecht.

'Dit moet kunnen, speurneus.'

Nina keek gemaakt boos. 'Iedereen heeft verdomme kritiek,' zei ze. 'Ik hou me maar bij het besturen van de blender, dat is voor iedereen beter. Zin in een aardbei-daiquiri?' Ik schudde mijn hoofd. 'Ach, kom op, we oefenen voor ons Memorial Day-feestje – je moet er een nemen.'

Ik schudde nogmaals mijn hoofd. 'Ik drink niet.'

Nina trok een wenkbrauw op. 'Dan maak ik er wel een zonder alcohol.'

'Dat is wat ik ook krijg,' riep Billy vanuit de huiskamer. 'Het smaakt niet slecht.'

'Hoe kan ik weigeren, met zo'n getuigschrift?' zei ik. Nina deed aard-beien, suiker en ijs in de blender, deed de stalen kom dicht en drukte op de knop. Ik boog me naar Ines toe en zei boven de herrie uit: 'Waarvoor sta ik te hakken?'

'Tomaten- en uiensalade, dus niet te fijn.' Ik knikte en begon te hak-ken. Nina schakelde de blender uit en overhandigde me een glas.

'De parapluutjes zijn op,' zei ze. 'Ik dacht dat we na het eten konden praten en aangezien jullie alles onder controle lijken te hebben, glip ik nog even naar het atelier.' Ines knikte en Nina vertrok met haar glas. Ik keek haar na terwijl ze de kamer door liep en in het voorbijgaan door Billy's ha-ren woelde. Hij keek naar haar op en glimlachte.

Ines en ik werkten zij aan zij. Ze wiegde mee op de maat van de mu-ziek terwijl ze hakte en schilde en ze zong zachtjes mee terwijl ze af en toe een slok daiquiri nam. Ze hanteerde het mes snel en nauwkeurig en de be-wegingen van haar lange, sterke vingers hadden bijna iets hypnotiserends. Zelfs met de ramen open en de draaiende ventilator was het warm in de keuken en er lag een vage glans op Ines' voorhoofd. Het brede, vlakke lit-teken op haar onderarm zag er glad uit. Haar parfum en de delicate geur van haar zweet vermengden zich aangenaam met de kookgeuren.

Ik was langzaam, maar slaagde erin geen al te grote puinhoop te ma-ken. Ik had de tomaten klaar en ging verder met de uien en toen ik die fijn genoeg had gehakt veegde Ines ze in een grote glazen kom en mengde er olie, azijn en een paar blaadjes basilicum door.

'Wat kan ik nog meer doen?'

Ze schudde haar hoofd. 'Neem er je gemak van, speurneus.'

Ik nam mijn glas mee naar de woonkamer en ging op de rand van de sofa zitten. Billy was net klaar met inpakken.

'Nieuwe dingen?' vroeg ik.

Hij knikte. 'Ja. Ik heb nu de hele reeks van *House of Anxiety* – allemaal puntgaaf – en ik mis nog maar vijf aflevering van *Perturbed*.' Ik knikte. 'Ik heb iets wat ook in jouw straatje past,' ging Billy verder en hij zocht in de stapel en gaf me een bundeltje van zeven strips. Ik bladerde ze door. '*Detective Comics*, afleveringen 437 tot en met 443, uit 1974 – toen DC terugkwam met de Manhunter en je vriend Batman introduceerde. Allemaal in uitstekende of bijna puntgave staat. Wees er voorzichtig mee; ik wil ze met iemand ruilen tegen drie uitgaven van *Dreadful Landscape*.'

Billy sloeg me aandachtig gade terwijl ik de strips bestudeerde en ik moet de juiste mate van eerbied hebben getoond, want algauw nam hij zijn hele stapel met me door. Hij weidde uit over de tekenaars en tekstschrijvers van bijna elk boek in de stapel en ging eindeloos door over de nietige details van kwaliteitsaanduidingen – wat een bijna-puntgaaf-min onderscheidde van een heel-mooie-plus bijvoorbeeld. Hij had een enorme feitenkennis en was trots op zijn expertise. Hij was net zo pietluttig als een willekeurige verzamelaar van postzegels, schilderijen of dure wijnen, maar zijn gevoel voor humor – sarcastisch en geringschattend – behoedde hem voor muggenzifterij. Ik dacht aan Gregory Danes' platen- en cd-verzameling en vroeg me af of monomanie erfelijk was. Hoe dan ook, Billy genoot ervan. Zijn magere gezicht verloor zijn gewone stuurse aanblik en zijn blauwe ogen waren levendig en scherp. De woorden tuimelden uit zijn mond en zijn handen dansten in het rond. De Motown-cd was afgelopen en Billy onderbrak een college over prijzen om een andere cd op te zetten.

'Kunnen we niet iets opzetten dat een bééétje in de buurt van deze eeuw komt?' vroeg hij. Hij liep naar een van de hoge rekken, naar een slordige stapel cd's naast de cd-speler. Hij snuffelde erin, gaf onbarmhartig commentaar op zijn moeders muzieksmaak en vond ten slotte iets wat hem beviel. Hij schoof de cd in de speler en zakte aan de andere kant van de sofa in elkaar. De muziek was funky en jazzy, met veel hoorns, een ploinkende elektrische gitaar en vette keyboards. Het klonk bekend.

'Ik ken dit,' zei ik. 'Wie is het?' Billy keek aangenaam verrast.

'De band heet Galactic, het album is...'

'*Crazyhorse Mungoose*,' viel ik hem in de rede. 'Dat heb ik lang niet meer gehoord.' Billy was overdonderd en misschien enigszins onder de indruk. En dat bracht ons op een heel ander onderwerp.

Billy's muzikale smaak was niet die van een doorsnee twaalfjarige en ruimhartig, zacht gezegd. Deze liep uiteen van soul uit de jaren zestig en zeventig, jazz-fusion, ska en ouderwetse funk en hip-hop en hij praatte over bands en musici met een hartstocht die zelfs zijn stripcolleges overtrof. Veel van zijn favorieten waren nagenoeg onbekend, maar ik kende een paar ervan, wat Billy nog meer verbaasde.

'Speel je iets?' vroeg ik.

Billy haalde zijn schouders op. 'Een beetje bas, maar ik steek er niet genoeg tijd in.' Hij keek me aan en aarzelde. 'Mijn vader probeert me altijd aan de piano te krijgen.'

'Dat speelt hij zelf ook, hè?'

Billy knikte. 'Shit, ja – hij speelt al vanaf zijn vijfde of zo en hij is keigoed. Hij houdt van klassieke dingen en ik heb gezegd dat hij het eens met jazz moest proberen, maar dat vindt-ie allemaal niks. Ik zei dat hij eens naar Monk moest luisteren, maar hij wil er niks van weten.'

Billy keek omlaag, dacht ergens aan en lachte in zichzelf. 'Moet je dit eens zien,' zei hij en hij sprong van de sofa en holde door de gang naar zijn kamer. Ines keek hem na vanuit de keuken. Toen keek ze mij aan en streek een streng vochtig haar uit haar gezicht. Billy kwam in nog geen twee minuten terug met een glanzende foto.

'Moet je dit eens zien,' zei hij. 'Dit is alles wat mijn vader over jazz weet.' Het was een foto van drie mannen in avondkleding, naast elkaar. Rechts stond Gregory Danes en in het midden een wereldberoemde jazzbassist, een bejaard idool en een lieveling van de National Public Radio-luisteraars. Links stond een al wat oudere, grijze man met ingevallen wangen wiens naam ik niet kende, maar wiens gezicht ik herkende van een andere, soortgelijke foto in Danes' appartement. De beroemde bassist had de foto met zwarte viltstift gesigneerd. 'Voor mijn makker Bill – blijf swingen, man.' Billy grinnikte.

'Persoonlijk vind ik dat de man muzikaal behang maakt,' zei Billy, maar ik merkte dat hij het leuk vond dat hij de foto had en trots was dat zijn vader de grote man ontmoet had – en te puberaal cool om een van beide toe te geven.

'Wie is die andere man?' vroeg ik hem, maar Ines riep hem en smoorde het antwoord dat hij misschien had kunnen geven.

'Guillermo, dek jij de tafel even?' Billy rolde theatraal met zijn ogen, maar hees zich van de sofa af en liep naar de keuken. Ik volgde hem.

'Kan ik helpen?' vroeg ik.

'Ik heb het al,' zei hij en hij stapelde borden en bestek op en liep ermee naar de woonkamer, naar de groene glazen tafel bij de sofa. Ines en ik keken hem na.

'Hij is opgewekter,' zei ik zacht.

Ines lachte zacht. 'Voor dit moment. We zijn vanmiddag naar een school in Manhattan geweest. Heel klein en alleen voor hoogbegaafde kinderen

en ze hebben een indrukwekkend wiskundeprogramma. De sfeer is heel...
hartelijk.'

'Vond hij het leuk?'

Ze glimlachte. 'Zijn exacte woorden waren: *het is niet kut.*' Ines' imitatie van Billy's misnoegde, krakende tenor was trefzeker en ik lachte en zij ook.

'Gaat hij erheen?' vroeg ik.

Ines' gezicht werd onbeweeglijk. 'Ik weet het niet,' zei ze. Ze draaide zich om naar het fornuis en de vleesspiesjes. 'De grill is heet en dit heeft niet veel tijd nodig. Zou je Nina willen roepen, speurneus?'

Nina en Ines zaten op de sofa en Billy en ik op kussens op de grond. Het eten was verrukkelijk. Ines had niet alleen salade en kebab gemaakt, maar ook couscous en Nina maakte nog een voorraadje daiquiri's – zonder alcohol voor Billy en mij.

Het gesprek onder het eten begon met Nina's naderende expositie – in een klein maar invloedrijk kunstmuseum in Connecticut – meanderde rond de jammerlijke staat van de New Yorkse kunstwereld en kwam op de een of andere manier op het liefdeleven van de stuk of zes galeriemedewerkers die Ines af en toe in dienst had. Billy speculeerde vrijelijk, en beeldend, over wie wat met wie deed, maar hij werd stil en wiebelig toen de naam van een zekere Reese viel. Nina plaagde hem.

'Reese is dat kleine blonde ding uit Santa Barbara,' legde Nina me uit. 'Ze zit op Cooper-Hewitt en werkt in het weekend voor Nes. Ze is negentien, met zo'n slangachtig lijfje en Billy is helemaal weg van haar.' Billy werd vuurrood. 'Luister, Billy, ze is weer vrijgezel en ik geloof dat ze op jongere jongens valt.' Billy slurpte zijn laatste daiquiri naar binnen en stak zijn middelvinger op.

Al die tijd was Billy de dj en hij draaide Curtis Mayfield, The Radiators, The Tom Tom Club en opnieuw Galactic en hij en Ines gleden, draaiden en huppelden op alle nummers waarop je maar kon dansen. Billy was wild en grappig en Ines was kwikzilver. Ze trokken Nina enkele keren overeind en deden ook een serieuze poging met mij, maar ik liet me niet vermurwen.

Ines haalde koffie en een grote kom gesneden fruit en toen dat op was ruimde ik af. Billy verraste Ines en Nina door vrijwillig mee te helpen. We waren in de keuken toen hij met zachte stem naar zijn vader vroeg.

'Weet je al waar hij is?'

Ik schudde mijn hoofd. 'Nog niet,' zei ik. 'Weet jij iets?'

Hij schraapte net restjes in de pedaalemmer en keek niet op. 'Geen bal,' zei hij zacht. Dan was hij niet de enige.

Billy laadde de vaatwasser vol en ik liep naar de woonkamer. Ines en Nina zaten naar elkaar toe gebogen op de sofa en lachten ergens om. Nina liet een vinger over de welving van Ines' blote kuit glijden en door de knieholte. Ines sloot haar ogen.

'We moeten praten,' zei ik. Nina en Ines lieten elkaar los. Ines stond op en verzamelde enkele verdwaalde glazen.

'Ik moet roken,' zei Nina. 'Loop mee.'

De zon was onder en de tropisch-chemische kleuren waren uit de lucht verdwenen en alleen de roze gloed van de stad bleef over. Maar het was nog zacht buiten en de straten waren nog steeds vriendelijk. Wat verderop in de straat stond een groepje mensen voor een chic uitziende bar. Ze waren aangeschoten en vrolijk en ze namen aan dat alle anderen dat ook waren. Ze worstelden met de vraag wat ze nu zouden gaan doen en brachten elkaar daarbij ernstig in verwarring. Een van de meisjes riep naar ons.

'Hé, wat vinden jullie? Williamsburg? Of gaan we naar die nieuwe tent in Smith Street?' We antwoordden niet, maar Nina wuifde ze quasi-aangeschoten toe en ze lachten. We sloegen de hoek om en onze hakken maakten een klepperend geluid op de kasseien. Nina liep wankel op het ongelijke plaveisel en ze botste tegen me aan en hield zichzelf overeind aan mijn arm. Ze kocht Benson & Hedges in een dag en nacht geopende kruidenierszaak en maakte het pakje open zodra we buiten stonden.

'Zin om bij de veerbootsteiger te gaan zitten?' vroeg ze. Ze wachtte niet op een antwoord, maar liep in de richting van de rivier. Ik volgde.

Het was druk in het kleine park langs de rivier: groepjes tienerjongens en -meisjes die naar elkaar keken en vertier zochten, hand in hand wandelende paartjes, mensen die de hond uitlieten, toeristen en heel wat fotografen die hun uiterste best deden om het adembenemende uitzicht vast te leggen. De skyline van Manhattan rees nat en glinsterend op uit de zwarte rivier en de wolkemkrabbers leken zich naar ons toe te buigen. Mijn blik werd getrokken naar de lege plek aan de hemel in de binnenstad en ik voelde dat mijn keel werd dichtgeknepen en dat ik mijn tanden op elkaar klemde.

Nina en ik zochten een bank. De latten van de zitting waren lelijk versplinterd en we gingen op de rugleuning zitten, met onze voeten op het gebroken hout. Ze rookte zwijgend en na een poos begon ik aan mijn verslag. Ik vertelde over mijn ontmoeting met Lefcourt en over mijn vergeefse pogingen om Danes' spoor te volgen naar de Hamptons, Berkshire en Bermuda. Ik had niet veel te melden en niet veel tijd nodig om het te zeggen en toen ik klaar was bleef Nina zwijgen.

'Heb je nog nagedacht over de politie?' vroeg ik uiteindelijk.

Ze zuchtte diep, nam een laatste trek van haar sigaret en gooide hem het donker in. Hij viel ver weg op de grond, in een uitbarsting van oranje vonken. 'Ja, ik heb erover nagedacht.' Haar stem klonk gespannen.

'En?'

Ze zuchtte opnieuw. 'En ik wil het niet.' Ik haalde adem om iets te zeggen, maar Nina ging door. 'Ik wil dit allemaal niet meer.' Ze keek me aan en ik keek terug. 'Begrijp je wat ik bedoel? Ik wil stoppen. Ik wil dat je ermee stopt.' Ze wendde zich af, tikte een nieuwe sigaret uit het pakje en stak hem aan. De rook loste op in de avondlucht.

'Je wilt dat ik stop met zoeken naar Greg?'

Ze staarde naar het zwarte water en naar het stadslandschap en knikte. 'Ik waardeer wat je gedaan hebt en...'

'Wat heeft dit te betekenen?' zei ik. Nina keek me weer aan. Haar lippen waren strak en haar ogen klein. Ze streek door haar haren en keek naar haar muilen.

'Ik wist niet dat ik je verantwoording schuldig was,' zei ze en de onaangename, bekende scherpte keerde terug in haar stem.

'Ik heb hier nu een paar weken hard aan gewerkt, Nina – ik heb er klappen bij opgelopen, ben bedreigd en gevolgd – en nu zeg je opeens dat ik ermee moet kappen. Ik vind dat je me een verklaring schuldig bent waar dat verdomme op slaat.'

'Hé, kom niet aanzetten met dat gelul over bedreigd en gevolgd worden,' snoof ze. 'Dat brengt je werk volgens mij met zich mee. En wat betreft je *verschuldigd* zijn – ik ben je verschuldigd wat er op je rekening staat, makker, meer niet.' Ze blies een grote rookwolk uit en keek me nors aan. Toen hief ze haar handen op, haalde adem en schudde haar hoofd.

'Jezus, we werken aardig op elkaars zenuwen, is het niet? Ik ben sinds Greg nooit meer zo tegen iemand uitgevallen.' Ze rookte door en masseerde haar nek. 'Luister, dit komt niet uit de lucht vallen, March. Ik heb je van meet af aan verteld dat ik er geen hopen geld in wil steken en je zei zelf dat je bijna alles hebt gedaan wat je kunt doen zonder dat het me veel meer gaat kosten. Ik heb besloten dat ik niet meer wil uitgeven.' Ze nam nog een trek van haar sigaret en hij knetterde en werd zichtbaar korter.

'Dus het is gewoon een kwestie van geld, meer niet?'

Nina schudde haar hoofd. 'Het geld... plus het feit dat ik dat gezeik over de politie beu ben. Ik weet wat jij vindt en jij weet wat ik vind en ik denk niet dat een van ons zal veranderen. Heb ik het erg mis?' Dat had ze niet.

'Er klopt iets niet, Nina,' zei ik zacht. 'Er klopt iets niet met Greg. Het feit dat hij niet meer belde, het feit dat er anderen zijn die hem zoeken...'

'Jezus, begin nou niet wéér!' Ze masseerde haar voorhoofd met haar vingertoppen. 'Ik wil het niet horen, oké?' Haar stem klonk luid en enkele voorbijgangers keken ons aan. Ze keek terug, maar draaide het volume enkele streepjes lager. 'Het kan me niet verdommen waar hij verder nog in betrokken is. Ik ga niet naar de politie en ik wil ook niet dat jij dat doet. Moet ik nog duidelijker zijn?' Ik antwoordde niet. 'Je hebt me geheimhouding beloofd,' zei ze. 'En dat is wat ik verwacht.'

'En dat is wat je krijgt,' zei ik.

Nina zuchtte, klom van de bank af en bleef voor me staan. 'Je stuurt me een rekening?' Ik keek haar aan en knikte. Ze schoot haar sigaret weg en stopte haar handen in haar zakken. 'In godsnaam, neem het niet zo persoonlijk op.'

Ik haalde diep adem om iets te zeggen. En zweeg. Waar zou ik me druk over maken? 'Bedank Ines voor de maaltijd,' zei ik. 'En doe Billy de groeten van me.' Nina knikte en liep weg, alweer zoekend naar een nieuwe sigaret. Ik hoorde haar aansteker achter me klikken.

18

Warren Bradley zei iets over de CIA, maar mijn gedachten dwaalden af. Eerlijk is eerlijk, het lag niet aan Warren. Hij was een uittreksel uit een handboek sollicitatiegesprekken – goedverzorgd, welbespraakt, zelfverzekerd en standvastig. Zijn donkere haren werden elegant grijs bij de slapen en waren duur geknipt en als hij er nóg wat gedistingeerder had uitgezien zou hij zich kandidaat moeten stellen voor het presidentschap. Zijn witte overhemd was hagelwit en zijn blauwe kostuum was onberispelijk. Zelfs de renpaarden die op zijn stropdas galoppeerden deden dat met kalme zelfverzekerdheid. En voorzover ik het kon zeggen was hij broodnuchter. Ik was degene die problemen had.

'... dat was natuurlijk voordat contraterreur een groeimarkt werd,' zei Warren. Hij keek me vol verwachting aan, een onzekere glimlach op zijn knappe gezicht.

Ik rukte mijn gedachten los van Nina Sachs en de aanlegsteiger en terug naar de vergaderruimte van Klein & Sons en het sollicitatiegesprek met Warren. Ik was er tamelijk zeker van dat hij een grap had gemaakt en beantwoordde zijn glimlach. Ik had goed gegokt en hij keek gerustgesteld en sprak verder.

Ik las Warrens cv nog eens door. Het was, net als hij, volmaakt: prestigieuze middelbare school, rechtenstudie, een baan bij de luchtmacht, een tweede bij de FBI en tien jaar bij een grote onderneming op Wall Street, waar hij gestaag was opgeklommen tot de nummer twee van de afdeling Interne Beveiliging.

'Vertel eens over uw tijd in Londen,' zei ik. Daar was hij opnieuw tien minuten zoet mee.

Warren was mijn tweede kandidaat die dag. Alice Hoyt was de eerste geweest en ook zij was nuchter geweest, zelfverzekerd en uitermate presentabel, maar daar hield de gelijkenis ook op. Alice was van gemiddelde lengte en breedgeschouderd en had een heleboel lachrimpeltjes rondom haar volle lippen en haar levendige, donkere ogen en aardig wat grijs in haar korte afrokapsel. Ze had eindexamen gedaan aan de middelbare school in Bushwick, Brooklyn, en hoewel ook zij in dienst was geweest, was dat in haar geval bij de landmacht geweest, en als soldaat eerste klasse. Daarna was ze bij de politie van New York gegaan, had in de avonduren haar baccalaureaat aan Queens College gedaan en later haar masters in strafrecht. Ze was ruim twintig jaar bij de politie gebleven – vijftien als rechercheur en vijf als hoofd van een rechercheteam in Midtown North. Daarna was ze overgestapt naar het bedrijfsleven, naar een bedrijf in Washington D.C. dat veel deed aan bedrijfsconsulten en volgens Alice minstens evenveel publiciteitsagenten in dienst had als detectives. Na vijf jaar had ze genoeg van het reizen en van de tijd die ze zonder haar man en drie kinderen moest doorbrengen.

'Ik ben te lang uit Brooklyn weg geweest,' had ze met een wrange glimlach gezegd.

Warrens diepe stem ebde weg. Het was weer mijn beurt om iets te zeggen.

Ik praatte nog een minuut of twintig met hem en luisterde voornamelijk. We gaven elkaar een stevige hand en mevrouw K. liet hem uit, slechts licht zwijmelend. Ik ging naar Neds kantoor.

Ned was er niet, maar mijn zus Liz wel. Ze droeg een grijze sportpantalon en een selderiekleurige blouse en ze zat op Neds sofa. Ze had haar schoenen uitgetrokken en haar lange benen lagen op de teakhouten salontafel. Ze keek op van een stapel papieren en schoof haar kleine leesbril op haar voorhoofd.

'Waar is je baas?' vroeg ik.

'Lunchvergadering. Alweer sollicitatiegesprekken?' Ik knikte. Liz keek ernstig. 'Nog lichaamsvocht gemorst daarbinnen?'

'Vandaag niet.'

'Niet op dreef, hè?' Liz grinnikte, zette haar bril weer op haar neus en keerde terug naar haar papieren. Ik trok mijn colbert uit, maakte mijn stropdas los en ging zitten. Ik legde mijn hoofd achterover en sloot mijn ogen. Ik hoorde Liz enkele pagina's omslaan en even later vroeg ze: 'Wat heb je?'

Ik antwoordde zonder me te bewegen. 'Ik heb vannacht weinig geslapen.'

'Ik neem aan dat dat geen positieve kant had.'

'Niet dat ik weet.'

'Wat was het probleem?'

Ik opende één oog. Ze keek nog steeds naar haar papieren. 'Ik ben gisteren ontslagen.'

Ze keek op. 'Vast niet voor het eerst.'

Ik wierp haar een dreigende blik toe. 'Het gebeurt niet zo vaak dat ik eraan gewend ben,' ze ik. 'En ditmaal weet ik zelfs niet precies waarom.'

Liz staarde me enkele ogenblikken uitdrukkingsloos aan. 'Nou... je kunt Neds aanbod altijd nog in overweging nemen,' zei ze grijnzend. 'We zoeken wel een leuk kantoortje voor je verder in de gang...' Ik stak mijn middelvinger op en ze boog zich weer over haar papieren. Ik sloot mijn ogen, en gedachten aan Nina Sachs en haar zaak tolden door mijn hoofd.

Een uur zitten op de aanlegsteiger en nog een uur woelen in mijn bed hadden me geen beter idee gegeven over waarom Nina me mijn congé had gegeven of me dichter bij de oplossing gebracht van waar Danes naartoe was gegaan of waarom hij niet terug was gekomen. Ik had alles wat ik over Danes wist telkens opnieuw doorgenomen, plus alles waarnaar ik slechts kon raden, maar hoe vaak ik het ook deed, het leverde weinig op.

Ik wist intussen dat Danes een onaangename, moeilijke man was, die er een handje van had mensen in de hoek te drijven. Ik wist ook dat zijn aangeboren chagrijnigheid de afgelopen jaren was gekruid met woede en wrok vanwege zijn beschadigde carrière en zijn gedwarsboomde reddingspogingen. Ik wist dat die woede op zijn laatste dag bij Pace-Loyette tot uitbarsting was gekomen. Hij had tijdens de lunch ruziegemaakt met Linda Sovitch en opnieuw met Dennis Turpin en toen was hij naar buiten gestormd. En naar huis gegaan. En had een koffer gepakt. En zijn postbezorging en schoonmaakdienst opgeschort. En de volgende ochtend was hij in zijn auto gestapt en weggereden.

Daarna was het een en al vraagtekens en gissingen. Waar was hij naartoe gegaan? Waarom was hij gestopt met het afluisteren van zijn berichten? Waarom was hij niet teruggekomen? Wie zocht hem nog meer, en waarom? De grote vragen wervelden rond met een zwerm kleinere. Ik was er tamelijk zeker van dat Danes een verhouding had gehad met Linda Sovitch, maar ik wist niet hoe lang of hoe die was geëindigd – als ze was geëindigd. De enige versie die ik had van hun ruzie tijdens de lunch was het verhaal dat Sovitch me had verteld – en dat was geen verhaal waar ik veel geloof aan hechtte, niet meer dan aan het toneelstukje dat haar man voor me had opgevoerd.

Ik was er bijna zeker van dat Aaron Lefcourt wist van de verhouding van zijn vrouw met Danes, maar ik wist niet hoe erg hij dat vond. Hij scheen zich vooral druk te maken om Sovitch' carrière en de schade die deze zou oplopen als de affaire bekend werd.

De deur ging open en Ned kwam binnen, op de voet gevolgd door mijn broer David.

'Ze willen twintig procent,' zei David, 'maar ik denk dat ze genoegen zullen nemen met...'

Ned viel hem in de rede. 'We betalen ze nu al te veel. Als ze tijd proberen te winnen, wens ze dan veel succes en wijs ze het gat van de deur.' Neds stem klonk vermoeid en ongeduldig. Hij liep om zijn bureau heen en liep zijn e-mailberichten door. David bleef met een geïrriteerde blik midden in het vertrek staan. Toen zag hij mij en zijn ergernis veranderde in minachting.

'Sorry dat ik zo laat ben, Johnny,' zei Ned. Hij keek naar Liz. 'Ben ik voor jou ook te laat?'

'Ik ben te vroeg,' zei ze.

Hij knikte, liep naar de kastenwand en toverde een glas ijswater te voorschijn. 'Jullie ook?' vroeg hij ons. Ik stak mijn hand op en Ned bracht me een glas. Toen ging hij naast Liz zitten en keek me aan. 'Hoe ging het?'

'Ja, vertel,' zei David terwijl hij op de rand van Neds bureau ging zitten. 'Ik hoor zoveel interessante dingen over jouw sollicitatiegesprekken.' Zijn ogen fonkelden vals. Ned fronste zijn wenkbrauwen.

Ik nam een slok water. 'Bradley ziet er op papier beter uit en je zou in het begin beter met hem overweg kunnen,' zei ik. 'Maar Hoyt zal beter werk leveren.' Ned fronste zijn voorhoofd en kneep zijn lippen op elkaar. Ik boog me naar hem toe en gaf hem de twee cv's en we zwegen terwijl hij ze las. David verbrak de stilte.

'Hoe kan dat?' zei hij. 'Ik heb die cv's bekeken – Bradley heeft precies de vereiste ervaring.'

'Bradley is een lege huls,' zei ik te snel.

Ned keek met een nietszeggend gezicht op. 'Denk je daarom dat ik beter overweg zou kunnen met hem?' vroeg hij. David grinnikte vals. Stik.

Ik schudde mijn hoofd. 'Nee, daarom denk ik dat hij David aanspreekt. Maar in werkelijkheid is Bradley min of meer uit hetzelfde hout gesneden als een heleboel anderen hier.'

'Is dat verkeerd?' vroeg David.

'Daarover ga ik niet met je in discussie. Maar het betekent in elk geval niet dat hij de beste is voor deze functie.'

Ned las de cv's nogmaals. 'En je denkt niet dat hij dat is?'

'In mijn ogen is hij veel te academisch. Zijn Wall Street-ervaring schijnt voornamelijk te bestaan uit zelfpromotie en landjepik; ik kreeg het idee dat hij al het andere delegeerde. Ik dacht niet dat je dat zocht.' Ik keek David aan. 'Ik kan het natuurlijk mis hebben.'

'En Hoyt?'

'Minder conventioneel – wat meer scherpe kantjes – maar veel prak-
tischer. Ze heeft een rechercheteam geleid, heeft geruchtmakende zaken
gedaan en ze heeft ook taakgroepen geleid. En ik denk dat, na ruim twintig jaar bij de New Yorkse politie, haar politieke vaardigheden niets te
wensen overlaten.'

'Maar ze heeft nooit eerder zo'n functie gehad,' zei David.

'Ik ook niet, maar jullie waren bereid me een kans te geven.' Liz snoof
achter haar papieren en ik meende dat ik Ned zag glimlachen.

David bloosde en keek me aan. 'Híj was bereid; ik had niets in te brengen.'

Mijn ogen brandden en ik was opeens doodmoe. Ik stond op, trok mijn
colbert aan en liep naar de deur. 'Je weet hoe ik erover denk,' zei ik tegen
de kamer. 'Doe ermee wat jullie willen. Neem Bradley aan – hij zal het
vast prima doen. Nog beter: neem die Tyne aan – met hem krijg je een va-
riétévoorstelling.'

'Johnny...' zei Ned, maar ik bleef niet staan. Ik deed de deur achter me
dicht en keek mevrouw K. op weg naar buiten niet aan.

'Zo te horen heeft ze je haar redenen gegeven om ermee te stoppen,' zei
Jane Lu. 'Ze bevielen je alleen niet.' Ze kwam naar mijn bed toe en ging
met gekruiste benen naast me zitten, zonder ook maar één druppel te
morsen van wat er op het dienblad stond: twee bekers koffie, een schaal
met partjes sinaasappel, croissants en een pot jam. Ze had een van mijn
sporttruien aan en verder niets. Buiten regende het pijpenstelen en het was
zaterdagochtend. Ik rolde me om en legde mijn wang op haar dij. Die was
warm en glad en ik zou er graag de hele dag zijn gebleven, maar dat mocht
niet zo zijn. Jane ging naar kantoor.

'Het is geen kwestie van bevallen,' zei ik tegen haar dij. 'Ze slá´an gewoon nergens op.'

'Geen zin hebben om nog meer geld uit te geven is niet onredelijk,' zei
Jane terwijl ze in een schijfje sinaasappel beet.

'Als ze zich daar zorgen over maakt, zou ze de politie kunnen inscha-
kelen – die doet dit werk gratis.'

'Haar verklaring voor waarom ze de politie wil vermijden bevalt je niet?'

'Dat Danes dan woest zou worden? Ik weet het niet. Ik heb geleerd
dat je nooit moet onderschatten hoe raar het kan lopen tussen exen, maar
toch...' Ik liet mijn handpalm over Janes voetzool glijden. Ze lachte, brak
een croissant doormidden en smeerde er jam op.

'Hoezo *maar toch*? Wat is het probleem?' Het aroma van koffie vermengde zich met Janes parfum en maakte me hongerig. Ik knabbelde
zacht aan haar dij en ze giechelde.

'Het probleem is dat ze dat al veel eerder had kunnen beslissen en zichzelf veel geld had kunnen besparen. Dus waarom nu, meteen nadat ik het had ontdekt van Sovitch en de telefoontjes van Danes? Waarom stoppen nu ik eindelijk iets heb gevonden wat belangrijk zou kunnen zijn?' Ik bewoog mijn mond naar Janes dij en ze verschoof op het bed. Ik liet mijn hand over de binnenkant van haar dij glijden. Ze lachte en duwde hem weg.

'Ik neem aan dat je agenda hierdoor verandert,' zei ze.

Ik kwam op mijn elleboog overeind en keek haar aan. 'Hoe bedoel je?'

'Ik bedoel dat je op dit moment geen opdracht hebt en de tijd aan jezelf – tijd om ergens heen te gaan misschien.' Haar blik hield de mijne vast en na een poos begon haar glimlach te verdwijnen.

'Ik neem aan van wel,' zei ik. 'Ik had er niet aan gedacht.'

'Nee?'

'Trouwens, Sachs is grillig. De kans bestaat dat ze in het weekend afkoelt en zich bedenkt.'

Jane zwaaide haar benen over de rand van het bed en ging zitten. Haar rug was stijf en kaarsrecht. Haar stem was zacht en droop van sarcasme.

'Hoop doet leven,' zei ze en ze liep naar de badkamer en deed de deur dicht.

Het was middag toen ik opnieuw wakker werd en ik was alleen. Het dienblad stond op de grond, met het ontbijt er nog op. Buiten was het donker en de regen kletterde jachtig tegen de hoge ramen, gleed als een gordijn langs de ruiten omlaag en wierp kronkelende schaduwen op de muren. Ik rolde me op mijn rug en keek ernaar en probeerde niet aan Jane te denken.

Een windvlaag rukte aan het glas. Ik trok mijn short aan en ging voor het raam staan. Laaghangende, donkere wolken joegen door de lucht en haakten zich vast aan de grillige randen van het stadslandschap. Ik keek omlaag en zag de bovenkant van talloze paraplu's die als onhandige dikke mannen tegen elkaar botsten. Ik wreef over mijn gezicht en ging de douche binnen.

Ik moest nog twee dingen doen voor Nina Sachs: een eindverslag schrijven en een declaratie opstellen. Ik schonk een kop koffie in en ging achter mijn laptop zitten om ze te maken. De declaratie was het makkelijkste.

Drie kwartier later schoof ik weg van de tafel en las mijn verslag door. Het onderdeel ONDERZOEK was een chronologisch overzicht van wat ik had gedaan, waar ik was geweest en met wie ik had gepraat, en het onderdeel BEVINDINGEN een opsomming van alle relevante dingen die ik had ontdekt. Het was ontmoedigend kort. Ik dronk mijn koffie op en ging naar de keuken om een nieuwe pot te zetten.

Hoewel ik mijn best had gedaan was het me niet gelukt mijn bezorgdheid om Danes om te zetten in iets van een theorie en het onderdeel CONCLUSIES van mijn verslag was nog steeds niet geschreven. Misschien moest ik het eenvoudig houden: *Er is iets ergs gebeurd.* Ik deed het koffiefilter in het apparaat, schepte er koffie in en dacht opnieuw aan Billy. Ik hoorde nóg zijn gefluisterde vraag: *Weet je al waar hij is?* Ik schakelde het apparaat in en de telefoon ging.

'Vuile klootzak,' zei ze. Ze was bijna buiten adem van woede en het duurde even voordat ik de stem herkende. 'Verdomde klerelijer! Ik vertrouwde je – ik heb met je gepraat – ik heb alles verteld – en jij doet dit?'

'Rustig, Irene, en vertel wat ik volgens jou heb gedaan.'

Irene Pratt snoof aan de andere kant van de lijn. 'Lul niet. Jij bent degene die hem zocht. Jij bent degene die rondsnuffelde in zijn kantoor. Je weet heel goed wat je gedaan hebt, vuile leugenaar.'

Ik dacht even na en luisterde naar de koffie die in de pot druppelde. 'Ik heb geen idee waar je het over hebt, Irene. Haal nou eens diep adem en vertel me wat er aan de hand is.'

Pratt begon en ze onderbrak zichzelf enkele keren en verviel in een woedend stilzwijgen. Toen ze eindelijk sprak was de scherpte uit haar stem verdwenen en vervangen door iets aarzelends. 'Meen je dat?'

'Ik meen het dat ik geen idee heb waar je over praat.'

'Meen je het dat je het niet gedaan hebt?'

'Wat niet, Irene?' Ze scheen de vraag niet te horen.

'Maar als jij het niet gedaan hebt... wie dan wel?'

Ik klemde mijn tanden op elkaar. 'Wát, Irene?'

Het duurde even voordat ze antwoordde. 'Wie heeft er ingebroken in mijn kantoor... en dat van Greg?'

- 19 -

Ik trof Irene Pratt in de lobby van het Warwick Hotel, iets verderop in dezelfde straat als het kantoor van Pace-Loyette. Er waren een heleboel zware fauteuils, grote ramen die uitzicht boden op Sixth Avenue en zachte verlichting die een knusse sfeer schiep tegen de regen. Irene Pratt droeg een spijkerbroek, sportschoenen en een knalgeel regenjack en ze zag er heel jong en heel angstig uit. Ze zat op de rand van een barkruk achter een cola en grabbelde in een schaaltje pinda's toen ik binnenkwam. Ze keek op alsof ze elk moment op de vlucht kon slaan.

'Zeg nog een keer dat je er niets mee te maken hebt,' zei ze. Haar stem was zacht en gespannen. Ze streek een lok nat haar uit haar gezicht.

Ik schudde het water van mijn schouders en hing mijn jack over een barkruk. 'Ik zei toch, Irene, ik ben zelfs niet in de buurt van Pace geweest sinds je mij daar hebt gezien met Turpin. Ik ben het niet geweest.' De barkeeper kwam en legde een servetje voor me neer. Ik bestelde een cranberrysap en een spuitwater en wendde me weer tot Pratt. 'Wat is er vandaag gebeurd?'

Ze nam een grote slok van haar spuitwater. 'Ik kwam tegen de middag aan en mijn kantoordeur was niet op slot. Ik wist dat er iets mis was.'

'Vanwege die deur?' vroeg ik. Pratt knikte. 'Weet je zeker dat hij op slot was toen je gisteravond wegging?'

'Gisteravond en elke avond,' zei ze. 'En toen keek ik naar mijn bureau en ik wist dat er iets... veranderd was. Niet opvallend, maar... netter dan ik het achterlaat. Een beetje ordelijker.' Haar schouders waren gespannen onder het gele regenjack en ze schoof voortdurend heen en weer op haar kruk.

'Misschien hadden de schoonmakers alles wat rechter gelegd en vergeten de deur op slot te doen?'

Pratt schudde haar hoofd. 'Die hebben geen sleutels van onze kantoren en ze maken alleen schoon wanneer we er zijn. Ik was nog aan het werk toen ze gisteravond kwamen. Ze hebben alleen de prullenmand geleegd en gestofzuigd en zijn toen weer weggegaan.' Ze pakte een pinda uit het schaaltje en kauwde er zenuwachtig op.

'En behalve de deur en het bureau?'

'Mijn kast – achter mijn bureau – er zitten een paar dossierladen in en die stonden open.'

'Niet op slot of uitgeschoven?'

'Het slot zat er nog op, maar had het niet gepakt en je kon alle laden zo opentrekken.'

'En je weet zeker...'

'Ik sluit ze altijd af. Altijd.'

'Mis je iets?'

'Ik geloof het niet.'

'Je computers waren in orde?'

'Voorzover ik kon zeggen.' Er kwam een grote groep toeristen binnen. Ze waren luidruchtig en namen veel ruimte in beslag en ze leken Irene Pratt nog nerveuzer te maken. Ik boog me naar haar toe.

'En het kantoor van Danes?'

'Dat was afgesloten, maar de deurknop draaide mee en op dat kleine metalen ding – in de deurstijl – zaten krassen. En toen ik de sleutel in het slot stak, kon ik hem niet meteen omdraaien.'

'Is het altijd afgesloten?'

'Altijd, als Greg er niet is.'

'Weet je wie er een sleutel van heeft?'

'Ik heb er een, onze secretaresse, Giselle, heeft er een en de bewaking heeft er een. Verder niemand, geloof ik.'

'Wat trof je binnen aan?'

'Alles was piekfijn opgeruimd, zoals altijd – bureau leeg, alles keurig in orde...' Ze nam haar bril af, poetste hem schoon met een servetje en zette hem weer op. Haar donkere ogen gleden heen en weer over de menigte achter mijn rug. 'Maar hij heeft zo'n zelfde kast als ik en die was op dezelfde manier geopend.'

'Wanneer was je daar voor het laatst geweest?'

'Woensdag of donderdag, om een dossier te pakken. En vráág zelfs niet of de laden toen afgesloten waren, want dat waren ze – en er was ook niets met zijn deur.'

'Wie heeft er sleutels van zijn kast?'

'Alleen ik, voorzover ik weet,' zei Pratt en ze vermaalde opnieuw een pinda. Ik nam een slok en dacht even na.

'Je doet alles wel heel zorgvuldig achter slot en grendel.'

'Dat doet iedereen, in deze branche. Een voorpublicatie van een onderzoeksrapport, of zelfs een concept, kan voor sommige mensen veel waard zijn. Zoiets als zondags aan de voetbaltoto meedoen als je de kranten van maandag al hebt gelezen. Dus – inderdaad – we zijn heel zorgvuldig.'

'Heeft Pace al eerder dergelijke problemen gehad?'

'Uitgelekte rapporten? God, nee – andere problemen te over, maar dit niet.' Ze lachte verbitterd. 'Dit kan er nog wel bij.'

'Waarom ben je vandaag naar Danes' kantoor gegaan?' Haar blik fixeerde me even en gleed toen weg.

'Ik... ik weet het niet,' zei ze. 'Ik denk dat ik, toen ik dacht dat er iemand in mijn kantoor was geweest, me gewoon zorgen begon te maken.' Ze keek me aan en er verscheen een kleur op haar bleke gezicht. 'Mijn eerste gedachte was dat jij het was geweest.'

'Ik ben gevleid,' lachte ik. 'Maar waarom ik?'

Ze staarde naar haar knieën. 'Je had me gebeld en was daarna naar kantoor gekomen en had heibel gehad met Tampon en daarna kwam je naar mijn flat. Aan wie anders had ik moeten denken?'

'Ben ik de enige die naar Danes heeft geïnformeerd?'

Pratt zweeg enige tijd. 'De enige die naar het kantoor is gekomen, of naar mij toe,' zei ze.

'Maar ben ik de enige die vragen heeft gesteld?'

'Er zijn een heleboel mensen die ons bellen,' zei ze. 'Sommigen vragen naar Greg.'

'Wie bijvoorbeeld?'

'Mensen met wie we zaken doen,' zei ze, de bar rondkijkend. 'Contactpersonen in de branche, fondsbeheerders, mensen van de bedrijven die we volgen – dezelfden die belden voordat hij wegging.'

'Iemand die de laatste tijd vaker heeft gebeld?'

Ze keek aandachtig in haar glas en liet het ijs ronddraaien. 'Niet dat ik weet,' zei ze ten slotte. 'Zoals ik al zei – er zijn een heleboel mensen die ons bellen; ik hou ze niet allemaal bij. Maar ik weet zeker dat jij de enige bent die naar kantoor is gekomen.'

'Tot nu toe,' zei ik. De barkeeper verscheen en bood Pratt nog een spuitwater aan. Ze knikte. 'Toen je dacht dat ik het was, wat dacht je toen dat ik zocht?' vroeg ik.

Pratt schudde haar hoofd. 'Ik weet het niet... niks speciaals. Gewoon iets wat je zou helpen om Greg te vinden, denk ik.'

'Enig idee wat dat zou kunnen zijn?'

Ze keek me van achter haar besmeurde brillenglazen van opzij aan en haar stem klonk geprikkeld. 'Ik weet het niet. Ik weet niet meer over waar hij is dan de vorige keer dat we elkaar spraken. Is het niet jouw taak om hem te vinden?' Ik liet het voor wat het was, nam nog een slok en dacht opnieuw na. Achter me barstte de groep toeristen uit in gelach.

'Heb je dit tegen iemand bij Pace verteld?' vroeg ik.

Haar donkere ogen waren groot. 'Nee... niemand.'

'Wie zou je het moeten vertellen?'

'De beveiliging, denk ik – en Tampon. Hij wil alles weten over mensen die Greg zoeken.'

'Waarom heb je hem dan niet gebeld?'

'Ik weet het niet. Ik was... bang, denk ik.'

'Waarvoor?'

Pratt keek me lange tijd aan. 'Ik heb je die avond te veel verteld en dat had ik niet moeten doen. En ik ben sindsdien voortdurend bang geweest dat Tampon erachter zou komen. Ik was bang dat, als ik hem dit zou vertellen, het ene ding naar het andere zou leiden en...' Ze snoof en wreef met de rug van haar hand over haar neus. 'Het zou me mijn baan kunnen kosten,' zei ze zacht.

Ik knikte haar toe. Pratt stopte haar handen in de zakken van haar regenjack en bleef ineengedoken en zwijgend zitten. Het was warm in de bar, maar ze keek alsof ze zich schrap zette tegen een koude wind. Een toerist begon luidkeels te lachen en Pratt schrok op.

'Gaat het?' vroeg ik.

Pratt staarde me aan. Haar kleine neus was rood en haar lippen waren krijtwit. Ze knikte. 'Die inbraak is... griezelig,' zei ze. Haar stem was bijna een fluistering. 'Toen ik dacht dat jij het gedaan had, was ik vooral kwaad, maar nu...' Ze slikte moeilijk en schudde haar hoofd. 'Nu ben ik aan het denken gezet en... ik ben bang.'

'Waarvoor?'

Ze keek langs me heen naar de luidruchtige menigte. 'Ik heb de afgelopen week vier of vijf dagen een auto bij mijn flat gezien, met iemand erin die me in de gaten houdt, denk ik.'

Ik zette mijn glas op de bar en zei zacht: 'Wat voor auto, Irene?'

Pratts ogen vernauwden zich en keken me weer aan. 'Zwart, een Pontiac, geloof ik, en zo te zien nieuw.'

Ik dacht aan de auto's die me hadden gevolgd over de GW Bridge, op de avond dat ik terugkeerde uit Fort Lee. Een ervan was zwart geweest, een nieuw model Grand Prix. 'En de inzittende?'

Ze schudde haar hoofd. 'Ik weet het niet... blank, donker haar en een snor... in de dertig misschien. Zomaar een man.' Haar gezicht stond strak en ze begroef haar handen dieper in haar zakken.

'Was hij er vandaag ook?' vroeg ik. Ze knikte. 'Heeft hij iets tegen je gezegd of iets gedaan?'

'Niets. Hij zit altijd een krant of een boek te lezen – hij heeft me zelfs nooit aangekeken. Het is gewoon een gevoel dat ik krijg.' Haar schouders beefden alsof er een koude rilling door haar heen liep. 'Wat gebeurt er, March?'

'Ik weet het niet,' zei ik. 'Maar er is, buiten mij, nog iemand die Danes zoekt en iemand – misschien dezelfde – heeft me gevolgd en houdt mijn flat in de gaten. Het zou dezelfde persoon kunnen zijn die jouw kantoor is binnengedrongen of dezelfde die jou observeert.'

'Jezus christus,' zei Pratt en ze stond haastig en onhandig op. Haar stem was boos en schor. 'Wat is er verdomme aan de hand? Waar heb je me in betrokken?'

De barkeeper keek naar ons en fronste zijn wenkbrauwen. 'Ga zitten, Irene,' zei ik en ik legde mijn hand op haar arm. Ze schudde hem van zich af, maar ging zitten. 'Zoals ik al zei, ik weet niet wat er aan de hand is, maar wat het ook is, het heeft waarschijnlijk meer te maken met Danes dan met mij.'

'Goed om te horen,' zei Pratt. 'Dat zal een hele geruststelling zijn wanneer ik die auto weer zie of wanneer er weer wordt ingebroken in mijn kantoor.' Ze streek met haar vingers door haar haren, telkens weer. 'Dus wat moet ik verdomme doen?'

Het was een redelijke vraag en ik dacht er even over na. 'Je doet drie dingen,' zei ik ten slotte. 'Ten eerste: je probeert weer te kalmeren. Ik weet dat dat niet gemakkelijk is; ik weet dat zo'n inbraak angstaanjagend is en geschaduwd worden is nog erger, maar ik denk dat degene die dat doet geïnteresseerd is in Danes, niet in jou.'

'Je dénkt...'

'Ten tweede: je gaat terug naar je werk en meldt de inbraak in Danes' kantoor aan iedereen bij wie je het moet melden – maar zeg niets over je eigen kantoor.' Pratt haalde adem en wilde iets zeggen; ik negeerde het. 'Je hebt je vandaag al aanwezig gemeld. Als Turpin en zijn vriendjes ontdekken dat er is ingebroken en dat je op je werk was, maar het niet hebt gemeld, zullen ze zich over je verwonderen. Als ze bovendien merken dat je met mij gepraat hebt, zit je diep in de nesten.' Pratt sputterde iets, maar ik stak mijn hand op. 'Maak je geen zorgen – van mij zullen ze het niet horen, maar dat wil niet zeggen dat ze het niet zullen horen. Ik neem aan dat je me vandaag vanaf kantoor hebt gebeld.' Ze werd bleek.

'Stik – o, stik...'

'Daarom wil je niet dat ze zich over jou verwonderen. Vertel ze over Danes' kantoor en niemand krijgt argwaan; niemand heeft een reden om jouw telefoon na te trekken.'

Pratt bracht haar hand naar haar voorhoofd. 'O, stik...'

'Ten derde: als je dit gemeld hebt ga je naar huis. Als die auto voor je flat staat of als je die kerel weer ziet, bel je me.'

Ze vloekte enige tijd binnensmonds en zweeg toen. Na ongeveer een minuut haalde ze diep adem en ging rechtop zitten. Haar stem klonk vaster toen ze zei: 'En als ik hem weer zie en je bel – wat dan?'

'Dan kom ik een babbeltje met hem maken.'

'*Een babbeltje met hem maken* – wat wil je daar verdomme mee zeggen? Is dat net zoiets als *cementen overschoenen* of zo?'

Ik lachte. 'Het betekent dat ik met hem zal praten om uit te vissen wat hij doet, en waarom.'

'Jezus, niet te geloven,' zei ze hoofdschuddend. 'Kom je meteen als ik je bel? Je laat me niet stikken?'

'Ik zal je niet laten stikken, Irene, maar ik denk niet dat die man een bedreiging voor je vormt. Ik denk dat hij je in de gaten houdt in de hoop dat Danes zal verschijnen. Maar als je bang wordt of je bedreigd voelt – bel de politie.'

Ze kromp in elkaar en schudde opnieuw haar hoofd. 'De politie? O, jezus...'

Ik legde mijn hand op haar arm en ditmaal liet ze het toe. 'Bel Turpin, vertel hem je verhaal en hou het simpel. Je hebt niets misdaan, Irene; het komt allemaal in orde. Rustig maar.'

Pratt haalde opnieuw diep adem en rechtte haar schouders. Ze stond op, dronk haar glas leeg en keek me aan. Haar donkere ogen waren roodomrand. 'Oké... oké,' zei ze en ze wist een soort glimlach op haar gezicht te toveren. 'Dat kan ik. Maar zodra je weet wat er aan de hand is, vertel je het me... afgesproken? Laat me niet stikken, March.'

'Oké,' zei ik en ze knikte naar me en verliet de bar. Ik keek toe hoe haar gele regenjack opging in de menigte.

Er was iets gaande – dat wist ik al – maar nu wist ik dat, wat het ook was, het iets georganiseerds en omvangrijks was. Degene die mij had gevolgd, had ook Richard Gilpin geschaduwd in Fort Lee en postte ook bij de flat van Irene Pratt. De kans was groot dat het ook dezelfden waren die hadden rondgesnuffeld in Danes' appartement. En nu hadden ze ingebroken bij Pace. Ze waren misschien niet de handigste jongens ter wereld, maar ze hadden schijnbaar geen gebrek aan mankracht.

Ik vroeg de rekening en dacht na over Pratt en haar tegenstrijdige angsten. De inbraken en het posten hadden haar bang gemaakt, maar ze was ook op haar hoede voor mij en maakte zich zorgen over haar loslippigheid. Ze had me alleen maar gebeld omdat haar angst zwaarder had gewogen dan haar andere zorgen en ik had het gevoel dat ze dingen verzweeg. Wat haar niet anders maakte dan de meeste mensen die ik ken.

Ik had gemeend wat ik haar had verteld over de mensen die haar schaduwden – dat hun belangstelling waarschijnlijk Danes gold en niet haar –

maar de inbraken baarden me zorgen. Ze duidden op een ongezonde hang naar risico of misschien een zekere radeloosheid. Ik schudde mijn hoofd.

Er ging een vertrouwde rilling door me heen, een tastbare mix van verwachting en ongerustheid. Het was de voorbode van herkenning, het gevoel dat er iets opdook uit troebele wateren – maar of het een wrak was of een gezonken schat wist ik nog steeds niet. En het was ook ontluikende bezorgdheid – over Irene en Nina en Ines en Billy. Over Danes. Ik rekende af en zocht een rustige hoek in de lobby van het Warwick, waar ik mijn gsm pakte.

Nina Sachs was in een rothumeur toen ze opnam en dat werd alleen maar erger toen ze merkte wie er belde. Aanvankelijk weigerde ze botweg me te ontmoeten en een tijdlang was dat alles wat ik kon doen om haar aan de praat te houden. Maar ik drong aan en ze werd onwillekeurig nieuwsgierig en een beetje angstig. Ze was in de stad, in de galerie van Ines in SoHo, en stemde in met een ontmoeting in een bar in Broome Street. Ik nam een taxi.

Siren was een hippe, hoge bar, in blauwe en zeegroene tinten, ingericht als een aquarium van Philip Johnson. De verlichting was koel en schemerig en veranderlijk en op de achtergrond klonk Brian Eno. De minuscule aluminium tafels hadden een blad van groen matglas en waren, kort na vijven op een druilerige zaterdag, voor het merendeel leeg. Nina zat achter in de bar, met een fles Merlot, twee glazen en Ines. Ze negeerden hartstochtelijk het stedelijke rookverbod, maar het scheen niemand in de Siren te deren.

'Wat is dat met jou?' vroeg Nina toen ik naderbij kwam. 'Kun je niet tegen een afwijzing?' Zelfs in het onderwaterlicht zag ik de adertjes in haar ogen en de korrelige structuur en vaalbleke kleur van haar huid. Haar haren waren los en slap en haar hand beefde toen ze een sigaret naar haar lippen bracht. Een kater. Ze droeg een spijkerbroek en een groene trui en er zaten verf- en houtskoolvlekken op de mouwen.

Ines zat dicht tegen haar aan en hoewel ze beter verzorgd was dan Nina en zich recenter had gewassen, zag ook zij er belabberd uit. Haar gezicht was asgrauw en ingevallen, alsof ze last had van een slechte spijsvertering. Ze knikte naar me en wees naar een van de metalen stoeltjes.

'Ga zitten, speurneus.' Haar stem klonk zacht. Nina dronk haar Merlot op, schonk zichzelf nog eens in en keek me strijdlustig aan.

'Je mag wel een goeie smoes hebben, March.'

Ik haalde diep adem en begon. 'Ik heb je al verteld dat er behalve ik nog iemand op zoek is naar Danes – er wordt rondgesnuffeld in zijn flat, in New Jersey en misschien ook op andere plaatsen – en ik heb je verteld dat ik word gevolgd. Nou, het lijkt erop dat ik niet de enige ben.' Nina

Sachs keek me over haar wijnglas heen aan en Ines zat doodstil en ze zeiden geen woord terwijl ik ze vertelde over Irene Pratt. Toen ik klaar was blies Nina rook naar me toe.

'Was dat het belangrijke – dat Irene de boekenwurm denkt dat er iemand door haar raam gluurt en haar kantoorbenodigdheden pikt en jou belt om haar te beschermen? Is dat alles?' Nina nam een grote slok wijn en ik keek Ines aan. Haar gezicht was leeg en haar ogen staarden in de verte. Ik zuchtte.

'Dit is iets georganiseerds en...'

'Dat is oud nieuws,' zei Nina.

Ik negeerde haar. '... en als ze mij hebben geschaduwd, en Pratt, is de kans groot dat ze dat ook met anderen doen – anderen zoals jij bijvoorbeeld.' Ines haalde hoorbaar adem. Nina maakte een wegwerpgebaar.

'Gelul...'

'Dat denk je misschien graag, Nina, maar als ze mij en Pratt hebben gevolgd, is de kans groot dat ze ook jou in de gaten houden. En gezien wat er bij Pace-Loyette is gebeurd, laten ze het misschien niet bij observeren.' Er verscheen een diepe rimpel in Ines' voorhoofd en ze legde haar lange vingers tegen de zijkant van haar hals. Nina trok een nors gezicht en wees met haar sigaret over de tafel heen. Haar mond was een boze rimpel.

'Gelul, March; je bent nijdig omdat je de zak hebt gekregen. Je bent op zoek naar werk.'

Er vormde zich een knoop van spanning in mijn nek en ik draaide mijn hoofd heen en weer om hem los te maken. 'Denk wat je wilt, Nina. Ik vraag je alleen maar of je iets gemerkt hebt.'

Nina snoof minachtend, maar Ines boog zich naar voren. De lijnen rondom haar mond waren duidelijk, net als de bezorgdheid in haar ogen. 'Wat bijvoorbeeld, speurneus?'

'Moedig hem niet aan, Nes,' zei Nina.

'Geparkeerde vreemde auto's, vreemde mensen die rondhangen op straat of rondom jullie flat – dat soort dingen.'

Nina's lach klonk onaangenaam en geforceerd. '*Vreemde mensen?* We wonen in New York City, March – we hebben alleen maar vreemde mensen. Jezus, we zíjn vreemde mensen.' Ze keek Ines aan, die aan haar onderlip trok en naar de grond keek.

'En inbraken?' vroeg Ines.

Nina sloeg op het tafelblad en rook explodeerde uit haar mond. 'Jezus christus, Nes, hoe vaak moet ik het zeggen – dat was geen inbraak – dat was niets.' Ines negeerde haar, net als ik.

'Wat voor inbraak?' zei ik.

'Twee weken geleden – nee, langer – in de week voordat jij kwam,' begon Ines. Nina rolde met haar ogen en mompelde iets; Ines schonk er geen aandacht aan. 'Het was 's middags – Guillermo was naar school en Nina was in Manhattan. Ik was bezig in de galerie en ik was naar boven gegaan om mijn agenda te halen. Ik moest wat telefoontjes plegen en ik had hem in de keuken laten liggen. Ik had de lift genomen en toen de deuren op onze verdieping opengingen, rende er iemand heel snel voorbij – de gang uit en het trappenhuis in.

Ik was meer verrast dan geschrokken toen het gebeurde en ik wist niet wat ik ervan moest denken. Ik liep naar onze deur en stak de sleutel in het slot, maar ik kon hem er niet helemaal in krijgen en hem niet omdraaien. Alsof er iets in het slot zat.'

Nina schudde haar hoofd. 'Je kunt af en toe zo verdomd dramatisch doen, Nes, ik zweer het je. Het slot was kapot...'

'De slotenmaker zei dat er iets in was afgebroken. Hij zei dat het leek alsof iemand ermee geknoeid had.'

'Dat zegt geen moer,' zei Nina. 'Het is niet bepaald de veiligste buurt van de stad. Het is niet zo dat er nooit eens iemand beroofd wordt.'

'Was dat al eens eerder gebeurd?' vroeg ik. 'Bij jullie of bij anderen in jullie flat?'

Nina wierp me een geërgerde, norse blik toe en zoog nog wat rook naar binnen. Ines beantwoordde mijn vraag.

'Nee, speurneus, het was niemand in onze flat eerder overkomen, of sindsdien.'

'Weet je hoe hij eruitzag?'

'Niet meer dan een schim,' zei Ines.

'Heb je het aangegeven?'

Ines schudde haar hoofd en sloeg haar ogen neer. Nina snoof. 'Jij altijd met je verrekte politie,' zei ze.

Ik zuchtte. 'Waarom heb je me dit niet eerder verteld?'

'Waarom zou ik?' zei Nina. 'Het was toen niets en het is nu niets – ondanks je paniekzaaierij en Nes' hysterie. Het had niets te maken met waarvoor ik je had aangenomen.'

'Ik denk dat je dat mis hebt.'

Nina schudde haar hoofd en dronk haar wijnglas leeg. Ines haalde een sigaret uit Nina's pakje, kneep het filter eraf en stak hem op. Haar bewegingen waren heel traag en haar ogen bleven op het tafelblad gericht.

'Is er verder nog iets gebeurd?' vroeg ik.

'Niet dat ik gemerkt heb,' zei Ines. Ze keek me aan. 'Wat doen we nu, speurneus?'

'Ik ken wat mensen die jullie flat een tijdje in de gaten zouden kunnen houden, om te zien of er iemand de wacht houdt.'

'Ben je helemaal gek!?' Nina lachte minachtend.

Ines' gezicht was uitdrukkingsloos. *'Mierde,'* fluisterde ze opnieuw.

'Ik zei het toch, Nes,' zei Nina. 'Hij zoekt werk – en nu brengt hij zijn vriendjes mee.'

Ines wendde zich tot mij. 'Is er gevaar... voor Guillermo?'

'Ik denk het niet. Degene die dit doet, is geïnteresseerd in Danes. Als ze jullie in de gaten houden, is dat omdat ze denken dat hij zal opduiken.'

'Wat betekent dat ze stom zijn,' snoof Nina. 'Nes, je gelooft dat gelul toch niet?'

Ines zweeg.

'We hebben niet veel tijd nodig om te weten of ik het mis heb,' zei ik.

'We hebben helemáál geen tijd nodig,' zei Nina snel. 'Het gebeurt namelijk niet.'

Ines keek op, en zij en Nina staarden elkaar een ogenblik lang aan. 'Nina...'

Nina legde haar hand op Ines' knieën. Haar stem werd zachter en daalde tot een fluistering. 'Vergeet het, Nes, ik heb genoeg van die vent – genoeg van dit hele gedoe. Ik wil niet dat mensen ons beloeren en Billy bang maken. Het gebeurt gewoon niet.' Ze richtte zich weer tot mij en haar stem werd scherper.

'Is dat duidelijk, March? Het gebeurt niet. En maak nu dat je als de sodemieter wegkomt met je samenzweringen en je vriendjes. Ik heb spijt dat ik je ooit in de arm heb genomen en als je ons niet met rust laat, zal mijn advocaat ervoor zorgen dat dat jou ook berouwt.' Ze drukte haar sigaret uit en er verscheen een blos van woede op haar gezicht. 'Sodemieter op, zei ik. Heb je niets om de tijd te doden?'

Ines zat stil en kaarsrecht en staarde in het niets. Ik stond op en rolde met mijn schouders om de stijfheid te verdrijven, maar het hielp niet. Ik liep weg.

Het was stil in mijn flat toen ik thuiskwam en ik was nat en kwaad. Ik wreef mijn haren droog en trok andere kleren aan, en toen was ik alleen nog maar kwaad. Ik zette een pot verse koffie, ging in het donker zitten en keek naar het vallen van de avond, hoe de regen overging in een onweersbui en hoe de bui de stad blank zette. Na een poos deed ik een lamp aan, pakte mijn telefoon en belde Tom Neary.

– 20 –

Tegen zondagochtend hingen de onweersbuien ten oosten van Cape Cod, de hemel was leeg en blauw en ik was in de stad en liep achter Tom Neary aan door de donkere gangen van Brill Associates. Hij leidde me door de dure cliëntenafdeling, langs met mahoniehout betimmerde vergaderzalen en door gangen vol schilderijen in vergulde lijsten naar een paar metalen deuren. We liepen erdoorheen en kwamen uit in de achterliggende vertrekken – tl-lampen, groezelige wanden, kaalgetrapte tapijten, sjofele kantoren en – als algemene regel – geen toegang voor cliënten. Neary's kantoor was in een hoek.

Het was een ruim vertrek, maar Spartaans qua inrichting, die voornamelijk bestond uit metalen meubels en wankele stapels papier. Zijn kantoorkunstwerk was een whiteboard, overdekt met de vervaagde pijlen en hokjes van een niet te ontcijferen grafiek. Ik nam plaats op een rechte stoel, in een grote, rechthoekige plas zonlicht. Neary ging aan zijn stalen bureau zitten en legde zijn in sportschoenen gestoken voeten erop. Hij tilde het deksel van een enorme beker koffie en blies de damp weg.

'Twee keer ontslagen worden in drie dagen tijd – door dezelfde cliënt – indrukwekkend, zelfs voor jou.' Hij grinnikte en nipte van zijn koffie. 'Je mag mijn weekend dan verpest hebben, je bent in elk geval onderhoudend.'

'Graag gedaan,' zei ik. 'Maar ik weet niet of het de tweede keer een echt ontslag was. Het was meer het ratificeren van haar oorspronkelijke beslissing.'

'Ik wil niet muggenziften,' zei hij. 'Heeft Irene Pratt je nog teruggebeld?'

'Gisteravond, om te zeggen dat ze een paar uur bezig was geweest om haar verhaal aan de beveiligingsmensen van Pace te vertellen, en daarna aan Turpin – die uit die inbraak dezelfde conclusies trok als zij.'

'Iets gezien bij haar flat?'

'Noppes – geen spoor van de Grand Prix of van die vent met snor.'

'Wat niet wil zeggen dat er niemand was.' Neary keek in zijn beker en toen naar mij. 'Iets gehoord van Turpin?'

'Nee.'

'Komt nog wel.'

'Je denkt niet dat ze gewoon de politie zullen bellen?'

'Hierover? Geen denken aan,' zei Neary. 'Als ze dat doen, moeten ze het hele verhaal-Danes vertellen. Geen denken aan dat zijn directie die aandacht wil – niet van de politie en niet van de pers.' Hij hield zijn koffiebeker ondersteboven voor de laatste druppels, frommelde hem op en gooide hem met een boog over mijn hoofd heen in de prullenmand aan de andere kant van het vertrek. Hij keek me aan.

'Weet je zeker dat je dit wilt?' vroeg hij.

'Zeker.'

Neary schudde zijn hoofd en glimlachte. 'Mensen die voor hun brood werken doen zulke dingen niet – hoe nieuwsgierig ze ook zijn.' Ik knikte. 'Zo krijgen ze het idee dat je een dilettant bent, weet je dat? Let wel, ik niet. Het is niet mijn gewoonte opdrachten te weigeren en ik geef nooit af op een cliënt – althans niet in zijn gezicht.'

'Dat is het verschil tussen jou en mij,' zei ik. 'Plus het feit dat mijn professionele disconto beter is.' Neary lachte. 'Duurt het nog lang voordat ze er zijn?' Terwijl ik dit zei verschenen er twee mannen voor de deur van het kantoor. Ik herkende ze allebei.

Juan Pritchard was ongeveer even lang als ik en anderhalve keer zo breed, met een koffiekleurige huid en zwart, kortgeknipt haar. Hij had een breed, vriendelijk gezicht, een vierkante kin en een mond waar altijd een vage glimlach omheen speelde. Deze indruk van welwillendheid werd getemperd door zijn grote, eeltige knokkels en het litteken vanaf zijn linkerslaap tot onder zijn kraag en volledig verdreven door de blik in zijn harde, zwarte ogen. Hij droeg een kakikleurige regenjas, een zwart linnen overhemd en een chique bril zonder montuur en hij knikte naar me toen hij binnenkwam.

Hij werd op de voet gevolgd door Eddie Sikes, in een grijze slobberbroek en een bruin overhemd met lange mouwen. Hij was een meter zeventig en zijn zwarte haren waren lang, grijzend en onverzorgd. Hij had een gouden ring in zijn rechteroor en een baard van een dag op zijn smalle gezicht. Zijn ogen waren licht en diep verzonken en verraadden niets.

'Hé,' zei hij tegen Neary. Zijn stem was een schorre fluistering. Sikes had een witte papieren zak bij zich, waar hij twee bekers koffie uit haalde. Hij gaf er een aan Pritchard en ze gingen op Neary's sofa zitten.

'Heb je er nog meer?' Het was een vrouwenstem met een zwaar Bronx-accent. Lorna DiLillo was lang en donker en soepel. Haar volle lippen glansden en er lag een spottende, sceptische glinstering in haar bruine ogen. Haar zwarte, krullende haren hingen tot halverwege haar rug. Ze droeg een strakke zwarte spijkerbroek, een zwart denim jack en een zwart automatisch pistool in een holster op haar heup, met de kolf naar voren.

Ze werd vergezeld door Victor Colonna. Hij was klein, met verfijnde, ernstige trekken en zijn gladde zwarte haren waren zorgvuldig geknipt en gekamd. Zijn overhemd van witte popeline stak vlekkeloos en stralend af tegen zijn donkere huid en zijn spijkerbroek was geperst. Zijn blik gleed snel door het kantoor.

'Voor jou altijd,' zei Sikes schor en hij haalde nog twee bekers uit zijn papieren zak. DiLillo en Colonna liepen het kantoor door om ze aan te pakken. Pritchard stak een grote vuist uit en DiLillo gaf er een tik op toen ze hem passeerde. Colonna ging naast Sikes zitten en DiLillo leunde op Neary's rommelige vensterbank. Ze nam een slok koffie en keek mij en vervolgens Neary aan.

'Bedankt voor jullie komst,' zei Neary en hij vouwde zijn handen op zijn bureau. 'Jullie kennen March nog?' Ze knikten. 'Nou, het is tegenwoordig *meneer* March, want hij is nu een cliënt en hij betaalt voor het voorrecht jullie zondag te versjteren.' DiLillo snoof.

'De klus bestaat voorlopig uit surveilleren, op vier verschillende locaties. Ik heb hier informatie voor jullie.' Neary klopte op een stapeltje papieren op zijn bureau. 'Het komt erop neer dat John wil weten of iemand deze locaties – deze mensen – in de gaten laat houden, en zo ja, door wie. We willen dus foto's, namen, kentekens en connecties, als je daar aan kunt komen.'

'Dat is het voor nu,' fluisterde Sikes. 'En daarna?'

'Moeilijk te zeggen op dit moment,' zei Neary. 'We zullen gewoon moeten afwachten. Observeren en reageren.'

DiLillo hees zich van de vensterbank en pakte de papieren van Neary's bureau. Ze overhandigde exemplaren aan Colonna, Sikes en Pritchard en begon het hare te lezen.

Ze keek me aan. 'Je hebt hier beschrijvingen van de voertuigen en een vage beschrijving van iemand. Betekent dat dat je ze gezien hebt?'

'Ik heb een paar auto's en een busje gezien, en een van hun objecten – Irene Pratt – heeft een vent met een snor gezien.'

'Dat geeft antwoord op mijn vraag hoe goed ze zijn,' zei DiLillo minachtend.

'Sommige zijn duidelijk waardeloos; misschien allemaal wel. En misschien zijn er een paar die ik niet gezien heb en die niet waardeloos zijn.'

'Hiervoor zouden meer mensen nodig kunnen zijn dan alleen wij,' zei Pritchard tegen Neary.

'Die krijg je als je ze nodig hebt,' zei Neary, 'maar begin alvast en laat het me weten.' Pritchard knikte.

'Ik neem Brooklyn,' zei Sikes en hij vouwde het papier op en stopte het in zijn borstzak.

'En ik de flat van meneer March,' zei Colonna en hij knikte naar me.

DiLillo keek Pritchard aan. 'Ik neem die griet in de West Side. Jij neemt... hoe heet hij... Danes' flat, Juan. Jij hebt die Upper East Side-outfit als camouflage.' Pritchard glimlachte naar haar en keek Neary aan.

'We beginnen meteen?' vroeg hij. Neary knikte.

'Heb je het wagenpark gebeld?' vroeg Colonna.

Neary knikte opnieuw. 'Ze verwachten jullie. Bel me op mijn gsm als jullie ter plekke zijn.'

Sikes en Pritchard volgden Colonna en DiLillo naar buiten.

Neary wendde zich tot mij. 'Je weet hoe die dingen gaan – het kan een paar uur duren of een paar dagen. Ik bel je zodra ik iets weet.'

Het was nog vroeg toen ik het kantoor van Brill verliet. De lucht was helder en schoon en er hing nog een ochtendlijke stilte boven de straten. Aan de overkant van Broadway trok een winkelier een metalen hek op dat een geluid maakte als van schorre vogels. Verderop, in Duane Street, schuifelde een eenzame dronkaard voorzichtig over een kruispunt en om een dampend mangat heen. Een zwerm taxi's passeerde in zuidelijke richting. Ze hadden geen dienst en reden langzaam en met een vreemde waardigheid. Er schoten me enkele regels van Wallace Stevens te binnen – *Genoeglijkheden van de peignoir en late / koffie en sinaasappelen in een zonnige stoel.* Toen bleef de dronkelap staan, opende zijn gulp en piste tegen een kantoorgebouw. De poëzie veranderde van Stevens in Bukowski en verdween toen volledig. Ik liep verder naar het noorden en dacht aan wat Tom Neary had gezegd.

Mensen die voor hun brood werken doen zulke dingen niet – hoe nieuwsgierig ze ook zijn. Hij had natuurlijk gelijk, dit was een verzetje – zij het niet alleen om mijn nieuwsgierigheid te bevredigen. Natuurlijk, ik wilde weten wie er verder nog belangstelling had voor Danes en wat er aan de hand was – je begint niet aan zulke dingen zonder de aandrang om uit te knobbelen wie wie is en wat wat. Ik realiseerde me ook dat degene die me in de gaten hield niet kon weten dat ik de laan uit gestuurd was – en dus geen reden had om de honden terug te roepen. Ik had er de pest over in dat ik gevolgd werd en ik zou niet rusten voordat ik een praatje had gemaakt met degene die ze aan de leiband had. Maar er zat meer achter, besefte ik.

Ik stak Broome Street over en keek in westelijke richting naar de nog gesloten voorgevel van de Siren. Ik dacht aan mijn ontmoeting daar gisteren met Nina Sachs en haar afscheidswoorden. *Wat is er – heb je geen ander werk? Heb je niets om de tijd te doden?* De woorden waren vervuld geweest van minachting, maar ik kon niet zeggen dat ze het mis had. Het vooruitzicht van nietsdoen – van rusteloze, gevaarlijke uren, gevuld met niets dan mijzelf – maakte me de laatste tijd nerveuzer dan anders. Ik was er nog niet aan toe; sterker, ik was er bang voor.

De stad was klaarwakker tegen de tijd dat ik in 16th Street aankwam en de trottoirs waren vol. Ik zocht niet naar Victor Colonna in de menigte maar ik ving geen glimp van hem op. Ik ging naar boven en liet wat lucht in mijn flat zolang die nog fris was. Toen trok ik een korte broek en een T-shirt aan en ging lopen.

Ik bleef meer dan een uur weg en er waren boodschappen toen ik thuiskwam. De eerste was van Lauren.

Hé, Johnny, met mij. Liz vertelde over je kleine aanvaring met David. Ze zei dat Ned pisnijdig op hem was. Ik weet dat hij je hulp bij die sollicitatiegesprekken waardeert. Bel me terug, wil je? Ik schudde mijn hoofd en luisterde het volgende bericht af; het was van Jane en er klonk geen zweem van het koele sarcasme van daags tevoren in door.

Ik heb vanmorgen aangeklopt, maar je was al weg. Het is toch niet te geloven dat ik op een dag zoals deze hier vastzit? Ik pendel tussen kantoor en de juristen, maar ik probeer het later wel. Misschien kunnen we iets doen. Er klonken gesmoorde stemmen op de achtergrond en toen Jane weer. *Oké, ik moet ophangen.* En toen klonk de stem van Irene Pratt over de lijn.

March? Ben je daar? Neem op als je er bent. Er viel een lange stilte, gevuld met niets dan Pratts ademhaling. *Oké, je zult wel niet thuis zijn. Goed, bel me terug – ik wil weten wat er aan de hand is. Dus... bel me, oké?* Ik nam een douche, trok een spijkerbroek en een T-shirt aan en toetste haar nummer.

'Eindelijk!' zei ze.

'Alles in orde? Heb je die auto weer gezien, of die man?'

'Ik heb niets gezien. Ik ben natuurlijk niet de deur uit geweest vandaag.' Ze klonk moe.

'Je hoeft je niet te verstoppen, Irene.'

'Makkelijk gezegd – er is niet ingebroken bij jou. Heeft Tampon je al gebeld?'

'Nee.'

'Dat komt nog wel.'

'Dat vermoed ik ook.'

'Je bent... discreet als je met hem praat, hè?' Haar stem klonk opgelaten.

'Ik zal je naam zelfs niet noemen.'

'Bedankt,' zei ze. 'Heb je nog iets meer ontdekt over wie me in de gaten houdt – over wie dat allemaal doet?'

'Nog niet, maar ik ben ermee bezig – en ik ben niet meer de enige. Ik heb een paar kennissen gevraagd me een handje te helpen.' Irene Pratt maakte een bevestigend geluid en zweeg toen. Ze had niets meer te melden, maar hing niet graag op. Zenuwen.

'Het is een mooie dag, Irene; ga naar buiten en geniet ervan.'

'Ja, oké,' zei ze zonder overtuiging. 'Maar je belt me als je iets vindt, of als je vrienden iets vinden?'

'Ik zal bellen zelfs als ik niets vindt, gewoon om even te controleren.'

Pratts stem klonk een fractie opgewekter. 'Oké... nou, tot later dan,' zei ze en ze hing op.

Ik doorzocht mijn koelkast en vond een fles water en een beker yoghurt. Ik nam ze mee naar de tafel en zette mijn laptop aan en terwijl ik at en dronk nam ik mijn eindrapport aan Nina Sachs door. Ik las het enkele keren en telkens als ik dat deed was het onderdeel CONCLUSIES hardnekkig blanco.

21

'Dacht je echt dat je hiermee weg kon komen.' Het was maandagochtend kwart over zes en Dennis Turpins New England-accent klonk
zelfs door de telefoon knarsend. 'Je dacht toch niet dat we niet zouden weten dat jij het was?'

Ik werd net genoeg wakker om mee te spelen. 'Met wie spreek ik?'

'Met Turpin, van Pace-Loyette, en je hebt mijn vragen niet beantwoord, March. Waar denk je dat je mee bezig bent?'

Ik ging rechtop zitten en wreef door mijn ogen. Jane was nergens te bekennen. Ik koos voor beduusd en verongelijkt. 'Ik dacht dat ik sliep,' zei ik.

Turpin slaakte een zucht van afkeer. 'Ga je gang, speel spelletjes als je wilt.
Ik bel alleen maar om erachter te komen waarom ik je niet zou aangeven bij
de politie en een procedure op gang brengen om je vergunning in te laten
trekken en je maakt mijn beslissingen erg gemakkelijk. Als je een kans wilt
om het uit te leggen: dit is 'm. Ik zou hem aangrijpen als ik jou was.'

Ik smoorde een geeuw en haalde een hand door mijn haren. 'Jíj bent
degene die spelletjes speelt, Turpin, en het is nog veel te vroeg. Geloof me,
ik heb geen idee waar je het over hebt en ik ga er niet naar raden.'

Turpins lach klonk wrang. 'Ik ben zowat getuige geweest van je eerste
inbraakpoging en je wilt dat ik je geloof?'

'Inbraakpoging?' Nu was het mijn beurt om te lachen. 'Dat is gelul, en
dat weet je – bovendien is het oud nieuws. Waarom bel je daar nu over, in
alle vroegte, verdomme?'

'Noem het maar gelul – ik zeg dat je je alleen hebt laten weerhouden
door onze beveiliging. Maar ik vermoed dat we ditmaal minder geluk
hadden, niet?'

Ik zweeg even, ter wille van het effect. 'Over welke *ditmaal* heb je het?'

'Je hebt gelijk, March, het is te vroeg voor spelletjes. Dus in plaats van
met je te spelen ga ik nu ophangen, mezelf nog een kop koffie inschenken
en de politie bellen.' Hij zweeg, maar hing niet op.

Ik zuchtte in de telefoon. 'Laat me eens raden, Turpin. Er is ingebroken
bij Pace en jij denkt dat ik daar iets mee te maken heb.'

Turpin snoof. 'En jij gaat me natuurlijk vertellen dat je het niet gedaan hebt en dat je een alibi hebt voor dat tijdstip.'

Hij was zo subtiel als een handgranaat, maar ik slaagde erin niet te lachen. Ik legde enige ergernis in mijn stem. 'Ik heb er inderdaad niets mee te maken. En voor welk tijdstip precies moet ik een alibi hebben?'

Turpin snoof. 'Rot toch op,' zei hij, maar zijn zelfverzekerdheid wankelde. 'Maar als er wordt aangeklopt, denk er dan aan dat je je kans hebt gehad. En zeg tegen je cliënt dat de politie misschien ook met haar zal willen praten. Het is samenspanning, als zij je hiertoe heeft aangezet.'

Ik zuchtte nogmaals en ditmaal meende ik het. 'Jezus, Turpin, hou nou eens op. Ik ben niet degene die je zoekt en ik denk dat je dat weet. Ik ben nog steeds op zoek naar Danes en jij ook, vermoed ik, maar we zijn niet de enigen. Als je nou eens vijf minuten zou stoppen met je dreigementen zouden we er misschien achter kunnen komen wie hier verder nog mee bezig is.' Turpin dacht er even over na, maar gaf uiteindelijk niet thuis.

'Je hebt je kans gehad, March,' zei hij en ditmaal hing hij op.

Ik legde de telefoon neer, trok de dekens over mijn oren en probeerde vergeefs te slapen. Na tien minuten ging ik douchen.

Ik trakteerde mezelf op een ontbijt in de Florida Room, een levendige tent bij mij om de hoek, en belde Irene Pratt terwijl ik mijn sinaasappelsap opdronk. Ze fluisterde nerveus, maar ontspande zich enigszins toen ik haar vertelde dat mijn gesprek met Turpin kort en voorspelbaar was geweest.

'En hij vroeg niets over mij?'

'Hij heeft niets gevraagd en ik heb niets gezegd, Irene.'

Ze zuchtte hoorbaar. 'Zou hij echt de politie bellen?'

'Dat betwijfel ik. Ik ben er bijna zeker van dat hij een toneelstukje opvoerde. Enig teken van snorremans of zijn auto vanmorgen?'

'Niet dat ik weet. Heb je iets gehoord van die vrienden van je – die je een handje helpen?'

'Nog niet,' zei ik. Ik beloofde opnieuw contact te houden en hing op.

Ik kuierde op mijn gemak naar huis en vocht onderweg tegen de aandrang om achterom te kijken. Ik was een paar passen van de hoek verwijderd toen ik hem zag. Hij stond voor mijn flatgebouw, boven aan de korte ijzeren trap naar de voordeur. Hij rookte een sigaret, keek naar zijn voeten en liet zijn rugzak afwezig tegen de ijzeren leuning slingeren. Zijn spijkerbroek was zwart en wijd en op zijn grijze t-shirt stond een afbeelding van een robotaap in gevechtstenue die met een stel *nunchaku's* zwaaide. Billy.

'Vakantie?' vroeg ik. Hij keek op en nam een lange haal van zijn sigaret.

'Nee,' zei hij. Hij liet het uitdagend klinken. Zijn smalle gezicht was stijf en zijn wangen waren rood. Hij nam nog een trek en schoot de peuk de trap af. Hij viel rokend voor mijn voeten.

'Is er iets?' vroeg ik. Ik plette de sigaret met de punt van mijn schoen.

Hij snoof. 'Ja, er iets iets – met jou. Je blijkt een typisch geval van klootzak te zijn.'

'Klinkt pijnlijk.'

Billy glimlachte spottend. 'Ik hoop het.'

'Billy, waar heb je het verdomme over?' Billy zocht in zijn achterzak en haalde er een verfomfaaid pakje Marlboro uit en een gele wegwerpaansteker. Hij trok er een kromme sigaret uit en stak hem aan.

'Ik zei toch, ik heb het erover dat je een klootzak bent. Ik heb het erover dat je verdomme mijn vader zou zoeken en 'm dan smeert en ons laat stikken.' Hij blies een rookwolk in mijn richting en hij had veel weg van zijn moeder terwijl hij dat deed. 'Dáár heb ik het verdomme over, klootzak.'

Ik haalde diep adem. 'Wie heeft je verteld dat ik ermee gekapt ben?'

Billy keek me nors aan, knikte en blies nog meer rook in mijn richting. 'Mijn moeder, klootzak – mijn moeder vertelde het.'

Stik. Ik schudde mijn hoofd. 'Heb je al ontbeten?' vroeg ik.

Billy maakte een gebaar naar me alsof hij een vlieg wegjoeg. 'Kom verdomme niet aan met dat grotebroergedoe, ja? Geen stripraatjes meer, geen muziek meer, geen dikke maatjes meer, oké? Hou dat gezeik maar voor je.'

Ik keek Billy aan en hij keek terug, boos en een beetje bang. 'Ik ben er niet mee gekapt, Billy.'

'Lul niet...'

'Nou is het genoeg,' zei ik. Mijn stem was zacht en gespannen en snoerde Billy de mond. Zijn onderlip trilde en zijn ogen waren vochtig, maar hij wendde zijn blik niet af. 'Ik ben er niet mee gekapt,' herhaalde ik zachter. 'Je moeder heeft me afgelopen donderdagavond verteld dat ze besloten had dat ze er niet mee wilde doorgaan. Je zult haar moeten vragen wat haar redenen waren en zelf besluiten of het goede redenen waren. Maar het waren háár redenen, Billy, niet de mijne. Ik ben er niet mee gekapt.'

Billy keek me van opzij aan. Hij liet zijn adem langzaam ontsnappen en streek met zijn hand over zijn ogen en zijn voorhoofd.

'Je lult uit je nek,' zei hij zacht.

'Nee, Billy.'

Hij sloeg zijn ogen neer en zijn stem werd nog zachter. 'Neem me niet in de zeik,' zei hij.

'Dat doe ik niet.'

Hij schudde zijn hoofd. 'Godver,' zei hij. Zijn stem beefde en zijn neus begon te lopen. 'Godver...' Hij trok aan zijn sigaret en begon te hoesten en te sputteren.

'Gooi dat ding weg,' zei ik. 'Ik trakteer je op een ontbijt.'

We gingen terug naar de Florida Room en namen plaats op een bank. Billy bestelde flensjes, friet en limonade. Ik nam koffie. Hij trok een handvol papieren servetten uit de automaat en snoot zijn neus en droogde zijn ogen. Aan het plafond draaiden grote ventilators. Billy legde zijn hoofd achterover op de rugleuning en keek naar de traag wentelende bladen.

'Ze heeft verdomme tegen me gelogen,' zei hij met een droevige glimlach. 'Ze heeft verdomme wéér tegen me gelogen.' De serveerster bracht mijn koffie, een blikje limonade en een glas vol ijs.

'Doet ze dat vaak?' vroeg ik.

Billy haalde zijn schouders op. 'Soms... als het gemakkelijker voor haar is.'

'Gemakkelijker dan wat?'

'Gemakkelijker dan iets uitleggen, of ruzie krijgen. Gemakkelijker dan de waarheid.' Hij schonk wat limonade in zijn glas en keek toe hoe het tussen de ijsblokjes stroomde.

'Wat was hier gemakkelijker aan?'

'Het was gemakkelijker dan me vertellen waarom het haar geen zak kan schelen of hij gevonden wordt, denk ik.' Hij schonk zijn limonadeglas vol, nam een paar slokken en vulde het opnieuw. Dit deed hij telkens opnieuw, tot het blikje leeg was.

'Heb je er met Ines over gepraat?' vroeg ik. Billy schudde zijn hoofd. 'Misschien zou je dat wel moeten doen. Is ze meestal eerlijk tegen je?'

Billy zei behoedzaam: 'Nes zeikt niet.'

Ik knikte en zijn gezicht ontspande zich. 'Je kent haar al lang,' zei ik.

'Mijn hele leven eigenlijk.'

'Ze doet veel voor jullie.'

Billy glimlachte wrang. 'Mijn moeder kan zelf haar sigaretten vinden, en haar atelier. Voor al het andere heeft ze Nes nodig.'

'Doet Ines ook dingen voor jou?'

Hij knikte en zijn glimlach werd warmer. 'Alle schooldingen, en voetbal, en als ik naar een stripbeurs ga – dat doet ze allemaal. Nes doet bijna alles waar je een volwassene bij nodig hebt.' Billy beet op een ijsblokje en keek naar een hele lange vrouw in een heel klein jurkje die langs onze tafel liep. Toen ze uit het gezicht was draaide hij zich weer naar mij toe.

'Deed mijn moeder moeilijk?' vroeg hij.

'Nogal,' zei ik glimlachend.

Billy glimlachte terug, maar vermoeid en een beetje gegeneerd. 'Daar is ze het best in.'

'Is ze vaak zo?'

Billy haalde zijn schouders op. 'Ik geloof van wel.'

'Tegen iedereen?'

'Iedereen komt in aanmerking.'

'Jij ook?'

Hij haalde opnieuw zijn schouders op en staarde naar een plek ergens achter me. 'Volgens Nes doet ze dat omdat ze bang is voor bepaalde dingen en omdat ze dingen in de hand wil hebben of zoiets – ik weet niet of ik het allemaal snap. Maar Nes zegt dat, als je terugvecht, ze alleen maar banger wordt en nog bozer en dan wordt het alleen maar erger. Ze zegt dat, als mijn moeder zo doet, je een soort kameleon moet worden – je moet opgaan in de achtergrond en onzichtbaar worden en haar nooit iets geven om naar uit te halen. Nes zegt dat het een soort geestelijk kungfu is.' Hij keek in zijn limonadeglas en knipperde heftig met zijn ogen. 'Maar ik ben er niet zo goed in. Ik zie het vaak niet aankomen en meestal vecht ik terug.'

Ik wilde iets zeggen, maar mijn keel was dichtgesnoerd en het lukte me niet. Ik nam een slok koffie en haalde onvast adem. 'Maakt ze het Ines ook lastig?'

'Met Nes is het anders. Ze weet een heleboel – over schilderen en kunst en zakendoen – en daar heeft mijn moeder respect voor. En ze weet dat Nes een heleboel voor haar doet... voor ons allebei. En, je weet wel, ze zijn... samen.' Er verschenen rode vlekken op Billy's wangen en hij keek weer achter me. 'Bovendien, Nes is geduldig. En ze is ontzettend goed in dat kungfu-gedoe.'

Billy keek de eetzaal rond en staarde toen enige tijd naar zijn bestek. De serveerster bracht nog een blikje limonade, schonk koffie bij en verdween. Billy's blik richtte zich weer op mij en ik zag er een zweem van gêne in.

'Ze is eigenlijk de kwaadste niet, weet je – mijn moeder. Ze is heel slim en ze schildert geweldig. Iedereen zegt het – tijdschriften en kranten en al die verzamelaars en zo. En ze kan ook heel geinig zijn. Ze heeft alleen... veel aan haar hoofd soms.' Hij knikte terwijl hij dit zei en zijn stem was een mengeling van schuldgevoel en smeekbede. Ik slikte moeilijk en knikte terug en hij glimlachte opgelucht. Ik nam nog een slok koffie.

'Wanneer heb je voor het laatst iets van je vader gehoord?' vroeg ik.

'Het is weken geleden dat ik hem voor het laatst heb gesproken... vlak voordat hij wegging. Ik zou naar hem toe gaan en vlak daarvoor belde hij dat het niet doorging.'

'Wat zei hij precies?'

Billy schudde zijn hoofd. 'Mijn moeder heeft hem gesproken. Tegen de tijd dat ik hem aan de telefoon kreeg was het een en al gezeik van sorry, sorry, sorry. Hij zei dat er iets tussen was gekomen en dat hij een tijd wegging en hij zei dat hij trouwens geen leuk gezelschap was op dat moment. Hij zei dat hij me zou komen halen als hij terug was en dat we veel vaker samen zouden zijn.' De serveerster kwam weer langs en zette een schaal flensjes zo groot als een steak voor Billy neer. Ze zette er een tweede schaal vol frites naast.

'Zei hij wat er tussengekomen was?' Billy schudde zijn hoofd en pakte een frietje. 'Enig idee waarom hij zei dat hij geen leuk gezelschap was?'

'Wie weet? Hij is de laatste tijd sowieso negentig procent van de tijd chagrijnig.' Hij goot dikke strepen stroop over zijn flensjes en begon te eten.

'Dat gepraat over veel meer tijd samen doorbrengen – wat denk je dat hij daarmee bedoelde?'

Billy spoelde zijn flensjes weg met limonade en haalde adem. 'Ik denk dat hij het over dat hele voogdijgedoe had,' zei hij.

Ik had me niet gerealiseerd dat Billy op de hoogte was van het gevecht om de voogdij. 'Had hij het daar vaak over?'

Billy's wangen kleurden weer. 'Vroeger wel. Toen had hij allerlei lulverhalen over mijn moeder... en over Nes, tot hij in de gaten kreeg dat ik er alleen maar pissig over werd.'

'Wat voor dingen zei hij?'

Hij bloosde nog dieper en wendde zijn blik af. 'Gewoon stom gelul, over... ik weet het niet.'

Ik kon raden waarover en drong niet aan. 'Vroegen ze jouw mening over de voogdij?'

'Je bedoelt over bij wie ik wilde wonen?' zei hij. Ik knikte. Billy strooide een paar zakjes zout over zijn frites en plakte ze aan elkaar met ongeveer een kwartliter ketchup. Hij plukte een paar frietjes van de hoop en at ze op. 'Ik geloof het wel,' antwoordde hij.

'En, wat is het?'

'Mijn mening? Ik weet het niet. Ik denk dat het best leuk zou zijn een tijd bij mijn vader te wonen, het zou in elk geval anders zijn, maar... mijn moeder en Nes zouden in alle staten zijn. Ze zouden me missen en zo.' Hij nam nog wat frietjes en keek me aan.

'Mijn vader had het over kostschool en dat leek me wel cool... ergens anders naartoe gaan... weggaan.' Billy haalde zijn schouders op. 'Ik weet het niet. Meestal wil ik alleen maar dat ze ophouden met ruziemaken. Of mij er in elk geval buiten laten.' Ik knikte hem toe en we zwegen enkele minuten.

'Dat telefoongesprek – dat was het laatste wat je van hem hoorde?'

Billy knikte. 'Ja, dat was het, afgezien van de berichten.'

Ik wist mijn koffie binnen te houden. 'Wat voor berichten?'

Billy antwoordde met een mond vol flensje. 'De berichten op het antwoordapparaat – voicemailberichten.'

'Hoeveel berichten waren er?'

'Twee maar.'

'Weet je wanneer hij die heeft ingesproken?'

'Het eerste ongeveer een week nadat hij de stad uit was gegaan en het tweede een paar dagen later.'

'Wat zei hij?'

Billy nam een slok limonade en liet een ijsblokje rondrollen in zijn mond. 'Niet veel. Niet meer dan *bellen om hallo* te zeggen of zoiets.'

'Maar je hebt hem niet echt gesproken?' Billy keek me aan alsof ik idioot was en schudde zijn hoofd. 'Weet je hoe laat hij gebeld had?'

'Terwijl ik op school zat, geloof ik. Ik heb ze afgeluisterd toen ik thuiskwam.' Billy hakte zich een weg door de flensjes en ik zweeg en dacht na over de berichten.

'Heb je je moeder verteld dat hij gebeld had?'

Billy aarzelde. 'Ik... ik geloof het niet. Hij zei eigenlijk niets en... soms is het beter om niet met haar over hem te praten.'

De serveerster kwam langs, hield een koffiepot omhoog en trok een wenkbrauw op. Ik schudde mijn hoofd en ze liep verder. Ik keek haar na en zag de achterkant van haar T-shirt, met de afbeelding van een pitbull die een bruidstaart verscheurt. Een plastic bruidegom in een plastic jacquet wankelde gevaarlijk boven op de taart en het deed me aan iets denken. Ik keek Billy aan.

'Weet je nog die foto die je me vorige week tijdens het eten liet zien, van je vader en de bassist en die oudere man – alle drie in smoking?' Billy knikte. 'Weet je wie die oude man is?'

Hij knikte opnieuw. 'Ik weet niet meer hoe hij heet – Joe en nog iets, misschien. Hij is een vriend van mijn vader – hij woont in dezelfde flat.'

'Een muziekliefhebber, zoals je vader?'

'Ik denk het wel – ik weet dat ze samen naar concerten gaan.' Maar dat was alles wat Billy zich over de man kon herinneren en ik had geen vragen meer. In elk geval geen waar Billy een antwoord op had. Hij at zijn flensjes op en de laatste frietjes en veegde zijn mond schoon met een servet. Hij leek niet op ploffen te staan, wat me verbaasde.

'Ik moet je naar huis brengen,' zei ik.

Billy kromp ineen. 'Ik kan wel alleen gaan. Ik...'

'Doe geen moeite,' zei ik. 'Ik breng je.' Hij sputterde niet tegen.

Er werd niet opgenomen in de flat, maar Billy gaf me het nummer van de galerie en daar was Ines Icasa. Haar stem klonk gespannen van angst en ze slaakte een diepe zucht toen ik haar vertelde dat Billy bij mij was en dat ik hem naar huis bracht.

'*Dios mio*,' zei ze zacht. 'Bedankt, speurneus, ik zorg dat ik er ben.' Ze hing op en ik stopte mijn gsm in mijn zak. Ik keek Billy aan.

'Heb je nog iets nodig?' vroeg ik hem. Hij schudde zijn hoofd. 'Klaar om te gaan?'

Hij masseerde zijn nek en staarde me aan. Zijn blauwe ogen waren groot in zijn smalle gezicht. 'Ga je hem toch zoeken?' vroeg hij.

'Ik ga hem zoeken,' zei ik. Ik wist niets anders te zeggen.

Het was nog geen middag toen Billy en ik de I-2 Galerie binnenliepen. De zonneschermen voor de hoge ramen waren omhooggedraaid en de galerie werd overspoeld door licht en was op Ines na verlaten. Op de lange balie stond een half glas rode wijn en hij was bezaaid met papieren. In een metalen asbak lag een sigaret te smeulen. Ines droeg een roze shirt en een strakke zwarte broek. Haar haren waren gekamd en glanzend en opgebonden tot een staart, maar ze zag nog steeds grauw en had kringen rond haar ogen. Billy wilde iets zeggen, maar ze sneed hem de pas af.

'Ga naar boven, Guillermo,' zei ze. Billy opende opnieuw zijn mond, maar Ines wees naar hem voordat hij een woord kon zeggen. 'Naar boven – nú.' Hij keek me aan, haalde zijn schouders op en ging. Ines ging op een kruk achter de balie zitten en zuchtte diep. Ze pakte haar sigaret en nam een lange haal. Het rook als een bosbrand. Haar sierlijke vingers gleden doelloos over het blad.

'De school belde vanmorgen,' zei ze, 'om te vragen of hij ziek was. Hij heeft dit al vaker gedaan – meer dan eens. Maar het is altijd heel... zenuwslopend. Was hij naar jou toe gekomen?' Ik knikte. 'Waarom?'

'Om me te vragen waarom ik niet meer naar zijn vader zocht.' Ines deinsde achteruit, alsof haar evenwicht haar in de steek liet. 'Ik heb hem gezegd dat hij er met Nina over moest praten. Of met jou.' Ze trok aan haar sigaret en schudde haar hoofd.

'Sorry,' zei ze zacht. 'Nina had niet moeten... Het was verkeerd dat tegen Guillermo te zeggen.'

'Misschien moest je dat haar maar vertellen.'

Ines drukte haar sigaret uit in de asbak, pakte haar glas en dronk de helft van wat erin zat op. Haar lach was kort en onaangenaam. 'Je hebt misschien gemerkt dat Nina een moeilijk persoon is om dingen tegen te zeggen.'

'Als jij het niet doet, wie dan wel?'

Ze schudde haar hoofd. 'Het ligt moeilijk.'

'Blijkbaar.'

Ines keek me scherp aan. 'Ik kan een paar dingen doen voor Guillermo, speurneus, maar ik ben niet zijn ouder. Ik kan hem leren het toilet te gebruiken en hoe hij een bal moet gooien. Ik kan hem leren fietsen. Ik kan ervoor zorgen dat ik er ben als hij uit school komt, zodat hij niet in een lege flat komt. Ik kan weten wanneer hij te laat komt... of wanneer hij spijbelt. Die dingen kan ik doen, speurneus – maar ik ben niet zijn moeder en ik kan zijn moeder niet vertellen wat het beste voor hem is. Over sommige onderwerpen doet mijn mening niet ter zake.' Haar mooie, ovale gezicht betrok en ze nam opnieuw een slok uit haar wijnglas. 'Heb je kinderen, speurneus?'

'Nee.'

'Dan heb je ook geen weet van de complicaties,' zei ze met een verbitterde glimlach. 'Misschien hebben we dat geen van beiden.'

Het wijsglas was leeg en Ines' ogen waren vertroebeld. Ze leunde zwaar op de balie en legde haar hoofd op haar armen. Ik zag de messcherpe scheiding in haar zwarte haren en ik zag haar schouders schokken. Er was geen verkeer op de straat achter de hoge ramen en het was doodstil in de galerie. Er hing een nieuwe expositie – grote doeken met grote, aan bloemen herinnerende vormen in diepe paarse, rode en roze tinten – en ik keek er een poos naar terwijl ik wachtte tot Ines haar hoofd ophief. Na enkele minuten deed ze dat.

'Ik moet nu even naar hem toe,' zei ze. Ze pakte haar zware sleutelbos van de balie en ik volgde haar naar buiten. Ze sloot de glazen deuren af en keek me aan. 'Je kunt beter niet hier zijn als Nina thuiskomt.'

22

Ik bracht de rest van de middag thuis door, wachtend op nieuws van Neary en denkend aan Billy. In dacht aan de gespannenheid van zijn tengere lijf toen hij vanaf de trap van mijn flatgebouw naar me omlaag keek en aan de gekwetstheid en de verwarring die rond zijn ogen waren gegrift. Ik dacht aan wat hij had gezegd over zijn moeder en aan hoe hij – toen hij besefte dat hij te veel had gezegd – excuses voor haar had gezocht en me zoekend naar instemming had aangekeken. Ik dacht na over Ines' advies aan hem – om gewoon in de achtergrond te verdwijnen – en balde mijn vuisten. Ik dacht na over ouders en kinderen en hoe kinderen zich redden en tegen welke prijs. Ik verbaasde me en dacht na, maar ik vond geen antwoorden, en Neary belde niet.

Jane verscheen maandagavond laat, uitgeblust en berustend en met een Indische maaltijd. Ze hing haar jasje over een stoelleuning en schopte haar schoenen uit en we aten bijna zwijgend. Als ze iets zei was het in boze fragmenten over haar deal, waarbij te elfder ure een kink in de kabel was gekomen vanwege Janes deelname in de onderneming na de verkoop. De kopers wilden dat ze nog twee jaar aan de leiding bleef, maar Jane was niet geïnteresseerd. Ze drongen aan en dreigden de deal erop te laten afketsen; Jane werd boos.

'Ik zit verdomme niet gratis bij het kopieerapparaat en de paperclips,' mopperde ze over haar tandoori heen. 'Ik ben verdomme geen kantoormeubel.' Halverwege de maaltijd werd ze het beu erover te praten en ze zette de tv aan. Ze zapte langs de kanalen en bladerde boos door een zoveelste lijvig reistijdschrift en ik beëindigde de maaltijd in stilte. Ik bracht de restjes naar de stortkoker in de gang en toen ik terugkwam zat Jane op de bank. Het reistijdschrift lag op haar schoot en de tv stond uit. Ze staarde me aan.

'Zo, ben je er al achter wat je met die vakantie wilt doen?' vroeg ze. Haar woorden klonken snel en gespannen, alsof ze te veel koffie had gedronken, en haar ogen – hoewel vermoeid in een vermoeid gezicht – zochten iets. Ruzie bijvoorbeeld.

'Hoe bedoel je dat?'

'Je zei dat er een kans was dat je cliënt zich in het weekend zou bedenken, dat je opdracht zou worden hernieuwd. Wacht je daar nog steeds op of is er iets anders gekomen?'

Ik zuchtte. 'Is dit echt het beste moment? Wil je niet gaan slapen?'

'Slaap wordt overschat,' snoof Jane. 'Trouwens, ik wil alleen maar weten waar ik aan toe ben wat die reis betreft. Hoe lang kan dat duren?'

Ik liep naar de keuken en schonk een glas water in. Ik nam een paar slokken, schraapte mijn keel en keek haar over het aanrecht heen aan. 'Daar hebben we het al over gehad. We...'

'Nee, dat hebben we niet, we hebben *eromheen* gepraat, al weken. Nu wil ik er echt *over* praten.' Haar donkere ogen werden kleiner en er steeg een blos naar haar wangen. 'Is je opdracht hernieuwd?'

'Niet direct.'

'Dat is leuk en ondubbelzinnig,' zei ze. Haar lach was kort. 'Komt er een verklaring bij?'

'Sachs is niet van gedachten veranderd, maar er is in het weekend ingebroken bij Pace-Loyette, in Danes' kantoor. Dat onderzoek ik.'

'Hebben ze je ervoor aangenomen?'

'Niet direct.'

Janes wenkbrauwen raakten elkaar. 'Heeft iemand je aangenomen?'

'Ik heb tegen Irene Pratt gezegd dat ik het zou onderzoeken. En ik heb Nina's zoontje – Billy – beloofd dat ik zijn vader zou blijven zoeken.'

'Dus zij zijn nu je cliënten?'

'Het is meer een pro bono-zaak.'

Jane schudde haar hoofd. Een schim van een glimlach – ongelovig en verbitterd tegelijk – speelde rond haar volmaakte lippen. '*Pro bono*, zeg dat wel. De vraag is: goed voor wie – voor hen of voor jou?'

'Ze hebben behoefte...'

'Waar heb jij behoefte aan, John? Wat wil jíj?'

Ik zette mijn glas neer. 'Ik heb al gezegd: die reis lijkt me geen slecht idee, alleen...'

'Ik heb het niet meer over die reis,' zei Jane. De daaropvolgende stilte was oorverdovend.

'Dat begon ik al te vermoeden,' zei ik na een poos.

Janes gezicht betrok. 'Geen grapjes,' zei ze zacht. 'Niet nu.'

'Wat wil je dat ik zeg, Jane?'

Jane staarde enige tijd naar haar kousenvoeten. Toen hief ze haar hoofd op en boorde haar blik in de mijne. 'Je kunt om te beginnen zeggen wat we hier doen. Je kunt me vertellen wat dit moet voorstellen. Of het alleen maar praktisch is, iets wat past in de tijd die je niet kunt vullen met werken of… met iets anders.' Janes vingers waren wit om de randen van het tijdschrift en haar halsslagader klopte snel.

'Ik heb dit nooit als alleen maar praktisch beschouwd,' zei ik zacht.

Ze haalde diep adem en haalde een hand door haar korte haren. 'En had ik dat op de een of andere manier moeten weten? Heb ik een teken over het hoofd gezien? Misschien is het slaapgebrek – of misschien ben ik gewoon slecht in het analyseren van toespelingen – want het enige signaal dat ik van je ontvang zegt *praktisch*.'

Ik nam nog een slok water, maar het draaierige gevoel in mijn buik werd er niet door verlicht. Mijn oren waren vervuld van een bruisend geluid. 'Praktisch is een straat met twee rijrichtingen,' zei ik.

Janes mond verstrakte. 'Wat heeft dat te betekenen?'

'Het betekent dat je werk belangrijk voor je is en dat je je leven graag een beetje op orde hebt en dat dit alles ook voor jou best praktisch is. Het past prima in het beetje vrije tijd dat je jezelf gunt. Het is vlak bij huis en bij kantoor en…'

'Denk je echt dat ik daarom hier ben – vanwege… de geografische ligging?' vroeg ze. Haar stem was kalm en haar gezicht heel stil. Het tijdschrift was op de grond gevallen, maar ze scheen het niet te merken.

Ik haalde mijn schouders op. 'Ik denk dat we op elkaar lijken, Jane. We hebben dingen graag op orde en we hebben ze graag op onze eigen voorwaarden.'

Jane keek me aan en na een poos zuchtte ze. 'En ik vind dat dat makkelijk gelul is,' zei ze. 'Sterker nog, ik denk dat je dat weet.' Ze liep naar de tafel, pakte haar jasje en liet haar voeten in haar schoenen glijden. 'Ik denk dat je weet dat er een groot verschil is tussen toegewijd zijn aan je werk en je erachter verstoppen. En een nog groter verschil tussen zelfstandig zijn en… wat jij bent.' Ze hing haar tas over haar schouder en draaide zich om bij de deur.

'Maar in één ding heb je gelijk,' zei ze. 'Dit was niet het juiste moment om te praten.' Ze deed de deur zacht achter zich dicht.

Ik rende lang die dinsdagochtend en werkte de gewichtenbank in de sportschool enkele keren af en daarna bleef ik onder de douche staan tot het beverige gevoel in mijn armen en benen verdween. Ik belde Irene Pratt vanuit een restaurant op Eighth Avenue, bij mijn eerste kop koffie. Ze nam meteen op, maar toen ik haar vertelde wie ik was, zei ze dat ze niet kon praten en dat ik het later opnieuw kon proberen. Ik verorberde mijn havermoutpap, las de krant en bij mijn laatste kop koffie probeerde ik het opnieuw. Ze zette me vijf minuten in de wacht.

'Alleen maar om te vragen hoe het gaat,' zei ik toen ze weer aan het toestel kwam.

'Zozo. Nou... bedankt, denk ik.'

'Alles goed met je?'

'Met mij? Prima – geweldig zelfs.'

'Die vent nog gezien?'

'Ik heb niets en niemand meer gezien. Ik denk eigenlijk dat ik gewoon paranoïde deed.'

'Die inbraak was geen paranoia.'

'Nee, maar dat ik in de gaten werd gehouden...'

'Ik ben zelf ook gevolgd door een zwarte Grand Prix. Ik denk niet dat je je dat hebt ingebeeld.'

'Hoe weet je dat? Er zijn waarschijnlijk honderden van zulke auto's in New York – misschien wel duizenden.'

Ik zweeg even. 'Wat is er, Irene?' vroeg ik ten slotte.

'Niets – er is niets,' zei ze. 'Ik moet gewoon weer aan het werk, meer niet. Ik denk dat ik paranoïde was en nu moet ik ermee stoppen en weer aan de slag.'

'Dan hou ik je niet langer op. Ik bel als ik iets hoor.'

'Doe geen moeite,' zei ze haastig. 'Ik bedoel: niet voor mij. Zoals ik zei: ik voel me nu prima en ik wil gewoon weer aan het werk. Ik wil niet meer aan die dingen denken.'

'Dat kan ik me voorstellen, maar die lui hebben misschien andere ideeën.'

Pratts stem werd scherper. '*Die lui?* Je doet alsof er een of andere grote samenzwering is, maar ik zeg je, ik weet niet eens zeker of ik iets gezien heb, oké? Laat me nu weer aan het werk gaan.' En de verbinding werd verbroken.

Ik legde de telefoon neer en de serveerster kwam en legde de rekening op tafel. Ik bleef ernaar zitten kijken en dacht na over Pratt. Op maandagmorgen was ze bang en bezorgd geweest en had zich gerustgesteld gevoeld toen ze iets van me hoorde. Vierentwintig uur later wilde ze dat ik wegging. Ik had geen idee waarom.

Massa's mensen hebben eerder plotseling een afkeer van me gekregen, maar ik denk niet dat dat Pratts probleem was. Angst was een mogelijkheid – angst nog dieper betrokken te raken bij wat er gebeurde misschien, of misschien om nog meer met mij te maken te hebben. Angst dat Turpin erachter zou komen. Angst om haar baan te verliezen. Pratt was bloednerveus geweest toen ik haar zaterdag had gezien en ik durfde er iets om te verwedden dat dat elke dag erger en verlammender was geworden. Misschien hoopte ze het achter zich te laten met een fikse dosis ontkenning. Of misschien had ze gewoon een heleboel te doen.

Ik rekende af en ging te voet naar huis. En liep door, langs mijn flatgebouw. Ik had op dat moment geen zin om in een leeg appartement te gaan zitten of de echo's van Janes stem te horen, of de stilte boven, dus liep ik naar het oosten – naar Union Square – en bracht een groot deel van de dag door met snuffelen in een grote boekhandel. Ik drentelde door de afdelingen sciencefiction en geschiedenis, las een paar artikelen over hedendaagse politiek en wereldkwesties en toen ik moedeloos genoeg was dronk ik liters koffie.

Thuis aangekomen luisterde ik mijn voicemail af. Er was niets van Neary, maar wel een bericht van Paul Gargosian.

'Ik weet niet of u nog steeds wilt praten, maar ik ben nu thuis. U hebt mijn nummer.' Dat had ik en ik gebruikte het om een nieuw bericht voor hem achter te laten. Toen checkte ik mijn e-mail. Gregory Danes' gespreksoverzichten waren eindelijk aangekomen. Ik klikte op de bijlagen, las de rapporten en voelde hoe de moed me in de schoenen zonk.

'Stik,' fluisterde ik.

Neary belde op woensdagochtend en ik was in twintig minuten in het centrum. DiLillo en Sikes zaten in zijn kantoor op de sofa. Ik leunde op de vensterbank en Neary knikte naar DiLillo.

'Alle locaties worden geobserveerd,' begon ze. 'Vier van de vier. Ze gebruiken een heleboel mensen en smijten vast een heleboel geld over de balk. Ze draaien op elke locatie drie ploegendiensten van acht uur en een wisseldienst met de auto's – sturen ze van de ene plek naar de andere, zodat dezelfde auto niet twee dagen achter elkaar op dezelfde locatie verschijnt. Voorzover we kunnen nagaan is het een statische observatie – we geloven niet dat ze iemand volgen. Maar om daar zekerheid over te hebben zouden we meer mensen moeten inzetten.' Ze hield een bruine map op. 'Ik heb de foto's voor je.'

Ik opende de map en bladerde hem door. Hij zat vol foto's, van mannen en auto's. Er waren haarscherpe daglichtopnamen en korrelige nachtopnamen, van grote afstand en van dichtbij, vanuit allerlei hoeken, maar ze waren stuk voor stuk duidelijk genoeg om gezichten te kunnen herkennen en kentekenplaten te lezen. De mannen op de foto's waren een allegaartje – blank, zwart en Latijns-Amerikaans, jong en oud, dik en mager. Ze zagen er niet uit als hersenchirurgen, maar ja, ze zagen er evenmin uit als junks, potloodventers of renbaansjacheraars. Afgezien van een zekere alertheid in hun blik waren ze voor het merendeel onopvallend. Er stonden een heleboel verschillende mannen op de foto's en na twaalf stopte ik met tellen. Ik herkende er niet een van, maar ik zag wel een zwarte Grand Prix, een bruine Cavalier, een smerige rode vijfdeurs en een lichtblauw busje die me allemaal bekend voorkwamen.

Ik zweeg even en de drie keken me aan. Mijn kaken waren gespannen en ik hoorde mijn hartslag in mijn oren. Het was geen verrassing; ik had geweten dat ze er waren. Toch irriteerde het me mateloos.

'Ook bij mij?' vroeg ik. Mijn stem klonk ver weg.

DiLillo knikte. 'Hm hm,' zei ze. 'Maar ze doen heel voorzichtig, als dat een troost is. Minstens twee auto's en ze parkeren nooit in je straat.'

'Wie zijn ze?' vroeg ik.

'Sommigen van hen moeten we nog identificeren, maar wat we tot dusver weten is dat ze allemaal zelfstandig zijn – kleine eenmansbedrijfjes, zoals jij – sorry dat ik het zeg.'

'We denken dat ze in opdracht werken,' zei Neary.

'Van wie?'

Neary keek naar Sikes, die naar buiten staarde terwijl hij sprak. 'Ik ken een paar van die lui en één ervan staat bij me in het krijt. Ik heb hem gisteravond aangesproken. Hij weet niet wie de uiteindelijke opdrachtgever is – hij heeft me bij hoog en bij laag bezworen dat hij het niet weet – maar hij kent de onderaannemer, de man die hem betaalt. Marty Czerka.'

Ik fronste mijn voorhoofd. 'Wie is dat?'

Sikes schudde vol medelijden zijn hoofd en hij en DiLillo wisselden een veelbetekenende, zure glimlach uit.

'Marty?' zei DiLillo. 'Marty is de vodden in de voddenbaal.'

Sikes lachte schor. 'Ja... de etter in de etterbak.'

DiLillo giechelde. 'De dikke in dikke lul.'

Neary schudde zijn hoofd. 'Bedankt,' zei hij tegen ze. 'Dat was verhelderend.' Hij richtte zich tot mij. 'Marty is privé-detective. Hij heeft een klein bureau – hij, een zwager en een achterlijke neef – in een kantoor in Canal Street. Een eeuw of wat geleden zat hij bij de politie, in de binnenstad, zedenpolitie. Zijn vijftien minuten roem braken aan toen hij een bejaarde popster betrapte in een suite in het Carlyle, met een tas vol coke, twee machinepistolen en een minderjarig hoertje met een lamme arm. Marty kwam ermee op tv en zo. Hij had er een week voor nodig om het te versjteren.

Om te beginnen wordt hij betrapt op het versjacheren van foto's van de aanhouding aan een of ander roddelblad. Vervolgens beweert een van die andere vodden dat hij ze het alleenrecht op die foto's had beloofd en ze klagen hem aan. En ten slotte blijkt dat Marty en dat hoertje al eeuwen een verhouding hebben en wie weet de hele show samen in scène hebben gezet. Hij had mazzel dat ze hem geen schop onder zijn dikke reet gaven, maar zo kwam hij in de particuliere sector terecht.

Sindsdien heeft hij zich toegelegd op alle smerigheid die zich aandient – stinkende scheidingszaken, stinkende voogdijkwesties, stinkende aanklachten wegens seksuele intimidatie – de hele reut. Hij is een vaste gast in sommige kringen, een soort vuilstortplaats, met dit verschil dat Marty erger stinkt. Vreemd dat je hem nooit tegen het lijf bent gelopen.'

'Ik adem niet dezelfde zuivere lucht in als de grote ondernemers zoals jullie,' zei ik. 'Voor wie werkt hij?'

Neary schudde zijn hoofd. 'Dat is de grote vraag, niet?'

Ik wendde me tot Sikes. 'Je maat wist het niet, maar hoe zit het met de rest – denk je dat een van hen een naam zou kennen?'

Sikes trok sceptisch een wenkbrauw op. 'Misschien, maar ik vermoed dat Marty dat angstvallig voor zich zal houden – hij zou niet willen dat een van die genieën rechtstreeks naar de cliënt stapt en hem buitenspel zet. Maar gelazer heb je overal, zeker in zo'n grote groep: de kippen treffen elkaar en het gekakel begint... Maar ik zou er niet op gokken dat iemand wil praten – niet zonder aardig wat druk.'

'Zijn het allemaal zulke goede soldaten?' vroeg ik.

DiLillo schudde haar hoofd. 'Marty gebruikt veel freelancers, dus voor een heleboel van die lui is hij een regelmatige bron van inkomsten. Dat zullen ze niet willen verpesten. En de helft van wat ze verkopen is hun vermogen om hun klep te houden. Ze willen geen van allen de naam hebben dat ze kletsen – slecht voor de zaken.' Ze had gelijk.

'Heeft iemand iets over een van die lui?' vroeg ik.

'Ik heb mijn kruit gisteren verschoten,' zei Sikes. DiLillo schudde haar hoofd.

'Zou geld ze over de streep kunnen trekken?'

Sikes glimlachte. 'Ze zouden je geld allemaal aannemen – reken maar – het probleem is om erachter te komen aan wie je het moet geven en wat je ervoor in ruil krijgt. Dat zou weleens in de papieren kunnen lopen – zelfs voor jou.'

'En Czerka zelf?'

'Je weet het nooit met Marty,' zei Neary. 'Hij is een gluiperd en over het geheel genomen kun je ervan uitgaan dat hij altijd te koop is. Anderzijds kan hij zich niet veroorloven al te veel schepen te verbranden. Ik denk dat het bij Marty afhangt van hoeveel hij aan zijn cliënt verdient, wat de gevolgen zullen zijn als hij hem zou oplichten en hoeveel smeergeld je bereid bent te geven.'

Ik dacht er even over na. 'Er wordt nog steeds gesurveilleerd?'

'Tot je het afblaast,' zei Neary.

'Nog een paar dagen dan.' Ik keek Sikes aan. 'Denk je dat die vriend van je Czerka zou willen vernachelen?'

Er verscheen een kille grijns op Sikes gezicht. 'Zo stom is hij niet.'

Ik knikte en DiLillo en Sikes stonden op en vertrokken. Neary leunde achterover.

'Iemand steekt hier veel geld in,' zei hij.

'Je bedoelt afgezien van mij?'

'Afgezien van jou. En dat betekent iemand met veel geld en sterke motieven. Het betekent ook dat Marty zo lang mogelijk aan die tiet zal zuigen.'

'Als omkopen niet lukt, is er altijd nog charme, of bedrog – of allebei.'

'Charme werkt niet bij Marty; hij heeft geen antenne voor charme. En ik zou ook niet te veel verwachten van trucs. Hij is geen kerngeleerde, maar Marty heeft de sluwheid van een rioolrat.'

'En een stevig pak slaag?'

Neary schudde zijn hoofd. 'Daar betaal je lang niet genoeg voor. Nee, ik denk dat we beter naar Marty's kantoor kunnen gaan om eens te praten. Hij zal ofwel onderhandelen of zeggen dat we moeten oprotten. In dat geval kunnen we nog altijd iets proberen met zijn betaalde handlangers.' We zwegen enige tijd. Neary keek me vragend aan.

'Ik had gedacht dat je wat opgetogener zou zijn,' zei hij.

'Ik glimlach inwendig. Ik heb Danes' gespreksoverzichten gisteravond gekregen – vast en mobiel.'

'Waren ze het wachten waard?'

Ik knikte. 'Ze bestrijken een periode van dertig dagen, vanaf ongeveer vijf weken geleden – een paar dagen voordat hij zijn berichten voor het laatst afluisterde.'

Neary knikte. 'En...?'

'Het vaste nummer leverde geen verrassingen op; er zijn in die periode geen gesprekken gevoerd. Alle activiteit liep via zijn gsm. Een paar telefoontjes met Reggie Selden, de advocaat die hem vertegenwoordigt in die voogdijzaak, en naar zijn eigen nummer, om berichten op te halen. En een telefoontje naar het nummer van Nina Sachs...'

Neary onderbrak me. 'Ik dacht dat ze niets van Danes had gehoord.'

'Ik ook, maar volgens Billy heeft zijn vader een paar boodschappen voor hem op het antwoordapparaat gezet. Hij had het niet tegen zijn moeder gezegd.' Neary knikte en ik ging verder: 'En dan is er nog dat laatste telefoontje naar zijn vaste nummer – dat correspondeert met de dag en het tijdstip in zijn nummerherkenning – en dat is alles. Geen andere gesprekken.'

Neary's wenkbrauwen raakten elkaar. 'Dat was het laatste?'

Ik knikte. 'Hij stopte niet alleen met het afluisteren van zijn berichten, hij stopte helemaal.'

Neary leunde achterover. Hij tikte zacht met een vinger op de rand van zijn bureau. 'Hij zou nog een telefoon kunnen hebben,' zei hij.

'Zou kunnen, maar ik heb nog geen ander nummer op zijn naam gevonden.'

'Het zou zo'n prepaid-wegwerpding kunnen zijn.'

'Zou kunnen.'

'Heb je hier met Sachs over gesproken?'

'Ze heeft aardig duidelijk gemaakt dat ze niet geïnteresseerd is.'

Neary schudde zijn hoofd en streek met een grote hand langzaam over zijn wang.

We liepen over Broadway naar het noorden. Een dunne mantel van parelgrijze bewolking had zich uitgespreid over de hemel en schittering, warmte en voorboden van de zomer begonnen zich onder de beschutting ervan op te bouwen. Uitlaatgassen van bussen en auto's en de stank van rottend afval hingen vlak boven het wegdek en ik zweette licht toen we bij Canal Street afsloegen naar het oosten. We dachten alletwee aan Danes' telefoonrekening en wat die kon betekenen, maar we brachten het geen van beiden onder woorden.

Czerka's kantoor was gevestigd in een beroet gebouw vlak bij Centre Street, gunstig gelegen ten opzichte van het Huis van Bewaring. De muren in de lobby waren groen en het linoleum plakkerig. De eenzame baliebediende wierp amper een blik op onze identiteitsbewijzen toen we ons meldden. We namen een schemerige lift naar boven.

De gang op de achtste verdieping werd verlicht door tl-buizen en was lelijk blauw geschilderd. Hij was stil en verlaten en stonk naar desinfecterende middelen. De deuren naar de kantoorsuites waren van metaal en stonden bol van de zware sloten. Czerka's kantoor was aan onze linkerhand, ingeklemd tussen een borgsteller en een toiletruimte. Op het plastic bordje op de deur stond CZERKA BEVEILIGING. Aan de muur hing een goedkope intercom en Neary drukte op de zoemer.

Er gebeurde even niets en toen barstte er een storm van statische ruis uit de luidspreker en hield abrupt weer op. Neary drukte nogmaals op de zoemer en werd beloond met een nieuwe uitbarsting van geluid en toen niets.

'Als je iets zegt, versta ik er geen woord van,' riep hij in de intercom. Er klonk een zacht zoemen in de buurt van de deurknop en Neary duwde en we gingen naar binnen.

Het was een klein vertrek zonder ramen met tl-hanglampen en de geur van sigaretten, verschaald eten en winderigheid. Tegen de muren stonden gedeukte metalen dossierkasten en het grootste deel van het vloeroppervlak werd in beslag genomen door twee metalen bureaus tegenover elkaar aan weerszijden van een smal looppad in het midden van de kamer. Op het bureau links stond een computer met een gigantische monitor, een modem en een rattennest van kabels die wegkronkelden achter de dossierkasten. Het bureau rechts was bezaaid met etensbakjes en tijdschriften:

Burger King en KFC en Krispy Kreme, *Soldier of Fortune* en *Maxim*. Een gezonde geest in een gezond lichaam. Er was niemand in het vertrek, maar recht voor ons was een deuropening en een stem die riep.

'Wie is daar, verdomme?' Het was een mannenstem, diep, amechtig en met een zwaar Long Island-accent. Ik volgde Neary naar binnen.

Het directiekantoor was groter dan het personeelskantoor en was gezegend met een smerig raam, maar het stond er even vol en stonk nog erger. Ook hier stonden dossierkasten tegen de muren en allemaal torsten ze stoffige stapels kranten en tijdschriften. Rechts was eveneens een werkstation op een wankel ogende speeltafel en in de hoek stond een kleine koelkast met een koffiezetapparaat erbovenop. Midden in het vertrek stond een bekrast eikenhouten bureau. Het blad werd aan het oog onttrokken door lagen dossiermappen, kranten en glimmende catalogi, plus een enorme glazen asbak boordevol peuken en afgestreken lucifers. Voor het bureau stonden twee plastic bezoekersstoelen en erachter zat de man van wie ik aannam dat het Marty Czerka was.

Hij hing breeduit op zijn groene leren stoel als een pad op een plompenblad. Zijn grote hoofd was bezaaid met levervlekken en grotendeels kaal en de haarkrans bij zijn slapen was borstelig en grijs. Zijn huid was roze en wit gevlekt en viel in diepe plooien rond zijn ogen, dikke neus en mond en over zijn kraag. Ook boven zijn diepliggende ogen en zijn dikke bovenlip groeide borstelig grijs haar.

Zijn overhemd was ooit wit geweest en naar de maat te oordelen had het ook ooit een fokkezeil kunnen zijn. Nu had het dubbele manchetten en gouden manchetknopen in de vorm van politieknuppeltjes. Een gevlekte gele das hing slap over zijn borst en de knoop ging schuil onder Czerka's onderkin. Zijn bleke handen waren dooraderd en gevlekt en zijn vingers leken op vieze worstjes. Hij drukte een sigaret uit en as stroomde over de randen van de asbak. Hij keek naar Neary en zijn dikke wenkbrauwen raakten elkaar.

'Neary, hè – ex-FBI, nu Brill?' zei hij. Neary knikte.

Czerka draaide zijn grote hoofd en keek mij aan. Ik zag een vonk van herkenning en verrassing in zijn diepliggende blauwe ogen, maar hij doofde hem snel en trok een pokerface van onverschilligheid en lusteloosheid. Het was knap werk. Hij keek weer naar Neary.

'Wie is hij?' vroeg hij.

Neary glimlachte en nam plaats in een van de bezoekersstoelen. Ik nam de andere. Czerka scheen het niet erg te vinden dat hij geen antwoord kreeg op zijn vraag. Hij zocht een pakje sigaretten tussen het puin op zijn bureau, haalde er een uit en stak hem aan met een lucifer. Hij zoog wat rook naar binnen en hoestte nat. Hij liet de hoest rondrollen in zijn keel en proefde ervan, alsof het het lekkerste aspect van roken was.

'Je staat niet in mijn agenda vandaag,' zei Czerka.

'Ik dacht, ik wip even aan,' zei Neary, 'op goed geluk...'

Czerka knikte. 'Natuurlijk,' zei hij. Hij keek weer naar mij. 'En jij...?' Ik glimlachte en zei niets.

'Ik dacht dat jij me misschien zou kunnen helpen, Marty,' zei Neary.

Czerka nam nog een trek en hoestte nog eens. 'Helpen,' zei hij afwezig. Hij ging verzitten en een vettig, ploffend geluid steeg op van ergens onder zijn bureau. Een ogenblik later werd het kantoor gevuld met een giftige, zwavelachtige geur. Charmant. Ik keek naar Neary, die gewoon doorpraatte.

'Ik heb een vriend die zich de laatste tijd wat *ingesloten* voelt.'

'*Ingesloten* hè? Wat, zoekt hij een grotere flat? Of een laxeermiddel misschien?' Czerka's blauwe ogen glinsterden. Hij schraapt luid en lang zijn keel. 'Ben jij die vriend?' vroeg hij toen hij klaar was. Ik zweeg. Ook Neary negeerde de vraag.

'We zoeken een naam, Marty,' zei hij. 'We kunnen hem kopen of ruilen of wat je maar wilt, en niemand hoeft te weten waar we hem vandaan hebben.'

Czerka streek met een van zijn worstvingers langs de rand van zijn snor en stak hem toen in zijn neus. 'Welke naam?' vroeg hij ten slotte.

Neary was een en al opgelegde teleurstelling. 'Kom nou, Marty. De naam van degene die betaalt voor het legertje dat je de laatste dagen op straat hebt.'

Czerka trakteerde zichzelf op een nieuwe haal en een nieuwe diepe hoest en hij wilde net iets zeggen toen de buitendeur open- en dichtknalde. Er klonken zware voetstappen achter ons en er verscheen een man in de deuropening.

Hij was jong, niet ouder dan vijfentwintig, en van gemiddelde lengte, maar met de nek en de schouders van een serieuze sportschoolbezoeker. Hij droeg een glimmende grijze trainingsbroek en een zwart T-shirt van een tent die de Platinum Playpen heette, en hij werd voorafgegaan door een zware geur van zweet en een leerachtig reukwatertje. Zijn vuilblonde haren waren gemillimeterd op zijn kleine hoofd en zijn ogen waren licht en wezenloos en stonden dicht bij elkaar onder een benig voorhoofd. Zijn linkeroog was blauw. Er zaten een verband voor zijn pappige neus, hechtingen bij de hoek van zijn te kleine mond en een blauwe plek op zijn wang. Twee vingers van zijn linkerhand waren gegipst en gespalkt. Hij had een paar papieren zakken in zijn rechterhand en hij zette ze op Czerka's bureau.

'Ik heb de sigaretten, oom Marty, en de sandwich en de lottobriefjes,' zei hij. Zijn stem klonk schor en puberaal. Hij keek ons aan en vroeg zich af wie we waren en dat was zo te zien zwaar werk voor hem. Hij richtte zijn blik strak op mij en na enkele seconden verscheen er een zwak licht in zijn ogen. Hij probeerde het niet te verbergen, realiseerde zich niet eens dat hij daar goed aan zou doen. Er was irritatie op Czerka's gezicht en in zijn stem.

'Ja, prima werk, Stevie. En ga nu het kantoor bewaken – en doe de deur achter je dicht.'

Stevie keek ons nog strakker aan met wat, besefte ik, een harde blik moest voorstellen. 'Heb je problemen, oom Marty – iets waarmee ik kan helpen?'

'Weg!' blafte Czerka. Stevie kreeg een kleur, maar deed wat hem gezegd werd. Czerka drukte zijn sigaret uit, keek Neary aan en grijnsde, vochtig en spottend.

'Sinds wanneer zijn we zulke oude makkers dat je hier binnen komt vallen en me Marty noemt? En sinds wanneer geef ik een ruk om jou of je vrienden of hun problemen of waar je naar op zoek bent? Je mag dan geen FBI-agent meer zijn, maar je hebt nog steeds die godverdomde FBI-houding, dat is een ding wat zeker is.'

Hij ademde luidruchtig in en lachte nogmaals.

'Je hebt verdomme wel lef dat je hierheen komt, in de waan dat ik je iets te verkopen heb. Jezus, jullie denken toch niet dat jullie de enige eerlijke kerels ter wereld zijn. Jullie denken toch niet dat wij andere schooiers alleen maar wachten op een kans om een cliënt te verlinken?' Czerka raakte buiten adem en zijn lach ging over in een scheurende hoestbui.

Neary knikte hem toe. 'Ik wist niet dat je zo overgevoelig was, Marty,' zei hij. 'Mijn oprechte verontschuldigingen. En nu – we kunnen het over contant geld hebben of ik heb iets wat ik jou zou kunnen toespelen of we kunnen van alle twee wat doen. Of misschien ben je geïnteresseerd in iets anders. Maar als dat zo is moet je het me vertellen, want ik kan geen gedachten lezen.' Neary zweeg even en glimlachte. 'Dus, wil je jezelf een plezier doen of niet?'

Czerka wuifde afwijzend naar ons en groef tussen de zakken op zijn bureau. Uit een ervan haalde hij een pakje zo groot als een baksteen in wit vetvrij papier, scheurde het open en bracht een kleffe pastrami op roggebrood naar zijn mond. Vet droop langs zijn handen en maakte zijn kin en snor nat en de geur van vlees en vet steeg op en vermengde zich met de andere verfijnde aroma's in het vertrek. Hij legde de sandwich neer, haalde ergens een sigaret vandaan en stak hem op terwijl hij nog met open mond op de pastrami kauwde. Jezus.

'Vergeet het maar, Neary,' zei hij en stukjes voedsel vielen uit zijn mond op het bureau. 'Je portemonnee is niet dik genoeg om het de moeite waard te maken.' Hij keek me aan en schudde zijn hoofd. 'Zelfs die van hem is

niet dik genoeg. En nu opgesodemieterd en laat me mijn lunch opeten.'
Hij pakte zijn sandwich weer op.

Neary keek me aan en haalde zijn schouders op. Ik haalde diep adem en probeerde niet te kokhalzen. Ik sprak zacht. 'Hoe fascinerend het ook is hier te zitten terwijl jij rookt en scheten laat en jezelf besmeurt met vet, Marty, ik zou met alle plezier weggaan om me te laten stomen en jou met rust te laten – geloof me. Maar ik heb een cliënt die heel graag zou willen weten wat er aan de hand is, en ik eerlijk gezegd ook. Ik weet dat het je geen zak kan schelen wie wat wil, maar mijn cliënt beschikt over ruime middelen, net als ik, dus misschien zou je het niet zo snel moeten afwijzen. Misschien zou je je hersens uit je dikke reet moeten halen en nog eens nadenken.'

Czerka staarde me aan, met zijn sandwich zwevend boven zijn bureau. Hij zweeg en zijn blauwe ogen waren hard onder de geplooide oogleden. Toen verschenen er rode vlekken op zijn wangen, zijn schouders en dikke armen begonnen te schokken en er kwam een gorgelend soort lach uit zijn open mond. Hij legde zijn sandwich weg en schudde bijna een minuut lang van het lachen, tot zijn gezicht paars en vlekkerig werd en zijn adem begon te gieren. Hij veegde zijn mond af met de rug van zijn hand.

'Godsklere,' lachte Czerka, 'stomen, hè?' Hij keek Neary aan. 'Zie je wel – je maat vindt me een stuk stront, net als jij, maar hij komt er eerlijk voor uit. Hij kan het nauwelijks verdragen dat hij dezelfde lucht inademt als ik – maar hij zegt het recht voor zijn raap. Ik moet zeggen, ik mag dat wel. Maar met mooie praatjes kom je nog niet in mijn broek, March. En al zeker niet met mooie lulpraatjes.' Hij keek me aan terwijl hij mijn naam noemde, maar ik wist mijn kalmte te bewaren. Czerka lachte nog even na en pakte zijn sandwich weer op. Na een poos keek hij op.

'Daar is de deur, jongens,' zei hij.

We verlieten Czerka's kantoor, langs Stevie en zijn zwachtels. Hij probeerde ons nog eens meedogenloos aan te kijken, maar het was eerder een schuchtere blik.

In de lift slaakte Neary een diepe zucht. 'Niet alleen maar een knap smoeltje, wel?' zei hij.

'Ook een geweldige persoonlijkheid. Ik vermoed dat hij zich niet zal bedenken.'

'Zeker weten. We maken een lijst van de mensen die mijn team heeft geïdentificeerd en kijken dan of iemand in mijn toko iemand ervan kent. Zo ja, dan hebben we misschien een begin.'

Het was warmer buiten, maar vergeleken met Czerka's kantoor leek de lucht fris en schoon. We keerden in stilte te voet terug naar Broadway en bleven voor het metrostation staan.

'Wat denk je dat er met Stevie is gebeurd?' vroeg ik.

'Over een halter gestruikeld misschien?'

'Misschien was die hem te slim af.'

Ik probeerde nog steeds mijn longen te zuiveren toen ik de glazen en smeed-ijzeren deur van mijn flatgebouw opende en de vestibule betrad. En toen bleef ik staan. Er was een grote, bruine envelop op mijn brievenbus geplakt. Hij was blanco, op mijn naam na, die met zwarte viltstift in hoofdletters was geschreven. Ik pulkte hem van de klep van de brievenbus. Hij was licht en met plakband dichtgeplakt. Ik trok het plakband los en opende de klep. Er zaten slechte enkele vellen papier in. Ik trok ze eruit en voelde een vlaag van warmte in mijn gezicht en het ruisen van bloed in mijn oren.

Het waren foto's, in kleur en afgedrukt op gewoon papier. De kwaliteit was op zijn best middelmatig, maar de onderwerpen en de omgeving waren maar al te duidelijk, evenals de datum en het tijdstip in de hoeken.

'Jezus...' Mijn benen trilden en mijn hart bonsde, alsof ik net een heel eind had gerend. Ik leunde een ogenblik tegen de muur. 'Jezus.' Ik pakte mijn gsm.

Mijn vingers trilden terwijl ik haar nummer toetste. Janes telefoon leek een eeuwigheid over te gaan en ik keek naar de foto's terwijl ik luisterde. Eindelijk werd er opgenomen door haar secretaresse.

'Met het kantoor van Jane Lu.'

'Is ze aanwezig?' Mijn keel was dichtgesnoerd en ik kon de woorden nauwelijks uitbrengen.

'Hoi, John. Ik ben bang dat ze momenteel niet te bereiken is.'

Ik knarsetandde. 'Maar ís ze er wel – is ze op dit moment op kantoor?'

'O jawel. Ze is in de vergaderzaal, in bespreking.'

'Weet je het zeker? Heb je haar gezien?'

'Ja, ik heb haar net naar binnen zien gaan.' Ze klonk verbaasd. 'Is er iets, John?'

Het was alsof er een steen van mijn borst viel. 'Nee, niets – maar zeg dat ze me belt als ze klaar is. Meteen, oké? Zeg dat het belangrijk is.' Ik hing op en toetste een ander nummer. Janine nam meteen op.

'Johnny – je moet mijn gedachten hebben gelezen. Ik wilde je nct bellen.'

'Zijn de jongens thuis, Janine?'

'Ze komen net binnen,' zei ze en ik slaakte een diepe zucht. 'Ze zijn zich aan het opfrissen, dus ik heb ze nog niet geopend.'

Mijn keel werd dichtgesnoerd. 'Wat geopend?' vroeg ik.

Janine gniffelde. 'De cadeautjes die je hebt gestuurd – ze zijn een uur geleden bezorgd. Maar wat zit erin, Johnny? En ter ere waarvan is het?'

23

'Als dít verdomme geen schot voor de boeg is,' zei ik tegen Tom Neary. Ik smeet de envelop op zijn schoot en stapte achter in de Volvo Sedan. Hij stond dubbel geparkeerd voor Janes kantoor in West 22nd Street en Sikes en Pritchard zaten voorin. 'En als het niet afkomstig is van die vette klootzak.'

Neary haalde de foto's uit de envelop. Drie ervan waren van Jane – terwijl ze ons flatgebouw verliet, op het moment dat ze haar kantoorgebouw binnenging en terwijl ze ergens in het centrum in een taxi stapte, en drie van mijn neven, Derek en Alec – voor hun flatgebouw, in het park en bij het uitgaan van de school. Neary bekeek ze aandachtig en ik keek met hem mee, tot ik opnieuw werd overspoeld door een golf van woede en me afwendde en naar buiten keek. Maar het maakte geen verschil. De scène in de stad bleef me door het hoofd spelen.

Janine was me in de lobby van haar flat tegemoet gekomen. Haar gezicht was bleek en ze stond strak van bezorgdheid en onbehagen. Haar stem was een gespannen fluistering.

'Wat is er aan de hand, John?'

'Waar zijn de jongens?' vroeg ik. De portier en de conciërge keken ons schuin aan en Janine pakte mijn arm en trok me mee naar het trottoir.

'Ze zijn vlakbij, in het Milton's. Wat is dit allemaal?'

'Heb je de pakjes boven gelaten?'

Janines blauwe ogen werden kleiner en schoten vuur. 'Ja – en nu, in godsnaam, zeg op wat er aan de hand is.'

'Ik weet niet wie ze gestuurd heeft, maar die pakjes zijn een boodschap – een waarschuwing – voor mij. Ze horen bij een paar foto's die ik vandaag heb gekregen.'

'Foto's waarvan?'

Ik haalde diep adem. 'Sommige waren van Jane... en sommige van de jongens.' Het laatste beetje kleur trok weg uit Janines gezicht. Haar ogen werden groot en ze sloeg haar handen voor haar mond.

'Jezus christus...' zei ze en ze deed een stap achteruit. Er stopte een lange zwarte auto langs het trottoir en Ned stapte achter uit. Zijn gezicht was strak en hij keek naar Janine en toen naar mij. 'Wat is hier verdomme gaande?' zei hij. Ik vertelde hem over de foto's en de pakjes en wat ze volgens mij betekenden en terwijl ik dat deed schudde hij zijn hoofd en streek door zijn rossige haar. Toen ik klaar was staarde hij lange tijd naar het plaveisel en zei niets. Toen wendde hij zich tot Janine.

'Waarom ga je niet even in de auto zitten, Jan?' zei hij zacht. Janine mompelde iets en liep naar de rand van het trottoir. Neds chauffeur sprong uit de auto en hield het portier open. Janine staarde me kil aan toen ze instapte.

'Als je me de sleutels geeft, haal ik de pakjes en maak dat ik wegkom,' zei ik tegen Ned. Hij knikte en zocht in zijn zak.

De pakjes lagen in de hal, in een gewone bruine boodschappentas, en ze waren allebei in goudpapier verpakt. Ze waren rechthoekig, ongeveer zo groot als een middelgroot telefoonboek, maar veel lichter. Janine zat nog steeds in de auto en Ned stond nog op de rand van het trottoir toen ik terugkwam. Zijn gezicht was gegroefd en ingevallen. Ik gaf hem zijn sleutels.

'Het spijt me,' zei ik.

'Je weet dat je Janine en de jongens de stuipen op het lijf hebt gejaagd. En je hebt mij in elk geval doodsbang gemaakt. Jezus, Johnny, wat voor leven leid jij, dat zulke dingen gebeuren? Waar heb je ons in betrokken?' Hij zweeg, haalde diep adem en dempte zijn stem enigszins. 'Janine is totaal van streek en ik ook, en het lijkt haar – ons – het beste dat je voorlopig niet meer komt.'

Ik keek Ned een ogenblik aan en knikte. 'Goed,' zei ik en ik vertrok.

'Wat zat er in die pakjes?' vroeg Neary terwijl hij me terugbracht naar de auto.

'Legpuzzels... een van een pratende trein en een van die behaarde dinosaurus. Iemands idee van een geintje.' Ik keek Neary aan. 'Zeg dat het geen schot voor de boeg is,' zei ik nogmaals.

'Om Danes met rust te laten?'

'Dat is het enige waaraan ik werk.'

Neary schudde langzaam zijn hoofd. 'Ik weet zo net nog niet of het Marty is.'

Ik keek hem schuin aan. 'Wie kan het anders zijn? Wil je zeggen dat iemand anders me volgt en dat jouw mensen het niet hebben gemerkt?' Neary zuchtte en Sikes en Pritchard schoven ongemakkelijk heen en weer op de voorbank.

'Marty's mannen zijn de enigen die we daar gezien hebben en ik ben er bijna zeker van dat zij die foto's hebben gemaakt. Maar ik weet niet zeker of Marty dit alles op touw heeft gezet. En als je even tot bedaren zou komen en na zou denken, zou je het er misschien mee eens zijn.'

Ik haalde diep adem en streek met mijn hand over mijn nek. Die was warm en plakkerig. 'Oké – volmaakt kalm nu. Wat is het dan waarover ik na moet denken?

'De timing bijvoorbeeld,' zei Neary. 'Er is nog geen uur verstreken tussen het moment dat we zijn kantoor verlieten en toen je die foto's vond. Je denkt toch niet dat hij dat spul klaar had liggen en dat hij Stevie naar de stad heeft laten scheuren om ze af te leveren zodra we de deur achter ons dichttrokken?'

Ik schudde mijn hoofd. 'Ik denk dat hij het al geregeld had. Onze komst op dat moment was een toevallige samenloop van omstandigheden.'

Neary trok zijn wenkbrauwen naar me op. 'Denk je dat Marty zo koelbloedig kon doen als hij deed, wetend wat er gebeurde terwijl wij in zijn kantoor zaten? Hij is niet gek, maar zo glad is hij nou ook weer niet. En dat genie, die Stevie? Hij herkende je duidelijk, al had hij er even voor nodig, en hij wist niet genoeg om het voor zichzelf te houden. Denk je dat hij zo gereageerd zou hebben als hij had geweten dat er stront aan de knikker was?'

Ik wreef door mijn ogen. 'Misschien wist hij er niets van,' zei ik. 'Misschien vertrouwt Czerka hem dergelijke dingen niet toe.'

Neary geloofde er niets van. 'Ik weet niet of Marty iemand vertrouwt, maar ik weet wel dat Stevie zijn loopjongen is. Als Marty achter deze smeerlapperij zou zitten, zou Stevie ervan hebben geweten en dan zou hij het in zijn broek hebben gedaan, of iets even subtiels, toen hij je vandaag zag.'

Ik keek uit het raam naar de glazen deuren van Janes kantoorgebouw en dacht na over wat Neary had gezegd en stemde er schoorvoetend mee in. De timing klopte niet, net zomin als Czerka's gedrag, of dat van Stevie. Maar mijn woede had een mikpunt nodig, en als het Czerka niet was...

'Wie dan wel?' zei ik hardop.

'Als we aannemen dat de jongens van Marty die foto's hebben gemaakt – en ik zou niet weten wie het anders geweest kan zijn – zijn er volgens mij maar twee mogelijkheden: een van Marty's jongens of Marty's cliënt.'

'Zijn jongens hebben er geen enkele reden toe,' zei ik.

'Ik kan er geen bedenken.'

'Blijft over zijn cliënt.'

'Blijft over zijn cliënt.'

Mijn keel werd dichtgesnoerd van frustratie en ik sloeg tegen de ruit. 'Zodat we geen stap verder zijn gekomen – zonder enig idee wie het zou kunnen zijn.'

'Misschien toch wel,' zei Neary rustig. 'Als Marty niets van die foto's weet kan ik ze gebruiken om hem door elkaar te schudden en misschien iets los te krijgen.' Mijn gsm trilde en ik nam op. Het was Jane, op het punt van vertrekken.

'Ik zie je bij de ingang,' zei ik. Ik hing op en keek Neary aan. 'Ik merk dat je zei: "*Ik* kan nog eens naar hem toen gaan" en niet: "*We* kunnen nog eens naar hem toe gaan".'

Neary zuchtte en zweeg even. 'Volgens mij ben je momenteel een beetje opgewonden, John,' zei hij ten slotte. 'Ik zou niet graag zien dat je iets... contraproductiefs zou doen.'

Ik staarde hem aan. 'Hoe hard pak je hem aan?'

Neary kneep zijn ogen tot spleetjes en Sikes en Pritchard schoven weer heen en weer. 'Zo hard als nodig is,' zei hij. We zwegen even en hielden de straat in de gaten.

'Wanneer ga je met hem praten? Het moet gauw...'

'Vandaag,' viel Neary me in de rede. 'Ik doe het vandaag.'

'En die neef van hem – Stevie? Die slaat misschien makkelijker door dan Czerka. Hij...'

'Ik zal doen wat gedaan moet worden, John.' Neary's stem klonk kortaf.

'En dat houdt in... wat?'

'Dat houdt in dat je me betaalt voor mijn gezonde verstand. Dat houdt in dat ik niet high van de adrenaline en met mijn verstand op nul naar hem toe ga. Dat houdt in dat, als je iemand zoekt om die knapen door hun knieschijven te schieten – je op jezelf bent aangewezen.' Neary staarde me aan en zijn blik was vlak en onbewogen.

Ik ademde diep in en uit en knikte. 'Ik weet trouwens niet of ik dat kantoor nóg een keer zou kunnen verdragen,' zei ik.

Neary glimlachte even. Hij keek langs me heen uit het autoraampje. 'Daar is ze,' zei hij. Hij stopte de foto's terug in de envelop en gaf hem weer aan mij. Ik stapte uit de Volvo.

'Bel me wanneer je Czerka hebt gesproken. En bedankt voor het wachten hier.'

'Het komt op je rekening,' zei hij. 'Weet je zeker dat je niet naar huis gebracht wilt worden?' Ik schudde mijn hoofd en sloot het portier en de auto reed weg. Jane keek toe vanaf het trottoir. Ze had een grote zwarte schoudertas bij zich en droeg een wijde grijze broek en een blauwe zijden blouse zonder mouwen. Haar blik was donker en er lagen lijnen rondom haar mond.

'Was dat je vriend Neary?' vroeg ze. 'Wat deed hij hier?'

'Wachten tot jij kwam.'

Jane hees haar tas op en kneep haar lippen op elkaar. 'Wat gebeurt er?' vroeg ze. We liepen richting 16th Street en ik vertelde het haar. We liepen langzaam en Jane luisterde en toen ik klaar was zei ze enkele minuten niets. Toen ze sprak was haar stem zacht en toonloos.

'De jongens maken het goed?' vroeg ze.

'Een beetje geschrokken en waarschijnlijk een beetje van streek – maar verder goed.'

'Mooi,' zei Jane. Ze zweeg opnieuw een halve straatlengte. 'En je denkt dat het een waarschuwing is – vanwege Danes?' Ik knikte. 'Van degene die – hoe heet hij ook alweer – Czerka heeft ingeschakeld?' Ik knikte nogmaals. 'Ze weten waarschijnlijk niet dat de opdracht is ingetrokken.'

'Dat zal wel niet.'

Ze zweeg weer en op de hoek van Fifth Avenue en 17th Street bleef ze staan. 'Wat houdt die waarschuwing in?' vroeg ze. 'Ik bedoel: wat wil hij zeggen met die foto's?'

Ik keek haar aan en ze ontmoette mijn blik en wachtte. 'Ik denk dat het een boodschap is dat hij weet wat belangrijk voor me is en dat hij... bij die zaken kan komen als hij dat wil. Ik denk dat het een boodschap is over wat er op het spel staat als ik doorzet.'

'En heeft hij gelijk in wat belangrijk voor je is? Ik weet dat je neven dat zijn – wat dat betreft heeft hij gelijk.' Haar gezicht was uitdrukkingsloos en haar donkere ogen waren leeg.

'Ik heb dit niet gewild, Jane. Ik wil niet dat je iets overkomt.'

'Er is me al iets overkomen.'

Ik haalde diep adem. 'Ik weet het.'

Jane liep verder. 'Waarom heb je me niet verteld dat iemand je volgde – misschien ons allebei?' vroeg ze.

'Ik dacht dat ze geen bedreiging vormden – ik wist de helft van de tijd niet eens zeker of ze er waren. En ik heb geen moment gedacht dat ze geïnteresseerd zouden zijn in jou. Je had veel aan je hoofd en ik wilde je niet van streek maken.' Jane bleef opnieuw staan. Ze wilde iets zeggen, maar hield haar woorden binnen en schudde even haar hoofd. Ze keek naar de lichtbruine envelop in mijn hand. 'Laat ze eens zien.'

Ik schudde mijn hoofd. 'Je wilt niet...'

'Geef ze verdomme gewoon.' Haar stem klonk gespannen en ijzig. We liepen naar het portiek van een klein kantoorgebouw en ik gaf haar de envelop.

Jane liet de foto's eruit glijden en bekeek ze een voor een. Haar gezicht was roerloos en asgrauw en alleen haar donkere ogen bewogen. Ze bladerde het stapeltje drie keer door, leunde tegen de muur en zweeg enige tijd. Toen ze sprak was het bijna alsof ze het tegen zichzelf had.

'Ze waren zo dichtbij... Ik had geen idee.'

'Ik evenmin.'

Ze overhandigde me de envelop. 'Maar nu weet je het,' zei ze. 'Je hebt geen zaak en je hebt geen cliënt, maar nu weet je het. Dus wat ben je van plan?' Haar stem was vlak en emotieloos.

'Ik moet erachter zien te komen wie dit gestuurd heeft, Jane.'

Ze knikte, niet verbaasd. 'Waarom?'

Ik bestudeerde haar ondoorgrondelijke gezicht en dacht aan alle antwoorden die ik kon geven – dat de beste manier om haar veiligheid en die van mijn neven te garanderen eruit bestond dat ik uitzocht wie deze dreigementen uitte en daarna zelf een boodschap sturen; dat ik niet met me liet sollen; dat ik moest weten wat er verdomme gaande was; dat ik aan het werk moest blijven. Het was allemaal waar en het leek allemaal ontoereikend en uiteindelijk zei ik niets.

Even later liepen we door. Jane hield haar pas in toen we 16th Street bereikten en keek de straat in. Ik volgde haar blik terwijl ze hem over de voetgangers en de geparkeerde auto's liet glijden en ik zag dat er een grimas over haar gezicht gleed en een rilling door haar schouders.

'Laten we iets te eten halen,' zei ze zonder me aan te kijken.

We liepen door naar het zuiden, naar een koffiehuis vlak bij Union Square, waar we zwijgend een maaltijd gebruikten te midden van een luidruchtige menigte. Na afloop keerden we terug naar 16th Street en Jane liep snel en resoluut de straat en de lobby van onze flat in. Ik drukte op de knop van de lift en ze zocht in haar tas en pakte haar huissleutels. We stapten in en ik drukte op drie, Jane drukte op vier. Ze keek naar de oplichtende getallen terwijl we naar boven gingen. De deuren gleden open op de derde en ik stapte uit.

'Ik wil die dingen niet,' zei Jane. Ik wilde iets zeggen, maar de deuren gleden alweer dicht en terwijl ze dat deden veranderde er iets in Janes gezicht. Haar mond werd kleiner en de rimpeltjes eromheen wezen omlaag. En er gebeurde iets in haar ogen, als het openen van een sluiter. Ze werden donkerder en groter en stroomden heel even over van woede en ontgoocheling. En toen waren de deuren dicht en steeg de lift weer.

Ik hoorde Jane boven me rondlopen en ik hoorde muziek – Chrissie Hynde, zo hard mogelijk. Ik luisterde mijn voicemails af. Er waren er drie van Lauren en ik nam niet de moeite om ze af te luisteren.

Ik schonk een groot glas water in en dronk het op terwijl ik door de kamer ijsbeerde en mijn woede liet bezinken. Ik dacht aan Marty Czerka's mysterieuze cliënt en aan wat hij wilde van Gregory Danes. Ik dacht aan het handjevol mensen in Danes' leven dat ik had gevonden en vroeg me af wie van hen iemand zoals Czerka zou aannemen en wie van hen daar bang genoeg voor was.

Ik dacht ook aan Neary en vroeg me af hoe zijn gesprek verliep. Ik was niet optimistisch. Niet dat ik twijfelde aan Neary's bekwaamheid – dat niet. Ik had hem de goedzak zien spelen, de gemenerik, de onverschillige wie het geen zak kan schelen en de maniak, en hij is er beter in dan de meeste mensen. Maar Czerka had die rollen waarschijnlijk zelf ook gespeeld en hoewel Neary hem misschien zou verrassen, dacht ik niet dat hij hem aan het praten zou krijgen.

Nee, Stevie was absoluut de zwakke schakel; hij was degene die ik het eerst onder handen zou nemen. Maar Stevie zou misschien enige aanmoediging nodig hebben en daar zou Neary de grens trekken.

Ik stopte met ijsberen en dacht aan Stevies gebroken neus, aan zijn blauwe plekken en hechtingen en gespalkte vingers en ik herinnerde me iets wat Richard Gilpin me had verteld, in Fort Lee.

Het kantoor is niet toegankelijk voor het publiek en de directie wordt hypernerveus van bezoekers. Ik heb horen zeggen dat de laatste die kwam snuffelen van geluk mocht spreken dat hij bij het weggaan al zijn vingers nog had.

De telefoon ging en ik schrok op. Het was Neary. Hij belde vanuit een auto en klonk uitgeput.

'Ik heb een poging gedaan met Marty,' zei hij. 'En niets bereikt.' Neary wachtte tot ik iets zei, maar ik zweeg. Hij vervolgde: 'Hij was verbaasd, geen twijfel mogelijk, maar je hebt het gezien – hij danst aardig goed voor zo'n dikke vent en hij wilde niets toegeven. Hij schijnt nu zelfs nog minder te weten dan toen we hem vanmiddag bezochten.'

'En Stevie?'

'Er was geen spoor van hem te bekennen op kantoor. Ik heb Juan de buurtkroegen laten controleren, maar hij had geen geluk. Ik heb Eddie naar zijn huis in Queens gestuurd. We houden daar en bij het kantoor een oogje in het zeil tot hij opduikt.' Neary geeuwde diep. 'Sorry, John.'

'Ga liever wat slapen.'

'We vinden hem wel, is het vanavond niet, dan morgen, of overmorgen.'

'Natuurlijk,' zei ik.

Natuurlijk, tenzij oom Marty hem eerst vindt en zegt dat-ie zijn bek moet houden en hem een tijdje de stad uit stuurt. Ik dacht verder na over

Stevie en zijn gebroken vingers en over wat Gromyko had gezegd, de laatste keer dat ik hem zag.

Het is mogelijk dat ik je van dienst zou kunnen zijn, March, maar ik leid geen liefdadigheidsinstelling. Maar adviezen zijn kostbaar en ik verwacht navenant betaald te worden.

Ik ging aan tafel zitten en bedacht hoe lang het zou kunnen duren om Stevie te vinden en hoeveel aanmoediging hij tegen die tijd nodig zou hebben. Ik wreef door mijn ogen en dacht aan Goran en Gromyko en pacten met de duivel en met gelijke munt terugbetalen. Ik dacht aan de lichtbruine envelop en aan de foto's die erin zaten. Ik toetste het nummer van Morgan & Lynch in Fort Lee in en een vrouw nam op. Het getatoeëerde meisje zo te horen.

'Met March,' zei ik. 'Ik wil Gromyko spreken.' Ik gaf haar mijn nummer en ze hing op. Ik ging zitten wachten tot ik terug werd gebeld en luisterde naar de muziek die door het plafond drong, harder nu en gelardeerd met het woedende staccato van Jane die de zware bokszak bewerkte.

— 24 —

Ik sliep slecht die nacht en ontmoette Gromyko de volgende ochtend, in de Conservatory Garden in Central Park. Ik maakte een lange, ingewikkelde omweg om er zeker van te zijn dat ik er zonder escorte arriveerde en ik was vroeg, even na achten. Ik nam de ingang aan 105th Street en het suizen van het ochtendverkeer op Fifth Avenue verstomde achter me toen ik door de Vanderbilt Gate het Italiaans aangelegde deel van het park betrad. Het was een warme ochtend, met een briesje en enkele dikke wolken aan een Wedgewood-hemel, maar het park was nog maar net open en bijna verlaten. Een goedgekleed, al wat ouder echtpaar wandelde op zijn gemak in zuidelijke richting naar de Engelse tuin en bij de smeedijzeren pergola stond een ranke vrouw met lang blond haar en een opwaaiende dunne rok. Ik zette koers naar het noorden, langs een rij bloeiende wilde appelbomen naar de Franse tuin. De tulpen stonden nog in bloei en de felgekleurde, dikke bloemen deinden in de zachte wind.

Ook Gromyko was vroeg en hij stond bij de fontein. Hij droeg loafers, een wijde witte broek en een overhemd met opstaande kraag en opgerolde mouwen. Hij keek naar de bronzen beelden – drie dansende meisjes – en naar het water dat opsteeg en neerviel tussen hun sierlijke armen en zijn blonde haren glansden in het zonlicht. De Great Gatsby uit Oekraïne. Hij kwam naar me toen en zijn bewegingen waren nauwgezet, maar ook sierlijk en ontspannen. Zijn schuinstaande grijze ogen waren even koud als altijd.

'U bent meer dan stipt, meneer March,' zei hij.

'Het is een mooie ochtend.'

Gromyko knikte. 'En de tuinen zijn in dit seizoen bijzonder mooi.'

We liepen langzaam het pad af, tussen uitgestrekte tulpenbedden, en een beetje van de warmte van de vorige dag leek vanuit de grond naar ons op te stijgen. 'Ik wandel hier elke ochtend, maar voorjaarsochtenden zijn het mooist.' Gromyko zag mijn verbazing en een glimlach verstoorde zijn bleke, scherpe gelaatstrekken. 'Het is niet ver lopen, meneer March. Ik woon vlakbij.' Hij wees naar het zuidoosten.

'Niet in New Jersey?'

Gromyko snoof even. 'Nee, niet in New Jersey,' zei hij. Hij bleef staan bij een natuurstenen bank, zette zijn voet op de rand en vouwde zijn armen voor zijn borst. 'En nu ter zake. U zei gisteravond dat u mijn advies wilde inwinnen.' Ik knikte. 'En u herinnert zich dat ik op basis van "voor wat hoort wat" werk?'

'Dat herinner ik me.'

'En als de tijd komt dat ik betaling vraag...? Gromyko richtte zijn grijze ogen op me en ondanks het zonlicht ging er een rilling door me heen.

'... lever ik mijn aandeel,' zei ik, 'binnen redelijke grenzen.'

Gromyko glimlachte even. 'Altijd binnen redelijke grenzen, meneer March.'

'Laten we onszelf niet voorbijlopen. Ik heb niets gevraagd en u hebt niet geantwoord. Het staat dus nog te bezien hoe behulpzaam u kunt zijn.'

Gromyko glimlachte opnieuw, geduldig ditmaal, als tegen een lastig kind. 'Ik sta tot uw beschikking,' zei hij zacht.

'Die dag in de garage – u was niet verbaasd toen ik u vertelde dat ik aan een vermissing werkte. En u vroeg niet door, u vroeg niet wie er vermist werd of wat dan ook.'

De vage glimlach bleef zichtbaar op Gromyko's gezicht en hij knikte. 'Nee, dat ik heb niet gedaan.'

'Ik denk dat dat was omdat u al wist wie ik zocht.'

Opnieuw een knikje. 'Dat wist ik.'

'Omdat ik niet de eerste was die op zoek was naar die persoon en met Gilpin wilde praten. Er was al eerder iemand geweest.'

Gromyko's glimlach werd wat breder. 'Een veel minder... *beschaafd* persoon, meneer March.'

'Stevie,' zei ik.

Gromyko haalde zijn schouder op. 'Ik weet niet meer hoe hij heet. Hij was bodybuilder, onbeleefd en dom – een ongelukkige combinatie.'

'Maar hij werkte voor Marty Czerka?' Er gleed een blik van minachting over Gromyko's gezicht en hij knikte. 'Hoe hebt u elkaar... ontmoet?' vroeg ik.

'Hij klampte Gilpin buiten het kantoor aan, maar merkte niet dat die op dat moment vergezeld werd door twee van mijn mannen. Ze stuurden Gilpin naar boven en haalden mij erbij.'

'En u ondervroeg hem – enigszins hardhandig.' Gromyko zei niets. 'En hij vertelde u... wat?'

'Alles wat hij wist. Wat heel weinig was.'

'Maar hij vertelde dat hij werkte aan een geval van vermissing.'

Gromyko knikte opnieuw. 'Ja, en dat hij op zoek was naar Gilpins half-broer, Gregory Danes,' zei hij.

'En hij vertelde u ook wie zijn cliënt was?' Ik wachtte met ingehouden adem op het antwoord.

'Ja, dat vertelde hij me ook,' zei Gromyko.

'En?'

'En nu zijn we het erover eens dat ik u behulpzaam ben geweest, ja, me-neer March?' Zijn ogen werden weer kleiner en boorden zich in de mij-ne. De wind wakkerde aan en blies een koppige geur van teelaarde in het rond.

'Daarover zij we het eens.'

'Gewoon om te voorkomen dat we onszelf voorbijlopen,' zei Gromyko en hij glimlachte ijzig. 'Jeremy Pflug. Zijn cliënt heet Jeremy Pflug.' Gro-myko spelde het voor me.

'Wie is dat?'

Hij schudde zijn hoofd. '*Google* hem, meneer March, dan vindt u alles wat u wilt weten.'

'Is dat alles wat u over hem weet?'

Gromyko zuchtte. 'Ik heb me ervan overtuigd dat... Stevie... me vertel-de wat in zijn ogen de waarheid was. En Gilpin heeft me verzekerd dat hij niets te maken heeft met zijn broer en niets weet over die Pflug. En Gil-pin is wel zo verstandig niet tegen me te liegen. Dus concludeerde ik dat dit me niet aangaat.

Mijn zaak groeit snel, meneer March, en vergt veel van mijn tijd. Wan-neer er geen duidelijke noodzaak toe is en geen profijt oplevert, bemoei ik me niet met andermans zaken – een gewoonte die u in overweging zou moeten nemen.' Gromyko rechtte zijn rug en keek op zijn horloge. 'Als er verder niets is...'

'Wanneer hebt u met Stevie gesproken?'

'Enige tijd geleden, misschien tien dagen voor uw bezoek.'

'Nog sporen gezien van een volgauto sinds uw man dat blauwe busje zag?'

'Nee,' zei hij met opnieuw een blik op zijn horloge. 'En nu moet ik gaan.' Zijn bleke gezicht was stil en uitdrukkingsloos.

'Bedankt,' zei ik.

Hij knikte langzaam. 'Inderdaad,' zei hij en hij draaide zich om en liep in zuidelijke richting, de Italiaanse tuin in. Ik zag hem langs een rij wilde appelbomen lopen en even stilstaan bij de Vanderbilt Gate. De ranke blon-de vrouw stond op van een bank, slenterde de tuin door en voegde zich bij hem. Ze was van zijn lengte en ze boog zich naar hem toe, pakte zijn hand en fluisterde iets in zijn oor. Gromyko knikte bij haar woorden en de blonde vrouw pakte zijn arm en kuste hem. Een klaterende lach, hoog en meisjesachtig, dwarrelde als een blad door het park. En toen waren ze door de poort en uit het zicht.

Ik ging op de stenen bank zitten, luisterde naar de verkeersgeluiden in de verte en dacht na over de deal die ik met Gromyko had gesloten. Ik vroeg me af wat hij zou vragen in ruil voor zijn gunst en wanneer hij het zou vragen en of onze ideeën over wat *binnen redelijke grenzen* was ook maar enigszins overeen zouden komen. En wat ik zou doen als dat niet zo was. En wat hij zou doen. Ik schudde mijn hoofd. Het had geen zin daarover nu te speculeren, me er nu zorgen over te maken – de deal was gesloten en ik had een naam. Als het zover was zou ik mijn aandeel leveren, hoe dan ook. Maar op dit moment had ik een naam. De zon was warm op mijn schouders en de bank was warm onder me en enkele minuten later verdween de kou uit mijn armen en benen.

Ik liep door het park naar 96th Street en nam de metro naar het centrum. De kantoren van Brill waren nog verlaten. Neary was gladgeschoren, helder van blik en in blauw kostuum gestoken en nauwelijks verbaasd dat hij me zag.

'Er is nog niets over Stevie,' zei hij.

'Maak je geen zorgen. Ik heb een naam.'

'Van wie?' vroeg hij.

'Een betrouwbare bron.'

'Die momenteel ongedeerd is?'

'De laatste keer dat ik hem zag wel.'

Neary glimlachte even. 'Een hele opluchting. Welke naam?'

'Jeremy Pflug.' Ik spelde het voor hem zoals Gromyko dat voor mij had gedaan. 'Nooit van gehoord, maar Google zal ons volgens zeggen alles vertellen wat we willen weten.'

Neary rolde naar zijn toetsenbord. 'In elk geval alles wat we gratis willen weten – maar het is een begin. Schuif een stoel bij.'

We waren er twee uur mee bezig, aanvankelijk via Google, daarna via een reeks betaalde diensten en ten slotte in een eigen gegevensbestand van Brill. Het was misschien niet alles wat er te weten was over Jeremy Pflug, maar het was genoeg – en het was vreemd.

Als ik het oververhitte proza op de website van Scepter Intelligence moest geloven, het bedrijf dat hij had opgericht en waarvan hij bestuursvoorzitter en president-directeur was, was Jeremy Pflug een groot man, een unieke combinatie van Sir Richard Burton, 'Wild Bill' Donovan en de hoofdpersoon van een lijvige thriller.

Volgens zijn biografie was Pflug eind veertig, had hij gestudeerd aan een Ivy League-universiteit en was hij een talenwonder, afgestudeerd in economie en internationale bedrijfskunde. Hij had gediend bij de Amerikaanse marine, waar hij luitenant-ter-zee 2de klasse was geweest en dienst had gedaan bij speciale eenheden. Na de marine was hij oorlogscorrespondent geweest, CIA-analist en effectenmakelaar, allemaal als voorspel op het oprichten van Scepter. Tot zijn hobby's behoorden zeilen, speleologie en vechtsport. Zijn lievelingskleur werd niet vermeld.

Er stonden veel foto's van Pflug op de Scepter-website, in veel heldhaftige poses. Pflug als T.E. Lawrence, naast een onder zand bedolven jeep, turend over een stoffige steppe; Pflug de roekeloze aan het roer van een door een storm geteisterde zeilboot, turend over de genadeloze golven en Pflug als heerser over het universum, onbekommerd tegen een Bloomberg-terminal leunend, turend over een chaotische beursvloer. Er was Pflug de bedrijfsstandwerker, de diensten van Scepter aanprijzend voor een groepje verrukte managers; Pflug de inspirerende leider, tegenover een zaal vol frisse jonge zakenlieden, en Pflug de expert, een stel gezette leden van de Rotary onderrichtend in binnenlandse veiligheid. Op alle foto's zag hij er lang en slank uit en zo niet knap, dan toch minstens ruig, hard en vermetel. De ijdelheid was schaamteloos en amusant.

De kleine stukjes van de Scepter-site die niet aan Pflug zelf gewijd waren, waren gereserveerd voor een hoop gewauwel over de overeenkomsten tussen handel en oorlog, het voordeel van kennis en de waarde van tijdige informatie. Het was afgezaagd en soms onsamenhangend spul, gelardeerd met – maar niet goedgemaakt door – Pflugs overpeinzingen over oorlogvoering, strategie en tactiek – stuk voor stuk verminkte parafrases van Soen Tzoe, von Clausewitz en Vince Lombardi. Ik las dat Scepter *een informatiebedrijf voor het nieuwe millennium* was, maar kreeg verder geen enkele aanwijzing voor wat het deed. Neary liet zijn blik over het scherm glijden, schudde zijn hoofd en grinnikte vol medelijden. Hij lachte luidkeels toen we de rest lazen.

Die bestond grotendeels uit een lang artikel, enkele jaren geleden verschenen in een respectloos maandblad, over de kwalificaties van de zogenaamde deskundigen die door de nieuwszenders werden ingehuurd om de laatste oorlog van kleurrijk commentaar te voorzien. Een van die 'deskundigen' was Jeremy Pflug en er stak blijkbaar heel wat minder in hem dan je op het eerste gezicht zou zeggen.

Om te beginnen zijn universitaire opleiding. Bij nadere inspectie door de verslaggever werd Pflugs opleiding aan een Ivy League-universiteit één jaar in New Haven en een baccalaureaat in de letteren aan een diplomafabriek aan de westkust – dezelfde uitgelezen instelling die hem later zijn bul had gegeven. Zijn taalvaardigheid bestond voornamelijk uit middelbareschool-Spaans en – volgens een anonieme bron – het vermogen om in het Frans en Duits te onderhandelen met hoeren.

Pflugs beweringen over zijn diensttijd hadden kennelijk iets meer grond. Hij was inderdaad bij de marine geweest en had daar de rang van luitenantter-zee 2de klasse bereikt. Maar zijn dienst bij speciale eenheden kon beter worden omschreven als diensten áán speciale eenheden – zijn primaire taak was die van intendanceofficier geweest.

Zijn cv deed de waarheid nog meer geweld aan waar het ging over zijn carrière na de marine. Zijn ervaring als 'oorlogscorrespondent' kwam neer op een halfjaar als voornamelijk onbetaald correspondent voor een inmiddels opgeheven nieuwsdienst. Zijn standplaats was Singapore geweest – niet bepaald het centrum van Beiroet, zoals de schrijver van het artikel naar voren bracht. Zijn bewering dat hij 'CIA-analist' was geweest, was nog tendentieuzer. In werkelijkheid was Pflug uitzendkracht geweest bij een adviesbureau in Washington D.C. dat door de CIA in de arm was genomen om de administratiekosten te analyseren. Evenzo was 'effectenmakelaar' de naam die Pflug gaf aan zijn negen maanden als assistent bij een tweederangs commissionair in Baltimore. Het artikel markeerde kennelijk het einde van Pflugs omroepcarrière.

De betaalde diensten en de database van Brill bevestigden het artikel gedeeltelijk, maar wierpen geen licht op Pflugs bedrijf, Scepter Intelligence. Aangezien het een besloten vennootschap was, was er geen informatie beschikbaar over de rest van de directie, de inkomsten, de werknemers of de cliënten, en het weinige wat we vonden was een uittreksel van de website. *Kantoren in Washington, New York en Londen. Werkterrein omvat financiële diensten, technologie, media en energie. Strategische en tactische opdrachten.*

Neary leunde achterover en rekte zich uit. 'Ik moet die kerel mijn cv laten opstellen,' zei hij lachend. 'Met een kleine aanpassing lijkt het alsof ik minister van Justitie ben geweest.'

'Of zelfs minister van Posterijen. Maar wie is die vent en wat doet hij eigenlijk? En vanwaar zijn belangstelling voor Danes?'

'Aangenomen dat het zíjn belangstelling is,' zei Neary.

'In tegenstelling tot...?'

'In tegenstelling tot de belangstelling van zijn cliënt.'

'Alweer een omweg, verdomme... geweldig!' Ik schudde mijn hoofd. 'Dus wie is zijn cliënt en wat moet die met Danes?'

Neary glimlachte. 'Eerst het belangrijkste,' zei hij. 'Laten we beginnen met wie die kerel is en wat hij doet. Hoe heette die journalist?'

Ik keek in mijn aantekeningen. 'George L. Gerber, in L.A.'

Neary's vingers waren alweer druk in de weer en hij zweeg even terwijl hij zijn scherm las. 'Daar gaan we. Zou het te vroeg zijn om het westen te bellen?' Maar hij had de telefoon al in zijn hand.

Het was niet te vroeg voor George L. Gerber. Hij was wakker en alert aan de telefoon en er klonk een vaag Brooklyn-accent door in zijn stem. Maar hij was vriendelijk genoeg, tot we hem vertelden waarover we het wilden hebben. Toen viel er een stilte, gevolgd door enkele bijzonder voorzichtige vragen over wie we waren. We gaven hem antwoorden en hij zei dat hij ons terug zou bellen. Neary wilde hem al zijn rechtstreekse nummer geven, maar Gerber onderbrak hem.

'Ik zoek het nummer van Brill in New York wel op,' zei hij. 'Als ik u daar niet kan bereiken, wil ik niet met u praten.' Vijf minuten later was hij weer aan de lijn.

'Waarom hebt u belangstelling voor hem?' vroeg Gerber. Zijn stem klonk nog steeds erg omzichtig.

'We kwamen hem tegen in een zaak waaraan we werken,' zei Neary. 'En er zit een luchtje aan. We zijn op zoek naar wat achtergrondinformatie over hem en we dachten dat u ons misschien zou kunnen helpen. U bent de beste Pflug-expert die we hebben gevonden.'

'Dat klopt,' zei Gerber met een korte, verbitterde lach. 'Maar als u mijn artikel gelezen hebt weet u het belangrijkste al – dat hij een leugenachtige, zichzelf verheerlijkende gluiperd is. Ik zie niet wat ik daar nog aan toe kan voegen.'

'Wat kunt u ons vertellen over Scepter Intelligence?' vroeg ik. 'U zegt in uw artikel weinig over het bedrijf.'

'Afgezien van Pflug valt er weinig te zeggen over Scepter. Ik bedoel: Pflug ís Scepter.'

'Daar lijkt het op de website in elk geval wel op,' grinnikte Neary. 'Ze laten het klinken alsof een groot deel van de beschaafde wereld van Pflug afhangt – om de boel bij elkaar te houden.'

Maar Gerber lachte niet. 'Ik maak geen grapjes, Neary,' zei hij. 'Hij is echt het bedrijf. Ik bedoel: volgens alles wat ik gehoord heb is Pflug de enige werknemer van Scepter Intelligence.'

Neary keek me aan en ik keek terug en we zwegen even. Gerber hielp ons.

'Die website is een decor en alle kantoren – in Washington, New York en Londen – staan leeg. Voor een paar honderd dollar per maand krijgt hij een respectabel adres, een telefoonnummer, een receptioniste, een postadres en een respectabele vergaderruimte als hij een bijeenkomst moet beleggen. Voorzover ik kon zeggen bestaat het bedrijf voornamelijk uit Pflugs flat in een voorstad in het noorden van Virginia.'

'Dus hij doet al het werk?' vroeg ik.

'Hij is meer een aannemer. Hij krijgt de opdrachten en huurt hulp in wanneer hij die nodig heeft – losse krachten, specialisten, zelfs andere bedrijven – voor zo lang als hij ze nodig heeft. Hij bemiddelt en berekent een fikse winstmarge voor elke klus.'

'Wat voor klussen, George?' vroeg Neary. 'Wat verkoopt hij en aan wie verkoopt hij het?'

Gerber snoof. 'Hij noemt het *privé-informatie* en *oppositieresearch* en nog een paar deftige eufemismen, maar het is gewoon spioneren – vuile trucs, sluipen en loeren, geheimen kopen en verkopen, lastercampagnes en meer van die mooie dingen. Pflug is een bedrijfsspion en hoewel hij een gluiperd is – of misschien juist daarom – is hij er goed in.' Neary keek me aan en trok zijn wenkbrauwen op.

'En zijn cliënten?' vroeg Neary.

'Dat houdt hij min of meer geheim,' zei Gerber. 'En de mensen en bedrijven die voor zulke diensten betalen zijn niet geneigd daar veel over te vertellen.'

'Bent u er tijdens uw onderzoek ooit een tegengekomen?' zei Neary.

'Ik ben nooit verder gekomen dan een paar lui die in de loop der jaren wat freelancewerk voor hem hebben gedaan. Via hen kreeg ik voor het eerst in de gaten wat voor zaken hij in werkelijkheid doet. Pflug bracht ze nooit in contact met cliënten, maar ze wisten wie hun... doelwitten waren. Ze wilden geen namen noemen, hoeveel rondjes ik ze ook gaf – ik denk dat ze bang waren ergens in verwikkeld te raken. Maar twee van die lui zeiden dat er *een heleboel Wall Street-klootzakken* op de lijst stonden – ik citeer letterlijk.'

Neary en ik keken elkaar opnieuw aan. 'Denkt u dat we met een paar van die lui zouden kunnen praten?' vroeg ik.

Gerber lachte, alsof het een grappig idee was. 'Sorry, mannen – op die manier raakt iemand zoals ik al zijn insignes kwijt. *Excusez le mot*, maar dikke lul.'

Neary haalde zijn schouders op en we zwegen even en dachten na.

'Hoe weet je dat hij goed is?' vroeg ik Gerber ten slotte.

'Wat?'

'Als je nooit een van zijn cliënten hebt gesproken, hoe weet je dan dat Pflug goed is in zijn werk?'

Het bleef lange tijd stil aan de telefoon.

'Ben je daar nog, George?' vroeg Neary.

'Ik ben er nog,' zei Gerber. Zijn stem klonk enigszins verstikt.

Neary keek me aan en trok zijn wenkbrauwen op. 'Alles goed?' zei hij in de telefoon.

'Niks aan de hand,' zei Gerber.

'Hebben we een gevoelige snaar geraakt, George?' vroeg Neary. 'Was het een verkeerde vraag?'

Gerber kuchte even. 'Nee, nee – het was precies de goede vraag,' zei hij. 'Ik zou hem zelf ook hebben gesteld.' Opnieuw een kuchje. 'Ik weet dat Pflug goed is in wat hij doet omdat ik een tijdlang na het verschijnen van dat artikel een van zijn doelwitten was.'

'Wat is er gebeurd?' vroeg ik.

Gerber zuchtte. 'In het begin stelde het niks voor – telefoontjes naar mijn kantoor en mijn gsm waarbij meteen werd opgehangen. En toen begon ik te merken dat ze op bepaalde tijdstippen kwamen – precies wanneer ik 's morgens aan mijn bureau ging zitten, net wanneer ik in mijn auto stapte, precies wanneer ik thuiskwam – alsof ik in de gaten werd gehouden. Toen begon het gedonder met mijn post. Rekeningen kwamen te laat en de enveloppen zagen eruit alsof ermee geknoeid was. Sommige rekeningen kwamen helemaal niet. En op een dag kreeg ik helemaal geen post meer – alleen een brievenbus vol hondenpoep.

Vervolgens begon hij op kantoor. Een vrouw van de afdeling Verkoop werd bestookt met e-mail – pornografische e-mail – die van mijn computer leek te komen, van mij. En net als de telefoons waren ze getimed; ze kreeg ze alleen als ik aan mijn bureau zat. En toen...' Gerber zweeg even en kuchte nogmaals. 'Toen kreeg mijn hoofdredacteur een fax – anoniem – zogenaamd van een werknemer die bang was om zich openlijk te melden. In de fax stond dat hij mijn computer maar eens moest checken, dat ik allerlei... foto's had gedownload... van kinderen, verdomme...' Gerber zweeg weer en zuchtte diep.

Neary sprak tegen hem en zijn stem klonk verrassend zachtmoedig. 'Je moet enig idee hebben gehad van wie daar achter zat, George. Je moet meteen aan Pflug hebben gedacht.'

'Natuurlijk deed ik dat,' zei Gerber. 'Zodra die telefoontjes begonnen. En ik heb mijn hoofdredacteur, onze juristen en de politie erover verteld, meteen. En dat is waarschijnlijk mijn redding geweest. Want die e-mails en de vuiligheid die ze op mijn pc vonden – die foto's – leken allemaal echt. En er was geen spoor van geknoei, geen sporen van een indringer, geen sporen van wat ook – niet op mijn pc, niet in mijn telefoons of mijn mailbox – niets.'

'Toen je de politie over de telefoontjes vertelde, hebben ze je lijn toen afgetapt?' vroeg Neary.

'Natuurlijk, waarna het meteen ophield. En zo ging het steeds weer – ik hobbelde er altijd achteraan. Zodra ik met de postale recherche over mijn post sprak, hield het geknoei op – en begon het gesodemieter met mijn e-mail. Toen dat gebeurde, zette onze techneuten een of andere interceptor op mijn account en daarna hielden de pesterige berichten op. En toen kreeg mijn baas die fax...'

'Heeft iemand Pflug er ooit op aangesproken?'

'Nou en of – meer dan eens zelfs. Hij beweerde natuurlijk dat hij nergens van wist en hij kon bewijzen dat hij aan de andere kant van het land zat toen het gebeurde. En er waren geen aanwijzingen die naar hem leidden – of naar wie ook.'

'Weet je zeker dat het Pflug was?' vroeg ik. Gerber zweeg weer en ik was bang dat ik hem boos had gemaakt, maar toen hij sprak, klonk zijn stem zacht.

'Na het gedoe met die fax en die foto's werd het stil. Er verstreek een week, een maand, twee maanden en er gebeurde niets en ik dacht dat het eindelijk voorbij was. En toen...' Gerber kuchte enkele keren zacht en haalde diep adem. 'Op een avond kom ik thuis en mijn hond... Murrow heette hij... is weg. Het was een dikke, oude labrador...' Gerber haalde opnieuw adem. '... artritisch en doof en halfblind, die de hele dag in de achtertuin lag te slapen. Hij kwam amper nog overeind om te gaan pissen en zelfs op zijn beste momenten had hij niet over het hek kunnen springen, net zomin als hij de poort had kunnen openen. Maar hij was weg...

Ik belde de politie en tien minuten later kwam er een patrouillewagen. Ze namen me mee de heuvels in en naar de rand van een afgrond en... beneden lag Murrow.' Hij zweeg weer en snoof. 'Een jogger had het net een uur eerder gemeld en ze was volkomen van streek. Niet verwonderlijk – ik bedoel: hoe vaak zie je een hond zonder kop?' Gerber zuchtte diep.

Neary keek me aan en schudde zijn hoofd.

'De politie zei dat het waarschijnlijk de plaatselijke jeugd was. Ze zeiden dat ze problemen hadden gehad met dode huisdieren in enkele wijken aan de overkant van het ravijn en dat dit waarschijnlijk hetzelfde was. Ze zeiden dat ze het zouden onderzoeken, maar het klonk niet erg hoopvol.'

'Wat dacht je?' vroeg ik.

'Niet veel, op dat moment. Ik was... ik was behoorlijk van slag, denk ik. Maar later... wist ik het.'

'Wat gebeurde er?'

'Ongeveer een maand later zat ik met een vriendin te lunchen ergens in Santa Monica en de ober komt en zegt dat er telefoon voor me is. Ik neem op en Pflug is aan de lijn. Hij zegt dat hij belt om te zeggen hoe erg hij het vindt van mijn hond en is het niet afschuwelijk gesteld met de jeugd van tegenwoordig en wat is er mis in onze steden. En hij begint te lachen als een maniak en zegt dat ik nu schoon ondergoed kan aantrekken, want hij is klaar met me. En toen hing hij op.'

'Wás hij klaar met je?' vroeg Neary.

'Er is niets meer gebeurd – afgezien dan van het feit dat ik een jaar lang geen nacht fatsoenlijk heb geslapen.'

'Ben je ermee naar de politie gegaan?' vroeg ik.

'Om wat te zeggen? Ik had geen enkel bewijs en ik wist inmiddels dat Pflug geen sporen achterlaat.' Gerber zweeg enige tijd en toen hervond hij zijn stem en zijn verbitterde lach. 'Dus, daardoor weet ik hoe goed Pflug is in zijn werk, dat is mijn waarschuwende verhaal. Nog meer vragen?'

Neary en ik keken elkaar aan. We waren door onze vragen heen en dat vertelden we Gerber en we bedankten hem voor zijn tijd.

'Ik kan niet zeggen dat het tot genoegen was, maar als het helpt om Pflug zenuwachtig te maken heb ik het met plezier gedaan. Is er een kans dat jullie me wat meer willen vertellen over wat er gaande is?'

Neary grinnikte. 'Sorry, George, maar met de woorden van een prima journalist die ik ken – *dikke lul.*'

Gerber lachte. 'Dan wens ik jullie succes – en als je de kans krijgt, schop die kerel dan namens mij voor zijn kloten... en nog een keer namens Murrow.'

Gerber hing op en Neary wreef door zijn ogen. 'Leuke jongen, die Pflug,' zei hij. 'Misschien laat ik hem toch maar niet aan mijn cv werken.' Ik knikte. 'Die foto's – van Jane en je neven: te oordelen naar wat Gerber zei passen ze precies in zijn straatje.'

'Daar lijkt het wel op.'

Neary keek me aan. 'De kans bestaat dat hij ons niet wil vertellen wie zijn cliënt is.'

'Evengoed kijk ik uit naar het gesprek.'

— 25 —

Neary zei dat hij een ontmoeting met Pflug zou regelen en ik protesteerde niet. De kans was groot dat Pflug ontvankelijker zou zijn voor zijn benadering dan voor de mijne en trouwens, ik wist dat Neary er niet helemaal op vertrouwde dat ik het zonder bloedvergieten zou doen. Ik nam de metro naar de stad en de rit naar Union Square was vervuld van de herinnering aan die foto's, aan de blik op Janes gezicht toen de liftdeuren zich sloten en het verstikte geluid van George L. Gerbers stem. Tegen de tijd dat ik thuiskwam had ik hoofdpijn en waren mijn kaken op elkaar geklemd.

Het enige nieuwe in mijn flat waren de voicemailberichten. Eén ervan was van Lauren.

'Met mij weer. Wil je me alsjeblieft terugbellen?' Nee. Het volgende was van Paul Gargosian. Zijn knarsende stem klonk geamuseerd.

'Leuk spelletje telefoontikkertje spelen we. Bel me terug of kom langs mijn werk als u wilt – ik draai de komende twee dagen dubbele diensten.'

En dat was alles – niets van Jane of van wie ook. Ik keek mijn flat rond, naar de stofvlokken en de lege ruimte, en dacht na over het vooruitzicht hier op Neary's telefoontje te wachten. Ik besloot de uitnodiging van Gargosian aan te nemen.

Enkele weken Florida hadden Paul Gargosian een diepbruine kleur gegeven en zijn tanden waren hagelwit wanneer hij glimlachte. Hij was een eind in de vijftig en breed gebouwd, en zijn zwarte haren waren dik en krullend en hier en daar grijs. Zijn donkere ogen glansden onder zware wenkbrauwen en zijn dikke neus begon te vervellen. Hij had zich geschoren, maar had vroeg in de middag alweer een donkere schaduw. Misschien kwam het door de naijlende effecten van de vakantie dat hij er zo ontspannen en welwillend uitzag, maar om de een of andere reden – door het web van bleke lachrimpeltjes rond zijn ogen en het timbre van zijn stem – vermoedde ik dat hij altijd zo was.

'Ik wist niet zeker of u echt was,' zei hij glimlachend. Zijn handen waren breed en eeltig en zijn handdruk was krachtig. 'Ik dacht dat u alleen maar een bandopname was.'

'Er zijn dagen dat ik datzelfde denk,' zei ik. 'Hebt u nu tijd om te praten?'

'Jawel hoor,' zei hij. Hij hield de deur open en leidde me naar de lobby en de portiersloge. 'Wat is er zo belangrijk dat u er tien keer voor belde?' vroeg hij.

'Ik ben op zoek naar Gregory Danes,' zei ik en zijn wenkbrauwen gingen omhoog. Ik loog een beetje en zei dat ik werkte voor Danes' ex, die niets meer van hem had gehoord sinds hij weken geleden was weggegaan, en zich zorgen begon te maken. 'De jongen die voor u invalt – Christopher – zei dat u de meeste huurders kent.'

Bij het horen van Christophers naam rolde Gargosian met zijn ogen. 'Een aanbeveling van Chrissy – dat is nog eens een hoogtepunt in een carrière.'

'Weet u waar Danes is?'

Gargosian haalde zijn schouders op en schudde zijn hoofd. 'De laatste keer dat ik hem zag was, geloof ik, op de ochtend dat hij vertrok. Het was nog vroeg en ik bracht zijn bagage naar beneden en hield die hier terwijl hij zijn auto ging halen. Daarna hielp ik hem met inladen en hij reed weg. Ik heb hem sindsdien niet gezien – maar ik ben natuurlijk zelf weg geweest.'

'Niets gezegd over waar hij naartoe ging of wanneer hij terug zou zijn?'

Gargosian trok een gezicht. 'Hij is niet zo spraakzaam – in elk geval niet tegen degenen die hier werken. Hij zei dat hij een tijdje wegging – dat was alles wat hij zei, *een tijdje* – en dat hij zijn post liet achterhouden. Dat was alles.'

'Is hij ooit eerder zo lang weggebleven?'

'Hij is twee, drie weken achter elkaar weggeweest – misschien wat langer – maar nooit zo lang.'

'Had hij veel bagage die ochtend?'

'Een paar tassen, een aktetas – pasten zonder problemen in de kofferbak.'

'En hij was alleen?'

Gargosians ogen werden heel even kleiner. 'Ja.'

'Was hij dat meestal?'

'Wat bedoelt u daarmee?' Zijn stem klonk een fractie minder vriendelijk.

'Ik bedoel: kreeg hij vaak bezoek? Veel gasten? Vriendinnen, vrienden, dat soort dingen.'

Gargosians stem verkilde nog enkele graden. 'Wat stelt dit voor? Zoekt u een vermiste man of is dit een scheidingszaak?'

'Het is geen scheidingszaak,' zei ik. 'Het kan me niet schelen wat Danes doet of met wie hij het doet – ik probeer hem alleen maar te vinden.'

Gargosian knikte langzaam en ontspande zich enigszins. 'Ik vraag het maar omdat ik zelf een rottijd heb gehad met mijn ex, dus ik ben er een beetje overgevoelig voor. Ik wil niet roddelen.'

'Natuurlijk niet,' zei ik terwijl ik hem bleef aankijken.

'Hij kreeg niet veel bezoek. Zijn zoon kwam waarschijnlijk nog het regelmatigst – om de paar weken of zo.'

'Geen vriendinnen?'

'De laatste tijd niet.'

'En vóór de laatste tijd?' Gargosian aarzelde en ik hielp hem een handje. 'Een knappe blondine die kleiner is dan ze op tv lijkt bijvoorbeeld?'

Hij keek opgelucht. 'Waar hebt u mij voor nodig? U schijnt alles al te weten.'

'Bevestiging helpt,' zei ik. 'Nog anderen dan Sovitch?'

'Nee, alleen zij. Maar al een tijdlang zelfs zij niet meer.'

'Hoe lang?'

Hij haalde zijn schouders op. 'Dat moet minstens zes maanden zijn.'

'Kwam ze voor die tijd regelmatig?'

'Het was aan het minderen, geloof ik. Maar een tijdlang kwam ze twee of drie nachten in de week.' Gargosians blik gleed naar de deuren en hij liep met grote stappen de lobby door en hield de deur open voor een aantrekkelijke blonde vrouw die een kinderwagen voortduwde. Hij liep mee naar de lift en keerde terug naar de portiersloge.

'Had Danes veel vrienden in het gebouw – iemand aan wie hij verteld kan hebben waar hij naartoe ging?' vroeg ik.

Gargosian schudde zijn hoofd. 'Hij is niet zo'n gezelschapsmens.'

'Volgens zijn zoon heeft hij minstens één vriend in het gebouw – iemand met wie hij naar muziek luistert.'

Gargosian dacht even na en knikte toen. 'Beter gezegd: hij hád een vriend – die oude heer, meneer Cortese, Joseph – een aardigere man zul je nooit ontmoeten. Verdomd triest toen hij overleed. Maar hij was een echte muziekliefhebber en hij was bevriend met Danes – ze gingen samen naar concerten en zo.'

'Grijze, bejaarde man met een smal gezicht en ingevallen wangen?' vroeg ik. Hij knikte. 'Wanneer is hij overleden?'

'Vorig jaar, rond Thanksgiving. Zwak hart.'

'Had hij een vrouw of iemand met wie hij samenwoonde?'

Gargosian schudde zijn hoofd. 'Zijn vrouw was al lang dood. Hij woonde alleen.'

Er stopte een vrachtwagentje van de FedEx voor het gebouw en parkeerde dubbel. De chauffeur wuifde naar Gargosian en begon dozen op een steekwagen te stapelen. Gargosian wuifde terug. 'Ik moet de dienstingang voor hem openen,' zei hij en hij liep de straat op.

Ik leunde tegen de marmeren balie en dacht na over Danes en wijlen zijn vriend. Nu had ik een naam bij het gezicht op de foto's – Joseph Cortese – maar ik wist niet waar dat toe zou leiden, behalve dan naar een nieuwe doodlopende straat. Ik had weer hoofdpijn en ik was moe en ik vroeg me af hoe ver Neary was met het opsporen van Pflug. Ik drukte mijn vingers tegen mijn slapen, maar het hielp niet. Gargosian kwam terug en ik dacht weer aan Danes en Cortese.

'U zei dat ze samen naar concerten gingen.' Gargosian knikte. 'Hier in de stad?'

Hij knikte opnieuw. 'Carnegie Hall, Lincoln Center, St. John's – de oude heer praatte er voortdurend over. En als het warm was ging hij soms naar Westchester. En hij ging ook de bergen in, naar de Berkshires. Hij had er een huis, waar hij een groot deel van de zomer was. Danes ging af en toe met hem mee.'

'Weet u of Cortese familie had? Iemand die hem na stond?'

Gargosian hield zijn hoofd schuin. 'We raken wel ver van Danes af, is het niet?'

'Ik zoek iemand met wie ik kan praten over dat huis in de Berkshires.'

'De oude man had een neef, maar ik weet niet hoe dik ze met elkaar waren. Hij kwam weleens – nog steeds.'

'Corteses appartement is niet verkocht?'

'Het is nu van die neef. Zoals ik al zei: hij komt af en toe.'

'Enig idee waar hij woont?' Gargosian schudde zijn hoofd. 'Of hoe hij heet?'

'Zijn voornaam weet ik niet, maar zijn achternaam is Cortese.'

Ik haalde een kaartje uit mijn zak. 'Mag ik dit voor hem achterlaten, voor als hij weer eens komt?' Gargosian keek sceptisch, maar nam het kaartje aan. 'En de buren?' vroeg ik. 'Kan Danes met zijn buren overweg?'

Gargosian keek even verbaasd. 'Ik heb het niet goed uitgelegd, hè? Cortese woonde in flat 20-c; hij wás Danes buurman – en in feite de enige. De andere twee appartementen daar zijn eigendom van een bedrijf en ze staan meestentijds leeg.'

Ik dacht hier even over na en over de slonzige man die ik uit de lift had zien komen en 20-c had zien binnengaan, de dag dat ik Danes' appartement was binnengedrongen. 'Hoe ziet die neef eruit?' vroeg ik.

Gargosian dacht even na. 'Grote kerel, niet jong... kalend, met wat donker haar bij zijn slapen... groot hoofd... bril. Beetje... slonzig.' Dat was hem. Gargosian keek op zijn horloge. 'Als u verder geen vragen hebt, ik moet de post gaan halen.'

Ik knikte. 'Bedankt voor uw tijd.'

'Ik hoop dat het het wachten waard was,' zei hij terwijl hij de deur voor me openhield.

Op Lexington Avenue riep ik een taxi aan en draaide het raampje omlaag. We reden weg van het trottoir en een diesellucht walmde me tegemoet. Ik dacht na over wat Paul Gargosian me had verteld. Joseph Cortese was blijkbaar de enige echte vriend van Danes die ik tot nu toe getroffen had. Zij het dat ik hem niet echt getroffen had, aangezien hij al zes maanden dood was.

Die periode van zes maanden was beslist geen aangename geweest voor Gregory Danes. Cortese was gestorven, Sovitch kwam niet meer, er was een voogdijstrijd ontbrand met Nina Sachs en Turpin was opgedoken bij Pace-Loyette, met een mandaat om de claims te schikken waartegen Danes zich wilde verzetten... geen makkelijke tijd. Wie kon het hem kwalijk nemen dat hij wegging? Wie kon het hem kwalijk nemen dat hij niet terugkwam? Ik probeerde te bedenken hoe ik Corteses neef kon vinden, maar ik was moe en mijn gedachten dwaalden telkens weer af naar Neary en Pflug.

Toen ik binnenkwam ging de telefoon. Het was Neary.

'Ik heb hem gevonden,' zei hij.

'Waar?'

'Hier, in de stad?'

'Wil hij ons ontmoeten?'

'Met alle plezier, zei hij. Hij heeft ons zelfs uitgenodigd in zijn gehuurde vergaderzaal.'

'Wanneer?'

'Vanavond zes uur,' zei Neary. Ik schreef het adres op.

'Het was zo te horen niet moeilijk hem te pakken te krijgen.'

'Ik heb gewoon de nummers op zijn website gedraaid.'

'Was hij verbaasd van je te horen?' vroeg ik.

'Niet in het minst.'

Ik trof Neary voor een onopvallend glazen gebouw op de hoek van Park Avenue en 38th Street. We meldden ons bij de receptie en gingen zwijgend naar boven. Het kantoorverhuurbedrijf dat Pflug voorzag van zijn adres in New York besloeg de hele elfde verdieping. De vensterloze receptieruimte was stil en zacht verlicht. Er lagen volop tijdschriften, maar alle-maal verouderd, en het zware meubilair was een tikje haveloos en zag er-uit als de businessclass lounge van een noodlijdend luchtvaartbedrijf. Maar op twee receptionisten na die op het punt van vertrekken stonden was de ruimte verlaten.

Ze waren net hun tas aan het inpakken en hun haren en kleding in orde aan het brengen toen we binnenkwamen en ze bekeken ons achterdoch-tig. De kleine roodharige met het diamantje in haar neus belde Pflug om ons aan te kondigen en ging ons voor naar een vergaderruimte.

'Hij zegt dat het nog maar even duurt,' vertelde ze ons en ze liet ons al-leen. Ik nam plaats in een versleten leren stoel aan de lange, versleten ver-gadertafel en haalde enkele keren diep adem om mijn hartslag tot rust te brengen. Ik keek uit het raam naar het halfduistere uitzicht op 38th Street. Neary ging tegenover me zitten.

'Laat mij maar het woord doen,' zei hij.

'Natuurlijk,' zei ik en ik bleef naar het uitzicht kijken.

'En blijf jij rustig zitten.'

'Natuurlijk.'

'Zonder veel te zeggen.'

'Hmhm.'

Neary keek naar me en zuchtte. Vijf minuten later ging de deur van de vergaderruimte open en Pflug kwam binnen.

Hij was ongeveer een meter vijfentachtig lang en er was een heleboel elleboog en knie in zijn bewegingen terwijl hij de deur sloot en naar het hoofd van de tafel liep. Hij droeg een vale olijfkleurige broek met een bre-de leren riem, waarvan de gesp was versierd met het koperen uiteinde van een hagelpatroon. Zijn kakishirt was voorzien van epauletten en een hele-boel zakken. Hij had een langwerpig hoofd en peper-en-zoutkleurig, heel kort haar. Zijn zonverbrande gezicht was vlezig en werd ontsierd door een reeks acnelittekens. Hij keek ons aan met fletse ogen en toen hij glimlach-te toonde hij een heleboel paardentanden.

'Tom, John, wat kan ik vandaag voor jullie doen?' Zijn stem was diep en nasaal en theatraal laconiek – als een slechte Bill Buckley-imitatie. Hij tikte op de zijkant van zijn pokdalige neus. Neary keek naar me, maar ik zei niets.

'Meneer March is mijn cliënt en hij wil graag weten waarom u mensen hebt aangenomen om hem te schaduwen.'

Pflug wendde zich tot mij, grinnikte en schudde vol theatrale verwar-ring zijn hoofd. 'Waar komt dit vandaan, John? Wat zou ik daarvan moe-ten weten?' Hij spreidde zijn grote handen op het tafelblad. Ik zei niets.

'Hij zou ook graag willen weten wat uw interesse in Gregory Danes is.'
Pflugs paardenglimlach werd breder en achterbakser. Hij richtte zich
opnieuw tot mij. 'Puur uit professionele nieuwsgierigheid, John: bespreek
je je zaken met iedereen die binnen komt wandelen? Let wel, niet dat ik
iets weet over die Danes, of over het schaduwen van mensen – ik ben gewoon nieuwsgierig. Is dat alles wat je nodig hebt om uit de school te klappen? Zomaar een vraag.' Zijn fletse ogen hielden de mijne vast en ze schitterden als glasscherven. Ik bleef zwijgen.
Neary schraapte zijn keel. 'Meneer March heeft onlangs enkele foto's
met een dreigend karakter ontvangen. We hebben reden om te geloven
dat u ze hebt gestuurd en we willen graag weten waarom.'
Pflugs glimlach bleef breed en hij wendde zijn blik niet van me af. 'Nou
ja, iedereen heeft recht op zijn eigen mening – zelfs hier in het goddeloze
New York City. Maar geloven en feiten zijn twee. Goed, wat stond er op
die foto's dat ze zo bedreigend waren voor een stoere kerel zoals jij, John?
Of ben je misschien gewoon een nerveus type, het type dat gauw bang is?
Maar dat zal wel geen verrassing zijn, in aanmerking genomen wat je hebt
doorgemaakt – in het noorden en zo. Dat is vast genoeg om iedereen een
beetje schichtig te maken.'
Neary roffelde op het tafelblad. 'Hé, maat, hier,' zei hij.
Pflug draaide langzaam zijn hoofd om en glimlachte naar Neary, maar
toen hij sprak, was het tegen mij. 'Is Tom daarom meegekomen – omdat
je gauw bang bent?'
'Die foto's zouden weleens als intimidatie beschouwd kunnen worden,
Pflug,' zei Neary. 'Misschien erger, met een meelevende aanklager. En dit
toneelstukje helpt niet. Maar we weten dat je gewoon een huurling bent.
Laten we het hebben over degene die je hiertoe heeft aangezet.'
Pflug grinnikte. 'Dat had waarschijnlijk meer effect toen je bij de FBI
werkte, niet? Het is makkelijker als je een penning hebt.' Hij wendde zich
weer tot mij. 'Dus wat stond er nou op die angstaanjagende foto's?' Ik
haalde opnieuw diep adem en liet hem langzaam ontsnappen. Ik kneep
mijn lippen op elkaar, maar bewaarde het stilzwijgen.
Neary schudde zijn hoofd en gooide het over een andere boeg. 'Wat
doe je trouwens in New York? Ik heb me laten vertellen dat je hoofdkantoor in Virginia is – in je garage of zo.'
Pflug vond het niet leuk. Hij fronste even zijn voorhoofd en zijn dunne lippen krulden minachtend, maar hij herstelde zich snel.
'Weet je, dat vraag ik me zelf ook af. *Wat doe je in deze stad, Jeremy?* Tussen al die allochtonen en de autochtone zeikerds en klagers voel ik me alsof ik in een ander land ben als ik hier kom. God, ik voel me alsof ik op

een andere planeet ben. Ik snap niet hoe jullie het uithouden. Maar wacht even – jij komt hier vandaan, is het niet, John? Jij bent hier ópgegroeid. Tja, misschien verklaart dat alles.' Hij toonde me nog meer tanden en zijn blik vond de mijne weer.

'Ga je niet graag het land uit?' vroeg Neary. 'Hoe zit het dan met al dat gelul over buitenlandse correspondent en de CIA op je website? Of is dit Long Island-praatje het gelul?'

Pflugs ogen werden kleiner en zijn gezicht betrok even van ergernis. 'Je vriend leidt ons af van ons gesprek, John. Laten we het weer over die foto's hebben. Misschien, als je me zou vertellen wat erop staat, dat me een licht zou opgaan.'

Ik knikte langzaam.

Neary roffelde weer op de tafel. 'Luister, we weten dat je geïnteresseerd bent in Danes en jij weet dat wij dat ook zijn. Misschien kunnen we samenwerken.'

Pflug lachte, luidkeels en balkend en te lang. 'Nou, dat is heel grootmoedig,' zei hij ten slotte, 'maar ik denk niet dat ik me aan mijn deel van de afspraak zou kunnen houden. Ik heb wat die Danes betreft niets te bieden en bovendien, ik ben eerlijk gezegd niet zo'n coöperatief type. Hoe dan ook, ik denk niet dat John hier nog met zijn gedachten bij die zaak is. Ik denk dat hij met zijn gedachten nog bij die foto's is.' Hij richtte zich weer tot mij. 'Goed, als je me eens vertelde wat er op die foto's staat. Het was toch niets van *persoonlijke aard*, wel? Geen foto's van jou met dat Chinese meisje van je? Dat zou ik namelijk grof vinden.'

Ik keek Neary aan. 'Dit heeft geen zin,' zuchtte ik. 'Hij wil zichzelf niet helpen.' Ik schudde mijn hoofd en stond op. Pflug lachte luid en stond eveneens op en terwijl hij dat deed zwiepte ik mijn rechteronderarm tegen de zijkant van zijn hoofd. Hij tuimelde achterover over de rugleuning van zijn stoel en kwam luid en hard neer en voordat ik verder iets kon doen legde Neary zijn hand op mijn borst. Ik leunde er even tegenaan en deed toen een stap terug. Mijn hart bonsde en de adrenaline gierde door mijn aderen.

Pflug rolde overeind. Hij deed het snel en sierlijk en hij zette enkele stappen achteruit en bracht zijn handen voor zijn lichaam omhoog. Zijn blik was enkele seconden wazig, maar hij schudde het van zich af, boog zijn knieën enigszins en herstelde zich knap. Er verscheen een rode striem boven zijn linkeroor en op de rechterzijkant van zijn gezicht. Hij betastte hem voorzichtig met zijn vingertoppen.

'Nú komen we ter zake,' fluisterde hij.

Neary draaide zich naar hem om en stak zijn andere grote hand uit. 'Daar sta je goed,' zei hij zacht. Hij keerde zich tot mij. 'Ben je klaar?' Zijn stem was kalm. 'Heb je je innerlijke idioot tevredengesteld?' Ik keek langs hem heen naar Pflug en knikte bijna onmerkbaar. Neary volgde zijn blik. 'En jij?' vroeg hij. Pflug grinnikte. Ik zag tot mijn plezier dat hij bloed in zijn mond had.

'Ik voel me prima,' zei hij. Hij hijgde en deed zijn best om zijn ademhaling onder controle te krijgen.

'Dan denk ik dat we hier klaar zijn,' zei Neary tegen me en ik knikte. Hij liep naar de deur en Pflug hield hem open. Hij stapte opzij, maakte een kleine buiging en begon zijn overhemd in zijn broek te stoppen. Neary liep naar buiten en ik volgde hem en toen ik hem passeerde draaide Pflug vanuit zijn heup en zijn linkerarm schoot naar voren en omhoog naar mijn gezicht. Ik had het verwacht, maar niet met die snelheid en hij sloeg me hard onder mijn oog met de platte kant van zijn vuist. Mijn hoofd knalde opzij en vulde zich met vlammen van pijn en licht en ik struikelde achteruit. Ik hoorde hem meer dichterbij komen dan dat ik het zag en ik bracht mijn handen omhoog en trok mijn kin in. Ik draaide me om en zijn laars beukte tegen mijn rechterarm, vlak boven de elleboog. Het voelde aan als een baksteen, afgevuurd met een kanon, en ik wankelde. Gevoelloosheid verspreidde zich naar mijn schouder en mijn hand. Ik schudde mijn hoofd en mijn blik werd weer helder en ik zag dat Neary Pflug met één hand tegen de muur van de vergaderruimte drukte.

'Ik dacht dat we klaren waren, Jer,' zei hij zacht.

Pflug glimlachte moeizaam. 'Nu wel,' zei hij.

Neary schudde zijn hoofd en haalde zijn hand van Pflugs keel. 'Kom, we gaan,' zei hij tegen me.

Ik keek Pflug aan en verroerde me niet. Mijn knieën knikten en mijn armen trilden en ik kon Neary amper verstaan boven het bruisende geluid uit dat mijn oren vulde.

'John,' zei hij scherper.

Ik liep naar buiten en Neary volgde. De receptie was verlaten toen we er doorheen liepen, en stil op het geluid van een stofzuiger na ergens buiten ons blikveld. De lift kwam snel en we stapten erin. De deuren gleden dicht toen we Pflugs balkende lach hoorden.

— 26 —

Ik sloeg een paar ijsblokjes los uit het ijsbakje, wikkelde er een theedoek omheen en hield die tegen mijn gezicht. Neary trok een blikje gemberbier open, dronk het halfleeg en nam de rest mee naar mijn lange tafel. Hij ging zitten en keek me aan.

'Wat is er met jou?' vroeg hij ten slotte. 'Hoe oud ben je – dertig en nog wat, of bijna vijftien? Ik had het kunnen weten. Telkens als ik met je samenwerk krijg ik gedonder.' Het was het eerste wat hij zei sinds we Pflugs kantoor hadden verlaten. Koud water sijpelde langs mijn nek en in mijn overhemd. Mijn voorhoofdsholten bevroren en de pijn in mijn wang verspreidde zich over mijn gezicht. Ik zei niets. Neary nam nog een lange teug en dronk het blikje leeg. Hij zuchtte.

'Is het je ontgaan dat die kerel je opzettelijk treiterde? Heb je niet in de gaten dat hij je gedachten wíl richten op je neven en Jane – en op hem? Dat hij ze wil richten op alles, behalve op wie zijn cliënt is en waar Danes verdomme uithangt? Ik weet dat Pflug subtiel is, maar is dat jou op de een of andere manier ontgaan?'

'Ik weet het,' zei ik van achter mijn theedoek.

'En je dacht dat je tot een kroeggevecht laten verleiden de beste aanpak was?'

'Dat was niet mijn plan toen we naar binnen gingen.'

'Dat is volgens mij gelul,' zei Neary en hij verfrommelde zijn limonadeblikje. 'Maar ik zal je niet tegenspreken.'

Ik wrong de theedoek uit boven de gootsteen, klungelde wat met de blokjes en hield het hele pakket weer tegen mijn gezicht. Ik keek Neary aan. 'Sorry,' zei ik. Veel meer was er niet te zeggen; hij had gelijk en we wisten het allebei. Neary snoof en schudde zijn hoofd. Hij smeet het blikje naar me toe. Ik ving het op en gooide het in de pedaalemmer.

'Pflug is geen doetje,' zei hij. 'We krijgen hem nooit zo bang dat hij een naam noemt.'

Ik knikte. 'En hij heeft niet zo iemand als Stevie in dienst, wiens arm we kunnen omdraaien.'

'Is er iemand die je speciaal verdenkt, van de mensen met wie je gesproken hebt?'

'Van het inhuren van Pflug? Ik weet het niet... Niet Pratt – ze was echt doodsbang toen ze geschaduwd werd, en na de inbraak in het kantoor van Pace. Turpin – moeilijk te zeggen. Ik zou niet weten waarom en als hij het was, waarom dan die inbraak? Waarom zou hij die lui van Pflug niet gewoon de sleutels geven? Sovitch en Lefcourt – ik neem aan dat zij een mogelijkheid zijn... Het zou natuurlijk helpen als we enig idee hadden waarvoor Pflug is aangenomen.'

'Denk je dat hij Danes probeert te vinden?'

'Misschien, of misschien probeert hij te voorkomen dat een ander dat doet.'

Neary knikte. 'Je noemt je Oekraïense kameraad niet.'

'Gromyko? Die niet.'

'Je lijkt erg zeker.'

Ik haalde mijn schouders op. Neary liep naar het raam en keek uit over de beschaduwde daken.

'Denk je dat Czerka typisch de soort man is die Pflug inhuurt?' vroeg hij na een poos.

'Hoe bedoel je?'

'Ik bedoel: als Pflug iemand zoals Marty in de arm neemt om zijn vuile werk in New York op te knappen, denk je dan dat er een kans is dat hij een zelfde soort vent in Washington huurt?'

Ik dacht erover na. 'Dat lijkt me een mogelijkheid.'

'Mij ook. Dus misschien kunnen we doen wat Gerber deed – een van Pflugs freelancers opduikelen. Mijn medewerkers in Washington kennen de plaatselijke spelers, inclusief de plaatselijke versies van Marty.'

'Zelfs als ze iemand kunnen vinden die voor hem gewerkt heeft – en die wil praten – Gerber zei dat Pflug de losse krachten weghield van de cliënten.'

'Misschien. Maar misschien was een van hen een tikkeltje ondernemender dan Pflug verwachtte... of voorzichtiger. Misschien was Pflug minder zorgvuldig dan hij dacht.' Neary haalde zijn schouders op. 'Verdomme, misschien heeft een van hen een idee over wie Pflugs cliënten zijn – in welk geval ze ons een stap voor zouden zijn.'

Ik haalde het ijs van mijn gezicht en drukte het tegen mijn wang. 'Het is een plan,' zei ik.

'Goed genoeg in elk geval,' zei Neary en hij keek weer uit het raam.

Ik schonk een glas water in, dronk het leeg en ging aan tafel zitten. 'En nu we toch aan het gissen zijn... Gerbers bronnen zeiden dat er een heleboel Wall Street-figuren op Pflugs lijst stonden.' Neary knikte. 'Het is mogelijk dat Danes een van hen was. Het is mogelijk dat hij iemand zó heeft afgezeikt dat ze Pflug achter hem aan stuurden.'

'Dat afzeiken klinkt geloofwaardig,' zei Neary.

'Ik kan nog eens naar Pratt gaan en vragen of ze iemand kent die bijzonder kwaad was op Danes. En ik kan Tony Frye nog eens proberen. Het is magertjes, maar het is beter dan wachten.'

Neary knikte en rekte zich uit. Hij pakte zijn jasje van het aanrechtblad en gooide het over zijn schouder. 'Hoe is het met je neven?'

'Goed, volgens de laatste berichten.'

'En Jane?'

'Wat minder goed,' zei ik. Hij keek me aan, maar zei niets.

Neary keerde terug naar zijn kantoor om wat telefoontjes te plegen. Ik douchte, at tonijn uit blik en liet tussen de happen door berichten achter voor Tony Frye en Irene Pratt. Toen las ik wat in een boek van Paul Auster en daarna ging ik naar bed en deed geen oog dicht. De nacht was vervuld van kreten en claxons en sirenes op straat. Boven hoorde ik alleen stilte.

Vrijdagochtend was grauw en bezwangerd van regen die niet echt viel. Ik probeerde Irene Pratt twee keer en kreeg haar voicemail en geen telefoon terug. Ik dronk koffie en las de krant en voelde afwezig aan de kleine paarse zwelling onder mijn oog en zijn grotere neef op mijn arm. Om twaalf uur belde Anthony Frye.

'Meneer March,' zei hij quasi-formeel. 'Ik was zo blij met uw bericht. Wat kan ik vandaag voor u doen?'

'Meer roddels over uw voormalige baas,' zei ik.

'Is Greg nog steeds niet opgedoken?'

'Nog niet.'

'Nou, ik ben u graag van dienst, al komt het slecht uit dat u me nu belt – ik probeer mijn tijd als eenvoudige analist zo snel mogelijk te vergeten.'

'Dan zal ik snel praten,' zei ik en ik vroeg hem opnieuw naar iedereen die een appeltje te schillen kon hebben met Danes, iedereen die wrok kon koesteren. Frye dacht er even over na, maar kwam met niets méér op de proppen dan de laatste keer dat ik het hem vroeg.

'Sorry dat ik u moet teleurstellen,' zei hij. 'Maar hebt u Pratt al gesproken? Misschien heeft zij een idee.'

Ik maakte een nietszeggend geluid. 'En mensen die belangstelling hebben voor Danes? Bent u onlangs gebeld door mensen die naar hem vroegen?'

Frye snoof. 'Alleen door u, meneer March, maar nogmaals, ik denk dat Pratt meer weet.'

Ik dacht terug aan de keer dat ik Irene Pratt diezelfde vraag had gesteld, in de bar van het Warwick. Het had even geduurd voordat ze antwoordde en toen ze eindelijk *nee* zei, had ze de bar rondgekeken, naar iedereen behalve mij. Ik had het toegeschreven aan zenuwen, maar was dat ook zo? Ik herinnerde me wat ze had gezegd op mijn vraag wat voor mensen er gebeld hadden over Danes.

'*Contactpersonen in de branche, fondsbeheerders, mensen van de bedrijven die we volgen – dezelfden die belden voordat hij wegging.*'

'U zei de vorige keer dat Danes niet altijd zo handig was in zijn omgang met grote beleggers,' zei ik, 'dat er fondsbeheerders waren die hem te slim af waren.'

'Dat klopt,' zei Frye.

'Waren daar mensen bij die dat telkens weer deden – mensen met wie Danes misschien een aanvaring heeft gehad?'

Frye zweeg even. 'Ik denk het wel,' zei hij. 'Ik weet niet hoe Greg zich eronder voelde, maar telkens als het gebeurde – telkens als hij ontdekte dat een van die mensen hem te kakken had gezet – was hij woedend en zo van slag gebracht als hij maar kon zijn.'

'Waarom bleef hij zaken met hen doen?'

'Nou ja, dat hoorde tenslotte bij zijn werk,' zei Frye. 'Verder zou ik het niet weten.'

'Geen psychologische theorieën?'

Frye grinnikte. 'Greg vond zichzelf een hele piet – iemand die markten in beweging kon krijgen en bedrijfstakken hervormen en meer van die dingen. Misschien had het deels te maken met het feit dat hij regelmatig met die lui te maken had; misschien hielp het hem in zijn eigen pr te geloven.'

'De mensen aan wie u denkt zijn allemaal fondsbeheerders?'

'De drie die ik in gedachten heb beheerden alle drie een hedgefonds. Drie van de grootsten, in hun tijd.'

'Maar niet meer?'

'Twee van de drie zijn er uitgestapt. Julian Ressler heeft zijn fondsen bijna drie jaar geleden te gelde gemaakt en Vincent Pryor werd zo'n anderhalf jaar geleden naar de grote beleggersconferentie in de hemel geroepen.'

'En de derde?'

De derde is Marcus Hauck. Hij is nog steeds actief en verdient weer een fortuin.'

'Nooit van gehoord.'

'Zoals de meesten buiten het wereldje.'

'Kent u hem?'

'Oppervlakkig en alleen telefonisch – Greg onderhandelde meestal met hem. Hauck runt de Kubera Group – genoemd naar de hindoegod van de rijkdom – en hij heeft meer dan vijf miljard onder zijn beheer, alles bij elkaar. Hij is slim en assertief en heel terughoudend – zowel professioneel als privé. Zijn fondsen ontmoetten tegen het eind van de hausse een paar hobbels in de weg – laat in de hightech gestapt, en laat eruit – maar het afgelopen jaar of zo schijnt hij zijn oude magie teruggevonden te hebben.'

'En Danes praat nog steeds met hem?'

'In elk geval toen ik nog bij Pace was, zij het niet regelmatig – om de paar maanden misschien. Denkt u dat hij misschien iets weet over Greg?'

'Ik heb geen idee,' zei ik eerlijk. 'Is hij in New York gevestigd?'

'In Connecticut. Het kantoor van Kubera is in Stamford en Hauck zelf heeft een of andere gigantische tent in Greenwich. Waarom – wilt u bij de tovenaar van Oz op bezoek?'

Ik lachte. 'Misschien kan hij hersens voor me ritselen,' zei ik.

Frye lachte eveneens. 'Afgaande op wat ik weet van Hauck stuurt hij eerder de Vliegende Apen op u af.'

Frye hing op. Ik schonk mezelf nog een kop koffie in en opende mijn laptop en na ongeveer een uur ontdekte ik dat Fryes beschrijving van Marcus Hauck als zeer terughoudend een understatement was. Op het internet was bijna niets over hem te vinden: een biografie van één alinea, een kort, vier jaar oud artikel uit een handelsblad en een recenter stuk in een zakelijk weekblad dat weinig nieuws toevoegde. Zo kwam ik erachter dat Hauck vierenzestig was, Zwitser van geboorte en enig kind van een middelgrote bankier in Basel. Hij had gestudeerd in de vs – aan het MIT en de Kellogg School – en van daaruit was hij naar Melton-Peck gegaan, waar hij de daaropvolgende vijf jaar doorbracht als de grote man van de interne trading desk. En toen richtte hij Kubera op.

Zijn eerste investeerders waren oud-collega's van Melton, wie de manier waarop Hauck met het geld van het bedrijf had gehandeld wel aanstond en dachten dat hij het met het hunne even goed zou kunnen. Het bleek nog beter te gaan. Het eerste jaar zette hij rendementen van meer dan vijftien procent neer en de daaropvolgende jaren evenaarde of verbeterde hij dat – tot de *hobbel in de weg* waar Frye het over had gehad. Tot dat ogenblik waren de middelen onder zijn beheer gestaag gegroeid, net als zijn honoraria en zijn reputatie.

De Hauck-legende berustte voornamelijk op zijn opmerkelijke intelligentie, zijn gulzige honger naar marktinformatie en zijn bezetenheid van privacy die volgens sommigen aan het ziekelijke grensde. Hij gaf geen interviews, weigerde alle uitnodigingen om te komen spreken en al zijn hui-

dige en voormalige werknemers waren gebonden aan strikte geheimhou-
dingsovereenkomsten – evenals zijn twee exen. En dat was alles – er was
niet eens een foto.

Ik herlas de artikelen, maar herlezing maakte ze niet informatiever. Ik
ijsbeerde door mijn flat, in de grijze, bedompte lucht, en dacht aan Marcus
Hauck en Jeremy Pflug. En verbaasde me eens te meer over Irene Pratt en
waarom ze mijn telefoontjes niet meer aannam.

Ik pakte enkele keren de telefoon, om Neary te bellen, en legde hem
telkens weer neer. Hem vragen hoe het ging zou het niet sneller laten
gaan, noch beter. Ik dacht erover Jane op kantoor te bellen en deed het
niet. Wat moest ik zeggen na *Ik wilde je stem horen*? Ik trok mijn korte
broek en sportschoenen aan en maakte dat ik wegkwam.

Ik rende drie kwartier door een fijne mist die me niet afkoelde, maar me
bedroop met een saus van uitlaatgassen en roet. Mijn shirt was drijfnat toen
ik 16th Street insloeg en ik vertraagde mijn tempo toen ik mijn gebouw
bereikte. Er stond een auto dubbel geparkeerd, met knipperende alarmin-
stallatie. Het was een Volvo Sedan. Neary draaide het raampje omlaag.

'Lekker gelopen?' vroeg hij.

'Beter dan boven met mijn kop tegen de muur beuken. Heb je iets?'

Neary schudde zijn hoofd. 'Nauwelijks. Ik heb met mijn medewerkers
in Washington gesproken over het opsporen van een van Pflugs freelancers en het gebruik van de plaatselijke junks. Ze hadden een paar idee-
en – kwamen met vier of vijf kerels van het type Marty Czerka – maar ze
waren het erover eens dat het tijd zou kosten, minimaal enkele dagen.' Ik
kreunde en Neary stak een hand op en vervolgde: 'Dus ben ik overge-
schakeld op plan b.'

'En dat was...?'

Neary glimlachte even. 'Ik heb George L. Gerber nog eens gebeld, en
gesmeekt.'

Ik lachte. 'En dat werkte?'

'Ik deed net zielig genoeg. Gerber gaf me één naam, een zekere Santos
die voor Pflug heeft gewerkt. Ik heb hem net aan de lijn gehad.'

'En?'

'En daar eindigt het goede nieuws. Santos wist niet veel, niet veel meer
dan wat Gerber ons vertelde: dat zijn objecten – zijn *doelwitten* – Wall
Street-mensen waren en dat Pflug heel geheimzinnig deed over zijn cliënten. Of cliënt, moet ik eigenlijk zeggen.'

'*Cliënt* – enkelvoud?'

'Dat zei Santos. Hij kende geen naam, maar hij had de indruk dat het er
maar één was. En hij dacht dat het een of andere financiële hoge piet was.'

Neary zette zijn bril af en wreef door zijn ogen. Ik vertelde hem over mijn gesprek met Frye en hij luisterde en dacht erover na.

'Dus Danes had misschien een pesthekel aan die Hauck – oké – maar hoe verklaar je dan dat Hauck Pflug in de arm heeft genomen?'

'Misschien kan ik dat niet,' gaf ik toe. 'Maar Hauck is de naam waarmee ik het moet doen – en hij gaat door voor een financiële hoge piet. Ik wil hem uitproberen op Irene Pratt, vooropgesteld dat ik haar zover kan krijgen dat ze met me praat.'

Nearys ogen werden kleiner. 'Waarom Pratt? Gisteravond dacht je dat ze niets te maken had met Pflug; je zei dat de inbraak haar de stuipen op het lijf had gejaagd.'

'Dat was gisteravond – nu ben ik er minder zeker van. Ze was niet bepaald blij van me te horen toen ik haar dinsdagochtend belde. Ze vertelde me voornamelijk dat ze aan het werk moest en dat ze overdreven paranoide had gedaan over mensen die haar volgden en dat ze het hele gedoe gewoon wilde vergeten. Ze heeft sindsdien niet meer opgenomen en ik zou weleens willen weten waarom.'

'Dat effect heb je op sommige mensen,' zei Neary meesmuilend.

'Dit is anders. Ik ontving wat je negatieve vibraties zou kunnen noemen toen ik haar iets vroeg over mensen die belang stelden in Danes verblijfplaats. Ik schreef het toen toe aan zenuwen, maar nu vraag ik me af of ze iemand in gedachten had.'

'Hauck misschien?'

'Ik hoop dat ze het me zal vertellen.'

Neary knikte. 'Als je haar daarover aan de praat kunt krijgen, is er nog iets wat je haar kunt vragen.' Ik keek hem aan. 'Ik heb onderweg hierheen geïnformeerd bij mijn mensen. Er is niets veranderd bij de flat van Nina Sachs, bij die van Danes of bij de jouwe – Marty's genieën doen nog steeds hun ding. Maar niet bij Pratt – bij haar hebben ze hun biezen gepakt. Misschien kun je haar vragen waarom?'

− 27 −

'Dit is het vandaag voor mij, Irene,' zei ik in mijn gsm. 'Dit is alles wat er in mijn agenda staat: hier zitten en wachten op jou.' Het was zaterdagochtend en ik zat op het terras van de bar aan het eind van Irene Pratts straat en hield de deur van haar flat in de gaten. Ik was op visvangst, maar er was niets geduldigs of stils aan – ik kwam aanwaden met lieslaarzen en een knuppel.

Pratts stem was timide en boos en bang. 'Ik wist het wel – ik wist dat ik nooit met je had moeten praten. Ik wist dat het stom was. Wat heb je trouwens? Waarom val je me lastig?'

'Zover is het nog niet, Irene. Voorlopig wil ik alleen maar praten.'

'Moet dat me overtuigen? Want het enige waaraan het me doet denken is dat ik de politie bel.'

Ik lachte. 'Natuurlijk, Irene, bel ze. En intussen zal ik Turpin bellen. We kunnen bij jou samenkomen en een feestje bouwen.'

Ze ademde hoorbaar in. 'Klootzak,' zei ze.

'Je zegt het maar. Kunnen we nu praten?'

Ze tierde nog een tijdje en werd toen stil. 'Kom verdomme maar naar boven,' zei ze ten slotte.

Pratt stond in de deuropening te wachten toen ik uit de lift kwam. Ze droeg een spijkerbroek en een kort t-shirt en keek bang en boos. Haar donkere haren waren achterovergekamd in een weerbarstige paardenstaart en haar gezicht was bleker dan gewoonlijk. Ze zei niets toen ik naar binnen liep.

Recht voor me was een open keuken met witte kasten en natuurstenen werkbladen. Links was een lange gang met aan het eind een slaapkamer, rechts was de eetkamer en daarachter de woonkamer. De muren waren wit, de vloeren waren van glanzend hout en de ruimte was licht en luchtig.

De flat was sober gemeubileerd, met neutrale, vaag rustieke meubels die zo te zien allemaal uit dezelfde catalogus kwamen. Afgezien van de eettafel, met daarop een grote pc en stapels papier, was het er tamelijk netjes.

Ik volgde Pratt naar de woonkamer. Die was lang en licht, met aan het andere eind hoge ramen die uitkeken over boomtoppen. In de muur rechts van me was een bakstenen open haard, met daaromheen een zware, gestreepte sofa, een bijpassende fauteuil en een schommelstoel met lattenrug. Pratt liep de kamer door en ging op een bank onder de ramen zitten. Ze keek me achterdochtig aan en haar blik flitste naar de blauwe plek op mijn gezicht en de envelop onder mijn arm.

'Nou... zeg op,' zei ze.

Ik leunde tegen de rug van de sofa en keek naar haar omlaag. 'Ik heb vannacht slecht geslapen, Irene. Sterker, ik slaap al een aantal nachten slecht.'

'Ben je daarvoor gekomen?'

Ik glimlachte. 'Aan de ene kant ben ik door slaaptekort een beetje traag van begrip geworden, aan de andere kant heeft het me tijd gegeven om na te denken. Bijvoorbeeld over waarom je zo aarzelde, toen in het Warwick, toen ik vroeg wie er gebeld hadden over Danes. En over wat er gebeurd is tussen maandag, toen je blij was dat je mijn stem hoorde, en dinsdag, toen je dat niet was. Bijvoorbeeld over met wie je gepraat hebt, Irene – wie je bang heeft gemaakt.'

Pratts wenkbrauwen raakten elkaar bijna achter haar stalen bril en ze draaide even met haar hoofd, alsof ze een stijve nek had. 'Ik weet niet waar je het over hebt,' zei ze effen.

Ik glimlachte nog eens naar haar. 'Ik denk dat de inbraak je echt aan het schrikken heeft gemaakt. Ik denk dat je echt bang was. Maar niet zo bang dat je stopte met nadenken, hè? Niet zo bang dat die radertjes stilstonden.'

Pratt zuchtte en wreef met haar handen over haar knieën. 'Word ik geacht hier iets van te snappen?'

Ik bleef glimlachen. 'Ik denk dat je je iets realiseerde toen ik vroeg wie belangstelling had getoond in Danes' afwezigheid. Ik denk dat je een licht opging, Irene. Je had iemand in gedachten.'

Pratt schudde haar hoofd, maar ze zei niets.

'Maar ik weet niet precies wat er maandag gebeurd is. Heb je gewacht tot hij opnieuw naar kantoor belde of heb jij het initiatief genomen en hem gebeld – en een kleinigheid aangeboden?'

Pratt schudde opnieuw haar hoofd.

'Ik denk het laatste, en dat je over de inbraak bent begonnen. Dat lijkt me een manier om de aandacht te trekken.'

'Dit is... ik weet verdomme niet hoe ik het moet noemen.'

'En toen je zijn aandacht eenmaal had, denk ik dat je ter zake kwam – over je gesprek met mij misschien, het feit dat ik wist dat iemand me had gevolgd en dat ik van plan was uit te zoeken wie dat was. En het feit dat ik een paar mensen te hulp had geroepen.'

'Wat een onzin...'

'Ik denk dat je waarschijnlijk onmiddellijk tot hem doordrong en dat je dat prettig vond. En waarom ook niet – hij is tenslotte een belangrijk man, niet dan? En iemand die je graag te vriend hebt; iemand die je carrière echt vooruit kan helpen. Iedereen zou zo iemand te allen tijde graag tot vriend hebben, zeker als het een tikkeltje... onzeker is op het werk. Wanneer haar baas ervandoor is – misschien voorgoed – en haar zonder veel carrièrevooruitzichten heeft achtergelaten. Ik kan me voorstellen dat je in het gevlei wilt komen bij iemand met zoveel macht.'

Pratt beet op haar onderlip. Haar bleke wangen kregen een kleur. 'Ben je bijna klaar met... wat dit ook voorstelt?' Haar stem was zachter en minder vast.

'Het is begrijpelijk, denk ik, maar als je aan dit soort dingen begint, is het goed te weten voor wie je werkt.'

'Ik werk voor Pace-Loyette, punt uit, en voor niemand anders.'

Ik haalde mijn schouders op. 'Bekijk dit eens,' zei ik. Ik gooide de envelop op haar schoot. Ze kromp ineen alsof het een dode vis was.

'Wat zit erin?' vroeg ze naar een poos.

'Maak maar open.'

'Ik weet niet...'

'Maak open.' Mijn stem klonk scherp.

Pratts schouders schokten en ze keek naar me op. Haar mondhoeken waren gespannen en er lag angst in haar ogen. Ze verwijderde de paperclip en haalde de foto's uit de envelop.

'Het is niks goors, Irene, niks vies. Gewoon twee jongens en een jonge vrouw – op weg naar school, op weg naar het werk, hun normale bezigheden vervolgend – niks angstaanjagends.' Haar vingers trilden terwijl ze door de foto's bladerde en haar handen beefden.

'Wie zijn het?' vroeg ze.

Ik negeerde haar vraag. 'Niks angstaanjagends, toch? Maar kijk eens van hoe dichtbij ze genomen zijn. Degene die ze nam moet vlakbij zijn geweest, denk je ook niet?'

'Wie zijn het?' Haar stem klonk nu heel zacht.

'Die foto – daar – daarvoor moesten ze zowat naast haar lopen. Maar ze had er geen idee van dat iemand haar in de gaten hield. En daar – voor die foto kunnen ze niet meer dan een paar passen van de jongens verwijderd zijn geweest.'

'Wie zijn het, in godsnaam?' Ze staarde omlaag en ik kon haar gezicht niet zien, maar haar stem was een schorre fluistering. Ik hield mijn toon luchtig.

'Die jongens zijn mijn neven. De oudste is Derek; hij is net zeven geworden. Zijn broertje is Alec; die is vier. De jonge vrouw is een vriendin. Ze heet Jane. Iemand heeft deze foto's woensdagmiddag bij me bezorgd. Rond dezelfde tijd bezorgden ze enkele pakjes voor mijn neefjes, zogenaamd van mij. Dat was... misschien twee dagen nadat je je gesprek had?'

Pratt ademde scherp in. 'Ik heb niet... Zijn ze... ongedeerd?'

'Natuurlijk, Irene,' lachte ik wrang. 'Ze zijn ongedeerd.'

Ze keek naar me op. Haar ogen waren rood en waterig achter haar bril en ze wiste ze droog met haar vingertoppen. Ze schoof de foto's terug in de envelop. 'Je weet niet of dit iets met mij te maken heeft,' zei ze. Ik lachte opnieuw en het klonk vals, zelf in mijn eigen oren. Ik stak mijn hand uit en nam de envelop van haar over. Ze deinsde terug.

'Degenen die deze foto's genomen hebben behoren tot het voetvolk, Irene – gewoon een paar huurlingen. Ze werken voor een zekere Jeremy Pflug, die werkt voor jouw... werkgever – een collega van je dus. Heb je hem al ontmoet? Aardige kerel; ik wed dat je hem wel zult mogen. Zijn hobby's zijn privacyschendingen, intimidatie en honden onthoofden.' Pratt hapte naar adem en ik glimlachte naar haar. 'Ik neem aan dat je hem nog niet hebt ontmoet, wel? Misschien op een kerstparty.'

Pratt stond abrupt op en liep de kamer door alsof ze voorgoed wegging, maar ze bleef staan bij de open haard. Ze draaide zich naar me om. 'Je doet alsof ik een... spion ben. Ik heb alleen maar met hem gepraat. Hij is verdorie mijn baas niet.' Pratt snufte en ik liet mijn lang ingehouden adem ontsnappen. 'En híj belde míj – zoals hij al ik weet niet hoe vaak heeft gedaan. Hij vroeg naar Greg en wat er aan de hand was, dus ik vertelde hem over de inbraak. Nou en?'

'En je vertelde hem over mij.'

Ze slikte moeilijk. 'Is dat een misdaad? Ik ken hem langer dan jou.'

Ik lachte. 'Je stelt het zo onschuldig voor, Irene, bijna alsof je er geen idee van had dat hij weleens de man zou kunnen zijn die achter die inbraak zat en ons alle twee liet volgen.'

Pratt bloosde diep en wendde haar blik af. 'Je weet niet wat ik dacht,' zei ze na een poos, maar het klonk gesmoord en zonder overtuiging.

'Waarom vertel je me het dan niet?'

Pratt snoof. 'Je weet niet hoe het is. Als Greg niet terugkomt, heb ik geen toekomst daar. En zelfs áls hij terugkomt, durf ik erom te wedden dat hij er binnen de kortste keren uitgegooid wordt en dan is het voor mij nog slechts een kwestie van tijd. En de banen liggen hier niet voor het oprapen voor een analist. Dus moet ik voor mezelf zorgen, ik moet netwerken. Iemand anders zal het niet voor me doen. Iedereen bij Pace heeft er schijt aan.'

Ik trok mijn wenkbrauwen op. 'Noem je het zo – *netwerken*? Praat je het zo tegenover jezelf goed dat je me verraden hebt – op hetzelfde moment dat ik probeerde je tegen Turpin te beschermen?'

Er verscheen een felle blos in Pratts hals. 'Ik heb je niet verraden,' zei ze zacht.

'Natuurlijk niet, je hebt alleen maar onze gesprekken doorgebriefd aan de man van wie je dacht dat hij achter de inbraak en het schaduwen zou kunnen zitten en je vergat het tegen mij te vertellen. Zeg eens, wat heb je eraan overgehouden – de belofte van een baan? Geld voor een nieuw bedrijf? Dertig zilverlingen? Ik hoop dat het het waard was.'

Pratts lip trilde weer en er welden tranen op in haar ogen en het kon me geen zak schelen. 'Ik wist niet zeker of hij iets te maken had met... alles. En nog steeds niet. Het was gewoon een gesprek.'

'Natuurlijk, Irene. En daarbij kwam ter sprake dat je niet meer met me mocht praten, nietwaar?'

Ze keek me aan en toen naar de grond. 'Ik wist niet dat hij... iets zou doen. Ik...'

'In godsnaam, ze bedreigden mijn neefjes, Irene – ze gingen achter mijn familie aan. Praat me alsjeblieft niet over wat je niet wist – of niet wilde weten.'

Dat gaf de doorslag. Er borrelde een snik op uit Irene Pratts borst en haar schouders schokten en ze boog haar hoofd en begon te huilen. Ik liet haar even begaan en toen liep ik naar de keuken, zocht een glas en vulde het onder de kraan. Ik keerde terug naar de woonkamer, loodste Pratt naar de sofa en gaf haar het glas. Ze pakte het met twee handen aan en zette het op haar knieën en na een minuut of twee begonnen de tranen op te drogen. Ze nam een slokje water en veegde haar gezicht af met haar hand. Ze keek naar me op en wendde toen haar blik weer af.

'Gaat het?' vroeg ik.

Ze knikte. 'Het... het spijt me... Ik weet niet wat ik moet zeggen. Het is zo'n puinhoop...' Haar stem klonk aarzelend en schor.

'Ik weet het, Irene, ik weet het.'

'Hij vroeg me... hoe het met me ging. Hij wilde weten wat al dat gedoe... met Greg... voor mijn baan zou betekenen.' Ze haalde beverig adem en nam nog een slok water. 'Hij zei dat ik me geen zorgen moest maken... dat ik iets veel beters kon krijgen. Hij is... nagenoeg een legende, verdorie, en hij had nooit eerder zo met me gepraat.' Ze keek op en haar ogen waren weer vochtig. 'Zo begon het.'

Ik knikte. Nu werd het moeilijk. Ik haalde diep adem en probeerde mijn stem vlak te houden. 'Heb je Pflug ooit gesproken, of heb je alleen met Hauck gepraat?'

Pratt keek me aan en werd heel stil. Ze had haar wenkbrauwen gefronst en haar lippen op elkaar geknepen. 'Alleen Hauck,' zei ze zacht en mijn hart begon weer te kloppen.

'Wat is er tussen hem en Danes?'

Ze schudde haar hoofd. 'Niets... ik... ik weet het niet.'

'Maar er ís iets?'

Opnieuw een hoofdschudden. 'Ik weet het niet... echt niet. Maar... het is zoals je zei: sinds Greg weg is heeft Hauck veel vaker gebeld en ik weet niet waarom.'

'Heb je zijn telefoonnummer?'

'Ja,' snifte ze.

Drie kwartier later liet ik Irene Pratt met roodbehuilde ogen achter in haar woonkamer en liep het korte eind naar de metro. Ik was vervuld van woede en afkeer van mezelf en van een ontmoeting de volgende ochtend met Marcus Hauck.

− 28 −

De Kubera Group was gevestigd in een laag, onopvallend gebouw van veldsteen en glas op een heuvel circa tien minuten van het centrum van Stamford. Het werd vanaf de straat aan het gezicht onttrokken door een scherm van sparrenbomen en dicht struikgewas en was aan drie kanten omgeven door een parkeerplaats. Deze was verlaten op zondagochtend om acht uur en ik parkeerde mijn gehuurde Ford een meter of vijftig van de ingang en draaide de raampjes omlaag. Het was een zachte, winderige ochtend en de lucht rondom Kubera geurde naar sparren en pas gemaaid gras. Het was stil op de parkeerplaats gedurende de twee minuten die de beveiliging nodig had om zich te vertonen.

'Kan ik u helpen?' zei de bewaker. Hij zat achter het stuur van de onopvallende witte Sedan die naast me tot stilstand kwam. Hij was jong en kortgeknipt.

'Ik heb een afspraak met Hauck, om halfnegen. Ik ben vroeg.'

'Goed, meneer − als u me uw naam zou willen geven.' Ik gaf hem en hij bedankte me en schreef iets op een klembord. Toen sprak hij in de microfoon die aan zijn overhemd was bevestigd en reed weg. Ik prutste wat aan de radio en vond een zender die Josh Rouse uitzond. Ik strekte mijn benen en legde mijn voeten op het dashboard. Ik sloot mijn ogen, luisterde naar de muziek en probeerde niet aan de voorbije avond te denken. Ik voelde me er beroerd over.

Nadat ik Irene Pratt had geprest om Marcus Hauck te bellen en hem een ontmoeting af te dwingen met nauwelijks verhulde dreigementen om de pers en de politie te bellen, had ik de rest van de dag doorgebracht met een vruchteloze online-zoektocht naar meer informatie over Hauck en de Kubera Group. Tegen vijf uur was ik gefrustreerd en rusteloos geweest en ik had een lange wandeling gemaakt naar The Battery en via Water Street naar boven. Ik was even blijven hangen bij de Seaport, te midden van de toeristen en de reeksen witte lampen, en had naar de waterkant van Brooklyn gekeken. Ik had mijn blik gericht op een hoek van een gebouw waarvan ik dacht dat het dat van Nina Sachs was en had me afgevraagd hoe ze het maakten – of Nina nog steeds boos was en Ines nog steeds bang, of Billy nog steeds in angst zat om zijn vader. Ik kon de smekende klank in zijn schrille stem nóg horen: *Zul je toch naar hem zoeken?*

Van daaruit was ik verder gewandeld naar het noorden en was een eethuis in de East Village binnengelopen voor het diner. Het was een kleine gelegenheid met een met aluminium bekleed plafond en een bekraste bar langs een van de muren. Ik was aan de bar gaan zitten en had spuitwater gedronken en iets gegeten wat voor een broodje tonijn moest doorgaan terwijl de stamgasten binnenstroomden. Hun gezichten waren geanimeerd en onbekend en hun gesprekken dwarrelden als rook om me heen. Ik luisterde naar hun woorden zonder ze te begrijpen en vond het geroezemoes van stemmen om de een of andere reden geruststellend. In een motregen was ik naar huis gelopen.

Het licht was aan toen ik terugkeerde in mijn appartement. Naast de deur stond een zwarte paraplu en aan de kapstok hing een grijze regenjas. Lauren stond aan het aanrecht thee te drinken terwijl ze het zondagse *Times Magazine* doorbladerde. Haar zwarte haren waren achterovergekamd in een losse paardenstaart en haar scherpe gezicht was bleek.

'Kom ik ongelegen?' vroeg ik, maar mijn sarcasme sloeg nauwelijks een deuk.

'Je bent nat,' zei ze.

'Nat, moe en niet in de stemming hiervoor.'

Lauren glimlachte bleekjes. 'Maar ik zie dat je vingers niets mankeren en je telefoon doet het nog – dus het moeten je hersens zijn die uitgepoept zijn. Dáárom hoor ik natuurlijk niks meer van je.'

Ik gooide mijn sleutels op het aanrecht, liep de badkamer in en kwam eruit met een handdoek. Ik droogde mijn gezicht en haren. 'Wat wil je, Lori?'

Ze sloeg het tijdschrift dicht. 'Ik wil niets, behalve weten dat je niets mankeert. Ik heb gehoord wat er gebeurd is... met die foto's en de jongens... en Jane.'

'Nou, ik voel me goed... uitstekend zelfs.'

'Ik zie het. Je ziet er puik uit.'

'Verder nog iets?'

Ze keek me aan en zuchtte. 'Het komt wel weer goed met Ned en Jan, geef het even de tijd.'

Ik smeet de handdoek op het aanrecht. 'Natuurlijk, het komt wel weer goed. Alles is in een mum van tijd weer even warm en knus als vroeger.'

'Ze komen er wel overheen, Johnny. Ze...'

'Nee, dat komen ze niet. Als dit voorbij is – gesteld dat het voorbijgaat – komt er gewoon iets anders en daarna weer iets anders, het is onvermijdelijk. Want ze hebben gelijk – Ned en Jan en David – ze hebben gelijk. Ik ben anders, mijn leven is niet het hunne en ik ben domweg geen goed gezelschap. En dat verandert niet.'

Lauren schudde haar hoofd. 'Ze begrijpen alleen niet wat je jezelf aandoet, Johnny. Ik weet niet of ik het zelf wel snap – maar wat dan nog? Verdomme, we zijn je familie.'

'Dat is een lief standpunt, Lori, maar het is niet het echte leven. De wereld krioelt van de broers en zussen die niets met elkaar te maken hebben. Misschien moeten we hun voorbeeld volgen.' Ik liep om het aanrecht heen naar de koelkast. Ik haalde er een fles cranberrysap uit en pakte een glas uit de kast. 'Ik kan het best alleen gelaten worden, Lori. Het was stom van ons dat we iets anders dachten.'

'Wat wil je daarmee zeggen?' vroeg ze zacht. 'Zeg je ons allemaal adieu?'

'Ik ben alleen maar realistisch.'

'Maakt Jane deel uit van je nieuwe realisme?'

Ik schonk het glas vol en nam een slok. 'Nu ga je te ver,' zei ik, maar het kon haar niet schelen.

'Weet je dat ze de afgelopen paar nachten bij mij heeft gelogeerd? Ze voelt zich niet op haar gemak hier, zolang al die mensen nog steeds... toekijken. Ze zegt dat het haar de stuipen op het lijf jaagt.'

'Dan is ze niet de enige.'

'Het komt niet alleen door het gevolgd worden – het komt doordat je haar er niets over hebt verteld. En dat je blijft werken aan wat het ook zijn mag, hoewel je geen opdrachtgever hebt, en ondanks die bedreiging.'

'Dit gaat je echt niet aan, Lori.'

'Je kunt je voorstellen dat ze bang is.'

'Ik kan het me levendig voorstellen,' zei ik langzaam.

Lauren keek enkele ogenblikken naar haar bleke handen en toen naar mij. 'Je zult niet veel mensen ontmoeten zoals zij, Johnny. Ze...'

'Jezus christus,' zei ik. 'Moet je niet ergens naartoe? Heb je niet ergens een man, en een baan? Besteed je tijd liever daaraan, verdomme – ga een kind maken of zoiets. Ga je eigen kutleven leiden.' Mijn stem was gespannen en hardvochtig en Lauren zweeg. Ze keerde zich van me af en ging voor het raam staan. Het was harder gaan regenen en het maakte een geluid als van ijs op glas.

'Dat is best grappig,' zei ze na een poos, 'uit de mond van iemand die zelf nauwelijks een leven heeft – die vlucht voor elke kans op een leven – die liever zijn neus in andermans leven steekt dan in het zijne. Het is best grappig – op een droevige, zielige manier.'

Ik zuchtte. 'Heb je zelfs maar een idéé waarover je het hebt?'

'Natuurlijk niet. Hoe kan ik een idee hebben? Of wie ook? Dat zou betekenen dat je iemand toelaat tot jezelf en je woede. Dat zou betekenen dat je iemand zou vertellen wat er verdomme omgaat in je kop.'

Ik lachte gemeen. 'Ik laat de psychologie van de koude grond aan jou over – je hebt er aanleg voor. Volgens mij is de chemie van de liefde mijn toegangsbewijs tot een beter leven.'

'Oké, oké – het is gelul, hulp zoeken – wie heeft er in godsnaam hulp nodig? Jij zeker niet. Je hebt je eigen twaalfstappenprogramma – een eeuwigdurende eenmansvergadering. Zeg eens, serveer je jezelf donuts en koffie en geef je jezelf punten voor elke vreugdeloze dag? Waarschijnlijk geen donuts, denk ik – dat kon weleens te leuk zijn en zou weleens ten koste kunnen gaan van het binnenhalen van die kostbare airmiles. Nou, in welke fase verplicht je jezelf tot volstrekt en opperst isolement? Vóór of na het ruwe habijt en de zelfkastijding?'

'Je bent zelf ook best grappig,' zei ik zacht, maar ze was niet te remmen.

'Maar het zal voor jou wel werken, neem ik aan,' zei ze. 'Ik bedoel: ik kan me de laatste keer niet heugen dat je het over Anne had.'

'Jezus...'

'Praat je met iemand over haar, Johnny? Kun je haar naam wel over je lippen krijgen?'

Ik staarde naar Laurens rug. Haar schouders waren strak en haar hoofd was gebogen. 'Maak als de sodemieter dat je hier wegkomt,' zei ik.

Lauren lachte verbitterd en draaide zich naar me om. 'Dat zou meer indruk maken als deze flat niet toevallig van mij was,' zei ze. Haar groene ogen waren vochtig en ze wreef er met haar hand overheen en keek me aan. 'Maar je hebt gelijk, ik kan beter weggaan. Er zijn vast betere manieren voor me om mijn tijd te besteden.' Ze liep naar de deur, trok haar regenjas aan en pakte haar paraplu. 'Zoveel kansen krijg je niet, Johnny,' zei ze in de deuropening. 'Je zou moeten proberen deze niet te versjteren.'

Ik hoorde het suizen van banden op asfalt. Een grijze Mercedes kwam tot stilstand voor de ingang en al voordat hij stilstond kwam er een bewaker aanrennen om de glazen deuren te openen. Er stapten twee mannen uit de auto. Eén van hen herkende ik als Jeremy Pflug. De ander was Hauck, nam ik aan. Ze spraken kort met de bewaker en Pflug keek mijn kant op en toen gingen ze naar binnen. Ik haalde mijn voeten van het dashboard, sloot de auto af en stak het terrein over. Er kwam niemand aanrennen om de deur voor me open te houden.

De lobby was in natuursteen – glad en licht op de vloer, ruwe grijze en lichtbruine blokken voor de muren. En hij was sober – zonder wat voor kunstwerk of bedrijfslogo ook, en geen wachtruimte voor bezoekers. De enige versiering – als je het zo mocht noemen – was de beveiligingsbalie, als een stenen fort achter in het vertrek. Daar wachtte een bewaker, evenals Pflug.

'De vroege vogel,' zei hij. Hij keek naar mijn wang, legde een vinger op de zijne en glimlachte. Het was een brede, paardachtige en volstrekt onaantrekkelijke glimlach voor een zondagochtend – of wanneer dan ook. Het lijzige accent was minder uitgesproken vandaag en hij had zijn eendenjachtlook verwisseld voor iets zakelijkers: grijze broek, blauwe blazer, wit overhemd. Het jasje hing open en ik zag een schouderholster onder zijn linkerarm en het uiteinde van iets zwaars dat daar hing.

'In de houding voor me, John,' zei hij met een gebaar naar de bewakersbalie.

Ik droeg een spijkerbroek en een zwart, ingestopt polohemd en als je niet blind of idioot was, was het duidelijk dat ik geen wapen bij me had. Pflug stangde me en ik staarde hem aan.

Hij schudde zijn hoofd en glimlachte. 'Regels zijn regels, beste vriend, en we moeten er allemaal mee leven. Dus wees een goede padvinder of verdwijn – het kan me niet schelen – maar je gaat niet naar binnen zonder fouillering.'

Ik zuchtte en spreidde mijn armen. De bewaker kwam achter de stenen balie uit met een metaaldetector. Hij was misschien twintig en onzeker en hij bewoog de staaf snel langs mijn zijden en benen en rond mijn middel. De staaf begon te zoemen bij de autosleutels in mijn zak en bij mijn gesp, maar zweeg verder. Ik liet mijn armen zakken en hij deed een pas achterwaarts en keek Pflug aan.

Pflug schudde zijn hoofd. 'Nee, nee, nee,' zei deze berispend. 'Waar heb je dit geleerd, bij de Walmart? Je kunt niet afgaan op dat apparaatje; je moet ze betasten – en je moet ze grijpen.' Een blos en een gekwelde uitdrukking verspreidden zich over het gezicht van de bewaker en hij keek van Pflug naar mij en weer terug. Ik hielp hem.

'Breng me naar Hauck of ga hem uitleggen waarom niet,' zei ik tegen Pflug. 'De keus is aan jou. Ik ben klaar met dit toneelstukje.' De bewaker verdween weer achter de balie en bestudeerde aandachtig zijn klembord.

Pflug glimlachte en schudde zijn hoofd. 'Maak je niet te sappel, John – we gaan al, we gaan al.' Hij liep langs de balie en ging links een gang in. Ik volgde.

De gang had een lambrisering van glanzend licht hout. Het licht was zacht en de vloerbedekking dik. We liepen zwijgend langs donkere kantoren en om hoeken naar een rookglazen deur. Pflug duwde hem open.

Links stond een druk bewerkt schrijfbureau van licht hout dat bij de lambrisering paste, en rechts was een wachtruimte met lichtbruine leren sofa's. Recht vooruit was een dubbele deur met slanke koperen klinken. De deuren waren dicht.

'We wachten,' zei Pflug en hij ging op een van de sofa's zitten. Hij sloeg zijn lange benen over elkaar en klopte op het kussen naast hem. 'Kom op, neem er je gemak van, John. Niet zo verlegen.'

Ik keek hem aan, maar zei niets.

Hij lachte. 'Met het verkeerde been uit bed gestapt? Wat is er – je vriendinnetje de laatste tijd niet vaak genoeg gezien? Ze is een bezig bijtje.' Ik staarde hem aan. Hij liet zijn knokkels kraken en toonde me opnieuw zijn grote tanden. Hij hield zijn handen voor zijn gezicht als een denkbeeldige camera en bewoog zijn vinger op en neer. 'Klik, klik,' zei hij. Ik schudde mijn hoofd en de dubbele deuren gingen open.

Marcus Hauck was van mijn lengte, maar zwaarder en zijn gedrongen trekken leken te klein voor zijn ronde, roze gezicht. Zijn haar was grijs geworden blond, kortgeknipt en met een achterovergekamde spuuglok en zijn bruine ogen waren groot en argeloos achter een stalen brilmontuur. Zijn blauwe button-down overhemd spande strak om zijn buik en zijn kakibroek was strak en anderhalve centimeter te kort. Hauck was een jaar of tien ouder dan ik, maar ondanks het grijzende haar en uitdijende buik zag hij er niet naar uit. Hij zag er eerder uit als een druk, op de een of andere manier onrijp baasje, als een overjarige theologiestudent.

'Kom binnen,' zei hij. Hij sprak zacht en accentloos.

Het was een lang vertrek met een bureau aan het ene eind, voor een muur met ramen die uitkeken op een natuurstenen terras. Het bureau bestond uit een dikke plaat marmer met scherpe randen en taps toelopende poten en er stond een lichtbruine leren stoel achter en twee Windsor-stoelen ervoor. Het blad was leeg, op een leren vloeiblad na, een zwarte telefoon, een koffiekop en een kristallen bol zo groot als een honkbal.

Links tegen de muur stond een essenhouten penanttafel met daarop een strak gerangschikte rij platte beeldschermen. Er lag een groen tapijt met een geometrisch patroon op de vloer. Het was even lang als de kamer en aan het andere eind, tegenover het bureau, stond een groot, verweerd beeld van een dikke man met vier armen.

Hij zat met gekruiste benen op een natuurstenen richel en zijn stenen gelaatstrekken en het gedetailleerde beeldhouwwerk van met juwelen bezette banden om zijn armen en om zijn middel waren vervaagd en nauwelijks te onderscheiden. In zijn vier handen hield hij een knuppel, een kom, een pot en een beurs vast en hij had tegelijkertijd iets komisch en sinisters.

Ik nam plaats in een Windsor-stoel. Pflug sloot de deuren en leunde ertegenaan. Hauck ging achter het bureau zitten en vouwde zijn handen voor zijn buik. Ze waren roze en mollig en volmaakt roerloos.

'Ik geloof dat ik mevrouw Pratt misschien een verkeerd beeld heb gegeven – of misschien was ze zelf in de war.' Hauck glimlachte aarzelend. 'Hoe het ook zij, wat betreft haar en onze heer Pflug hier, geloof ik dat u eveneens een verkeerde indruk hebt gekregen.' Hij haalde zijn schouders op en zijn glimlach verstarde. Een doodgewone vent, met vijf miljard onder zijn beheer. Ik keek Pflug aan. Zijn ogen waren strak op mij gericht. Ik keek weer naar Marcus Hauck.

'Welke indruk was dat?' vroeg ik.

Hauck lachte zacht. 'Iets... sinisters misschien? Iets samenzweerderigs?' Hij glimlachte nog eens naar me, maar ik glimlachte niet terug en zei niets.

Hauck was een snelle leerling. Hij keek naar zijn gevouwen handen en toen hij weer opkeek was elk spoor van luchthartigheid uit zijn gezicht en zijn stem verdwenen. 'Ik begrijp dat u het zo ziet,' zei hij. 'Die foto's moeten bijzonder onaangenaam zijn geweest.' Hij keek Pflug aan en zei afkeurend: 'Ik keur dergelijke tactieken niet goed en ongeacht de uitkomst van ons gesprek vandaag wil ik dat u weet dat ik u mijn diepste verontschuldigingen aanbied.' Het was een indrukwekkende koerswijziging – abrupt, met net genoeg oprechtheid dat het niet vals klonk. Ik pakte de kristallen honkbal op en draaide hem om in mijn hand. Hij voelde zwaar en koel aan. Haucks ogen volgden hem.

'Dat is een hele geruststelling,' zei ik. 'Maar ik zou willen weten waarom het gebeurde.'

Hauck knikte ernstig. 'Meneer Pflug werkte voor mij en deed hetzelfde als waarvoor u, naar ik begrepen heb, was aangenomen: Greg zoeken. Hij begon zelfs al eerder dan u, meneer March, maar toen hij hoorde dat u ermee bezig was – en toen hij hoorde van uw reputatie – dacht hij dat hij misschien van uw inspanningen zou kunnen profiteren. In uw slipstream rijden als het ware.'

'Met andere woorden: hij wilde me volgen en zien of ik hem naar Greg zou leiden.'

Hauck knikte aanmoedigend. 'Ja – zij het dat uw resultaten helaas niet veel beter waren dan de zijne.' Hauck zweeg even en keek me aan, maar ik bleef zwijgen. Hij vervolgde: 'En toen werd u zich bewust van zijn mensen.'

'Ze waren moeilijk over het hoofd te zien.'

Hauck keek gepijnigd. 'Ik heb meneer Pflug al aangesproken op de kwaliteit van enkele van zijn middelen.' Ik keek naar Pflug. Als het hem dwarszat verborg hij het goed. Sterker nog: hij scheen geen woord van wat Hauck zei te hebben gehoord. Ik rolde de bal boven mijn schoot van de ene hand in de andere. Haucks blik volgde hem, heen en weer. 'En toen?' vroeg ik.

'En toen werden er enkele ongelukkige beslissingen genomen.'

'Te beginnen met de inbraak bij Pace-Loyette?'

Hauck schraapte zijn keel. 'Geen commentaar, meneer March.'

'Over welke ongelukkige beslissingen hebt u het dan?'

'Toen hij merkte dat u vastbesloten was degenen die u en mevrouw Pratt schaduwden te identificeren, koos meneer Pflug ervoor die foto's te sturen. En toen u zich daardoor niet liet afschrikken en ze naar meneer Pflug traceerde en contact met hem opnam, werd hij... vijandig. Nogmaals mijn verontschuldigingen, meneer March.'

Ik knikte en liet de kristallen bol in mijn handpalm rollen. Ik keek Hauck aan. 'Hoe onderhoudend dit ook was, het meeste ervan had ik uitgeknobbeld. Wat ik vroeg was waarom u om te beginnen naar Danes zocht.'

Er kwam opnieuw een verandering in de houding van Hauck, ditmaal subtieler, maar even snel. Hij leunde achterover en zijn schouders verstijfden. Zijn ogen werden kleiner en merkbaar koeler. Zijn stem bleef even oprecht klinken, maar de meelevende ondertonen verdwenen volledig en werden vervangen door iets wat zweemde naar verongelijktheid. Hij kruiste zijn armen voor zijn borst.

'Gregory Danes is een vriend van me, meneer March, en ik maakte – en maak – me zorgen over hem. Zoals u wellicht hebt gemerkt heeft hij niet veel vrienden en hoegenaamd geen familie. Als ik niet iets deed, wie dan wel?'

Het pleitte voor zijn presentatie, nog gezwegen van mijn zelfbeheersing, dat ik erin slaagde niet *gelul* te roepen. 'Zeg dat wel,' zei ik zacht en ik knikte nog eens. 'Maar waarom dan die geheimzinnigheid? Waarom Pflug laten rondsnuffelen? Waarom de politie niet gebeld?'

Hauck glimlachte even. 'Dat had ik achteraf misschien moeten doen, meneer March – misschien dat het dan niet zo... uit de hand was gelopen. Het zou ons in elk geval veel misverstanden hebben bespaard. Maar ik vrees dat dat op dat moment onmogelijk leek.

Ik had – ik héb – bijvoorbeeld geen reden om te denken dat Greg iets ernstigs is overkomen. Ik hoop nog steeds dat hij gewoon besloten heeft weer eens onaangekondigd verlof op te nemen en dat straks de telefoon overgaat en hij aan de lijn is. Als dat alles is en ik haal de politie erbij en maak er een mediahype van...' Hauck schudde glimlachend zijn hoofd. 'Nou, ik denk niet dat Greg dat zou kunnen waarderen.

En ik moest aan mijn eigen belangen denken, en aan die van mijn investeerders. Media-aandacht is voor iemand in mijn branche in het gunstigste geval een tweesnijdend zwaard en ik heb me aangewend die te vermijden. Een dergelijk verhaal – hedgefondsbeheerder schakelt politie in bij zoektocht naar vermiste analist – zou onweerstaanbaar zijn voor de pers. Ik wens niet met zo'n verhaal in verband te worden gebracht, meneer March, evenmin als mijn investeerders. We kunnen het ons eenvoudigweg niet permitteren.'

Ik kon een lach niet onderdrukken. 'En dat gedoe met foto's en dreigementen – dat moest de meer discrete aanpak voorstellen?'

Hauck schudde zijn hoofd. 'Ik weet het, het lijkt achteraf gezien absurd.'

Absurd en ongeloofwaardig, dacht ik, maar ik zei het niet. 'En nu?' vroeg ik.

Hauck glimlachte minzaam en boog zich naar voren. 'En nu hebben we de lucht tussen ons hopelijk geklaard, meneer March. Nu realiseert u zich hopelijk dat die onzin met die foto's slechts meneer Pflugs ondoordachte poging was om zijn sporen uit te wissen – een tot in het belachelijke en verontrustende doorgevoerd verlangen naar discretie.'

'Net zoals Watergate,' zei ik. Hauck fronste even zijn wenkbrauwen en toen kwam zijn glimlach terug, stralender dan tevoren.

'En nu u dit weet,' ging hij verder, 'hoop ik dat u niet meer overweegt met de pers te praten – of met wie ook – en vanaf nu met mij verder zult gaan.' Zijn ogen waren groot achter zijn brillenglazen.

'Verdergaan...?'

Hauck knikte. 'Ik zou u willen aannemen, meneer March, om Gregory voor me te vinden.'

Ik keek hem aan en hij bleef knikken. Ik keek naar Pflug, die volmaakt onverschillig deed. Ik keek weer naar Hauck. 'U wilt me aannemen?'

'Om Gregory te vinden, ja.'

Ik leunde achterover en zuchtte. Hauck keek me gretig aan. 'En hij dan?' vroeg ik, met mijn duim naar Pflug wijzend.

'Meneer Pflug en ik hebben methoden en tactieken besproken en zijn tot overeenstemming gekomen. Meneer Pflug zal zijn werk voortzetten, maar er zullen geen incidenten meer plaatsvinden zoals die welke u hierheen hebben geleid.'

'Wat wilt u van Danes?'

Haucks glimlach werd vragend, maar wankelde geen moment. 'Ik dacht dat ik dat had uitgelegd, meneer March – Greg is mijn vriend. Ik wil slechts dat u hem opspoort.'

'En dan – wat dan?'

'Dan belt u me en u laat me weten dat hij ongedeerd is en waar ik hem kan vinden.'

'En als hij niet gevonden wil worden?'

Hauck grinnikte. 'U hebt duistere gedachtekronkels, merk ik. Ik wil gewoon met Greg praten. Ik wil gewoon weten dat hij het goed maakt.' Ik zweeg even en keek Hauck aan. Na een minuut of zo begon zijn glimlach af te brokkelen, maar hij schraapte zijn keel en krikte hem op. 'Ik besef dat geld misschien niet belangrijk voor u is, meneer March, maar dit zou een lucratieve opdracht kunnen zijn – in niets verschillend van waar u al mee bezig bent.'

Ik knikte, gooide het kristal enkele centimeters de lucht in en ving het op. Hauck deed zijn uiterste best om zijn blik op mij gericht te houden. 'Wanneer hebt u voor het laatst van hem gehoord?' vroeg ik.

Hij leek opgelucht door de vraag, 'We hebben elkaar enkele weken geleden aan de telefoon gehad – bijna zes weken nu. Ik kan u de exacte datum geven.'

'Maar het was nadat hij van zijn werk was weggelopen?' Hauck knikte. 'Waar hebt u over gesproken?'

Hij glimlachte. 'Het was gewoon een gesprekje tussen vrienden.'

'Had u ruzie?'

'Het was een gesprekje, meneer March – meer niet.'

'Hij belde u?' Opnieuw een knikje. 'Met zijn gsm?' Knik. 'Enig idee waarvandaan?'

'Geen enkel,' zei Hauck.

'Hebt u ernaar gevraagd?'

'Hij wilde het niet zeggen.'

Pflug maakte een snuivend geluid en ik draaide me om en keek hem aan. Zijn gezicht was nog steeds uitdrukkingsloos en zijn blik nog steeds op mij gericht.

'Waarom niet?'

'Greg kon... koppig zijn. Ik kan niet beweren dat ik zijn gedachten ken.'

'Heeft hij iets tegen u gezegd over zijn plannen voordat hij vertrok?' Hauck schudde zijn hoofd. 'In wat voor stemming was hij?' Opnieuw de vragende glimlach. 'Evenwichtig? Klonk hij neerslachtig, uitgelaten, afwezig?'

Hauck aarzelde en koos zijn woorden zorgvuldig. 'Evenwichtig, ja, en niet neerslachtig. Boos misschien, maar niet neerslachtig.'

'Boos om wat?' Hauck glimlachte, schudde zijn hoofd en zei niets.

'Wat hebt u met Danes?' vroeg ik. 'Wat is er tussen jullie?'

Hauck leunde achterover en zuchtte; de façade van geduld verkruimelde. Hij vouwde zijn handen in zijn schoot. 'Heus, meneer March, ik weet niet hoe ik het anders moet zeggen – ik ben Gregs vriend. Ik kan er gewoon niets aan toevoegen.'

'Nee, natuurlijk niet,' zei ik en ik stond op. Hauck boog zich naar voren en Pflug zette zich af tegen de deur, zette zijn voeten uit elkaar en bracht zichzelf in balans.

'U verlaat ons?' vroeg Hauck. Ik knikte. 'We hebben de details van mijn aanbod nog niet besproken.' Zijn ogen werden kleiner en zijn stem verloor iets van zijn zachtheid.

'Ik denk niet dat ik uw aanbod kan aannemen,' zei ik en Hauck veranderde opnieuw. Ditmaal had het niets subtiels. Zijn ogen vernauwden zich tot spleetjes, zijn trekken leken zich nog meer opeen te hopen en op zijn gezicht verscheen een gemene, varkensachtige blik. Zijn stem was vlak en koud.

'Ik maakte uit uw vragen op dat u het al had aangenomen,' zei hij. Ik had de kristallen honkbal nog steeds vast en ik gooide hem van mijn linkerhand naar mijn rechterhand en zei niets. Haucks blik volgde hem onwillekeurig.

'Ik heb het gevoel dat ik misleid ben, meneer March,' zei hij en zijn gezicht werd rood tot aan zijn kraag. Zijn dunne lippen wezen omlaag. 'Heus – ik geloof dat u de ernst hiervan niet beseft. Het zou misschien het beste zijn – voor alle betrokkenen – als u er nog eens over na zou denken.' Hij keek langs me heen naar Pflug.

'Welke *alle* zijn dat?' vroeg ik. 'Hebben we het weer over mijn familie?' Ik gooide de bol van mijn rechterhand naar mijn linker. Nu was het Haucks beurt om te zwijgen en dat deed hij. Zijn blik was ijzig. Ik liep naar de deur en Pflug bewoog en versperde me de weg. Hij glimlachte naar me, knoopte zijn jasje los en schudde zijn hoofd. Ik keek naar Hauck.

'Ik heb uw vragen beantwoord, meneer March, en zelfs als u deze opdracht niet aanneemt is het alleen maar eerlijk dat u enkele vragen van mij beantwoordt.'

Ik haalde diep adem en liet hem langzaam ontsnappen. Ik kneep mijn lippen op elkaar en knikte. En toen draaide ik me om mijn as en gooide de kristallen bol met een boogje naar Pflug, die dapper was, maar geen schijn van kans had.

Ik gooide hem op boven zijn hoofd en onwillekeurig flitste zijn blik omhoog en zijn handen bewogen mee en ik trapte hem tegen zijn ballen. Hij stiet zijn adem met een misselijkmakend geloei uit en sloeg dubbel rond de gepijnigde plek, maar zelfs terwijl hij dat deed haalde Pflug naar me uit. Hij graaide in zijn jack naar zijn wapen en stootte zijn schouder naar mijn buik en ik draaide rond en ving de klap op met mijn linkerarm. Er zat weinig kracht achter en Pflug klauwde naar me met zijn linkerhand en bracht zijn hoofd omhoog om me te raken. Maar zijn greep was zwak en zijn timing slecht en ik stapte opzij en sloeg met de zijkant van mijn vuist twee keer hard tegen de zijkant van zijn hals. Pflug zakte zwaar door zijn knieën. Zijn ogen rolden in hun kassen, maar nog steeds maaide hij naar me en tastte in zijn jack. Ik zette mijn elleboog midden in zijn gezicht en zijn neus explodeerde en hij tuimelde achterover en bleef met zijn lange benen onder zijn lichaam gebogen liggen.

Ik knielde over hem heen en haalde een halfautomatisch pistool onder zijn arm vandaan. Het was een glimmend kanon, een Desert Eagle. Ik draaide me om naar Hauck. Hij stond achter zijn bureau. Zijn wangen waren rood en zijn ogen flitsten van mij naar zijn zwarte telefoon en terug.

Ik liep naar het bureau, trok de telefoonstekker uit de doos en zette het apparaat op de grond. Ik trok het magazijn uit de Eagle en stopte het in mijn zak. Mijn handen trilden en ik haalde enkele keren diep adem en probeerde ze stil te houden. Ik inspecteerde de kamer. De klootzak had doorgeladen en ik viste de patroon eruit en stopte hem bij het magazijn in mijn zak. Ik ging weer in de Windsor-stoel zitten en legde het pistool op het bureau.

'Ga zitten,' zei ik. Hauck ging zitten. Pflug kreunde en rolde zich op zijn zij. Hauck en ik keken naar hem. Hauck schudde zijn hoofd en slikte moeizaam.

'Verkwistend,' zei hij. 'U hebt een waardevol voorwerp beschadigd, en voor niets.' Zijn stem was weer zacht, maar nog niet vast.

'Niet voor niets, Marcus, maar om iets duidelijk te maken.'

Haucks ogen vernauwden zich. 'En dat is...?'

'Dat je je hond beter aan de lijn kunt houden, Marcus. Want als hij nog eens losloopt, stel ik jou verantwoordelijk.'

'Is dat een...?'

'Je verhaaltje dat hij zijn eigen gang ging is gelul en dat weten we allebei. Hij doet wat jij hem opdraagt. Voorzover ik weet vertel je hem zelfs hoe hij het moet doen.' Hauck haalde opnieuw adem en wilde iets zeggen, maar ik onderbrak hem nogmaals.

'Maar besef één ding goed: als ik hem nog eens zie, of iemand die voor hem werkt – in mijn buurt of bij iemand die ik ken – kom ik met jou praten, Marcus. Of je hem nou stuurde of niet – ik kom met jou praten. Heb je dat begrepen?' Hauck was even stil en toen knikte hij eenmaal. 'En je zult ervoor zorgen dat hij het ook begrijpt?' Opnieuw een knikje. Ik stond op.

'En mijn aanbod?' zei Hauck. Ik keek hem aan en wist niet of ik moest lachen of spugen. Ik koos voor een verbitterde grijns en liep naar de deur.

Toen ik hem passeerde kwam Pflug op zijn knieën overeind en haalde naar me uit. Zijn bewegingen waren verrassend vloeiend voor iemand wiens neus over zijn hele gezicht was uitgesmeerd, maar ze waren ook langzaam en ik had zowat een week om te reageren. Ik draaide zijn pols om, gaf hem een knietje tegen zijn kaak en stuurde hem terug naar Haucks geometrische tapijt. Hij landde kreunend en rolde langzaam op zijn rug.

Ik keek naar hem omlaag en dacht aan George L. Gerber en zijn vermoorde hond in L.A. en dacht erover Pflug nog eens tegen zijn kloten te schoppen. Maar zijn pokdalige gezicht zat onder het bloed, zijn pols was gebogen en waarschijnlijk gebroken en hij was er te ellendig aan toe. Ik raapte de kristallen bol op die ongedeerd tegen de penanttafel tot stilstand was gekomen en keek naar Hauck.

Hij zat nog steeds aan zijn bureau, met zijn dikke handen gevouwen voor zich. Zijn voorhoofd was doorgroefd en zijn precieuze mondje was een brandblaar van concentratie. Zijn blik was strak gericht op het verweerde stenen gezicht van Kubera aan de andere kant van het vertrek. Ik legde de glazen bal op de tafel, deed de deur achter me dicht en liet hem achter, wachtend op een teken.

29

Het Surrogate's Court is aan het eind van Chambers Street, vlak bij Centre Street en in de grote schaduw van het Municipal Building. Het is een druk versierd *beaux-arts*-paleis met een gigantisch mansardedak, gewelfde ingangen, Corinthische zuilen en een heleboel beelden van dode vroede vaderen. De lobby is uitgevoerd in kleurrijk marmer en weelderig gedecoreerd en de rondlopende dubbele trap ziet eruit als iets uit de Parijse opera. Ik passeerde de bewaking, nam een van de trappen naar boven en volgde een lange gang. Ik volgde bordjes en vroeg richtingen en hoe verder ik liep, hoe minder de dingen op Parijs leken.

Ik vond de weg naar een groen, hoog vertrek en een tafel vol aanvraagformulieren. Ik vulde er een in en sloot aan bij een heel langzame rij. Aan het andere eind van de rij stond een archiefambtenaar, een zekere Larry. Hij was lang en mager en dor en hij kon evengoed veertig als zeventig zijn. Hij stond achter een hoge balie, aan het hoofd van een bataljon dossierkasten in lange, donkere rijen. Hij nam mijn formulier zonder commentaar in ontvangst en wees naar een bank. Ik nam plaats naast de notarisklerken en jonge associés die voor me in de rij hadden gestaan en terwijl ik wachtte haalde ik mijn metroplattegrond te voorschijn.

Daar deed het me tenminste aan denken. Elkaar kruisende gekleurde lijnen, aankruishokjes, een heleboel namen en nummers – het had een diagram van station Fulton Street kunnen zijn. In werkelijkheid was het de tijdlijn die ik die ochtend had gemaakt, mijn grafische weergave van het weinige wat ik wist over de verdwijning van Gregory Danes en de vele vragen die ik niet kon beantwoorden. De achterliggende gedachte was dat ik, door het op papier te zetten, iets zou zien wat ik eerder niet had gezien. Het had in het verleden zijn nut gehad, maar ditmaal niet. Ditmaal was het de metro naar nergens. Ik vouwde het papier open en bekeek het nog eens.

Het begon acht weken geleden – medio maart – met vinkjes voor Danes' lunch met Linda Sovitch, zijn ruzie met Dennis Turpin en zijn plotselinge vertrek uit de kantoren van Pace-Loyette, en eindigde op de dag van vandaag, met een groot vraagteken. Daartussenin stonden Danes' telefoontje met Nina Sachs om het weekendbezoek van Billy af te zeggen, zijn telefoongesprek met Irene Pratt om te zeggen dat hij met verlof ging, zijn vertrek daags daarna uit New York, zijn periodieke telefoontjes om berichten op zijn antwoordapparaat af te luisteren, zijn telefoongesprek met Billy en zijn laatste telefoontje om zijn berichten op te halen. Ik had Danes' activiteiten in blauwe inkt vastgelegd. Ik had groen gebruikt voor de mensen van Pflug – hun bezoek aan Gilpin in Fort Lee, hun veronderstelde bezoek aan de flat van Nina Sachs, de inbraak bij Pace-Loyette, het volgen van schijnbaar de halve stad, de foto's. De vragen waren in rode inkt.

Mijn ontmoeting met Hauck daags tevoren had me nog een paar extra vinkjes gegeven voor het totaalbeeld, maar had minstens evenveel vraagtekens opgeleverd. Ik wist nu dat ook Hauck op zoek was naar Danes en dat hij net zomin wist waar hij moest zoeken als ik. En ik was er bijna zeker van dat Hauck en Danes samen iets in hun schild voerden. Ik had er alleen geen idee van wat dat was of waarom Hauck Danes wilde vinden of wat hij zou doen als hij hem gevonden had.

Ik liet mijn blik nog eens langs de tijdlijn glijden, maar herhaalde inspecties haalden niets uit. Het bleef geschiedenis zonder verhaal – een opeenhoping van data en gebeurtenissen die niets zeiden. Ze vertelden niets over Danes' dorre privé-leven en niets over de druk waaronder hij had gestaan in de maanden voorafgaand aan zijn vertrek: de gouden, in lood veranderde carrière, de gefrustreerde pogingen tot eerherstel, de op de klippen gelopen relatie met Sovitch, de strijd met zijn ex om de voogdij en de dood van de man die misschien zijn enige vriend was geweest. Danes had een lang stuk slechte weg achter de rug gehad voordat hij die ochtend in de auto was gestapt en ik kon niet geloven dat waar hij naartoe was gegaan niets te maken had met waar hij was geweest.

Ik had een kringetje gezet rond het vinkje bij Danes' laatste telefoonoproep naar zijn huis. Wat er tevoren ook gebeurd was – welke zijn redenen ook waren geweest om weg te gaan, wat er ook speelde tussen hem en Hauck – toen was hij opgehouden met bellen, toen was er iets gebeurd. En ik kon het gevoel niet van me afzetten dat het iets ernstigs was.

Neary had die ochtend gebeld om te zeggen dat Hauck zijn belofte om de bewaking van mijn flat op te heffen was nagekomen en ik had hem enkele van mijn vragen voorgelegd. Hij had me er niet mee kunnen helpen, maar had zelf wat vragen gehad voor mij.

'Wat ga je nu doen?' had hij gevraagd.

'De portier, Gargosian, heeft me iets verteld over Danes' buurman, een zekere Cortese. Hij was een muziekliefhebber en misschien de enige echte vriend die Danes had – tot de oude heer stierf. Het is het enige overgebleven aanknopingspunt en ik moest maar eens kijken wat ik ervan kan maken.'

'Waarom?'

'Ik zei toch, het is het enige overgebleven aankno...'

Neary zuchtte. 'Ik weet dat dat het enige is wat je nog kunt doen. Ik bedoelde: waarom doe je het? Pflug en Hauck hebben zich teruggetrokken en ik betwijfel of ze binnenkort terug zullen komen; bovendien heb je geen cliënt. En hoewel ik dolgraag zou willen weten waar Danes naartoe is gegaan, zie ik niet dat je hier nog belang bij hebt.'

Ik had even gezwegen, mijn lege flat rondgekeken, aan Jane en Billy gedacht en uiteindelijk niets gezegd. Ook dat was iets waar ik geen antwoord op had.

Ik had de rest van de morgen doorgebracht met zoeken naar Joseph Cortese en hoewel hij al meer dan een halfjaar dood was, was hij niet moeilijk te vinden geweest.

Cortese was achtenzeventig geweest toen hij stierf, weduwnaar, kinderloos en schatrijk. Het geld was afkomstig van de verkoop van zijn plasticfabriek, meer dan twintig jaar geleden. Sindsdien was Cortese een goedgeefse beschermheer van de kunst geweest en had in het bestuur van een half dozijn musea, conservatoria en dansgezelschappen overal in de stad gezeten. Volgens de necrologie in de *Times* had hij huizen bezeten in Manhattan, op Sanibel Island, Florida, en in Lenox, Massachusetts, en was zijn enige nabestaande een neef, Paul Cortese.

Behalve de necrologie had ik sporen van Cortese gevonden op de websites van culturele instellingen in de hele stad – in notulen van vergaderingen, op lijsten van grote sponsors en in tientallen huldeblijken en rouwadvertenties. En ze zeiden in wezen allemaal hetzelfde – dat Joseph Cortese een geweldige man was, wiens gezelschap en grootmoedigheid pijnlijk gemist zouden worden. Als ik meer wilde weten, zou ik de stad in moeten. En dat had ik gedaan.

Larry wenkte met een lange, dorre vinger en ik vouwde mijn kaart op, hees me overeind van de meedogenloze bank en hobbelde naar de balie. Hij had een enkel vel papier in zijn hand.

'U hebt geen bevoegdheid in de zaak en geen gerechtelijk bevel,' zei hij. Zijn stem was amechtig en zacht. 'U kunt dus niet alles inzien. Dit is wat ik u kan geven.' Hij overhandigde me het vel. 'Kom terug als u enige bevoegdheid hebt.' Hij verdween in een van de gangen en liet me achter met mijn lectuur.

Het was de eerste pagina van Joseph Corteses boedelbeschrijving – het omslag van zijn geverifieerde wilsbeschikking en testament. Het onthulde niet veel, maar wel datgene waarvoor ik was gekomen: de naam en het adres van zijn executeur-testamentair.

30

'Wij hebben het testament niet opgesteld,' zei Mickey Rich. 'Dat heeft Jerry Litvak – van Litvak, Gant – gedaan. Wij doen onroerend goed – uitsluitend onroerend goed.' Hij was een potige man met een diepe, verweerde stem, een warme glimlach en een koele blik. Er was weinig bruin overgebleven in zijn golvende witte haren en iets meer in zijn dichte baard en hij leek halverwege de zestig. Hij was de seniorpartner van het advocatenkantoor Rich & Fiore en de executeur van Joseph Corteses testament.

Zijn kantoor was gemeubileerd met eiken en groen leer dat rafelig aan de randen was, maar comfortabel – doorgezakt, maar niet ingestort. Elk beschikbaar oppervlak was overdekt met familiefoto's en achter zijn bureau hing een oude litho van de Brooklyn Bridge. Hij had een mooi uitzicht op het Flatiron Building en een hoek van Madison Square en hij had alle tijd. Hij had ingestemd met een afspraak nadat ik hem had verteld dat ik het over Joseph Cortese wilde hebben en had nauwelijks aangedrongen op een verklaring.

'Ik heb Joe veertig jaar gekend, sinds ik afstudeerde als jurist en hij me werk gaf. We zijn sindsdien vrienden gebleven, dus wat kon ik zeggen toen hij me vroeg als executeur? Trouwens, het bracht niet veel werk met zich mee. Joe hield zijn zaakjes keurig op orde en Jerry had een duidelijk testament gemaakt. De hele boel was binnen vier maanden bekrachtigd, wat voor een boedel van die omvang een soort record is in deze stad.'

'Ik heb begrepen dat hij weinig familie had.'

Rich schudde zijn hoofd. 'Inderdaad. Zijn broer en schoonzus zijn allang dood. En toen Margie – zijn vrouw – stierf, was het voorbij.'

'Volgens de necrologie had hij een neef.'

Er gleed een gepijnigde blik over Rich' gezicht. Hij knikte. 'Paul.'

'Ik neem aan dat het grootste deel van de nalatenschap naar hem is gegaan?'

Hij keek me schuin aan. 'Het Philharmonic, City Ballet, Julliard, het Boston Symphony, enkele legaten aan vrienden, en Paulie. Paulie bleef goedverzorgd achter.'

'Weet u hoe ik hem kan bereiken?'

Rich' koele blik werd regelrecht kil en hij leunde achterover. 'Paulie is soms wat moeilijk te vinden. Waarom?'

Ik negeerde zijn vraag. 'Is het een grote man, kalend, met donker haar en een bril?'

'U kent hem?'

Ik schudde mijn hoofd. 'Iemand wees me hem aan, in het flatgebouw van meneer Cortese.'

'Wanneer was dat?'

'Niet zo lang geleden. Hij leek me wat... geagiteerd.'

'Zo is Paulie soms,' zei Rich.

'Hoezo?'

Hij schudde zijn hoofd. 'U zei dat u over Joe wilde praten en nu vraagt u naar Paulie. Wat wilt u, March?'

'Kent u de vrienden van meneer Cortese?'

Rich glimlachte en er verscheen weer enige warmte in zijn blik. 'Dat zijn er heel wat – mensen mochten Joe en hij mocht hen. Ik ken er een paar, maar niet allemaal.'

'Kent u Gregory Danes?'

De warmte verdween weer en zijn gezicht verstrakte. Hij streek met zijn hand over de voorkant van zijn kraakheldere overhemd en frunnikte aan zijn rode stropdas. 'Niet goed,' zei hij. 'Is dat waarover u wilt praten?'

Ik knikte. 'Bent u ooit opgetrokken met meneer Cortese en Danes?'

Rich' grijze wenkbrauwen kropen naar elkaar en hij schudde zijn hoofd. 'Danes was een van Joe's muziekvrienden. Ikzelf ben meer een paardenman, dus ik trof Danes nooit bij Joe.'

'Maar ze waren bevriend?'

'Tamelijk goed, geloof ik. Joe hield van muziek en wist er veel van – ik bedoel theorie en geschiedenis en zo – en ik denk dat dat ook geldt voor Danes. Ik denk dat ze van dezelfde dingen hielden. En Joe... had medelijden met hem.'

'Hoezo medelijden?'

'Hij vond Danes beklagenswaardig... dat hij eenzaam was en dat zijn leven tamelijk... bekrompen was.' Rich schudde zijn hoofd en glimlachte even bij de herinnering aan iets. 'Joe had mensenkennis.'

'Had hij gelijk wat die bekrompenheid betrof?'

Rich grinnikte. 'Waarschijnlijk wel. Uit het weinige wat ik heb gezien maak ik op dat hij eenzaam is. De man is een kwal, geen verstandig mens wil iets met hem te maken hebben. Maar wie ben ik?'

'Ik begrijp dat meneer Cortese hem wel aardig vond.'

Rich lachte opnieuw. 'Joe was een speciaal geval. Hij deed altijd goede daden – nog meer na de dood van Margie – en Danes was een van zijn beschermelingen. En waarschijnlijk was hij tegenover Joe niet zo'n kwal. Dat effect had Joe.'

'Dus was Danes Corteses vriend of zijn project?'

'Ze waren vrienden. Joe had medelijden met de man, maar hij vond hem ook oprecht aardig. Ze hadden het leuk samen, tijdens concerten en zo. Dat deden Joe en Margie vroeger ook en ik denk dat hij het fijn vond om er met iemand over te kunnen praten.' Rich dacht ergens aan en glimlachte spijtig. 'Trouwens, je laat zoiets niet na aan een oppervlakkige kennis.'

Ik had een andere vraag, maar die verdween uit mijn hoofd als adem op een koude dag. Ik sloot mijn mond en keek hem aan. 'Wat voor iets?' vroeg ik zacht.

'Het huis in Lenox.'

'Heeft Cortese Danes een huis nagelaten. Bij testament?'

Rich fronste zijn wenkbrauwen en keek me aan alsof ik debiel was, wat ik misschien ook was. Hij knikte langzaam. 'In Lenox,' herhaalde hij.

'En Danes heeft het betrokken?'

'Een maand of twee geleden.'

Twee maanden geleden... acht weken, bij benadering. Mijn hart bonsde en ik voelde een ader kloppen in mijn hals.

'Waar gaat dit verdorie over, March?' vroeg Rich.

'Ik probeer Danes te vinden,' zei ik langzaam, 'namens zijn ex. Maar ik wist niets over een huis in Lenox. Ik heb er op het internet niets over gevonden.'

Rich haalde zijn schouders op. 'Te recent misschien? Of misschien zijn ze wat traag met het bijwerken van hun computerbestanden – wie zal het zeggen? Ik heb trouwens weinig vertrouwen in dat internetgedoe – geef mij maar een lopende, pratende ambtenaar.'

'Wanneer hebt u Danes voor het laatst gezien?'

'Een maand of twee geleden, in Lenox, toen we alles hebben geregistreerd en overgedragen.' Hij praatte alsof hij het tegen een achterlijk kind had.

'Hebt u hem sindsdien nog gesproken?'

'Hij belde me een paar dagen later om te vragen door wie Joe het gras altijd liet maaien. Ik zei dat ik het zou nakijken en hem terug zou bellen.'

'Hebt u zijn telefoonnummer daar?'

'Hij had geen telefoonaansluiting. Hij vroeg me zijn privé-nummer te bellen en een boodschap achter te laten en dat heb ik gedaan. Waarom, denkt u dat hij daar nog steeds is?' Ik knikte en Rich knikte terug. 'Zou kunnen – hij had bagage bij zich toen ik hem zag. Hij was misschien van plan een tijdje te blijven. Hebt u geprobeerd hem te bellen, een bericht achter te laten?'

'Ja.' Twee maanden geleden... acht weken. 'Vertel eens iets over het huis,' zei ik en Rich vertelde.

Het was een honderdtien jaar oud Victoriaans boerenhuis met een nog oudere schuur en een perceel van acht hectaren dat grensde aan het October Mountain State Forest. Cortese had het een naam gegeven – Calliope Farms – en had er de afgelopen tien jaar een groot deel van de zomer doorgebracht. En hij had het in zijn geheel – inclusief meubels en lp-verzameling – nagelaten aan Gregory Danes. Rich gaf me het adres.

Ik schreef het op en dacht nog even na. 'Het is me nogal een legaat, voor een vriend,' zei ik ten slotte.

Rich haalde zijn schouders op. 'Het was een klein deel van een grote erfenis. En enkele anderen, naast Danes, hebben ook aardig wat geërfd. Ikzelf heb een Chagall gekregen. Bovendien, wat had Joe, na Margie, verder nog in zijn leven? Hij had zijn vrienden en zijn goede doelen... en Paulie. Joe heeft iedereen iets nagelaten.'

Ik zweeg weer. Rich zette zijn vingertoppen tegen elkaar en keek me aan. 'U zei dat het testament snel werd goedgekeurd,' zei ik. 'Wil dat zeggen dat het niet is aangevochten?' Rich knikte. 'Zelfs niet door Paul?'

Rich keek me enige tijd aan. 'Paulie werd goed bedeeld in het testament,' zei hij ten slotte. 'Hij hoeft zich nooit zorgen meer te maken.'

'Wil dat zeggen dat hij niets heeft aangevochten?'

Hij zuchtte. 'Niet op een... gestructureerde manier. Hij had er alle gelegenheid toe – daar heb ik voor gezorgd – maar Paulie... Hij klaagde wat en hij had een paar... theorieën, maar uiteindelijk heeft hij het niet aangevochten. En zoals ik al zei, het testament was duidelijk en hij werd ruim bedeeld.'

'Wat voor theorieën?'

'Paul... haalt zich soms dingen in het hoofd. Hij heeft een tijdlang gedacht dat Danes hem het huis in Lenox afhandig had gemaakt.' Rich schudde zijn hoofd. 'Maar het was krankzinnig en het sloeg nergens op.'

'Waar is Paul nu?'

'Ik zou het niet weten. Het appartement is naar hem gegaan, evenals het huis in Sanibel, en ik weet dat hij zich daar van tijd tot tijd heeft laten zien, maar hij woont in geen van beide. Als ik moest gokken, zou ik zeggen dat hij momenteel in zijn auto leeft.'

'Wat is er met hem, meneer Rich?'

Rich zuchtte en keek een poos uit het raam. 'Er is paranoïde schizofrenie bij hem geconstateerd, een hele tijd geleden,' zei hij ten slotte.

Ik knikte langzaam. 'Gebruikt hij medicijnen?'

'Soms. En ze hebben effect – als hij ze gebruikt. Hij heeft hele goede perioden gehad, waarin hij werk had en de huur betaalde en zo. En dan laat hij ze staan en heeft hij een slechte periode.'

'Hoe slecht?'

'Hij wordt ontslagen, hij wordt veroordeeld, hij verdwijnt maandenlang uit het zicht en duikt op in een tehuis voor daklozen of op straat.' Over Paul praten scheen Rich te vermoeien. Hij vouwde zijn handen op het bureau.

'Moet hij worden opgenomen?'

Rich haalde berustend zijn schouders op. 'Ik weet het niet... Joe en ik hebben het erover gehad. Ik denk dat het die kant op gaat.' Hij zuchtte nog eens en schudde zijn hoofd. 'Wat heeft dit alles met Danes te maken?'

'Wordt hij ooit gewelddadig, meneer Rich?' Rich keek een ogenblik naar zijn bureaublad en toen naar mij. Zijn ogen waren uitgeblust en oud en bezorgd onder zijn grijze wenkbrauwen. Hij knikte heel langzaam.

— 31 —

Ik was net aan het inpakken toen Jane kwam. Ze was nog in werktenue, een marineblauw mantelpakje, en haar gezicht was ingevallen en vermoeid. Ze had een geopende zak chips in haar hand. Ze hield me de zak voor.

'Ook een?' vroeg ze.

'Nee, bedankt,' zei ik. Ze volgde me naar de slaapkamer en leunde tegen de deurpost. Ze stopte een chip in haar mond en keek naar mijn weekendtas die geopend op de grond stond.

'Ik heb je boodschap gekregen,' zei ze. 'Leuk dat je het laat weten.' Ik knikte en stopte een boxershort in de tas. 'Denk je dat ze voorgoed opgehoepeld zijn?' vroeg ze.

'Ik denk het wel.'

'Maar je weet het niet zeker?'

Ik keek haar aan. 'Tamelijk zeker is het beste wat ik kan zeggen,' zei ik. 'Ik kan niemand iets garanderen.'

Ze keek me enige tijd aan en knikte kort. 'Leuk dat je het laat weten,' zei ze weer. Ze nam een chip. 'Heb je Ned ook gebeld?'

'Ja.'

'Hij zal wel opgelucht geweest zijn.'

'Ik zou het niet weten. Ik heb een boodschap achtergelaten en geen reactie meer gekregen.' Ik lachte kort en het klonk verstikt. 'Volgens Lauren moet het zijn tijd hebben. Een jaar of zo moet voldoende zijn, denk ik.'

Ik pakte een poloshirt en een spijkerbroek in en stopte mijn scheerspullen ernaast. Ik haalde een zwarte nylon heuptas uit de kast en opende hem. Ik stopte er een zaklamp in, een kleine koevoet, een paar schroevendraaiers, een Zwitsers zakmes, een plamuurmes en enkele paren plastic handschoenen. Ik pakte de Glock 30 uit mijn bureau, stopte hem in de holster en borg hem op bij de gereedschappen. Ik sloot de heuptas en stopte hem in een zijvak van mijn weekendtas. Jane sloeg me roerloos gade.

'Waar ga je naartoe?' vroeg ze.

'Lenox. In het westen van Massachusetts, in de Berkshires.'

Jane kauwde krakend op een chip en knikte. 'Ik ging daar vroeger in de zomer naartoe, met mijn ouders. Het is nog wat vroeg voor de muziek... maar ik vermoed dat je daar niet voor gaat.'

'Danes blijkt er een huis te hebben geërfd, van wijlen zijn vriend en buurman Joe Cortese. De definitieve overdracht heeft een paar maanden geleden plaatsgevonden, vlak voordat Danes verdween. Er is geen telefoonnummer op naam van Danes in die uithoek en Corteses oude nummer is buiten gebruik. Ik ga aankloppen.'

Jane keek opnieuw naar de tas. 'En als er niet wordt opengedaan?'

'Dan laat ik mezelf binnen.'

Ze keek op de klok op mijn nachtkastje. Het was kwart voor zeven. 'Het zal laat zijn als je ginds aankomt.'

'Ik wacht tot morgen met aankloppen.'

Ze pakte nog een chip uit de zak. 'Huur je een auto?' Ik knikte. 'Het is – hoelang – drie uur rijden van hieruit?'

'Drieënhalf,' zei ik.

'Waar logeer je?'

'In de Ravenwood Inn – in het centrum. De vrouw daar zei dat ze het licht voor me zou aanlaten.'

'Zeg je huurauto af, ik geef je een lift.'

Ik ritste mijn tas dicht en keek haar aan. 'Moet je niet werken?'

Er gleed een vage glimlach over haar gezicht. Ze schudde haar hoofd. 'We zijn bijna klaar. We hebben definitieve versies van het akkoord en hebben alleen nog goedkeuring van het bestuur nodig. Ons bestuur heeft vandaag ja gezegd, het bestuur van de koper vergadert eind deze week. Tot die tijd heb ik weinig om handen. Trouwens, ik heb mijn auto nu drie maanden en ik heb hem misschien vijf keer gebruikt. Hij verschaalt nog of zoiets als ik hem niet laat draaien.'

Ik haalde diep adem. 'Ik weet niet wat ik daar kan verwachten, Jane.'

Ze knikte. 'Het is niet zo dat ik samen met jou op huisbezoek ga. Er is daar een leuk kuurhotel – ik laat me inpakken in het een of ander of misschien ga ik wat huizen bekijken. Of misschien blijf ik de hele dag in bed bonbons liggen eten.'

Ik schudde mijn hoofd. 'Echt, het kon weleens... moeilijk worden.'

'Ik ben gewaarschuwd – wil je dat ik een ontheffingsverklaring teken of zo?'

'Ik meen het.'

Ze vouwde de zak chips dicht en gooide hem op het bed. Ze veegde de kruimels van haar handen. 'Ik ook. Ik weet wat je doet voor de kost, John; ik ben een grote meid.' Ze vouwde haar armen voor haar borst en haalde diep adem. 'Die mannen die ons schaduwden overrompelden me – ze joegen me de stuipen op het lijf. En die foto's...' Ze rilde en schudde haar hoofd.

'Het spijt me dat dat gebeurd is, Jane. Ik wou...'

Ze stak een hand op. 'Ik weet het – ik weet dat het je spijt. Het was van voorbijgaande aard en nu is het voorbij. Maar... je kunt die dingen niet voor me verzwijgen... oké? Je moet me vertellen wat er gaande is.'

We zwegen even en ik keek in haar donkere, behoedzame ogen. 'Nemen we de chips mee?' vroeg ik.

Jane had twintig minuten nodig om te douchen, een spijkerbroek en een t-shirt aan te trekken en een tas in te pakken. Twintig minuten later zaten we in haar grijze Audi TT in een snel voortbewegende verkeersstroom in noordelijke richting op de Henry Hudson Parkway. Jane reed, ik bediende de cd-speler en deelde chips uit.

De Hudson River lag zwart onder ons, en verlaten op een sleepboot na die in zuidelijke richting naar de haven voer. Geel licht viel vanaf de hoge brug en verdween op het oliegladde water. De Palisades rezen als een stenen golf op aan de overkant van de rivier, onder een purperen wolkenmassa.

Jane tuurde naar het verkeer en reed snel en goed. En hoewel ze moe was, was ze vervuld van een nerveuze energie die slechts een uitweg vond in praten. Het was een onsamenhangende, eenzijdige conversatie die bij geen enkel onderwerp bleef stilstaan, maar zonder onderbreking heen en weer flitste.

'We hebben de kwestie van mijn langere deelname opgeschort,' zei ze. 'We hebben het buiten de overeenkomst gelaten en de kopers doen een afzonderlijk aanbod.'

'Denken ze echt dat ze je kunnen overtuigen?'

'Dat denken ze echt.'

'En?'

'En ze hebben het ontzettend mis,' lachte ze. Een terreinwagen zwenkte zonder richting aan te geven naar onze rijbaan. Jane mepte op de claxon en de Audi blafte diep. Ze schakelde terug, zwenkte naar links, vloekte zacht en passeerde de terreinwagen.

'Ik weet niet wat er tussen jullie is gebeurd,' zei ze, 'maar je had Lauren echt moeten bellen.' Ik antwoordde niet en ze keek me van opzij aan. 'Wat het ook was, ze was behoorlijk van streek.' Ze keek me opnieuw aan. 'Ze maakt zich zorgen over je en ze is op haar hoede voor je. Ze heeft Ned onlangs gesproken en die vertelde haar dat hij die vrouw die jou wel aanstond heeft aangenomen voor de beveiligingsfunctie – die ex-politievrouw – Alice en nog wat.'

'Heeft Ned Alice Hoyt aangenomen?'

Jane knikte. 'Lauren dacht dat je dat wel leuk zou vinden.'

Ik kauwde op een chip en knikte. 'Dat is ook zo – ze zal goed werk doen voor Klein – maar ik had niet verwacht dat Ned het ook zo zou zien. Vooral niet na wat er gebeurd is.'

'Lauren was grappig toen ze het me vertelde, ze kan Ned verschrikkelijk goed imiteren.' Jane blies haar wangen op en liet haar stem dalen. *'Het mag me dan niet bevallen wat hij met zijn leven doet, maar het valt niet te ontkennen dat hij zijn vak verstaat.'* Jane keek weer opzij en glimlachte. 'Je moet haar bellen.' Ik zei niets.

We namen de Henry Hudson naar de Bronx en de Saw Mill River Parkway, die we volgden naar Westchester. Het was druk op de hele weg. Ik zette een cd van Stealy Dan op en toen Fagen 'Janie Runaway' begon te zingen praatte Jane over vakantieplannen.

'Ik dacht aan Europa – misschien Venetië of het Merendistrict – maar toen dacht ik dat dat te druk was en misschien kunnen we wel wat rust gebruiken. Voor mij betekent dat de zee.' Ze keek me aan. Ik knikte. 'Het is te laat om iets te vinden op Martha's Vineyard of in Nantucket, maar ik wed dat we nog iets zouden kunnen krijgen aan de kust van Maine, of misschien verder naar het noorden, Nova Scotia bijvoorbeeld. Of we zouden naar het westen kunnen gaan – het noorden van Californië misschien.' Ze keek me weer aan en ik knikte opnieuw. 'De Bermuda's zijn ook leuk,' voegde ze eraan toe.

'Hm hm,' zei ik. En wist door de daaropvolgende stilte dat dat niet genoeg was. Of misschien was het te veel.

Het werd minder druk toen we op de Taconic Parkway reden en nog wat minder toen we in stilte door Briarcliff en Ossining reden. Toen we het Croton Reservoir overstaken nam Jane opnieuw het woord en ik schrok van haar stem.

'Ik begin moe te worden. Neem jij het over?'

We verlieten de Taconic in Jefferson Valley en verwisselden van plaats op het parkeerterrein van een winkelcentrum. Jane kantelde haar stoel naar achteren. Ze schopte haar loafers uit en trok haar benen onder zich. Ik verstelde de bestuurdersstoel en controleerde de spiegels. Jane keek me aan en zei heel zacht: 'Wil je met me op vakantie? Zeg alleen maar ja of nee.'

'Ja... ik wil het... beslist. We moeten alleen een tijd afspreken, meer niet. Ik ben nog bezig met deze zaak en...'

'Maar je wilt het wel?'

'We moeten het alleen nog over het tijdstip hebben.'

Er flitste iets door Janes donkere ogen, te snel om het te doorgronden. Ze keek naar het parkeerterrein en toen naar mij, uitdrukkingsloos, enkele ogenblikken lang. Toen geeuwde ze breeduit en sloot haar ogen.

Jane sliep voordat we weer op de Parkway waren. Ik speelde met de cd-speler tot ik een cd van Pharaoh Sanders vond. 'In a Sentimental Mood' klonk op en Jane prevelde iets. Ik zette hem zachter. We bereikten Putnam County en de Taconic werd donkerder en was nagenoeg verlaten. De Audi wierp een kegel fel, blauwwit licht op de weg en op het dichte bomengordijn aan weerszijden. Ik dacht aan Joe Cortese en zijn neef en aan Gregory Danes en ik probeerde niet te denken aan wat ik in Calliope Farms zou kunnen aantreffen.

Jane zuchtte en veranderde van houding. Haar geur vulde de auto. Ik keek naar haar. Ze had één hand om een slanke enkel geslagen en de andere lag onder haar hoofd, als een kussen. Haar gezicht was bleek en heel mooi in het zachte licht van het instrumentenpaneel en ik werd vervuld van een pijnlijk verlangen.

Een bliksemschicht zigzagde door de westelijke hemel, gevolgd door het gerommel van donder in de verte. Ze fronste even haar voorhoofd en haar lippen bewogen geluidloos en toen verzonk ze in een diepere slaap. Mijn keel werd dichtgeknepen en ik schudde mijn hoofd en reed verder, door een zich eindeloos terugtrekkende tunnel van licht door het pikdonkere bos.

Het centrum van Lenox bestaat uit slechts enkele huizenblokken in het vierkant en het is een idyllische ansichtkaart met hoge bomen, mooie huizen, keurige, statige winkelpuien en kerken. De huizen zijn een mengeling van witgeschilderd hout en Victoriaanse stijl en hoewel vele ervan lang geleden tot restaurant zijn verbouwd staan ze zelfverzekerd op hun goed onderhouden percelen. De winkelpuien van graniet en rode baksteen waren zonder uitzondering donker toen we er om kwart voor elf langsreden. De kerken stonden deugdzaam in de verlaten straten.

De Ravenwood Inn was een Queen Anne-gebouw met torentjes, net ten zuiden van de obelisk in het centrum. Het was groot en roze en uitbundig versierd en er brandde licht op de brede veranda aan de voorkant. Ik legde mijn hand op Janes knie en schudde zacht tot ze haar ogen opende.

Een meisje met slaperige ogen, nauwelijks haar tienerjaren ontgroeid, schreef ons in en bracht ons naar onze kamer, in een van de torentjes, op de hoogste verdieping, met een hoog balkenplafond en de geur van muffe lavendel. Het meubilair was donker en druk bewerkt en de ramen boden uitzicht op boomkruinen en donkere wolken en onweer.

Het onweer brak los om twee uur 's nachts, met uitbarstingen met blauw licht die door mijn oogleden drongen en donderende geluidsexplosies die mijn botten deden schudden en waarvan de naschokken door de muren golfden. De lucht ziedde en de hele kamer was een ogenblik lang verlicht en werd toen weer donker. De vloer schudde. Jane rilde en pakte mijn armen. 'Ik hou niet van bliksem.' Ik voelde haar lippen en haar adem en haar tepels tegen mijn rug. Haar handen waren warm en ze legde ze op mijn buik. 'Kom terug in bed,' fluisterde ze.

— 32 —

Op dinsdagochtend kocht ik koffie en donuts in een zaak die ze vers maakte en erin geslaagd was enkele baksels te bereiden in de pauzes tussen de stroomstoringen. De oudgediende achter de roze formicabar had de radio afgestemd op een station in Pittsfield en de nieuwslezer vertelde ons dat de storm bomen en elektriciteitskabels overal in Berkshire County had platgelegd. We kregen te horen dat we de hele dag storingen konden verwachten en – op grond van de laatste weersverwachtingen – opnieuw onweer tegen de avond. In de tussentijd, zei hij, waren ploegen wegwerkers op de been om de wegen met kettingzagen en hoogwerkers zo goed mogelijk begaanbaar te maken.

Ik was eerder die ochtend enkele van die ploegen gepasseerd, toen ik de stad in noordoostelijke richting had verlaten om Calliope Farms te verkennen. Ik had het huis gevonden aan een verder verlaten, modderige weg vol kuilen, vlak bij iets wat Roaring Brook Road werd genoemd. Het lag niet ver van de Housatonic River en aan de voet van een steile, dichtbeboste helling die, wist ik van de kaart die ik in het stadje had gekocht, deel uitmaakte van het October Mountain State Forest.

Het huis en de schuur stonden op een helling een eind van de weg, achter een ruwe stenen muur en naast een ongemaaid weiland. Aan het begin van de grindlaan stond een witte houten paal met een wit houten bord. De blauwe letters waren vervaagd, maar nog leesbaar: CALLIOPE FARMS. De laan zat vol kuilen en was op wat plassen na verlaten en het huis leek afgesloten. Ik was het langzaam gepasseerd en had nog zo'n anderhalve kilometer doorgereden. Toen had ik gekeerd, tien minuten gewacht en was er opnieuw langsgereden. Er was de tweede keer niets veranderd, afgezien van mijn maag, die gespannener en ongemakkelijker aanvoelde.

Jane kwam net onder de douche vandaan toen ik terugkeerde met het ontbijt.

'Het licht blijft maar aan- en uitgaan,' zei ze terwijl ze een van de badstof kamerjassen van het hotel om zich heen sloeg.

'Volgens betrouwbare bronnen zal dat de hele dag zo blijven.'

'Dat zeiden de mensen van het kuuroord ook. En zonder elektriciteit kunnen ze het zeewier niet warm maken of zoiets – dus geen *wrap* voor mij, en ook geen huizen. Het wordt zo te horen toch een bonbondag.'

'Klikt aanlokkelijk.' Ik zette de koffie en de donuts op het nachtkastje en pakte mijn weekendtas. Ik ritste het zijvak open en haalde er de zwarte heuptas uit. Jane blies in haar koffie en hield me angstvallig in de gaten. 'Je hoeft me alleen maar een lift te geven,' zei ik.

Het was twee uur geweest toen we Roaring Brook Road verlieten en de wasbordweg volgden. Ik zette de muziek uit en enkele minuten later rolden we langzaam langs Calliope Farms. De oprijlaan was nog steeds verlaten. Jane stopte een paar honderd meter voorbij het witte bord. Haar gezicht was gespannen.

'Laat je gsm aan staan,' zei ik. 'Ik bel als ik klaar ben en zie je hier.'

Jane klapte haar telefoon open. 'Mijn signaal is zwak.'

Ik opende de mijne. 'Het mijne gaat wel, als ik in de goede richting wijs.' Ik tastte achter mijn stoel en pakte de heuptas.

'Als je wilt kan ik wachten,' zei Jane. 'Voor het geval je aanklopt en hij toevallig thuis is.'

Ik glimlachte en schudde mijn hoofd. 'Als hij thuis is maak ik een praatje met hem.'

'En als hij niet wil praten?'

'Dan bel ik je heel binnenkort.'

Jane keek me aan en perste haar lippen op elkaar. 'En als er iemand anders thuis is?'

Ik glimlachte breder. 'Dan bel ik zodra ik klaar ben,' zei ik.

Jane knikte langzaam, maar leek zich niet minder zorgen te maken. 'Goed... maar wees snel, oké? Ik heb geen zin om in mijn eentje in dat torentje te zitten als er nog meer onweer komt.' Ik opende mijn portier en Jane pakte me bij de mouw en trok me naar zich toe. 'Schiet op,' fluisterde ze en ze kuste me.

Ik stapte uit en wachtte terwijl Jane keerde en wegreed. En toen begaf ik me op weg naar Calliope Farms.

De lucht was een lage, rusteloze mix van blauw en wit en loodgrijs en het licht verschoof snel van dag naar nacht en terug. De wind leek uit alle windstreken te komen, beurtelings warm en koud, in lichtje briesjes of zware stoten. Water viel van de bladeren van de esdoorns en lindebomen aan de overkant van de weg, door het dichte kreupelhout en stroomde langs de weg. Alles geurde naar nat hout en gras en aarde. De temperatuur schommelde rond de vijftien graden en ik zou het warm genoeg moeten hebben in een spijkerbroek en een trui, maar om de een of andere reden was dat niet het geval. Ik schudde mijn armen los en boog mijn vingers.

Ik gespte de heuptas om, dacht aan wat Jane had gezegd en vroeg me opnieuw af of ik mijn wapen mee had moeten nemen. Maar mijn wapenvergunning gold hier net zomin als in New Jersey en de wetten van Massachusetts waren nog strenger. Trouwens, ik was niet van plan met iemand te gaan bakkeleien. Als er iemand thuis was zou ik praten – vooropgesteld dat hij of zij daarvoor in de stemming was. Zo niet, dan zou ik zonder ophef te maken weggaan. Als er niemand was zou ik zo snel ik kon naar binnen en weer naar buiten gaan. Tegen de tijd dat ik bij het bord was had ik mezelf er opnieuw van overtuigd dat ik de Glock niet nodig had.

De oprijlaan eindigde in een ruwe cirkel van aangestampte aarde en grond, omzoomd door een nat gazon en esdoorns. De boerderij lag recht voor me. Ze telde twee verdiepingen van witte, gepotdekselde houten wanden en groene luiken, een dak met groene dakspanen, dakkapellen en twee bakstenen schoorstenen. Een houten trap leidde van het pad naar een rondlopende veranda en de voordeur. De schuur stond aan mijn linkerhand, wat verder van de cirkel. Hij had een lage natuurstenen fundering en de zijwanden bestonden uit brede, witte, verticale planken. Hij was voorzien van een hooizolder en een hoge roldeur – allebei dicht – en slechts enkele ramen, allemaal hoog boven de grond. Het weiland dat ik van de weg af had gezien strekte zich ernaast en erachter uit.

Ik liep dichter naar het huis toe en zag dat de gordijnen achter alle ramen dicht waren. Ik beklom de trap naar de veranda en gluurde door de ruit in de voordeur, maar er hing een wit gordijn achter en ik zag niets. Ik drukte op de bel en hoorde hem in de verte rinkelen en ik wachtte. Na een minuut of twee drukte ik opnieuw. En nog eens. Daarna bonsde ik enkele keren en riep hallo. En toen opende ik mijn heuptas.

Het hang- en sluitwerk en het kozijn waren waardeloos en binnen twee minuten stond ik binnen. Ik deed de deur achter me dicht en keek in een schemerige gang die naar de keuken aan de achterkant van het huis liep. De muren waren lichtgeel geschilderd en de brede vloerplanken waren donker en glad. Langs de muur rechts van me liep een trap naar boven. De wind wakkerde aan en ik hoorde regendruppels tegen de ruiten tikken, maar verder niets. De gordijnen en luiken zeefden het licht en het was grijs en op de een of andere manier onderaards. Ik trok plastic handschoenen aan en snoof de lucht op. Het rook er muf en klam en een beetje naar ammoniak, maar naar niets ergers. Ik haalde diep adem, deed snel de ronde en vergewiste me ervan dat er niemand thuis was. Toen begon ik boven.

De zolder was klein, niet afgewerkt, tochtig en klam en werd slechts verlicht door één enkele kale peer en het grijze licht dat door de dakkapellen naar binnen viel. Ik haalde mijn zaklamp te voorschijn en knipte hem aan. De zolder was leeg, op een paar oude voorzetramen, schermen en een doos beschimmelde paperbacks na. De regen viel nu gestaag en roffelde luid boven mijn hoofd. Ik daalde de smalle trap naar de eerste verdieping af en ging een slaapkamer binnen.

Deze was eenvoudig ingericht met twee smeedijzeren bedden en een bureau van groen geverfd hout. Er lagen groene chenille spreien op de bedden, met daaronder kale matrassen. De vloer was gedeeltelijk bedekt met een groen met grijs gehaakt tapijt en aan de muur hing een grote luchtfoto van wat zo te zien het Tanglewood-terrein was. De ramen keken uit over de achterkant van het huis, op het gazon, een kleine appelboomgaard en de donkere, beboste helling daarachter.

De volgende slaapkamer was ingericht als kantoor, met eikenhouten dossierkasten, een cilinderbureau en een eikenhouten draaistoel. Aan de muren hingen ingelijste omslagen van de *New Yorker* en de kasten en het bureau waren leeg en stoffig. De kleine badkamer ernaast bevatte nog minder.

Naast de badkamer was de grote slaapkamer. Ik bleef in de deuropening staan, keek rond en voelde dat mijn hart sneller begon te kloppen. Deze kamer was groter dan de andere en bevatte iets meer meubilair: een groot, kersenhouten bed, een kersenhouten bureau, een kleine, zwarte schrijftafel en een stoel, een gehaakt tapijt op de vloer, een spiegel in een zwarte lijst aan de muur. Maar waar de andere kamers netjes opgeruimd en afgesloten waren, was het hier een rotzooitje.

De tweepersoonsmatras was afgehaald en lag scheef in het ledikant. Alle bureauladen op één na waren geopend en leeg en de resterende was verdwenen. Ik vond hem onder het bed en ook deze was leeg. De kastdeur stond op een kier. De kast was leeg, op een paar hangers na die op de bodem lagen, naast een kussen. In de spiegel zat een barst.

De grote badkamer was van hetzelfde laken een pak. Deze was groter dan die aan de overloop en ingericht met duur nieuw sanitair dat er oud uitzag. Maar alle laden en kastdeuren stonden wagenwijd open, als gaten in een gebit. Ik ging naar beneden.

Rechts naast de ingang was een werkkamer, een lang, smal vertrek met ramen die uitkeken op de veranda aan de voorkant en ingericht met twee lichtgroene tweezitsbanken, een oosters tapijt en de muziekcollectie van Joseph Cortese. De collectie, bestaande uit lp's, cd's en dvd's, vulde zes kamerhoge inbouwkasten en wat ik in Danes flat had gevonden was in vergelijking hiermee een instapmodel. Een mysterieus en dreigend uitziende geluidsinstallatie nam een zevende kast in beslag. De luidsprekers hingen aan de muren, evenals een dozijn foto's van een glimlachende Joseph Cortese met musici, dirigenten en vrienden. Twee van de foto's had ik eerder gezien – de ene in Danes' flat, de andere bij Nina Sachs.

De woonkamer was aan de andere kant van de gang en stond via een brede deur in verbinding met de eetkamer aan de achterkant van het huis. Het meubilair was een allegaartje en zag er comfortabel uit: brede sofa's met hoezen van sits, zware leren fauteuils met dikke ribbels, een kersenhouten salontafel en koperen lampen. Naast een van de sofa's stond een kleine linnenkast, maar die bevatte niets dan een stok speelkaarten en een doosje lucifers. De open haard achter het koperen scherm was schoon en leeg.

Ik hoorde gerommel en het zwakke licht dat door de gordijnen viel werd nog zwakker. Ik liep naar een raam en keek naar buiten. De lucht was een stormachtig mozaïek van grijs op grijs en het regende nog harder. Bladeren dwarrelden schuin opzij van de bomen.

Ik bleef in de deuropening naar de eetkamer staan. Aan het plafond hing een vierarmige kroonluchter boven een oude eikenhouten tafel met zes eikenhouten stoelen. Er waren drie ramen in de achtermuur en rechts een deur naar de keuken. Voor twee van de ramen hingen mosgroene gordijnen aan smeedijzeren roeden. Voor het derde raam, naast de keukendeur, hing alleen een rolgordijn.

Ik zette een schakelaar om en de kroonluchter ging aan. De vlamvormige peren verspreidden een zwak, geel licht. Ik liep de kamer door en bekeek het kale raamkozijn. In de linkerbovenhoek zaten lege, onregelmatige schroefgaten en rechtsboven de verbogen resten van een klamp. De geur van ammoniak was hier sterker. Ik knielde en liet de lichtbundel van mijn zaklamp over de vloerplanken glijden. De ammoniakgeur werd sterker en ik rook ook de geur van bleekwater.

Ik haalde het plamuurmes uit mijn heuptas en wrikte het in de kier tussen de vloerplanken. Ik trok het los en er zat iets korreligs, brokkeligs en bijna zwarts aan de punt. Ik liet het licht langs de onregelmatige vlek in de naden tussen de vloerplanken glijden. Er zat gestold bloed in.

'Godverdomme,' zei ik hardop. Mijn stem klonk onvast en vreemd in het lege huis. Ik stond op en liep naar de keuken.

Deze was groot en goed ingericht, met kalkstenen aanrechtbladen, kasten met glazen deuren, een groene tegelvloer en een lange grenenhouten tafel. Ik deed het grote licht aan. Er stond niets in de grote gootsteen, maar op het blad stonden een nieuw uitziend koffiezetapparaat, geopende pakken papieren borden en kopjes en plastic bestek in een van de kasten. De andere kasten waren leeg, net als de koelkast.

Aan de andere kant van de keuken was een glazen deur die toegang gaf tot een bijkeuken met een wasmachine en een droogtrommel, een aanrecht en een deur naar een houten trap en het gazon aan de achterkant. In de gootsteen lag een grote plastic fles met bleekmiddel en nog een met ammoniak, allebei bijna leeg. Onder de gootsteen stond een metalen emmer met een grote schrobborstel. De afgesleten haren waren diep donkerbruin.

Tegenover de droogtrommel was een tweede deur naar wat ik dacht dat een kast was. Maar ik had het mis. Het was een kleine, rechthoekige ruimte – een provisiekamer – met brede schappen langs drie wanden en een ranzige geur die me tegemoet sloeg. Ik liet mijn hand over de muur glijden en vond een schakelaar en ik voelde een ijsklomp neerdalen in mijn maag.

Het was een slaapplaats.

De vloer was grotendeels bedekt met een vuile blauwe turnmat, een slaapzak en hopen opgefrommelde grauwe kleren, met eromheen een borstwering van natte kranten, vettige papieren zakken, plastic limonadeflessen en snoepwikkels. Op het onderste schap stonden een grote elektrische lantaarn en een rode transistorradio en op het schap daarboven een stapel gescheurde, met plakband gerepareerde en verkeerd opgevouwen wegenkaarten. De andere schappen waren leeg. De geur was penetrant – een vochtige, dierlijke mix van bedorven voedsel, lichaamsgeur, urine en fecaliën, onmogelijk te verwisselen met iets anders – het was een concentratie van wat ik die dag in Danes' flatgebouw had geroken, toen ik in de lift was gestapt net toen Paul Cortese eruit stapte.

'Jezus,' fluisterde ik.

Ik deed het licht uit, sloot de deur en keerde terug naar de keuken en terwijl ik dat deed zag ik een flits achter de ramen en hoorde een diep rommelen in de lucht. De lichten flikkerden uit en gingen toen weer aan. Ik keek op mijn horloge en naar buiten. Het was vier uur geweest, maar naar de lucht te oordelen leek het eerder middernacht. Het onweer was vroeg.

Ik pakte mijn telefoon en klapte hem open. Geen bereik. Ik liep naar het raam. Geen bereik. Ik liep de kamer rond. Geen bereik.

'Stik.'

Ik liep naar de gang en deed de lampen achter me uit.

De portiek bood geen beschutting tegen de schuin neervallende regen en ik was binnen een minuut drijfnat. Ik knipte de zaklamp aan en de bundel sprong drie meter naar voren en loste op in de kolkende lucht. Ik daalde de trap af en liep over het snel onderstromende pad naar de schuur. Grind en modder knarsten en sopten onder mijn laarzen. De schuur lag dertig meter verderop langs het pad en was niet meer dan een vaag silhouet, tot de bliksemflits. Toen doemde hij heel even voor me op – grimmig, plat en wit – als een röntgenfoto tegen de metaalachtige lucht. En toen was het weer donker. Ik leunde tegen de wind in. Mijn haren plakten tegen mijn hoofd en regen gutste langs mijn nek. Ik richtte de zaklamp op het pad, vermeed de grotere kuilen en viel slechts twee keer.

Ik zette mijn laarzen schrap in de modder en rukte aan de roldeur, maar er kwam geen beweging in. Ik probeerde het opnieuw, zonder succes, en liep toen rechtsom om de schuur heen. Het gebouw beschutte me tegen de wind en enigszins tegen de regen en ik bleef dicht bij de muur terwijl ik me over stenen en lage begroeiing een weg baande naar de achterkant. Ongeveer halverwege vond ik een tweede deur. Ik liet de lichtbundel eroverheen glijden. Het was een brede dubbele deur met verticale panelen in de boven- en de onderdeur. Hij was voorzien was zware ijzeren grendels, zware ijzeren hengsels en een fonkelnieuwe klamp in de deurpost, met daarin een blinkend nieuw hangslot. Ik opende mijn heuptas en haalde de koevoet eruit.

Dit deurkozijn was niet waardeloos, evenmin als het hang- en sluitwerk en ik zette er veel kracht achter en ging niet subtiel te werk. Er klonk een scheurend geluid en de klamp liet los uit de deurpost, samen met een paar lange, gegalvaniseerde schroeven. Ik duwde de deur open en stapte naar binnen.

Het was er donker en stil en het rook er naar vochtig hout, vochtige grond, vochtig hooi en compost. En er hing ook een garagegeur – van metaal, rubber, benzine en uitlaatgassen. En onder dat alles vaag de geur van iets anders. Ik liet de bundel van de zaklamp langs de muur glijden en vond een schakelaar.

De lampen hingen aan de zware nokbalk, maar het waren er weinig en ze waren zwak en overal waren diepe schaduwen. Maar de belangrijkste dingen waren duidelijk zichtbaar: het zwarte houten gebint, de aangestampte lemen vloer, de ladder naar de hooizolder aan de voorkant van de schuur, naast de met kettingen afgesloten roldeur, de rij open boxen langs de lange wand tegenover me, de grote open ruimte in het midden en de grote, zwarte BMW die daar stond. Mijn hart bonsde en ik haalde langzaam en diep adem.

Ik liep naar de auto en de geur werd sterker. De kentekenplaten waren, uiteraard, van New York en uiteraard waren het die van Danes. Ik liep om de auto heen. De ruiten waren aan de binnenkant beslagen, maar niet zo erg dat ik niet het lichaam op de achterbank kon zien.

— 33 —

Hij was al lang dood en baadde in zijn eigen lichaamssappen – gezwollen, los en uiteenvallend. En hij was, als een afstotelijke worst, gewikkeld in een dik stuk plastic waarvan de uiteinden waren dichtgeplakt met tape. Het plastic was stijf en doorschijnend en verhulde alle eventueel nog overgebleven lichaamskenmerken, maar ik zag een zwarte, onregelmatige plek waar de borstkas was geweest.

De auto en het plastic hadden de dieren geweerd, maar de stank niet binnengehouden. Die was verstikkend en overweldigend, walmde uit het geopende achterportier en vulde de schuur in een oogwenk. Ik deed het portier dicht, deinsde enkele passen terug en klemde mijn tanden op elkaar om mijn braakneigingen te onderdrukken. Ik veegde mijn ogen af aan mijn mouw, trok de kraag van mijn trui voor mijn neus en bleef even zo staan, oppervlakkig inademend. Ik dacht aan Nina en ik dacht aan Billy.

'Godverdomme,' fluisterde ik.

Ik keek naar de auto. Het was een plaats delict – het hele huis was een plaats delict – en ik moest er eigenlijk afblijven. Maar ik had *eigenlijk* al een tijd geleden afgezworen – toen ik het huis was binnengedrongen en het slot van de schuurdeur geforceerd had, of misschien al veel eerder. Ik schudde mijn hoofd. Mijn plastic handschoenen waren nat en gescheurd en ik trok ze uit en stopte ze in mijn zak. Ik zocht in mijn heuptas en pakte een nieuw paar.

'Wie A zegt...' zei ik in mezelf.

Ik opende het portier aan de bestuurderskant en een nieuwe geur van ontbinding walmde me tegemoet. Ik klemde mijn tanden op elkaar en keek op de stoelzitting. Het was er een puinhoop. Alsof er een wervelstorm doorheen was gegaan en er de inhoud van een linnenkast, een kleerkast en een medicijnkast had gedropt. Lakens en dekens en handdoeken lagen op één hoop met broeken en ondergoed en schoenen; overhemden vormden een kluwen met kussenslopen en sokken en de hele chaotische hoop was vermengd met toiletartikelen: tandenborstel, potje vitaminetabletten, scheermesjes, flosdraad, scheerschuim. Het was wrakgoed van de storm waarvan ik de sporen had gezien in de grote slaapkamer in de boerderij.

In de ruimte vóór de passagiersstoel stond een tas, van bruin leer en zo te zien duur, net zoals de reistassen die ik in Danes' flat had gezien. Naast het rempedaal lag een bruin plastic medicijnflesje met een witte dop. Ik knielde neer en liet de lichtbundel erop vallen. Er had een door een arts voorgeschreven antibioticum in gezeten dat bestemd was geweest voor Gregory Danes. De hendel voor de bagageruimte zat naast de bestuurdersstoel en ik drukte erop en het kofferdeksel wipte open op een kier.

Ik sloot het portier en liep om de auto heen. Een blauwe bliksemflits lichtte op achter de hoge ramen en er klonk een knetterend geluid, bijna onmiddellijk gevolgd door een donderslag. Het gebouw schudde en ik voelde de drukgolf tegen mijn schouders en ik was ervan overtuigd dat de ruiten waren verbrijzeld. De zwakke lampen doofden en gingen weer aan. Ik keek omhoog naar de ruiten en zag dat ze nog heel waren. Ik tilde het kofferdeksel op.

Het eerste wat ik zag was de ontbrekende gordijnroede uit de eetkamer en het ontbrekende groene gordijn. De roede was verbogen en het gordijn stond stijf van geronnen bloed. Eronder lag opnieuw een krankzinnige hoop. In plaats van linnenkasten en kleerkasten was het alsof iemand een koelkast op één hoop had gegooid met een bureaublad. Het eten lag bovenop: een pak melk, eieren, boter, een pak koffie, brood, een pak Zwitserse ontbijtvlokken, een fles rode wijn, allemaal omgekruld en verrot en tot gruis vergaan. De stank sloeg me tegemoet, concurrerend met – en heel even verdringend – de stank van de dood. Het was een kort respijt. Onder het eten lag hardware.

Ik zag de gsm die nooit was opgenomen, een elektronische organizer zo groot als een stok kaarten en de laptop die ontbrak aan het dockingstation in Danes' flat. Ik zag een wijnglas, gebarsten en donker van droesem en schimmel en een kronkelige streng zwarte snoeren eromheen. Daaronder lagen de papieren.

Sommige ervan waren dagbladen – *New York Times, Journal, Financial Times* – andere tijdschriften en weer andere glossy brochures en catalogi. Maar het pak melk en de fles wijn waren leeggelopen op de stapel en hadden de elektronica plakkerig en vlekkerig van een soort roze schurft gemaakt en de papieren nagenoeg onleesbaar. Ik zocht voorzichtig in de rotzooi en stopte toen ik de aktetas vond. Het was een zwarte leren tas en hij was open en leeg op een harmonicamap na. De map was rood, met een lange klep en een elastiek, en bijna ongeschonden. Ik haalde hem uit de tas en opende hem.

Erin zat een dikke stapel papier. Ik bladerde erdoorheen en mijn hart begon te bonzen. Achter me, naast de dubbele deur, stond een bank en ik ging zitten en begon te lezen.

Het waren voornamelijk researchrapporten, met titels zoals 'Vlieg met me naar de maan: een overzicht van internetreisbureaus' en 'Eenmaal, andermaal, verkocht: evaluatie van internetveilinghuizen' en ik herkende de namen van de auteurs – Irene Pratt, Anthony Frye en anderen – als werknemers van de afdeling Aandelenresearch van Pace-Loyette. De rapporten lagen in chronologische volgorde op de stapel – van oud naar nieuw – en op elke pagina van elk rapport stond in zwarte hoofdletters 'Vertrouwelijk' in de linkerbovenhoek en 'Concept' in de rechterbovenhoek.

Het rapport boven op de stapel was geschreven door Irene Pratt en het was vijftien maanden oud. Het telde acht pagina's, gaf een overzicht van de aandelen van softwarebedrijven voor videospellen en eindigde met een advies om de aandelen van drie verschillende bedrijven te kopen. Onder aan de laatste pagina was een rechthoekig strookje geniet, afkomstig van een faxapparaat, ter bevestiging van de verzending, een maand of vijftien geleden van een acht pagina's tellende fax vanaf een nummer in het kengetalgebied 212 – in New York City – naar een nummer in kengetalgebied 203 – een nummer in Connecticut.

Het onderste rapport van de stapel was nauwelijks drie maanden oud. Het was opgesteld door Anthony Frye en nog iemand van Pace-Loyette en besloot met aankoopadviezen voor de aandelen van vier bedrijven. Het telde zes pagina's en aan de laatste pagina zat eveneens een faxbevestiging geniet – zes pagina's naar een nummer in Connecticut. Sterker nog: aan alle twaalf de rapporten van de stapel zat een faxbevestiging geniet. Het nummer van de afzender was telkens anders, maar dat van de ontvanger steeds hetzelfde. Het leek erop dat iemand concepten van de vertrouwelijke onderzoeksverslagen van Pace-Loyette naar iemand in Connecticut had gestuurd en dat diegene dat meer dan een jaar lang had gedaan.

Het waren de pagina's die ik tussen de onderzoeksverslagen vond die me vertelden waarom. Het waren er twaalf, één na elk rapport, en ze waren getypt – niet geprint – op het sobere maar elegante briefpapier van de Kubera Group. Het waren investeringsverklaringen.

De data kwamen ongeveer overeen met de data van de researchrapporten, telkens een week later, en ze hadden betrekking op de resultaten van slechts één investering: een aandeel van dertig procent in een fonds met de onschuldig klinkende naam Kubera Venture Twelve. Het was kennelijk een investering die aardig wat had opgeleverd. Op de eerste verklaring, daterend van vijftien maanden geleden, was het aandeel van de investeerder in Kubera Venture Twelve net iets minder dan vijf miljoen dollar waard, op de laatste was de waarde meer dan verdubbeld. Ik vermoedde dat de investeerder behoorlijk tevreden was geweest met dat resultaat, maar aangezien hij momenteel in plastic verpakt was en tot ontbinding overging op de achterbank van een auto, zou ik het nooit zeker weten. Maar misschien dat Marcus Hauck het me kon vertellen – het was tenslotte zíjn handtekening die onder alle verklaringen stond.

Ik ademde langzaam uit. Zoals ik het zag deden ze samen zaken, Danes en Hauck. In strijd met zo'n triljoen wetten en NASD-regels en wie weet hoeveel interne reglementen van Pace-Loyette deden ze samen zaken. Danes' aandeel bestond er kennelijk uit dat hij Hauck voorzag van concepten van researchrapporten van Pace-Loyette. Haucks taak, nam ik aan, bestond eruit dat hij die informatie gebruikte om in zijn fondsen te beleggen. De rapporten van Pace-Loyette mochten tegenwoordig dan minder zwaar wegen dan ooit het geval was geweest, maar door de omvang van de posities die fondsen zoals Kubera innamen konden zelfs kleine stijgingen of dalingen over grote bedragen gaan. En Danes had, in ruil voor zijn faxservice, klaarblijkelijk een deel van die opbrengst voor zichzelf opgeeist – zonder zich druk te maken over tegenstrijdige belangen of details zoals handelen met voorkennis. Ik dacht aan wat Anthony Frye me had verteld over Hauck – over de hobbels in de weg die zijn fondsen waren tegengekomen en over de magie die hij het afgelopen jaar op de een of andere manier had teruggevonden – en ik was er tamelijk zeker van waar hij zijn steen der wijzen had gevonden.

Ik bladerde de stapel nog eens door. Het dossier was belastend voor zowel Hauck als Danes en hoewel het misschien niet het hele papieren spoor bevatte, was het genoeg om zelfs de sloomste onderzoeker op het juiste spoor te zetten. Het was bijna een heterdaadje en ik vroeg me af waarom Danes het had bijgehouden. En toen herinnerde ik me wat ik over Danes had gehoord – van Irene Pratt en Anthony Frye en zelfs van Neary – over zijn automatische argwaan tegenover iedereen, zijn neiging om overal samenzweringen te zien en zijn gewoonte zijn bestuur stevig bij de ballen te grijpen. Wat Danes verder ook voorgehad mocht hebben met dit dossier, het was tevens een verzekeringspolis. Als hij ooit voor een van deze dingen voor schut zou zijn gegaan, zou hij niet alleen zijn gegaan.

Ik vroeg me af of Marcus Hauck van dit dossier wist. Zo ja, dan had hij vast slecht geslapen en dat verklaarde misschien waarom hij Pflug en zijn legertje onderaannemers had gemobiliseerd toen Danes uit het gezicht verdween. Dat zoiets explosiefs in handen was van een zo lastige en wispelturige medesamenzweerder als Danes was al erg genoeg. Dat de mede-samenzweerder vermist werd was oneindig veel erger.

Ik hoorde een lang aanhoudend gerommel en een windstoot; de dub-bele deur vloog open en ik schrok op. Ik keek op mijn horloge; het liep tegen zes uur. Ik wierp een laatste blik op de papieren en stopte ze terug in de harmonicamap op hetzelfde moment dat er opnieuw een uitbarsting van licht en oorverdovend lawaai boven me explodeerde. De dakbalken schudden en glas rinkelde in de ramen. De lampen knipperden – uit en aan en weer uit – en bleven uit. Ik deed mijn zaklamp aan.

'Stik,' zuchtte ik. In het donker zou ik niet veel meer vinden en ik dacht eerlijk gezegd dat ik had gevonden wat ik zocht. Het werd tijd om de politie te bellen. Het werd tijd om op te stappen.

Ik liep naar de auto, stopte het dossier weer in de aktetas en sloot de kofferruimte. Ik pakte mijn gsm en probeerde of ik bereik had, maar waar ik ook ging staan in de schuur, de ether bleef leeg. Ik borg de gsm op en liep naar de deur.

Het regende en waaide onstuimig toen ik naar buiten stapte en het neergutsende water en de kille, naar ozon ruikende lucht waren een schok en een opluchting tegelijk. Ik haalde diep adem, keek naar boven en liet het water over mijn gezicht en door mijn haren stromen. Ik zou mijn kle-ren moeten verbranden en een lange, hete douche nemen, maar dit was een begin.

Ik bleef een minuut of twee zo staan, richtte mijn zaklamp toen naar de grond en begon me langs de zijmuur van de schuur een weg terug te ba-nen naar het huis en de weg. Ik vroeg me af wat de stroomuitval voor ge-volgen had gehad op het gsm-signaal en of ik op de weg wél bereik zou hebben. Ik dacht aan de politie die zou komen in reactie op mijn telefoon-tje – vooropgesteld dat ik zou kunnen bellen – en wat ze ervan zouden vinden dat ze op een middag zoals deze hierheen werden gesleept en me hier aantroffen en aan wat ik gevonden had. En ik dacht aan Jane en hoe ze het maakte in de storm. Ik struikelde over een steen, maar hield me op de been. Ik sloeg de hoek van de schuur om en stootte mijn knie aan de bumper van de auto die daar stond.

Ik deinsde terug en liet de lichtbundel over de auto glijden. Het was een Chrysler – een K-model – minstens twintig jaar oud en bruin van het roest. Ik keek om me heen en tastte in mijn heuptas naar de koevoet, maar ik was te traag en te laat en zag het niet aankomen.

— 34 —

Iets als een vierduims balk raakte me tussen mijn schouderbladen en mijn zaklamp vloog door de lucht, de regen en het donker in. Hij greep me bij mijn nek en mijn riem en ik vloog eveneens door de lucht, met mijn gezicht op de motorkap van de Chrysler, met een klap die de donder overstemde. Ik gleed op de grond en hij pakte me bij mijn linkerarm en er barstte iets in mijn schouder en ik vloog opnieuw door de lucht, tegen de zijkant van de schuur. De klap en de pijn drongen pas tot me door toen ik in elkaar zakte in de modder en tegen die tijd waren het abstracties.

Ik raakte niet buiten westen, niet helemaal, maar ik kon me amper bewegen en mijn gedachten waren stroperig en onsamenhangend. Ik voelde dat hij mijn riem beetpakte en me meesleurde. Ik voelde de stenen en het struikgewas waar ik doorheen werd gesleept en bij elke hobbel voelde ik een verzengende pijn in mijn schouder. Ik voelde de wind gieren en de regen in vlagen op me neerdalen en ik voelde dat het ophield toen ik over een drempel werd getrokken. Ik rook weer de doordringende, weeïge stank van de dood en dichterbij een ranzige, bekende geur. En toen gaf hij me een zwiep en ik gleed over de lemen vloer en kwam met een klap tot stilstand tegen iets van hout. En toen ging ik van mijn stokje.

Toen ik bijkwam zag ik licht. Het was afkomstig van een elektrische lantaarn op het dak van de BMW en wierp een melkwitte kring rondom de auto en een zwarte schaduw daarbuiten. Ik lag ineengedoken in de schaduw, in een van de halfopen stalboxen aan één zijde van de schuur. Ik had bloed in mijn mond en misschien modder en de zijkant van mijn gezicht was dik en gevoelloos. Mijn oren tuitten en mijn linkerschouder lag uit de kom. Mijn linkerarm hing nutteloos langs mijn zij als een lege mouw en hij klopte en brandde als ik alleen al inademde. Ik bleef roerloos liggen en ademde langzaam terwijl ik keek hoe Paul Cortese naast de BMW heen en weer ijsbeerde, de lichtkring in en uit.

Hij was groter dan in mijn herinnering — minstens een meter negentig — en breder en hij was nog havelozer en waanzinniger. Zijn werkschoenen waren doorweekt en bemodderd, net als zijn kakibroek en zijn tot de draad versleten bruine trui. Zijn dunne, verwarde haren plakten tegen zijn hoofd en zijn brede gezicht had een baard van een week. Er zat plakband aan zijn bril en modder op de glazen en ik kon zijn ogen niet zien. Hij maakte schokkerige, onbeholpen gebaren met zijn dikke, korte handen en ik zag dat ze overdekt waren met vuil en schrammen. Zijn kleine mond bewoog en ik kon hem boven de storm uit net verstaan.

'Zie je – zie je wat er gebeurd is? Hij heeft er weer een achtergelaten. Ik zie het en ik weet dat jij het ook ziet. Jij ziet alles. Hij laat ze achter en nu moet ik ze opruimen.' Hij praatte zacht en snel en monotoon en het rijzen en dalen van zijn stem en de pauzes hadden te maken met zijn ademhaling en niet met betekenis. Het was op de een of andere manier bizar liturgisch.

'Je weet dat hij het heeft gedaan – dat weet je. Hij heeft er weer een achtergelaten – net als de vorige, maar buiten, in onze auto. Hij heeft ze achtergelaten in onze auto. Hij keek naar onze auto.' Cortese zweeg en verstijfde en na een ogenblik vertrok hij zijn gezicht in een grijns en schudde zijn hoofd alsof hij iets pijnlijks ontkende. 'Ik moet... ik moet ze opruimen. Ik heb ze al vaker opgeruimd – ik heb alles eruitgehaald. Daarom moet ik nu schoonmaken. Hij laat het aan mij over, dus moet ik ervoor zorgen.' Cortese hervatte zijn ijsberen en zijn wilde gebaren.

Ik ging voorzichtig rechtop zitten, leunde tegen de achterkant van de box en verbeet een snik van pijn toen ik mijn linkerarm belastte. Ik tastte naar mijn heuptas, maar die was verdwenen. Ik zocht om me heen, maar vond alleen maar leem. Cortese beukte met zijn vuist op het dak van de BMW en de lantaarn sprong op, net als ik.

'We hebben de vorige keer alles schoongemaakt – alles – het hele huis. En nu heeft hij er weer een achtergelaten. Ik moet er nu voor zorgen.' Hij liep in wijde, onregelmatige kringen rond de auto en na een paar rondjes liep hij stijf naar het andere eind van de schuur. Hij kwam terug met een grote rol plastic op zijn schouder en een groothandelsverpakking grijze tape in zijn hand. Stik.

Hij zette de rol plastic tegen de auto, legde de tape op de motorkap en verdween weer in het schemerduister. Ik trok mijn voeten onder mijn lichaam en stond in het donker langzaam op. Mijn hart bonsde en mijn arm klopte. Ik hoorde Cortese ergens rechts van me rommelen, maar door het gorgelende geluid van de regen en de wind die tussen de balken door gierde was het moeilijk te lokaliseren. De bliksemschichten verblindden me alleen maar. Cortese slaakte een kreet en het klonk ver weg. Hij was groot en krankzinnig en hij had twee gezonde armen. Ik wist niet of ik een betere kans zou krijgen.

Diep voorovergebogen en geruisloos liep ik naar de auto, om de licht-kring heen. Ik hurkte neer naast de voorbumper, luisterde even en hoorde alleen wind. Ik liep om de auto heen en naar de dubbele deur – of naar waar ik dacht dat de deur was. De schuur was pikkedonker vanaf een meter van de auto en ik bewoog langzaam en met één hand voor me uitgestrekt. Mijn knokkels raakten hout en mijn vingers vonden de deurpost. Ik liet mijn hand erlangs glijden, tastend naar de grendel en ik hoorde een geschuifel achter me en een woedend gemompel en een ijzeren klem pakte me in mijn nek.

Een vlijmende pijn schoot door mijn schouder naar mijn arm en ik schopte achteruit en raakte iets. Ik hoorde een gegrom van verbazing, maar de greep werd niet zwakker. Ik draaide mijn rechteronderarm, haal-de uit en raakte de zijne. Het was alsof ik tegen een hekpaal sloeg, maar zijn hand gleed van me af. En toen doemde zijn onderarm op uit het don-ker en beukte tegen de zijkant van mijn hoofd. Ik knikte door mijn knie-en en hij pakte me opnieuw bij mijn riem en smeet me tegen de zijkant van de BMW. Ik hapte gepijnigd naar adem, wankelde en ging neer.

Paul Cortese stapte de lichtkring binnen. Hij liep enigszins gebogen, masseerde de zijkant van zijn knie en kreunde zacht. Tranen biggelden over zijn grote gezicht en lieten bleke sporen achter op zijn huid. Ik kwam snel vanuit mijn gehurkte positie overeind en ramde mijn vuist in zijn maagstreek, net onder het borstbeen. Hij jankte en hoestte en wankelde een halve stap achteruit en ik stapte naar voren en maaide met mijn elle-boog tegen zijn luchtpijp. Dat was tenminste de bedoeling.

Cortese hief zijn dikke handen op, pakte mijn arm, gromde en duwde. Ik schoof naar de auto toe, raakte hem met mijn schouder en gilde. Cor-tese keek omlaag, wreef over zijn maag en bracht een jengelend, bloed-stollend geluid voort. De tranen sprongen hem in de ogen. Hij keek op en zijn gezicht was strak en donker van woede. Zijn ogen waren zwart en vervuld van waanzin. Ik draaide en gleed over de motorkap van de BMW en terwijl ik dat deed stak ik mijn gezonde arm uit en maaide de lantaarn van het dak van de auto. Het werd donker in de schuur.

Ik rolde en krabbelde in het donker en stopte toen mijn rug een muur raakte. Mijn hart hamerde en mijn adem gierde en het suizen in mijn oren overstemde de regen en de wind en de geluiden die Cortese mogelijk maakte. Ik haalde diep adem om tot rust te komen, staarde in het donker en spitste mijn oren.

Cortese snoof en huilde en liep rond, maar hij was bij de auto en scheen me niet te zoeken. Ik hoorde een rinkelend geluid, als van gereedschappen die tegen elkaar stootten, en toen een klik en een dunne, wit lichtbundel gleed over de BMW en de grond eromheen. Stik.

Cortese zette een zaklamp op de motorkap en bleef in het licht staan. Zijn schaduw was reusachtig en vervormd en hij leek wel een golem toen hij zich over zijn werk boog. Hij tilde de rol plastic moeiteloos op en spreidde een grote lap uit op de grond. Toen stak hij zijn hand in wat zo te zien een gereedschapstas aan zijn voeten was, pakte een tapijtmes en sneed het plastic door. Hij sneed het pak tape open, haalde er een rol uit en scheurde er de ene reep na de andere af. Het maakte een geluid als van statische elektriciteit.

Ik stond op en leunde tegen de muur. Cortese slaan had veel weg van in natte klei slaan en mijn rechterarm en -hand deden pijn. Ik schudde ze los en dacht aan deuren. Ergens rechts van me was de met een ketting afgesloten roldeur en daar kon ik precies niets mee. Vlak daarbij was de ladder naar de hooizolder, waar ik iets meer kans had – vooropgesteld dat ik binnen redelijke tijd de ladder op zou kunnen komen. Ergens links en aan de andere kant van de schuur – ergens achter Cortese – was de brede dubbele deur. Als ik weg kon komen zou het daarlangs zijn. Zo niet, dan was ik er geweest.

Ik drukte mijn linkerelleboog tegen mijn ribben en stopte mijn linkerhand achter mijn riem. Ik haalde diep adem en begon naar voren te schuifelen. Buiten werden de regen en de wind plotseling minder en het werd stiller in de schuur. Het had al een tijd niet meer gebliksemd en de donder trok weg. Ik hoorde Corteses gemompel duidelijk, en het ritselen van stijf plastic. Als ik dat kon horen, kon hij mij horen, en hoe langer ik wachtte, hoe stiller het zou worden. Ik moest ervandoor. Ik schuifelde weer naar voren en naar rechts en ik zag licht.

Het had een felle, blauwwitte kleur en heel even dacht ik dat het bliksem was. Maar het zwaaide in een boog langs de hoge ramen van de schuur en over de muren ik wist dat het een auto was. En toen hoorde ik de motor.

Cortese hoorde het ook en hij bleef doodstil staan en luisterde. Het grommen kwam dichterbij, tegelijk met de geluiden van banden op grind. Cortese pakte zijn zaklamp en bewoog van me vandaan, naar de deur, en ik hoorde het knarsen van een grendel. En toen klonk de claxon – een keer, twee keer, drie keer – telkens een sonoor geblaf. Het was de Audi. Het was Jane. Ik rende op hem af.

Cortese hoorde me in het donker en draaide zich om en ik ramde mijn rechterschouder tegen zijn borst. Hij kreunde, wankelde en mepte op mijn rug en zijn zaklamp vloog door de lucht. Ik struikelde naar achteren, draaide me om mijn as voor een onhandige zwaaistoot en raakte hem op een weke plek. Hij maakte een verbaasd geluid en opeens lagen zijn grote handen om mijn keel. Hij trok me tegen zich aan en het beet-je adem dat ik nog had werd vervuld van zijn stank. Mijn hand tastte over zijn gezicht en mijn duim vond een oogkas en Cortese gilde en smeet me van zich af.

Ik kwam in een explosie van pijn op mijn schouder neer en rolde me hij-gend op mijn rug. Corteses zaklamp lag op de grond, een meter of drie ver-der, en hij raapte hem op, pinde me vast in de straal en kwam dichterbij.

En toen knipperden de lampen aan de balken en kwamen weer tot le-ven. Cortese keek ernaar en terwijl hij dat deed ramde ik mijn hiel in zijn kruis. Hij brulde van verbijstering en pijn en wankelde diep gebogen opzij. Ik hield me vast aan de BMW en krabbelde hijgend overeind en de dubbele deur zwaaide open. Ik hapte naar adem om naar Jane te roepen – haar te waarschuwen – en liet hem met een diepe zucht weer ontsnap-pen toen er twee hulpsheriffs van Berkshire County naar binnen stapten. Mijn benen begonnen te trillen en ik gleed langs de auto omlaag en op de grond.

— 35 —

De ene storm trok weg naar het oosten en loste in zijn naijlende spoor op in ijzige sterren en een sikkelvormige maan. En een andere storm stak op, met Calliope Farms in het kolkende centrum. Ik leunde achterover in een politieauto die naar vuile sokken stonk en Jane zat in haar Audi en overal om ons heen had zich een kermis verzameld van grote officiële voertuigen, schel flitsende lichten en grote geüniformeerde mannen. Mijn laatste adrenaline sijpelde weg en ik voelde me vaag misselijk. Ik frunnikte aan mijn ijszak en mijn mitella, maar de pijn in mijn schouder was meedogenloos.

De twee hulpsheriffs die als eerste ter plaatse waren geweest waren jong – niet ouder dan vijfentwintig – en ondanks hun regenkleding drijfnat. Ze waren met geërgerde, vermoeide blik de schuur binnengekomen, maar dat was veranderd toen ik ze vertelde wat er in de auto lag en toen Paul Cortese een brabbelend geluid maakte en een klunzige spurt naar de deur ondernam.

Ze hadden Cortese tegen de grond gedrukt en hem geboeid en ons naar hun terreinauto's gebracht. Ik had de Audi op het gazon zien staan en Janes gespannen, bleke gezicht achter de beregende voorruit. Ik had naar haar gezwaaid, maar geen reactie gekregen. De hulpsheriffs hadden me gecommandeerd rustig te blijven en mijn mond te houden en ze hadden Cortese in de ene terreinwagen gezet en mij in de andere.

Ik had de voertuigen een voor een en in groepjes van twee zien arriveren: surveillancewagens van de politie van Lenox, nog een terreinwagen van het kantoor van de sheriff, een brandweerauto uit Lee en de ambulance uit Pittsfield. De ambulanceverplegers stapten achter in de auto van de sheriff om Cortese te onderzoeken, die kennelijk in een staat van verlamming was geraakt. Daarna had een hulpsheriff me naar buiten gewenkt en hadden de verplegers mij onderzocht. Ze hadden met lampen in mijn ogen geschenen, de schrammen in mijn gezicht ontsmet, me een mitella omgedaan en een ijszak tegen mijn schouder gelegd. Daarna had de hulpsheriff me weer in de auto gezet. Niemand had me meer gevraagd dan mijn naam en adres en enkele andere basale dingen. Ze wachtten op de baas. Ik hees mijn mitella op, verlegde mijn ijszak en eindelijk kwam hij.

Een stoet auto's en terreinwagens kwam achter de ambulance uit Pitts-field tot stilstand op het gazon. Ze waren grijs en donkerblauw en voor-zien van het wapen van de Massachusetts State Police. Een grofgebouwde kerel van een jaar of vijftig stapte uit de eerste auto en beklom de flauwe helling naar het huis, gevolgd door een peloton agenten en leden van de technische recherche. De al aanwezige agenten salueerden eerbiedig.

Hij overlegde even met hen en met zijn eigen mensen en leek meer te luisteren dan te praten. Hij was ongeveer een meter vijfenzeventig, met een groot hoofd en golvend grijs haar dat nodig geknipt moest worden. Zijn gezicht was breed, met grove, mismoedige trekken, een onverzorgde grijze snor en een stoppelbaard van een dag. Hij was gekleed in een honk-baljack, dichtgeritst, en een spijkerbroek en hij hield zijn handen in zijn zakken terwijl hij luisterde en knikte en af en toe in mijn richting keek.

Hij stuurde een team agenten en technische rechercheurs naar de schuur en een ander naar het huis en de resterende agent terug de helling af naar de sur-veillanceauto's. Hij bleef alleen bij het huis staan en keek om zich heen naar de mannen en de auto's en de lichten tot de agent terugkwam en hem een grote plastic beker overhandigde. Toen liep hij naar de Audi en tikte tegen de ruit.

Jane draaide het raampje omlaag en de man bukte zich en stak zijn hand uit. Ze gaven elkaar een hand en hij bood haar de beker aan. Jane pakte hem aan en de man ging op de passagiersstoel zitten en sloot het portier. Ik zag Jane een slok nemen van wat er in de beker zat en knikken, maar even later besloeg de ruit en zag ik slechts nog schimmen. Na drie kwar-tier kwam hij met mij praten.

Hij stapte voorin naast de bestuurder en bracht een geur van pijptabak met zich mee. Hij keek me door het metalen rooster heen aan. Zijn don-kere ogen stonden vermoeid, maar desondanks, en ondanks het rooster, knipoogde hij me vaderlijk toe.

'Slimme dame,' zei hij. 'Heel slim. En niet voor een kleintje vervaard. Dat was een verdomd zware storm om in te gaan rijden – zeker in zo'n speelgoedauto als de hare, en op deze wegen. Ze moet zich behoorlijk veel zorgen over je hebben gemaakt, om zoiets te doen. Ze vindt je vast aardig.' Zijn stem was diep en vertrouwelijk, met een duidelijk Boston-accent.

Ik knikte en hij keek me een ogenblik lang zwijgend aan.

'Ze is een beetje geschokt – geen wonder – en een beetje moe, maar ondanks dat behoorlijk slim. Ik mag slimme mensen. Tussen haakjes, ik ben Barrento, Louis. Ik ben hoofd van de recherche van Berkshire Coun-ty.' En toen stelde hij zijn vragen.

Het waren er een heleboel, maar geen die ik niet verwachtte – wie ik was, wat ik deed, waarom ik hierheen was gekomen, wat ik gezocht had, hoe ik in de schuur was gekomen, of ik in het huis was geweest, of ik iets had aan-geraakt, wie die grote krankzinnige kerel was, waarom hij me als een lap-penpop in het rond had gesmeten, wiens auto het was die in de schuur stond, wiens lichaam het was dat in de auto lag, wat ik wist over hoe het daar was gekomen. Hij liet me enkele keren vertellen wat ik in Calliope Farms had ge-daan, vanuit verschillende invalshoeken, en elke keer vertelde ik hem bijna alles en verzweeg ik alleen mijn inbraak en mijn onderzoek van de rode har-monicamap. Hij luisterde en knikte en liet niets blijken. En toen ik dacht dat hij klaar was, zuchtte hij, haalde een stuk papier uit zijn jaszak en keek erop.

'Ik lees hier dat je politieagent bent geweest: hulpsheriff in New York, Burr County.'

Ik keek hem aan en zei niets. 'Dat is niet ver van hier – drie, misschien vier uur rijden. Ik herinner me die zaak van een paar jaar geleden. Ik werkte indertijd in Springfield, maar ik weet het nog.'

Hij bestudeerde mijn gezicht en schudde even zijn hoofd. 'Dus zeg eens, toen je nog politieagent was, wat zou jij hebben gedaan als je in mijn schoe-nen stond? Wat zou jij hebben gedaan met een privé-detective uit een ande-re staat die rondhuppelt op een plaats delict – de plaats van een moord nota bene? Een die een of ander lulverhaal ophangt over deuren die al openston-den en sloten die al geforceerd waren? Een die beweerde dat hij zich zoveel zorgen maakte over een vermiste man dat – hoewel zijn cliënt hem had ont-slagen – hij helemaal vanuit dat verdomde New York City moest komen om een kijkje te nemen? Maar die – al zijn bezorgdheid ten spijt – niet de moei-te nam om de telefoon te pakken en de plaatselijke politie in te lichten? Ik bedoel – hypothetisch gesproken – wat zou jij gedaan hebben?'

Barrento verhief zijn stem niet en wendde zijn blik niet van me af. Ik zuchtte en streek met mijn hand over mijn dikke wang. 'Hypothetisch ge-sproken denk ik dat ik pisnijdig zou zijn,' zei ik. 'Maar ik zou ook denken aan hoe lang het had kunnen duren voordat ik het lijk had gevonden, als die privé-detective niet was gekomen, en hoe lang het geduurd zou heb-ben voordat ik een verdachte had gehad. Als ik zou vinden dat hij me een kleine dienst had bewezen, dan zou ik hem – hypothetisch gesproken – misschien een kans geven.'

Barrento kneep zijn lippen op elkaar en streek met zijn duim en wijsvin-ger over zijn borstelige snor. 'En als het een geruchtmakende zaak was? Als je wist dat de pers – de landelijke pers – erbovenop zou zitten, net als elke baas en politicus in het hele land? Zou je hem dan nog steeds wat ruimte geven?'

'Ik zou denk ik zeker willen weten of het een fatsoenlijke vent is,' zei ik. 'Maar als ik dat wist zou ik – in zo'n geruchtmakende zaak – blij zijn dat ik mijn tijd niet aan gezeik hoefde te besteden.'

Barrento glimlachte even. 'Bedankt voor het advies,' zei hij. Hij zakte wat onderuit op zijn stoel, streek langs zijn snor en keek een tijdje uit het raam. Toen wendde hij zich tot mij.

'Ga naar haar toe,' zei hij.

Jane had de witte plastic beker nog in haar hand toen ik in de Audi stapte. Ze keek naar me – naar mijn gezicht en mijn arm in de mitella, naar mijn doorweekte, bemodderde kleren – en wendde toen haar blik af.

'Is-ie gebroken?' vroeg ze.

'Uit de kom. Ze kunnen hem bij de eerste hulp wel weer zetten.'

'Verder alles... goed?'

'Ik voel me prima.'

'Mooi,' zei ze zacht. Ze zweeg enige tijd en keek naar de agenten die met spullen van en naar de schuur liepen en toen vertelde ze me wat er gebeurd was.

Het was een simpel verhaal. Toen ze urenlang niets van me had gehoord en me niet aan de telefoon kon krijgen, was ze bezorgd geworden en naar Calliope Farms gereden. Ze had de auto langs de weg geparkeerd en had ondanks de regen licht in de schuur gezien en een auto – Corteses Chrysler – op de oprit en haar angst was nog sterker geworden. En toen had ze de lichten zien uitgaan en gemeend dat ze iets hoorde en ze had het alarmnummer gebeld. De meldkamer was overspoeld geweest met telefoontjes en de medewerker had sceptisch gedaan, zodat het even geduurd had voordat de hulpsheriffs kwamen opdagen. Toen het zover was, waren ze een minuut later dan Jane, die zo lang mogelijk gewacht had en de helling op was gereden, zonder plan, behalve om te claxonneren. Ze beëindigde haar verhaal, haalde diep adem en dronk de laatste koud geworden slok op.

Personenauto's en terreinwagens reden af en aan en geüniformeerde mannen kwamen en gingen en liepen rond in de modder en Jane en ik sloegen ze gade en zwegen. Gekleurd licht spoelde door de auto en Janes handen en gezicht kregen blauwe, witte en rode tinten. De ijszak was ontdooid en de pijn in mijn schouder werd erger. Mijn maag was leeg en mijn ogen zanderig en branderig. Ik sloot ze, bleef doodstil zitten en haalde ternauwernood adem. Gedachten tolden enige tijd door mijn hoofd, gleden en waggelden en stopten toen helemaal.

Barrento tikte op de ruit en ik schrok op. Jane draaide het raampje omlaag.

'Jullie kunnen voor vandaag gaan. Maar ik wil jullie morgenvroeg op het bureau in Lee zien, voor een officiële verklaring.' Hij keek naar Jane. 'U zult gauw klaar zijn,' zei hij. Hij keek naar mij. 'Jij wat minder snel.'

Jane keerde de auto en reed langzaam de oprit af. Er stonden schijnwerpers bij de ingang en politieagenten. Naast de weg stond een busje, zo'n honderd meter van het bord. Het was groot en had een grote rode acht op de zijkant en een satellietschotel op het dak. Er liepen mannen omheen, met schijnwerpers en een grote videocamera die ze op ons richtten toen we passeerden. Er was zwaarder weer op komst.

De eerste hulp in het ziekenhuis van Pittsfield was schoon en gezellig en voorzien van een lange rij frisdrank- en snoepautomaten. Jane nipte aan een Sprite terwijl we wachtten, bladerde in een tijdschrift en zweeg. Ik at een reep chocolade en pleegde telefoontjes.

Om te beginnen met Tom Neary. Hij luisterde zwijgend terwijl ik hem vertelde wat ik had aangetroffen en wat er daarna was gebeurd en hij zuchtte diep toen ik klaar was.

'Moord en handelen met voorkennis,' zei hij. 'Het is een puinhoop, alom. En als er geen oorlog uitbreekt of zoiets, gaat de pers volledig uit zijn dak. Er zijn vast al nieuwslezers die op je gezondheid klinken. Ik benijd – hoe heet hij – Barrento niet. Wat denk je, is hij goed?'

'Hij is erg goed, denk ik. En hij heeft genoeg ervaring om het ergste te verwachten.'

'Terecht, met zoiets geruchtmakends. Iedereen boven hem in de pikorde zal aandringen op een snelle afsluiting. Gelukkig heeft hij al iemand te pakken.' Neary dacht even na. 'Zouden hij en zijn mannen wijs kunnen uit Danes' dossier?'

'Ze zullen er uiteindelijk wel achter komen, het kan misschien even duren voordat ze eraan toe komen. Ze moeten het lichaam eerst formeel identificeren, een autopsie verrichten en daarna hebben ze een berg bewijsmateriaal te verzetten.'

'Maar als ze zover zijn?'

'Dan trommelt Marcus Hauck een peloton juristen op of neemt een lange vakantie ergens in het zuiden. En iedereen bij Pace-Loyette zal druk zijn met samenvattingen.'

Neary lachte grimmig. 'Ik weet niet zeker of dit hun einde zal betekenen, maar zo niet, dan zullen ze wel grote schoonmaak houden – ongetwijfeld met inbegrip van de beveiligingsdienst.'

'Het gaat om de timing,' zei ik. 'Ik ben een beetje kwetsbaar wat dat dossier betreft – ik heb Barrento verteld dat ik Danes' auto alleen maar bekeken heb, niet aangeraakt. Dus ik kan niets over dat dossier weten voordat Barrento het heeft gevonden.'

Neary grinnikte opnieuw. 'Meen je dat nou? Ik neem met alle genoegen afstand van Pace tot dit losbarst. Ik zal hun geld na afloop aannemen – gesteld dat er een afloop is – maar ik word liever niet al door de eerste de beste golfrioolwater ondergespat.' Zijn lach stokte. 'Denk je dat Barrento je oppakt?'

'Ik heb het idee dat hij een heleboel andere dingen aan zijn hoofd heeft, maar je weet het nooit.'

'Heb je het Sachs al verteld?'

'Ze is de volgende.'

'Rot voor het joch.'

'Billy. Hij heet Billy.'

'Oké, Billy. En hoe voel jij je?'

Ik keek in de richting van de wachtruimte, waar Jane met een tijdschrift op schoot naar de muur zat te staren.

'Goed,' zei ik. 'Ik voel me goed.'

Ik probeerde Nina Sachs, maar kreeg haar antwoordapparaat en liet geen bericht achter. Toen riep de man achter de balie mijn naam om. Een kwartier later stond ik weer buiten, met mijn arm in de kom, verbonden en in een nieuwe mitella en met een nieuwe ijszak. Jane wachtte in de auto.

De straten van Lenox waren verlaten toen we door het stadje reden, en bijna droog. Het kleine parkeerterrein bij de Ravenwood Inn was op ons na leeg. Jane zette de motor af, bleef met haar handen op het stuur zitten en keek recht voor zich uit. Haar korte zwarte haren lagen als gebeeldhouwd rond haar kleine, verfijnde oor. Haar onderlip trilde. Spieren bewogen in haar onderarm terwijl ze haar handen om het stuur spande en ontspande. Het tikken van de motor klonk luid.

'Jane, ik...' Mijn keel was dichtgesnoerd en ik kreeg geen lucht. Ik haalde diep adem. 'Ik weet dat *bedankt* niet toereikend is, maar *het spijt me* evenmin.'

Jane onderbrak me. Haar stem was zacht en vast. 'Waarom zou het je spijten? Het komt niet door jou, toch? Het komt door die krankzinnige. Het was gewoon werk, ja?'

'Ja.'

Jane slikte. 'Heb je moeilijkheden – met de politie?'

'Ik weet het niet. Het hangt af van wat Barrento van plan is, hoeveel hij wil...' Ik zweeg en staarde naar Jane, die haar hand onder de stoel had gestoken en de Glock te voorschijn haalde. Hij lag dofzwart en afstotelijk in haar schoot. Ze staarde ernaar alsof hij uit de lucht was komen vallen.

'We moeten hem hier niet laten liggen,' zei ze. 'We moeten eraan denken dat we hem mee naar binnen nemen.'

'Jane, wat wil je...'

'Ik weet niet waarom ik hem mee heb genomen. Ik dacht dat je hem misschien nodig zou hebben... of dat ik kon...' Ze lachte kort, snikkend. 'Dus... heb ik hem meegenomen.' Ze draaide zich naar me toe en haar volmaakte gezicht verschrompelde en haar volmaakte ogen losten op in tranen.

36

Jane was woensdag al vóór zes uur uit bed en ze bewoog zich snel door de kamer – douchen, aankleden, haar tas inpakken. Ik lag in bed, nog half slapend, en even maakte ik mezelf wijs dat we thuis waren en dat ze zich gereedmaakte om naar haar werk te gaan. En toen voelde ik een steek in mijn schouder en de hele voorgaande dag kwam weer in mijn gedachten. Ik opende mijn ogen en Jane stond aan het voeteneind. Ze was aangekleed en haar tas hing over haar schouder. Ze had haar autosleutels in haar hand.

'Gaat het?' vroeg ze. Ik knikte. 'En je kunt bij het autoverhuurbedrijf komen, en rijden met die arm?'

'Het gaat prima.'

'Goed dan... dan ga ik een verklaring afleggen en rij terug naar de stad.'

Ik kwam overeind, maar draaide me verkeerd en iets als een gloeidraad schoot door mijn schouder. Jane zag het aan mijn gezicht.

'Niet doen,' zei ze. 'Blijf nog even liggen.' Ze klopte op mijn voet.

Ik keek haar aan en knikte. 'Rijd voorzichtig,' zei ik.

Licht stroomde door de grote ramen naar binnen en ik hoorde vogels en het blaffen van een hond. Na een minuut hoorde ik Janes auto starten en wegrijden. Ik keek naar het plafond, trok de dekens om me heen en dacht erover verder te slapen, maar ik deed het niet.

Ik stond op en bewoog mijn arm aarzelend in het rond. Hij deed pijn en was gekneusd en nog steeds een beetje dik, maar alles was er nog. De pafferigheid was minder, maar ik had een snee in mijn neusbrug en blauwe plekken rond mijn ogen. Ik pakte de telefoon en probeerde Nina Sachs opnieuw te bereiken. Ditmaal kreeg ik haar antwoordapparaat niet eens.

Lee is vlak bij Lenox, ten zuidoosten ervan, en het politiebureau daar staat vlak langs Route 7, een onaandoenlijk bakstenen gebouw met witte kozijnen, een heleboel antennes en, toen ik er stopte, drie journaalbusjes voor de deur. Ik nam een zijdeur en een agent bracht me naar Barrento's kantoor.

Het was klein en vierkant, met een raam aan Route 7, een beige metalen bureau en het aroma van oude koffie. Barrento droeg een gekreukt groen overhemd en dezelfde spijkerbroek als de avond tevoren. Zijn honkbaljack lag slap in een hoek en Barrento zag eruit alsof hij dat voorbeeld weldra zou volgen. Zijn baard was zwaarder en zijn ogen waren uitgeblust en hij zag er jaren ouder uit dan gisteren. Hij hield een telefoon tegen zijn oor en wees naar een van de plastic stoelen voor zijn bureau. Ik ging zitten.

Het bureau was bedolven onder lagen papier en de enige lege plekken werden ingenomen door eindexamenfoto's van twee jongens wier vierkante, zware trekken jongere, minder alerte versies waren van die van Barrento. Barrento peuterde met een houten lucifer in een doorgerookte bruine pijp terwijl hij naar de telefoon luisterde en af en toe 'uh huh' zei.

Hij hing op en bekeek mijn gezicht en mijn arm in de mitella. 'Nou, je hebt in elk geval schone kleren aangetrokken,' zei hij. 'Zie je de vierde macht ginds?' Hij onderdrukte een geeuw en wees met zijn duim naar het raam. 'Dit bureau is verdomme een zeef. En het wordt alleen maar erger wanneer we de identiteit vrijgeven. Hou er rekening mee dat ze achter je naam komen. Dat heb ik ook tegen je vriendin gezegd toen ze hier was.' Ik knikte.

'Heb je een identificatie?' vroeg ik.

'Onder ons gezegd en gezwegen, we hebben zijn vingerafdrukken vergeleken met die welke zijn gemaakt voor zijn makelaarsvergunning. Het is Danes.'

'Je hebt ook een doodsoorzaak?'

'Ik heb het autopsieverslag nog niet, maar het kogelgat in wat er van zijn borst over was, was een aanwijzing.'

Ik dacht hier even over na en Barrento sloeg me gade. 'Heb je een tijdstip van overlijden?' vroeg ik.

Hij schudde zijn hoofd. 'Ik zal op het verslag moeten wachten. Maar weken geleden.'

'Heb je zijn ex al gesproken?'

'Vanmorgen vroeg. Maar genoeg vragen – laat mij er eens een paar stellen. Heb je nagedacht over wat we gisteravond besproken hebben?'

'Zo'n beetje.'

'Gedeelten van je verhaal die je wilt wijzigen?'

Ik schudde mijn hoofd.

Barrento lachte bassend. 'Nee? Jammer. Ik hoopte namelijk dat je me hiervoor een verklaring zou kunnen geven.'

Hij opende een bureaula en haalde er een grote, plastic zak met bewijsmateriaal uit. Mijn heuptas zat erin. De gereedschappen rammelden toen hij hem neerlegde. Hij stak zijn hand nogmaals in de la en pakte nog twee zakken. In de ene zat mijn zaklamp en in de andere mijn gsm, onder een dikke laag modder. Mijn schouder klopte en ik masseerde hem. Barrento grinnikte nog eens en klopte met zijn pijp op de rand van het bureau. Er dwarrelde fijne as uit, die hij met de zijkant van zijn dikke hand wegveegde.

'Ik heb nagedacht over wat je gisteravond zei – over geen tijd verspillen aan gelul – en het leek me eigenlijk best een goed advies. Ik bedoel, ik heb momenteel meer dan genoeg gelul aan mijn kop en het zou geweldig zijn een deel ervan op te ruimen. Bijvoorbeeld dat lulverhaal van je over hoe je in het huis en de schuur bent gekomen – dat er tussen haakjes niet geloofwaardiger op is geworden sinds ik je inbrekersgereedschap zag rondslingeren op het erf. En dan het gesodemieter dat ik krijg als je bij dat verhaal blijft – een speurtocht naar een niet-bestaande derde die die sloten heeft geforceerd. Plus de stront waarmee elke zelfs maar een béétje slimme advocaat zal smijten om jouw lulverhaal en mijn onvermogen om die derde te vinden te ondergraven en in redelijke twijfel te veranderen. Dat zijn drie lulverhalen die ik graag kwijt zou willen zijn.' Barrento schudde spijtig zijn hoofd. 'Snap je waar ik naartoe wil, March?'

'Min of meer.'

Barrento glimlachte. 'En nu: zou je je verhaal *min of meer* willen wijzigen?'

Ik zweeg en Barrento bekeek me nog eens. 'Niemand hier wil carrière maken met een veroordeling van een onschuldige, March. Ik mats je.'

'Waarom?'

Hij haalde zijn schouders op. 'Zoals ik al zei, ik wil mijn tijd niet verdoen. En misschien vind ik dat je me gisteren een lol hebt gedaan. En misschien zeiden een paar vrienden van me in New York dat je indertijd een fatsoenlijke smeris was en een intelligente knaap.'

'Je hebt het druk gehad.'

'De hele nacht.'

Ik knikte. 'Oké,' zei ik. 'Ik stel het op prijs.'

'Mooi. Je hebt nu de kans te laten zien hoezeer je het op prijs stelt.' Barrento's glimlach was vermoeid en ontwapenend en zijn donkere ogen waren onschuldig en glanzend als die van een spaniël. Mijn maag spande zich.

'Hoe?'

'Je hebt langer aan Danes gewerkt dan ik. Ik dacht dat je me wat achtergrondinformatie kon geven.'

'Wat voor achtergrondinformatie?'

'Over zijn vrienden, zijn familie, zijn collega's, mensen die kwaad op hem waren, mensen op wie hij kwaad was – de gewone dingen.'

Ik zweeg lange tijd en dacht behoedzaam na. Barrento sloeg me gade, met een kleine glimlach onder zijn snor. 'Ik dacht dat je een verdachte had,' zei ik ten slotte.

Zijn glimlach werd breder. 'Heb ik ook. Maar je weet hoe dat gaat – je wilt zekerheid, zeker als de halve wereld toekijkt.'

'Weet je zeker dat het niet Cortese was?'

Barrento haalde zijn schouders op. 'Ik zal me waarschijnlijk beter voelen als ik meer gegevens heb en wanneer ik met hem kan praten.'

'Is hij nog steeds van de wereld?'

'Volgens de artsen kan het even duren voordat de medicijnen aanslaan en hij een verstandig woord kan uitbrengen. En tegen die tijd zal hij wel een advocaat hebben. Het laboratoriumwerk schiet op, maar er is verdomd veel te doen.'

'Dus je bent er – op dit moment – niet zeker van dat het Cortese was?'

'Jij wel?' vroeg hij en hij begon weer in de kop van zijn pijp te peuteren. Ergens hoorde ik het knarsen van raderen.

'Ik denk dat hij Danes in plastic heeft gedraaid en in de auto gelegd.'

'Ik ook,' zei Barrento. 'Zeker gezien het feit dat we Corteses vingerafdrukken gevonden hebben op het plastic en de auto en alle rotzooi. Maar ik mag hangen als ik snap waarom hij het gedaan heeft.' Barrento stopte de pijp in zijn mond en probeerde of hij trok. Er was iets mis en hij peuterde er nog eens in met de lucifer.

'Wat denk je over het schieten?' vroeg hij.

Mijn maag spande zich nog strakker en ik antwoordde omzichtig. 'Ik heb geen wapen gezien.'

Barrento glimlachte even. 'Wij ook niet – nog niet tenminste.'

'Niet in het huis, of in Corteses auto?'

'Niks.'

'Wat op zichzelf weinig zegt.'

'Weinig,' beaamde Barrento. Hij lurkte nog eens aan zijn pijp en keek me aan. 'We denken dat hij in de eetkamer vermoord is. De vloeren daar waren schoongemaakt, maar er zat bloed in de planken.' Barrento zweeg even en glimlachte naar me. 'Maar dat weet je al, nietwaar?'

Ik glimlachte terug en hij ging verder.

'Er ontbraken gordijnen en een gordijnroe in de eetkamer. We hebben ze teruggevonden in de kofferbak, met Danes' bloed erop.' Barrento zuchtte diep en legde zijn pijp weg. Hij streek over zijn snor. 'Er lag een aardige verzameling rotzooi in: een fles rode wijn, twee wijnglazen... Heb je toevallig de vlek op de eetkamertafel gezien? Nee? Het was rode wijn. Ook in de vloerplanken bleek wat wijn te zitten, vermengd met het bloed, en zelfs in de gordijnen. We denken dat die gemorst werd toen Danes werd neergeschoten.' Barrento's ogen waren op mij gericht en ze keken nu niet vermoeid.

'Twéé glazen?' vroeg ik.

Hij knikte. 'Denk je dat hij en Cortese samen iets gedronken hebben?'

'Dat lijkt me niet,' zei ik langzaam.

'Mij evenmin. En er lagen nog meer spullen in de kofferbak – kranten, tijdschriften, allerlei catalogi.' Ik knikte vaag. Ik dacht nog aan de twee glazen en zijn volgende vraag overviel me.

'Danes heeft een kind, is het niet?'

Ik keek hem even aan. 'Een zoon.'

'Woont die bij zijn ex?'

'In Brooklyn.'

'Zit hij daar op school?'

Ik knikte. 'Waar wil je naartoe?'

Barrento haalde zijn schouders op. 'Die catalogi die we in de kofferbak hebben gevonden waren van verschillende particuliere scholen – allemaal kostscholen en de meeste hier in New England. Zeg dat je iets?'

'Ik weet het niet,' zei ik en ik zei het alsof ik het meende. Mijn schouder klopte weer en ik had een vreemd ijl gevoel in mijn hoofd.

Barrento keek me aan en streek langs zijn snor. Hij nam zijn tijd voor de volgende vraag. 'Weet je of Danes rookte?'

Ik schudde mijn hoofd. 'Nee, hij rookte niet.'

'Dat dachten we al, en Cortese ook niet – althans niet als je op zijn autoasbak afgaat. Maar iemand in dat huis rookte wel. We vonden een vuile asbak op de bodem van de kofferruimte – en een heleboel sigarettenas. En we vonden dit.' Barrento zocht in zijn bureaula. 'Het zijn er vijf,' zei hij terwijl hij het plastic zakje ophield. De sigarettenpeuken waren bruin en slap en nat.

Hij liet me even naar de zak kijken en toen riep hij iemand per telefoon en er kwam een agent binnen die de zak meenam. Barrento leunde achterover en vouwde zijn handen op zijn stevige buik.

'We moeten nog heel wat bewijsmateriaal verwerken,' zei hij. 'Vingerafdrukken op de wijnfles, de glazen en de asbak bijvoorbeeld, en DNA op de peuken – volop. En we hebben Corteses auto amper aangeraakt.

Maar ik heb gisteravond snel even gekeken. Het lijkt erop dat hij er in woonde, als hij niet in keukenkasten bivakkeerde. Die bak ligt vol stinkende kleren en snoeppapiertjes en half opgegeten hamburgers. En kassabonnen. Het lijkt wel alsof Cortese elke Seven Eleven-kassabon bewaarde die hij ooit heeft gekregen en aan de stapel te zien heeft hij ze de afgelopen weken allemaal gehad tussen hier en Florida.' Barrento boog zich naar voren, opende de bovenste la en haalde er een bruinleren tabakszak uit. Hij was versleten en zacht en de geur van tabak vulde de ruimte toen hij hem opende.

'Het zal interessant zijn de datum op een paar ervan te bekijken,' zei hij, 'als we eenmaal weten wanneer Danes gestorven is.' We zwegen even. Barrento keek me aan terwijl hij zijn pijp stopte. Ik keek uit het raam en probeerde de gedachten te vangen die van me weg tolden. Het kloppen in mijn schouder was erger geworden en het ijle gevoel in mijn hoofd was een vrije val geworden.

'Je bent niet geïnteresseerd in Cortese,' zei ik ten slotte.

Barrento glimlachte. 'Ik heb een goed gevoel over het bewijsmateriaal,' zei hij. 'Het is een heleboel, maar dit is niet het werk van een meestercrimineel. Het bewijsmateriaal zal me brengen waar ik naartoe wil. Het enige probleem is dat ze er de tijd voor nemen.' Hij stak de pijp in zijn mond en probeerde opnieuw of die trok.

'Ik heb het idee dat je de afgelopen weken hebt rondgeneusd in Danes' leven – misschien heb jij ideetjes.' Mijn hersens maakten overuren, kolkten van alle dingen die ik de vorige avond had gezien, alle puzzelstukjes die ik niet aan elkaar had gelegd terwijl ik had nagedacht over Hauck en de rode harmonicamap had doorgelezen. Ik keek Barrento aan en schudde langzaam mijn hoofd.

Zijn mond krulde, hij vertrok zijn snor en voor het eerst sloop er iets van ongeduld in zijn stem. 'Kom op, March, wat hebben ze je verdomme geleerd in Burr County? Wie is de eerste die je verdenkt als er iemand koud is gemaakt?'

Barrento nam mijn gewijzigde verklaring zonder commentaar op en liep met me mee naar de deur. De persmenigte buiten was groter en rustelozer geworden.

'Maak je de identiteit binnenkort bekend?' vroeg ik.

'Over een halfuur. Ik krijg een genie van het Openbaar Ministerie over de vloer en dan begint de pret pas echt.' Barrento stak zijn hand uit en ik schudde hem en hij keek me strak aan. Zijn ogen twinkelden niet. 'Hou contact, March,' zei hij en hij gaf me een kaartje. 'En als je iets – wat dan ook – te binnen schiet, bel dan eerst mij.'

Ik stapte in mijn huurauto en stak de sleutel in het contact. Ik bekeek Barrento's kaartje, sloot mijn ogen en haalde diep adem. En liet hem heel langzaam ontsnappen.

'Godverdomme,' zei ik zacht.

37

Het nieuws van Gregory Danes' dood bereikte New York eerder dan
ik, evenals het nieuws van mijn betrokkenheid bij de zaak. Er stond
een cameraploeg voor mijn flatgebouw toen ik thuiskwam, maar ze waren traag of onoplettend en ik was binnen voordat ze uit hun busje konden komen. Mijn voicemail was vol.

Er waren een heleboel berichten van verslaggevers, waaronder drie van
Linda Sovitch. Ze was spraakzaam en familiair en ze noemde me John. Ze
wilde me interviewen voor *Market Minds*.

Er waren ook berichten van mijn familie – van Lauren en Liz, die wilden weten hoe het met me ging, en van Ned, om te zeggen dat hij was gebeld door journalisten, dat hij het niet leuk vond en dat, als ik met de pers
praatte, hij liever had dat ik geen melding maakte van enigerlei connectie
met Klein & Sons. Echt aandoenlijk.

Mickey Rich had eveneens gebeld en ik belde hem terug.

'Ze zeiden op tv dat Paulie Danes heeft vermoord,' zei hij. Hij klonk
heel oud.

'Omdat ze zich gedwongen voelen iets te zeggen. Paulie zit in voorar-
rest – wat waarschijnlijk alleen maar goed is – maar de politie heeft nog
geen conclusies getrokken.'

'Is hij er slecht aan toe?'

'Fysiek leek hij me behoorlijk fit, maar verder maakt hij het niet best.
Hoe dit ook uitpakt, hij zal veel hulp nodig hebben.'

'Heeft Paulie u... pijn gedaan? Ik zag iets op het nieuws...'

'Ik voel me best, meneer Rich. Wat schaafwonden, verder niets.'

Rich zuchtte en zweeg. 'Ik ga erheen,' zei hij na een poos. 'Ik bedoel:
Joe zou het gewild hebben. En wie heeft hij buiten mij?'

Hij hing op en ik ging verder met het wissen van berichten en terwijl
ik dat deed zette ik de tv aan, op BNN. Een van de reporters stond voor het
kantoor van Pace-Loyette, tot ergernis van de bewaking, en viel iedereen
lastig die de lobby in- of uitliep. Ik schakelde over naar een nieuwszender,
waar het op dat moment alleen maar over Danes ging. Ze lieten oude op-

namen van hem zien terwijl hij een beleggersvergadering toesprak en met Linda Sovitch in *Market Minds* en recentere, minder vleiende beelden terwijl hij snel en schichtig om zich heen kijkend over Park Avenue liep.

Toen schakelde het programma over naar een overzicht van het verhaal tot dusver. Ik verstarde toen ze toekwamen aan de ontdekking van zijn lichaam. Luchtopnamen van Calliope Farms werden gevolgd door een nachtopname van de oprit en schijnwerpers en agenten, en van een grijze Audi TT die de weg op draaide. Mijn gezicht was duidelijk zichtbaar achter de autoruit, evenals dat van Jane.

'Stik.' Mijn stem galmde door het appartement. Ik zette de tv uit.

Mijn op een na laatste bericht was afkomstig van Marcus Hauck. Hij sprak zacht, koel en heel kort. 'Bel me.' Het laatste bericht was van Billy. Hij sprak op monotone fluistertoon.

'Je zei dat je hem zou vinden en ik denk dat je dat gedaan hebt, dus ik zou je moeten bedanken. Misschien kun je me bellen. Ik wil weten wat er met hem is gebeurd en mama wil niet met me praten of me op internet laten gaan of zelf tv laten kijken. De telefoon gaat elke vijf seconden en buiten staan tv-mensen op wacht en ze gaat helemaal door het lint. Zij en Nes schreeuwen tegen elkaar over ik weet niet wat. Mama brengt me een tijdje naar New Jersey – naar opa – maar misschien kun je me daar bellen. Ik wil gewoon weten wat er gebeurd is.' Hij noemde het telefoonnummer van zijn opa en hing op.

Ik deed mijn mitella af en draaide mijn schouder in het rond. Hij deed pijn, maar minder. Ik opende een paar ramen en startte mijn laptop. Toen ging ik aan tafel zitten en besteedde het daaropvolgende halfuur aan het opnieuw lezen van Danes' gespreksoverzicht en mijn eigen aantekeningen. Toen ik klaar was schoof ik weg van de tafel en streek door mijn haren.

'Stik.'

Ik belde Nina Sachs' appartment nog eens en kreeg opnieuw geen antwoord. Daarna probeerde ik het nummer in New Jersey dat Billy had ingesproken. Het was bezet en bleef dat twintig minuten lang en ten slotte gaf ik het op. Vervolgens probeerde ik de I-2 Galeria de Arte in Brooklyn. De telefoon ging lange tijd over voordat een geërgerd klinkende vrouw met een hoge stem hem opnam. Ze beweerde dat ze Nina Sachs niet kende en zei dat Ines er niet was. Toen ik aandrong, stelde ze voor dat ik de galerie in SoHo zou proberen. Ik belde het nummer in SoHo en er werd meteen opgenomen, maar het bleef stil aan de andere kant en toen ik naar Ines vroeg werd er opgehangen. Daarna was de lijn bezet.

Ik liep naar het raam en keek uit over de straat. De journaalploeg was weg. De zon werd zwakker en de wind was aangewakkerd. Ik trok mijn veldjack uit voordat ik naar buiten ging en hing de Glock op mijn rug.

De I-2-galerie in Soho was in Greene Street, vlak bij Canal Street. Ze was kleiner dan die in Brooklyn, een kleine ruimte in een klein bakstenen gebouw tussen twee dure schoenenzaken. Ze had een glazen gevel en een glazen deur en al het glas was bedekt met witte stoffen gordijnen. De deur was op slot en ik belde aan. Een tijdlang gebeurde er niets en toen werd er een hoek van een gordijn teruggeslagen. Het was Ines. Ze keek me een ogenblik lang aan en ging toen weg. Ik belde opnieuw en toen er minutenlang niets gebeurde, bonsde ik op de ruit. De deur zoemde en maakte een klikkend geluid en ging open. Mijn hart begon sneller te kloppen en ik ging naar binnen.

De galerie werd schemerig verlicht door het grijze licht dat door de gordijnen aan de voorkant drong en de verchroomde zwanenhalslamp op het grote zwarte bureau achterin. De muren waren leeg en de lichte houten vloeren kaal; schaduwen hingen onder het plafond. Het rook er overal naar sigaretten en gipsstof en het voelde er tien graden kouder aan dan buiten. Mijn voetstappen klonken luid en hol.

Ines zat achter het bureau, met haar handen in haar schoot op de punt van een zwarte houten stoel. Ze droeg een groene jersey jurk en haar haren vielen rond haar gezicht. Er stond een bijna leeg wijnglas op het bureau, en een eveneens bijna lege fles Merlot. Naast de fles stond een ronde glazen asbak met daarin een smeulende sigaret. En naast de asbak lag een klein, verchroomd halfautomatisch pistool. Ik haalde diep adem.

Ines boog zich naar voren en haar gezicht verscheen in de lichtkegel van de bureaulamp. Haar gezicht was ingevallen en vaal en haar grote, amandelvormige ogen waren asgrijs. Het topje van haar rechte, krachtige neus was rood en zag er verkleumd uit en de rimpels in haar voorhoofd waren donker en diep. En er liepen drie evenwijdige lijnen – felrode schrammen – vanaf de onderkant van haar linkeroor naar de linkerhoek van haar mond. Ze keek naar me omhoog en glimlachte wrang.

'Je ziet er niet best uit, speurneus,' zei ze. Ze klonk schor en vermoeid.

'Dan geldt voor ons allebei.'

'Ja. Het zijn een paar moeilijke weken geweest.'

'Dat kan ik me voorstellen.'

Ines lachte verbitterd. 'O ja, speurneus?' Ze legde haar lange vingers op de rand van het bureau. Ze stak er een uit en duwde tegen de kolf van het pistool.

'Waar is Nina?' vroeg ik.

'Ze is met Guillermo...' Haar adem liet haar in de steek en ze struikelde over zijn naam. 'Ze is met hem naar New Jersey, naar haar ouders. Het werd... te veel in Brooklyn.' Ze nam een trek van haar sigaret en de askegel knisperde.

'Komt ze terug?'

Ines haalde haar schouders op. Ze zagen er stijf en breekbaar uit onder de jersey. 'Ik weet niet wat haar plannen zijn, speurneus.'

'Wat is er met je gezicht gebeurd?'

Ines schudde haar hoofd. Haar zwarte haren waren dof en zwaar. 'Een huishoudongelukje,' zei ze terwijl ze haar wijnglas leegdronk. Ze drukte haar sigaret uit en stak een nieuwe op.

'Wist Nina ervan?'

Ze keek me door een rookwolk heen aan. 'Wist Nina waarvan?'

Ik schudde mijn hoofd. 'Dit is niet het moment, Ines. Ik weet wat voor wijn je het liefst drinkt en welk merk sigaretten je rookt. De rechercheur die de zaak in handen heeft weet dat niet, maar hij weet vast andere dingen. Hij zal vingerafdrukken vinden op de wijnfles en DNA op de sigarettenpeuken en hij zal er weinig tijd voor nodig hebben. En de eerste vergelijkingen die hij zal maken zijn die met jou en Nina. Het is dus geen tijd voor spelletjes. Nu moeten we aan Billy denken, Ines, en het is een heel ander verhaal als Nina hiervan wist.'

Ines zuchtte en liet haar schouders hangen. Er gleed een blik van wat mogelijk opluchting was als sigarettenrook over haar gezicht en verdween toen. '*Dios mio*,' fluisterde ze. 'Hij is de enige aan wie ik denk... wat er van hem zal worden... wat hij van me zal denken. Het draait allemaal om hem.' Ze balde haar lange vingers tot een vuist en sloeg op het bureau. '*¡Mierde!*'

'Wist ze het, Ines?'

Ze schudde haar hoofd en haar blik dwaalde door de schaduwen boven mijn schouder. 'Ik heb haar niets verteld, als je dat bedoelt – we hebben er nooit over gesproken. Ze wist niet wat er gebeurd was – anders had ze je nooit in de arm genomen. Later, nadat je was begonnen, toen je haar vertelde dat Danes zijn voicemail had afgeluisterd en daar abrupt mee gestopt was, en de datum waarop hij gestopt was – ik denk dat ze toen iets begon te vermoeden. Ik denk dat ze zich toen herinnerde dat ik weg was geweest, en wanneer. Ik denk dat ze toen wist wat ik gedaan had, maar ze wílde het niet weten. Snap je?' Ik ademde diep uit en knikte. 'Ik denk dat ze je daarom aan de dijk zette.'

'Maar je hebt het nooit met haar besproken?'

'Toen we het hoorden... dat het lichaam was gevonden... heb ik het geprobeerd. Maar ze was zo bang en... boos.' Ines betastte de schrammen op haar gezicht. 'Ze wilde het niet horen en ze wilde niet dat ik erover praatte.' Ze schudde haar hoofd en vouwde haar handen voor zich, alsof ze bad.

'Maar hoe kan ik erover zwijgen, speurneus? Als ik naar Guillermo kijk – wanneer hij naar zijn vader vraagt – hoe kan ik er dan níet over praten? Het ligt als een steen op mijn borst. Het perst de adem uit me en verandert mijn ribben in gruis. Hoe kan ik dit nog langer verdragen? Hoe kan ik níet spreken?' Ines legde haar voorhoofd op haar gevouwen handen en haar schouders schokten. Haar sigaret viel op het bureaublad en begon daar te smeulen. Ik pakte hem op en legde hem in de asbak. Ines legde haar hand op het pistool.

'Hoe wist je waar je hem kon vinden?' vroeg ik zacht.

'We spraken elkaar en hij vertelde me waar hij was,' zei Ines. Ze streek met haar hand over haar ogen. 'Hij vertelde me hoe ik er moest komen.'

'Je hebt hem gesproken toen hij belde over Billy?'

Ze knikte. 'Hij belde om een boodschap achter te laten voor Guillermo en ik was thuis. Ik nam de telefoon op.' Ze keek me aan. 'Hoe wist je dat?'

'Zijn telefoonrekening. Er staat niet veel op, maar er was één gesprek met het nummer van Nina, een week of twee nadat Danes de stad uit was gegaan. Ik dacht aanvankelijk dat het een van de gesprekken was waarover Billy me had verteld – een van de keren dat zijn vader een boodschap had achtergelaten. Billy had me verteld dat dat in de eerste tien dagen was geweest nadat Danes de stad had verlaten, maar ik dacht dat hij de data door elkaar haalde. Toen checkte ik de rekening opnieuw, en de duur van het gesprek, en ik realiseerde me dat Billy zich niet vergiste. Danes had nog een derde keer gebeld.'

Er gleed een blik van afkeer over Ines' gezicht. 'Ja, hij belde en ik nam op en sprak met hem.'

'Waarover?'

'Over Guillermo... over de scholen en de voogdij.'

'Werd jij in die discussies betrokken?'

Haar verbitterde glimlach keerde terug. 'Nee, speurneus, dat was iets tussen Nina en Gregory alleen. Ik hoefde alleen maar de consequenties te dragen – Nina's verdriet... en Billy's. Hij heeft het heel moeilijk gehad, vooral de laatste maanden, sinds zijn vader weer begon met advocaten.'

'Sinds hij de voogdijzaak heropende?'

Ze knikte. 'Het was heel moeilijk voor Guillermo, heel verdrietig. En toen hoorde ik Gregory's stem op het antwoordapparaat en ik... nam gewoon op.'

'En toen?'

Er ging een huivering door haar schouders en ze stak een nieuwe sigaret op. 'Het was afschuwelijk. Hij was woedend en spottend en wreed en
hij deed... triomfantelijk. Hij zei dat Guillermo bij hem zou komen wonen en dat hij hem naar een kostschool zou sturen en hij bedankte me...
dat ik het mogelijk had gemaakt.'

'Waarom?'

Ines blies een rookwolk uit. 'Hij zei dat hij vanwege mij de voogdij zou
krijgen – dat geen enkele rechter Guillermo in een huishouden met mij
zou laten.'

Ik schudde mijn hoofd. 'Lesbisch zijn is nauwelijks een reden om...'

'Dat bedoelde hij niet, speurneus. Hij bedoelde iets anders.' Ines keek
naar haar gladde rechterarm en liet een vinger over het brede, glanzende
litteken net onder haar elleboog glijden. 'Het lijkt nu zo nietig,' zei ze.

'Waar had hij het over, Ines?'

'Het gebeurde in Spanje, toen ik veel jonger was. Ik was dom en ik
deed iets stoms. Ik vervoerde een pakje voor een vriend, van Istanbul
naar Madrid. Ik werd op het vliegveld aangehouden. Het was heroïne,
meer dan een kilo. Ik heb bijna twee jaar in de gevangenis gezeten. Ik
had nooit eerder zoiets gedaan en heb het sindsdien nooit meer gedaan.'
Ines schonk de rest van de wijn in haar glas en nam een slok. 'Jaren later,
toen ik naar de vs kwam, zorgde ik ervoor dat het niet op mijn immigra-
tieformulieren stond of onder de aandacht van de vreemdelingenpolitie
kwam.'

'En Danes kwam erachter?'

'Toen hij weer met advocaten begon, nam hij detectives in de arm,
detectives in Madrid. Die vonden dossiers.' Ze snoof en droogde haar
ogen. Ik dacht aan het visitekaartje dat ik in Danes' bureau had gevonden – FOSTER-ROYCE RESEARCH. 'Gregory bedankte me voor mijn hulp,
speurneus, en wenste me een goede terugreis naar Spanje.'

Ik zuchtte en streek door mijn haren. 'Wat zei je?'

'Ik... ik smeekte hem... omwille van Guillermo. Ik zei dat we allemaal
het beste wilden voor Guillermo en dat het niet voor zijn bestwil kon zijn
als het thuis dat we voor hem hadden gemaakt werd verwoest. En ik vroeg
of we elkaar konden ontmoeten om iets af te spreken. Ik smeekte hem me
te ontmoeten, speurneus.'

'En hij ging erop in?'

Ines schudde haar hoofd. 'In het begin was hij boos. Hij schold me uit
en vroeg waar ik het lef vandaan haalde hem te vertellen wat het beste was
voor zijn zoon. Hij zei dat ik alleen maar bang was dat ik zou worden uit-
gezet. Maar ik smeekte en... ik huilde, speurneus, en hij genoot ervan. Hij

zei, als ik mijn adem wilde verspillen, waarom ook niet, en hij vertelde waar hij was.'

'En je ging ernaartoe?'

'Een paar dagen later.'

'En Nina wist van niets?'

'Ze dacht dat ik op zakenreis was,' zei ze. 'Naar de galerie in Kinderhook.' Ines zuchtte diep. Haar blik viel op het bureau en gleed over het blad en kwam tot stilstand bij het pistool. Het was alsof het een eigen aantrekkingskracht op haar uitoefende en haar blik werd er telkens opnieuw naartoe getrokken. Ze legde haar hand erop.

'Waarom ben je gegaan, Ines? Wat dacht je dat er zou gebeuren?'

Ines wilde iets zeggen en zweeg. Ze keek me aan en er rolden tranen uit haar amandelvormige ogen. 'Ik weet het niet, speurneus.'

'Dacht je dat je hem kon ompraten – dat hij zou luisteren en zich zou laten overtuigen?' Ze schudde langzaam haar hoofd. 'Had je dat bij je?' Ik wees naar het wapen.

Ze schoof het pistool over het bureaublad tot het voor haar lag. Ze keek ernaar alsof het iets zou zeggen. 'Ja,' zei ze.

'Hoe ben je eraan gekomen?' Ik deed een stap naar het bureau toe.

'Het is van mij,' zei ze en ze pakte het op en legde het in haar schoot. 'Ik heb het al jaren.'

'En je nam het mee. Waarom?'

'Ik... ik weet het niet, speurneus. Ik...'

'Was je bang voor Danes?'

Ze knikte heftig. 'Doodsbang. Hij was een kleinzielige man en vervuld van woede en verbittering en angst. En hij heeft me altijd gehaat, al voordat Nina en ik partners werden, al toen we gewoon vriendinnen waren. Ik ben altijd bang voor hem geweest.'

'En daarom nam je het pistool mee?'

Ines keek me aan en glimlachte heel even en heel vermoeid. 'Wil je dat ik dat zeg, speurneus? Is dat wat je wilt horen – dat ik er niet naartoe ging om Gregory te vermoorden? Dat ik het pistool meenam omdat ik vreesde voor mijn leven?'

Ik schudde mijn hoofd. 'Ik wil gewoon horen wat er gebeurde. Wat gebeurde er toen je hem opzocht?'

Ines nam opnieuw een slok en rilde. 'Het was afschuwelijk, erger dan aan de telefoon. Ik probeerde heel vriendelijk te zijn. Ik had wijn meegebracht en hij maakte hem open en schonk ons alle twee een glas in. We gingen aan tafel zitten en praatten. Ik zei opnieuw dat ik het beste wilde voor Guillermo, alleen het beste, en dat Nina en ik een goed thuis voor hem gecreëerd hadden. Ik zei dat Guillermo een moeilijke tijd doormaakte, een moeilijke leeftijd, en dat hij de hulp van ons allemaal nodig had. En Gregory knikte en glimlachte en ik dacht... dat hij naar me luisterde. En toen ging hij naar de kamer ernaast en kwam terug met een stapel brochures. Ze waren van verschillende kostscholen en hij lachte en vroeg of ik hem wilde helpen met het uitkiezen van een school voor Guillermo.

Hij noemde me *heroïnehoer* en zei dat de drugs me krankzinnig of idioot gemaakt moesten hebben als ik dacht dat hij ooit zou toestaan dat zijn zoon werd opgevoed door een *Spaanse pot*. En hij zei dat ik zijn zoon nooit meer een Spanjolennaam moest geven – dat hij William of Billy of Bill heette en niet *Guillermo*. En toen vroeg hij of ik weer zou gaan janken, want daar had hij zich op verheugd.'

'En toen?'

'En toen smeet ik mijn wijn in zijn gezicht en noemde hem een impotente rat. En toen stompte hij me.'

'Hij sloeg je?'

'In mijn maag. Ik viel en hij stond over me heen en lachte en... toen schoot ik.'

'Dacht je dat hij je zou blijven slaan?'

Ze schudde vermoeid haar hoofd. 'Ik weet niet wat ik dacht, speurneus. Ik weet niet wat hij gedaan zou hebben.' Ines wreef door haar ogen en kamde met haar hand door haar haren.

'En daarna?'

Ze schudde haar hoofd. 'Daarna was niets echt. Ik liep het huis uit en ik was... verbaasd. Ik was verbaasd dat ik nog kon lopen en dat mijn auto startte en dat ik kon rijden. Ik had het idee dat de mensen me wel zouden aanstaren of dat de politie zou komen, maar dat gebeurde niet. Ik reed het hele eind naar New York – het hele eind naar huis – en alles was heel gewoon en niemand merkte me op. En toen zag ik Guillermo en merkte ik dat ik niet kon ademen.

Hij was zoals altijd – lief en grappig en slim en moeilijk – en hij praatte met me over zijn school en zijn stripboeken en hij had... geen idee. Hij had geen idee dat alles anders was geworden.' Ines drukte haar vingers tegen haar ogen en haar schouders schokten. Ze haalde diep adem en ademde langzaam weer uit.

'Niemand had enig idee. Ik werd wakker, ik at, ik werkte; ik praatte met mensen en mensen praatten met mij – ik kon zelfs lachen. Alles was zoals altijd – maar dat was natuurlijk niet zo. Er waren momenten waarop ik mezelf voorhield dat, als het zo kon doorgaan, dat niemand hem zou vinden... Maar dan zag ik Guillermo – rondlopend, niet wetend...

Ik probeer mezelf wijs te maken dat ik hem gered hcb, speurneus, maar ik weet dat het niet zo is. Ik weet dat ik hem kwijt ben. Ik weet dat ik zijn leven verwoest heb.' Ze drukte de muis van haar hand tussen haar borsten en haar stem klonk verstikt en radeloos. 'En het gewicht is zo groot, speurneus... en ik kan niet ademen.'

Incs legde haar armen op het bureau en haar hoofd op haar armen. De zon was bijna onder en het licht van de straat kon niet door de gordijnen naar binnen dringen. Ik stapte dichter naar de plas van licht rondom het bureau en legde mijn hand op Ines' benige, trillende schouder en na een poos legde ze een koude hand op de mijne.

Zo bleven we even staan en zitten en toen hief Ines haar hoofd op en schoof weg van het bureau en van mij. Ze pakte het pistool van haar schoot, hield het in beide handen en richtte de loop op zichzelf. Mijn hart begon te bonzen.

'Ik was bang toen Nina jouw hulp inriep, doodsbang. Maar ergens was ik opgelucht dat er iemand was gekomen... om dit alles van me weg te nemen. En nu heb je dat gedaan en daarvoor bedank ik je, speurneus.'

Ik haalde diep en beverig adem. 'We hebben een hoop te doen, Ines, een hoop te doen voor Billy. En het eerste wat je moet doen is met een vriend van me praten. Hij is advocaat – de beste die ik ken – en hij kan ons hiermee helpen.' Ik stond te ver weg. Ik deed een halve stap in haar richting en probeerde niet naar het pistool te kijken.

Ines lachte grimmig. 'Advocaten kunnen me niet helpen, speurneus. Advocaten kunnen dit niet goedmaken tegenover Guillermo of maken dat ik hem weer aan durf te kijken. Advocaten kunnen dit niet... stoppen.' Ze liet een wijsvinger over het uiteinde van de loop glijden. Mijn huid tintelde en zweet droop over mijn rug. Mijn keel werd dichtgeknepen en ik moest vechten om een woord uit te brengen.

'Hij kan je helpen om dit te overleven, Ines, en dat is wat Billy nodig heeft. Hij heeft het nodig dat je dit overleeft.'

Ze schudde haar hoofd. 'Ik kan het niet. Ik heb zijn leven verwoest, speurder, en ik ben te laf om de gevolgen onder ogen te zien.' Ze keek opnieuw naar het pistool en ik zette opnieuw een halve stap. Ik was nog steeds te ver weg.

'Billy zal heel veel hulp nodig hebben – dat is zo – maar zonder jou nog meer.'

'Nina is er,' zei ze, maar er klonk meer hoop dan zekerheid in haar zachte stem.

'We weten allebei dat Nina niet zo goed is in helpen, Ines. Billy heeft jou nodig.'

Ze sloot haar ogen. 'Hij is de beste benadering van een kind die ik ooit zal hebben, speurneus,' zei ze zacht. Ze liet haar duimen over de trekker glijden en legde haar rechterduim eromheen. Ik schoof dichterbij. Mijn hart bonsde tegen mijn ribben en bloed bruiste in mijn hoofd. Ik boog mijn vingers. Mijn gewrichten leken vastgesoldeerd. Ik was te ver weg.

'En jij bent de beste benadering van een ouder die hij heeft, Ines. Jij bent alles wat hij heeft als thuis. Neem hem dat niet af.'

Ines hief het pistool en staarde in de loop. Haar ogen waren zwart en ontredderd en strak gericht op iets ver weg van de lege ruimte en het geluid van mijn stem. Ze kneep ze dicht en verwrong haar gezicht en mijn lichaam zette zich schrap voor de knal.

'Ines, alsjeblieft,' fluisterde ik. 'Hij heeft al zoveel verloren.'

Haar knokkels waren wit om de kolf en haar armen trilden. En toen opende ze haar ogen en ze waren gevuld met tranen. Haar vingers kregen weer kleur en ze liet het pistool zakken en legde het op het bureau. Ik legde mijn hand erop en slaakte een eeroude zucht.

— 38 —

Mijn hoofd lag tegen de hoofdsteun en ik keek naar het verkeer dat over Park Avenue naar het zuiden kroop. De taxi stond al tien minuten stil en ik dacht erover uit te stappen en te voet verder te gaan en in plaats daarvan sloot ik mijn ogen. Het was donderdagmiddag en ik was op weg naar huis. Ines Icasa was op weg naar Lee, Massachusetts, om een verklaring af te leggen in verband met de dood van Gregory Danes en in hechtenis te worden genomen. Ze werd op haar tocht vergezeld door Michael Metz, de beste advocaat die ik kende, en door de beste advocaat die hij kende en die was ingeschreven aan de balie in Massachusetts. Ze hadden onderhandeld over Ines' uitlevering tijdens verscheidene lange, gespannen telefonische vergaderingen waaraan ik had deelgenomen, evenals Louis Barrento, een zekere Graham van het Openbaar Ministerie en enkele tientallen anderen wier namen ik nooit te weten ben gekomen. Het eerste van die gesprekken had plaatsgevonden op woensdagavond en het laatste was een uur geleden geëindigd. Niemand wist hoe het voor Ines zou aflopen, maar haar advocaten waren voorzichtig optimistisch. Ines zelf had zich voorlopig voorbij hoop of angst teruggetrokken in een domein van intense uitputting.

Ik had haar voor het laatst gezien in een goed ingerichte vergaderruimte in het centrum. De gordijnen waren dicht en ze lag op een sofa te slapen toen ik binnenkwam. Ze was gedesoriënteerd toen ze wakker werd, en bang, en kwam snel overeind. Haar donkere, grote ogen flitsten heen en weer.

'Ik wilde je niet storen,' zei ik.

Haar ogen richtten zich op mij. Ze streek met haar handen over haar gezicht en door haar haren. 'Nee, ik moet opstaan. Nina komt. Ze brengt mijn kleren.' Haar stem was schor en diep en ze schraapte haar keel. 'Ze wilde Guillermo meebrengen, maar ik heb nee gezegd, niet nu. Volgens de advocaten kan ik over een paar dagen waarschijnlijk weer naar huis en dan zullen we praten.' Ze geeuwde diep. 'Ik heb me laten vertellen dat er een douche is. Ik heb behoefte aan een douche.' Ze keek me aan. 'Ben je gekomen om afscheid te nemen?'

'Alleen voor vandaag. Ik ben morgen in Lee, voor een verklaring.'

'Ik zal blij zijn als ik je zie,' zei ze. Ze ging op de rand van de sofa zitten, strekte haar armen voor zich uit en wreef met haar handen over haar dijen. Ze was bleek en uitgeput en niet voorbereid op wat haar te wachten stond en opeens wou ik dat ik een deken had om om haar heen te slaan. Maar ik had er geen.

'Ik zal ook blij zijn als ik jou zie,' zei ik.

Ines glimlachte afwezig en wreef door haar ogen. Ze wees naar de gordijnen voor de hoge ramen. 'Zou je die willen opendoen, speurneus?' Ik deed het en een schitterende lentedag sprong ons tegemoet. De lucht en de rivier vertoonden onwaarschijnlijke tinten blauw en de wolkenkrabbers waren glanzend en scherper dan etsen. Wolkenslierten dreven als suikerspinnen in de lucht. Ines haalde adem en knipperde tegen het licht. Na een minuut kwam ze naar het raam toe en bleef naast me staan en we keken naar buiten. Toen ze sprak was haar stem heel zacht.

'Dit is een prachtige stad, speurneus,' zei ze en ik beaamde het.

Beneden was ik Nina Sachs tegen het lijf gelopen. Ze was in het zwart en had een weekendtas bij zich en haar kastanjebruine haren waren opgebonden in een strakke staart. De huid van haar wangen en hals was dooraderd en vlekkerig en haar armen en benen waren stijf van woede. Ze bewoog zich snel door de lobby. Ze had me zien aankomen en was blijven staan en staarde me aan.

'Trots op jezelf?' zei ze toen ik naar haar toe kwam. Haar stem klonk sissend. 'Blij met wat je me hebt aangedaan?'

'Ik denk niet dat íémand hier gelukkig mee is,' zei ik. 'Ines en Billy en Gregory al helemaal niet.'

'Doe dat niet!' schreeuwde ze en mensen draaiden zich om. 'Waag het verdomme niet over ze te praten – noem hun naam zelfs niet. Jezus christus, als ik een tijdmachine had zou ik terugkeren naar de dag dat ik je ontmoette en je bij kop en kont de deur uit smijten.'

'Als je hem eens gebruikte om Ines ervan te weerhouden naar Lenox te gaan?'

'Denk je dat het grappig is, lul dat je bent!'

Mijn schouder deed pijn en daardoor ook mijn nek en ik had in geen dag geslapen of schone kleren aangetrokken. Mijn ogen zaten vol slaap en mijn maag was vol van te veel koffie en ik had mijn buik barstensvol van Nina Sachs. En had het haar bijna gezegd. Maar ik hield me in. 'Ik vind het het minst grappige wat ik ooit heb gehoord,' zei ik zacht.

'Als je dat maar weet, klootzak,' zei ze.

'Hoe is het met Billy?'

De rode vlekken op Nina's gezicht werden donkerder. 'Hoe denk je verdomme dat het met hem is? Hij is er ellendig aan toe, dankzij jou.'

Ik haalde diep adem. 'Zeg tegen hem dat, als hij wil praten...'

'Met jóú? Waarom, wil je hem compleet van streek maken? Nou, wees gerust – dat is gelukt.'

'Hij zal hulp nodig hebben om dit te verwerken, Nina. Hij...'

'Mijn god, jij hebt lef!' Hoofden werden omgedraaid in de lobby en de beveiligingsbeambten keken ons zorgelijk aan. 'Je negeert mijn bevelen, beschaamt mijn vertrouwen, legt mijn leven bloot voor de politie en die verrekte pers en dan – terwijl ik tussen de puinhopen sta – heb je het lef me de les te lezen over hoe ik mijn kind moet behandelen.

Nou, het gaat je geen zak aan hoe ik hem behandel, March. Je hebt mij en mijn familie al genoeg aangedaan – meer dan genoeg. Blijf verdomme uit zijn buurt. Blijf uit de buurt van ons allemaal.' Haar hakken klonken als geweerschoten toen ze wegliep. Alweer een tevreden klant.

Het liep tegen vieren toen ik thuiskwam. Er stonden geen tv-ploegen meer, maar wel een glimmende zwarte Porsche Carrera. Valentin Gromyko stapte uit en kwam me tegemoet. Hij was in onberispelijk grijs.

'Op tv zag je er beter uit,' zei hij. Er klonk enige ironie in zijn stem, maar geen spoor ervan in zijn kille ogen.

'Dat heb ik nou altijd,' zei ik en ik geeuwde en masseerde mijn schouder.

Gromyko keek naar de schrammen op mijn gezicht. 'Een misrekening?' vroeg hij.

'Dat plus concentratieverlies.'

'Een gevaarlijke combinatie, zeker voor iemand die zich zo met andermans zaken bemoeit. Ik hoop dat het geen gewoonte is, want dan betaal je me misschien nooit meer terug.'

'Bedankt voor je zorgzaamheid. Maar als je komt om te incasseren moet ik je vertellen dat de staat Massachusetts mijn balboekje voor de eerstkomende dagen heeft volgeboekt.'

Gromyko schudde zijn verzorgde hoofd. 'Ik ben niet gekomen om iets te vragen, maar gewoon om je te herinneren aan de waarde die ik hecht aan discretie. Hou dat in gedachten als je met de pers of de autoriteiten praat. Maak geen melding van Gilpin... of van mij.'

Ik lachte. 'Mijn broer adviseerde me iets soortgelijks.'

'Een verstandig man.'

'Dodelijk verstandig. Maar maak je geen zorgen – ik heb de pers niets te melden en geen reden om het met de politie over Gilpin of jou te hebben.'

Gromyko knikte. 'Dan laat ik je met rust,' zei hij. Hij draaide zich om naar zijn auto en wendde zich weer om toen ik vroeg: 'Hoe is het met Gilpin?'

Gromyko wierp me een lange, taxerende blik toe. 'Triest,' zei hij. 'En boos. En vol schuldgevoelens – al betwijfel ik of hij het beseft, of weet waarom. Hij is zwaar aan de drank en het zal nog even duren voordat hij van enig nut is.' Hij keek me nog even aan en haalde zijn schouders op. 'Families zijn gecompliceerd,' zei hij en hij stak de straat over, stapte in zijn glimmende auto en reed weg.

Ik ging naar boven, gooide de ramen wijdopen en liet de dag binnen. Ik dronk sinaasappelsap uit het pak en bladerde in een van Janes reistijdschriften terwijl ik mijn boodschappen afluisterde. Het waren er vier. De eerste drie waren van Marcus Hauck en elk ervan was dringender dan het voorgaande.

> 'Meneer March, bel alstublieft. Ik wil graag praten over uw recente reis naar de Berkshires en over wat u daar hebt aangetroffen. Ik zal u uiteraard schadeloos stellen voor uw tijd en uw deskundigheid.'
>
> 'Meneer March, bel alstublieft zo snel mogelijk. Ik wil met onmiddellijke ingang een beroep doen op uw diensten en ik zal voor het eind van de dag een voorschot storten op welke rekening u maar wilt. Bel me alstublieft.'
>
> 'March, ik moet u per se spreken met betrekking tot Gregory Danes en over wat u eventueel gezien hebt tussen zijn persoonlijke bezittingen. Bel me. Ik garandeer u dat ik het de moeite waard zal maken.'

Ik schudde mijn hoofd. Er stond heel veel op het spel voor Hauck en ik vroeg me af hoe wanhopig hij was en hoe dom en roekeloos hij wou worden. Hij was al wanhopig genoeg om me te bellen en dom genoeg om berichten achter te laten. Maar zou hij roekeloos genoeg zijn om Pflug op jacht te sturen naar het noorden – een missie misschien om het bewijsmateriaal in het politiebureau van Lee te ontvreemden? Ik hoopte het. Want na ons gesprek gisteravond zou Louis Barrento op wacht staan en de rode harmonicamap was al onderweg naar de FBI. Ik sloeg alledrie de berichten op.

Het laatste bericht was van Jane. Ik hoorde een heleboel achtergrondgeluid en haar stem klonk vermoeid en hol en ging af en toe verloren in het kabaal, maar ik verstond het.

'Het bestuur van de koper heeft vanmorgen vergaderd en de deal goedgekeurd, en we hebben alles vóór de middag ondertekend. En ik heb het helemaal gehad met die lui – ze besloten geen aanbod te doen om me te houden. Kennelijk heeft een van de bestuursleden me gisteren op tv gezien – die opname van ons toen we wegreden van de boerderij – en zich bedacht. Over wolken en zon gesproken.' Het was stil en een minuut lang hoorde ik niets dan vervormde aankondigingen en Janes ademhaling.

'Ik kan het niet John. Ik dacht dat ik het kon, maar... sorry. Ik kán het gewoon niet. Ik heb geprobeerd er afstand van te nemen, mezelf wijs te maken dat je een soort Nick Charles bent en dat je werk grappig of romantisch is en ergens losstaat van jou. Maar dat is gelul en ik kan niet doen alsof het anders is.

Gevolgd worden heeft niets vermakelijks. Aframmelingen en wapens en eerstehulpafdelingen hebben niets geestigs. Neergeschoten worden heeft niets koddigs. Ik weet niet waarom je dat wilt, John, maar ik weet dat ik het níét wil.

Het zou misschien anders zijn... makkelijker... als ik wist wat je van dit alles verwacht... van ons. Of misschien is er niets geheimzinnigs aan, misschien verwacht je helemaal niets. Misschien is je leven al precies zoals je het wilt en ik...' Ergens vlak bij Jane klonk een vervormde aankondiging, gevolgd door statische ruis. Toen haar stem terugkeerde klonk ze helder en bedroefd en resoluut.

'Mijn vlucht wordt weer omgeroepen. Ik moet gaan. Het spijt me, John.'

Ik dronk mijn sinaasappelsap, keek op mijn horloge en speelde het bericht nogmaals twee keer af. Het was uren geleden dat ze het had ingesproken, uren geleden dat haar vliegtuig was weggetaxied van de gate, over de landingsbaan had gesneld en was opgestegen, uren geleden dat het boven Jamaica Bay had gecirkeld, zijn koers had gevonden en achter een of andere horizon was verdwenen. Ik keek uit het raam en omhoog naar de lucht. Ik weet niet wat ik verwachtte te zien, zoveel uren later, behalve onwaarschijnlijk blauw en suikerspinwolken en geen spoor van haar vlucht.

DANKWOORD

Ik ben wederom veel dank verschuldigd aan de vele mensen die mij hebben geholpen terwijl ik dit boek schreef. Mijn proeflezers: Nina Spiegelman (die als enige overeenkomst met de Nina in dit verhaal haar naam heeft), Barbara Wang, Joe Toto en Jan Taradash, voor hun tijd, eerlijke commentaar en waardevolle aanmoedigingen. Jay Butterman en Stewart Rothman, voor hun technische adviezen, couleur locale en aanwijzingen omtrent Surrogate's Court (eventuele fouten zijn enkel en alleen aan mij toe te schrijven). Denise Marcil en haar team en Denise Marcil Literary Agency voor hun niet-aflatende steun. Sonny Mehta, die dit een beter boek heeft gemaakt. En Alice Wang, voor alles.